LITERATURA
POLSKA

LITERATURA POLSKA

POMYSŁ,
TEKST I UKŁAD
JAN TOMKOWSKI

PAŃSTWOWY
INSTYTUT
WYDAWNICZY

Opracowanie graficzne i typograficzne Teresa Kawińska

W doborze materiału graficznego wzięli udział oprócz autora
Teresa Kawińska, Tadeusz Nowakowski, Barbara Żebrowska

Dla książki tej pracowali graficy:
Paweł Osiński, który wykonał ilustracje na stronach działowych
i na stronach 9–11, 16, 17, 20, 21, 23, 25–27, 32, 33, 35, 38, 39, 44, 50,
53, 62–64, 68, 74, 75, 96, 97 i 111
Tomasz Tomaszewski, autor komiksów i ilustracji na stronach 82, 83,
103, 118, 119, 126, 138, 139, 152, 158, 159, 161, 168, 184, 195, 240,
241, 250, 251, 306 i 347.

Na stronach 289, 292, 305, 320–322, 326 i 340 wykorzystano grafiki
Jacka Depczyka, któremu Wydawnictwo dziękuje za ich udostępnienie.

Zdjęcia wykonali:
na stronach : 112 — Beata Dzianowicz
              315 — Andrzej Miłosz
              252, 253, 256, 261, 264, 324, 325 i 331 — Adam Zieliński
              256 — Teresa Żółtowska.

Redaktor merytoryczny Barbara Żebrowska

Redaktor techniczny Irena Rzepkowska

Fotoskład: **FOTO TYPE** Milanówek
           tel./fax 55 84 14

Printed in Poland
Państwowy Instytut Wydawniczy, Warszawa 1995 r.
Druk i oprawę wykonały
Zakłady Graficzne w Poznaniu

ISBN 83-06-02352-8

LITERATURA STAROPOLSKA	ŚREDNIOWIECZE	

WIEK XVI	RENESANS	⌐ Mikołaj Rej └ Jan Kochanowski
		● Mikołaj Sęp Szarzyński
WIEK XVII	BAROK	⌐ Jan Andrzej Morsztyn └ Jan Chryzostom Pasek
WIEK XVIII	OŚWIECENIE	⌐ Ignacy Krasicki └ Jan Potocki
WIEK XIX	ROMANTYZM	⌐ Adam Mickiewicz ├ Juliusz Słowacki └ Zygmunt Krasiński
		● Cyprian Kamil Norwid
		● Józef Ignacy Kraszewski
		● Aleksander Fredro
	POZYTYWIZM	⌐ Eliza Orzeszkowa ├ Bolesław Prus └ Henryk Sienkiewicz
	MŁODA POLSKA	⌐ Stefan Żeromski ├ Władysław St. Reymont ├ Wacław Berent ├ Bolesław Leśmian ├ Tadeusz Miciński └ Stanisław Wyspiański
WIEK XX	DWUDZIESTOLECIE MIĘDZYWOJENNE	Leopold Staff Jarosław Iwaszkiewicz Maria Dąbrowska Stanisław Ignacy Witkiewicz Bruno Schulz Witold Gombrowicz
	LITERATURA POWOJENNA	Czesław Miłosz Zbigniew Herbert Sławomir Mrożek

Jak powinien wyglądać podręcznik do literatury polskiej?

Powinien być szatańsko gruby, ciężki i drukowany najmniejszą czcionką. Powinien zawierać mnóstwo trudnych słów i mało znanych nazwisk. Powinien go napisać profesor, stuletni starzec, który spędził życie na czytaniu książek.

Nic z tych rzeczy!

LITERATURA POLSKA to książka dla tych, co nie lubią się męczyć. Dla roztargnionych i zrozpaczonych, którym ciągle mylą się nazwiska, tytuły i epoki. Dla Czytelników przyzwyczajonych do szybkiego podawania informacji. Podręcznik do błyskawicznej nauki — zwłaszcza dla miłośników komputerów, MTV i kolorowych magazynów.

Książka dla każdego!

Dla maturzystów i kandydatów na studia, dla studentów jako „ostatnia deska ratunku" lub rodzaj wstępu do poważniejszych lektur, dla nauczycieli, nawet dla zawodowych badaczy literatury, a także tych, co lubią być dobrze poinformowani.

Najprostsza synteza literatury polskiej!

INSTRUKCJA

Jak męczące jest przewracanie kartek! A co gorsza, od czasu do czasu trzeba powrócić do fragmentów już przeczytanych (prawie nigdy nie można ich odnaleźć).
LITERATURA POLSKA ułożona została inaczej niż wszystkie podręczniki. Sąsiadujące ze sobą strony tworzą całość — omówienie utworu, zjawiska, sylwetki pisarza. Czasem warto też zerknąć do zamieszczonych na końcu książki indeksów.

Szukasz informacji na temat:
- „Pana Tadeusza"   ➡ znajdź planszę **PAN TADEUSZ**
- Wyspiańskiego   ➡ znajdź planszę **STANISŁAW WYSPIAŃSKI**
- romantyzmu   ➡ zajrzyj najpierw do **PRZEWODNIKA PO TEMATACH I PROBLEMACH** — znajdziesz w nim gotowy plan dalszych lektur

1932 — J. Kleiner: Zarys dziejów literatury polskiej (t.1) 1969 — J. Krzyżanowski: Dzieje literatury polskiej 1993 — Literatura polska (PIW)	W ramkach podajemy daty publikacji utworów, krótkie omówienia twórczości poszczególnych pisarzy, czasem również ciekawostki.

 Fragmenty tak oznaczone informują o najważniejszych w danej epoce dokumentach myśli filozoficznej, politycznej, religijnej, naukowej.

 W tym miejscu mówimy o wynalazkach i odkryciach.

 Takim znakiem sygnalizujemy najważniejsze polemiki literackie.

 Tutaj znajdziemy podstawowe wiadomości na temat czasu i miejsca akcji oraz bohaterów utworów (zwłaszcza powieściowych).

➡ **ADAM MICKIEWICZ**   Odsyłacz. Trudno. Trzeba odszukać w spisie treści planszę zatytułowaną **ADAM MICKIEWICZ**.

 Od czasu do czasu autor tekstu mówi wyłącznie we własnym imieniu, wypowiadając opinie, z którymi wolno się nie zgodzić. Kto podyskutuje z **LWEM**?

DZIESIĘĆ RAD
DLA ZDAJĄCYCH EGZAMINY

1 Poznaj dokładnie n a j w a ż n i e j s z e, najbardziej reprezentatywne dla epoki utwory (np. dla okresu staropolskiego — poezje Kochanowskiego, dla XIX wieku — *Dziady* i *Lalkę*). Czytaj teksty w wydaniach komentowanych, nie opuszczaj przypisów i objaśnień!

2 Nie licz na ściągi, bryki, streszczenia. Zawierają mnóstwo nieścisłości. Możesz się ośmieszyć!

3 Sprawdź, jaki zakres materiału jest Ci potrzebny. Maturzysta nie musi znać dokładnie poglądów Mochnackiego na literaturę. Student polonistyki — powinien.

4 Wiedza o literaturze nie jest nauką ścisłą. Granice między poszczególnymi okresami są płynne. Nic błędniejszego niż twierdzenie, że kiedy skończył się pozytywizm, zaczęła się Młoda Polska!

5 Zanim weźmiesz do ręki „lekturę obowiązkową", zastanów się, w jakim okresie powstała. Jakimi sprawami żyło wówczas społeczeństwo? Jak wyglądała sytuacja narodu i państwa? Czego oczekiwano od literatury? Które z wielkich dzieł już istniały, a które nie zostały jeszcze napisane?

6 Jeśli czeka Cię egzamin pisemny — pisz codziennie chociaż pół strony, niekoniecznie o literaturze. Możesz prowadzić pamiętnik albo wznowić korespondencję z koleżanką z wakacji. Rezultaty będą fantastyczne!

7 Jeśli czeka Cię egzamin ustny — opowiadaj. Samemu sobie, po cichu, a jeszcze lepiej mamie, dziadkowi, sympatii. Spróbuj przekonać ich do Kochanowskiego, Mickiewicza, Herberta. Może oduczysz się wtedy powtarzania szkolnych frazesów, których egzaminatorzy na ogół nie lubią?

8 Unikaj wykuwania czegokolwiek, myśl samodzielnie, staraj się bronić własnego zdania, choć zastanawiaj się nad poglądami innych.

9 Jeśli korzystasz z LITERATURY POLSKIEJ — nie czytaj od deski do deski, nie ucz się niczego na pamięć. Zacznij lekturę od rozdziałów poświęconych najważniejszym pisarzom i utworom. Powracaj do nich wielokrotnie, kartkuj, oglądaj ilustracje.

10 LITERATURA POLSKA, którą kupiłeś, nie jest zabytkiem muzealnym. Stanowi Twoją własność. Weź do ręki kolorowe mazaki — zakreślaj, uzupełniaj, maluj na marginesach. Zniszczyłeś książkę? Nie przejmuj się! Będziesz mógł kupić jeszcze jeden egzemplarz, gdy ukaże się nowe wydanie!

Rozmaite szkoły filozoficzne

Stoicy uczyli m. in. męstwa i zachowania spokoju (stoickiego) w każdych okolicznościach.

Epikurejczycy doszli do wniosku, że śmierć nas nie dotyczy. Dopóki żyjemy, nie ma śmierci. Cieszmy się więc życiem.

Sofiści byli pierwszymi kontestatorami w historii. Uczyli względności wiedzy. To sofista Protagoras z Abdery powiedział, że „człowiek jest miarą wszystkich rzeczy".

Gatunki literackie

Elegia — utwór okolicznościowy o tematyce poważnej, często melancholijnej.

Epigramat — zwięzły, krótki wiersz, czasem satyryczny.

Epos — obszerny poemat epicki, zwykle składający się z pieśni. W starożytności tematem eposu były legendarne dzieje narodu, w których formowaniu uczestniczyli zarówno ludzie, jak bogowie. Najsławniejsze eposy Homera: *Iliada* i *Odyseja,* napisane zostały wierszem zwanym heksametrem. Najważniejszy epos rzymski to *Eneida* Wergiliusza.

Oda — wierszowana pochwała lub podziękowanie w tonie dostojnym, patetycznym. W Grecji robił to najlepiej Pindar.

Sielanka — pogodny wiersz pokazujący na tle wiejskiego pejzażu życie pasterzy, czasem w mitycznej Arkadii. Grecką sielankę uprawiał Teokryt, rzymską — Wergiliusz.

Tren — wiersz poświęcony pamięci zmarłego.

ATENY

Oprócz Akropolu, Wenus z Milo, demokracji i wielu wynalazków zawdzięczamy starożytnym Grekom:

Mity, czyli podania o bogach i bohaterach. Dostarczały tematów pisarzom we wszystkich epokach.

Dziesięć najpopularniejszych greckich mitów:

1. Orfeusz i Eurydyka
2. Prometeusz
3. Męka Syzyfa
4. Narcyz
5. Tezeusz, pogromca Minotaura
6. Dedal i Ikar
7. Edyp i Antygona
8. Sąd Parysa
9. Wojna trojańska
10. Wędrówki Odyseusza

Trzech najpopularniejszych filozofów greckich:

Sokrates	Platon	Arystoteles
Też kontestator. Nie pozostawił po sobie żadnych pism. Poszukiwał mądrości dyskutując z przechodniami na ateńskim rynku (żadna władza tego nie lubi). Ateńczycy skazali go na śmierć przez wypicie cykuty.	Opisywał, a nawet próbował założyć doskonałe państwo (bez poetów). Głosił, że w poznawanych rzeczach widzimy jedynie ślad wiecznych, doskonałych idei. Swoim dziełom nadał postać dialogów filozoficznych.	Wymyślił etykę złotego środka, dał podstawy metafizyce, czyli nauce o bycie. Zajmował się psychologią, zoologią, polityką, a także teorią literatury. Jego *Poetyka* to pierwszy manifest sztuki klasycznej. Zdaniem autora celem poezji jest oczyszczenie duszy ludzkiej (katharsis). Autorom tragedii zalecał przestrzeganie zasady jedności akcji, miejsca i czasu.

Dla teatru Grecy ustalili podział sztuk na tragedię i komedię — zerwał z nim ostatecznie dopiero teatr XX wieku.

Tragedia	Komedia
tragizm	humor
temat mitologiczny	temat mitologiczny albo współczesny
konflikt	sytuacja
bohater	typ, charakter
spójna kompozycja	luźna kompozycja
styl patetyczny	styl potoczny
najwięksi tragicy greccy: Aischylos, Sofokles, Eurypides	najwybitniejszy komediopisarz: Arystofanes

Spadkobiercą kultury greckiej — **RZYM**.
Najważniejsi poeci starorzymscy: Wergiliusz, Horacy; filozofowie: Seneka, Marek Aureliusz.

JEROZOLIMA

Święte miasto trzech religii: judaizmu, chrześcijaństwa i islamu. Dla chrześcijan oznacza także przestrzeń symboliczną, Ziemię Świętą, związaną z działalnością Chrystusa. Zgodnie z przepowiednią Apokalipsy na końcu dziejów ukaże się Nowa Jerozolima. Historię ludzkości opisaną w Biblii można więc ująć symbolicznie jako drogę od Jerozolimy ziemskiej do niebiańskiej.

Biblia uważana w tradycji chrześcijańskiej za Pismo Święte, Słowo Boże, jest także wspaniałym dziełem sztuki, po dziś dzień inspirującym wyobraźnię artystów.

Stary Testament napisany został po hebrajsku i aramejsku. Powstawał w ciągu ok. 1000 lat! Najprawdopodobniej począwszy od XIII w. p.n.e. aż do I w. p.n.e. W jego skład wchodzą różne formy literackie (m.in. psalmy, proroctwa, kroniki).

Nowy Testament napisany został po grecku i aramejsku. Powstawał nie dłużej niż w ciągu dwóch wieków. Według niektórych badaczy — między 51 a 100 rokiem. Składa się z czterech Ewangelii, Dziejów Apostolskich i Listów oraz Apokalipsy św. Jana.

Pisarzom biblijnym zawdzięcza literatura:

● **Psalmy**. Przypisywane Dawidowi, w rzeczywistości powstawały przez stulecia. Psalm łączy w sobie cechy modlitwy i hymnu. Pośród 150 biblijnych psalmów znajdujemy m.in. psalmy błagalne, dziękczynne, pochwalne, mądrościowe.

● **Proroctwa**. Prorocy biblijni (m.in. Izajasz, Ezechiel, Jeremiasz) nie byli pisarzami we właściwym znaczeniu. Wierzyli, że za ich pośrednictwem przemawia Bóg. Typowy tekst proroczy to wizja przyszłości, przepowiednia pełna symboli, utrzymana w nastroju ekstatycznym.

● **Pieśń nad Pieśniami**. Zgodnie z tradycją żydowską — „najbardziej święta ze świętych ksiąg". Jeden z najpiękniejszych poematów miłosnych w literaturze światowej. Dawniej bibliści uważali ten utwór za alegorię przymierza Boga i Izraela. Dziś skłonni są widzieć w nim pochwałę ludzkiej miłości i związku małżeńskiego.

● **Apokalipsa**, czyli Objawienie św. Jana. Najbardziej tajemnicza z biblijnych ksiąg, jedyna, która mówi wyłącznie o przyszłości. Posługuje się symbolicznymi cyframi (3, 7, 1000), instrumentami (pieczęcie, trąby), zwierzętami (smok, baranek). W obrazach końca świata odsłania cel historii.

Stylizacja biblijna stosowana przez wielu późniejszych poetów polega zazwyczaj na rytmicznej budowie utworu, powtarzalności tych samych konstrukcji składniowych, wykorzystaniu biblijnych symboli.

Lew Szestow był zdania, że wybierając między Atenami i Jerozolimą, dokonujemy wyboru między rozumem a Bogiem, filozofią a religią, mądrością ludzką a mądrością nadprzyrodzoną. Sam opowiadał się za „Jerozolimą". W rzeczywistości cywilizację europejską ukształtował zarówno świat Biblii, jak i tradycja antyczna. Tak jest do dziś.

ŚREDNIOWIECZE

EPOKA DOMINACJI KOŚCIOŁA, ROZKWITU SZTUKI RELIGIJNEJ, PANOWANIA ŁACINY

476
Upadek Cesarstwa Rzymskiego. Początek średniowiecza.

800
Karol Wielki zostaje cesarzem. Jego rządy (renesans karoliński) przerywają na krótko sen barbarzyńskiej Europy. Z czasem postać Karola Wielkiego stanie się ideałem chrześcijańskiego władcy.

1000
Cała chrześcijańska Europa zastyga w napięciu, oczekując końca świata. Nic się nie stało. Zaczynamy drugie tysiąclecie.

Wpływowym ośrodkiem życia duchowego jest klasztor w Cluny (Francja). Upowszechnia się tam nowy styl życia, surowy i ascetyczny. Modlitwa ważniejsza niż nauka czy praca. Bazylika w Cluny (częściowo tylko zachowana) stanowi przykład sztuki romańskiej, panującej przez dwa wieki w Europie. To za sprawą zakonników z Cluny obchodzimy 2 listopada Święto Zmarłych.

Rycerz i jego władca są najważniejszymi bohaterami epiki rycerskiej, pisanej w językach narodowych. Roland i Karol Wielki (**Pieśń o Rolandzie**), Rycerze Okrągłego Stołu (Lancelot, Parsifal) i król Artur pojawiają się w wielu utworach dawnej literatury francuskiej i angielskiej. Opowiada się także o miłości, często nieszczęśliwej. Powstają różne wersje przygód Tristana i Izoldy oraz Lancelota i Ginewry.

Pierwszy średniowieczny uniwersytet założono w Bolonii, następne w Paryżu, Oksfordzie i Cambridge. W Polsce Kazimierz Wielki powołuje do życia Akademię Krakowską (1364).

Średniowieczni poeci mówią nie tylko o Bogu. Lirykę świecką uprawiają wędrowni waganci. W południowej Francji wielką sławę zyskują trubadurzy, a w północnej — truwerzy. Tematem ich poezji jest przeważnie miłość, choć ich damy serca bywają niełaskawe.

Europa odkrywa zalety papieru (Chiny znały go od tysiąca lat!), który zastąpi z czasem kosztowny pergamin. To już pierwszy krok do upowszechnienia książki i narodzin ruchu wydawniczego. Żeglarze otrzymują kompas, ster i mapy morskie. Kręcą się pierwsze wiatraki.

Pełnia średniowiecza. W rozwijających się miastach budowane są pierwsze gotyckie katedry, prawdziwe arcydzieła sztuki średniowiecznej. Wysokość 30–70 m, charakterystyczne ostre łuki, kolorowe witraże, prawdziwe „pałace Boga" jak z mistycznych wizji. Najpiękniejsze katedry gotyckie znajdują się we Francji (Amiens, Chartres, Reims, paryska Notre-Dame), Hiszpanii

(Toledo), Anglii (Canterbury), Niemczech (Kolonia).

Czym dla sztuki katedra, tym dla filozofii średniowiecznej „summa" (spostrzeżenie Erwina Panofsky'ego). „Summa", czyli synteza całej dostępnej człowiekowi wiedzy. Najgłośniejszą jest czytana po dziś dzień **Summa teologiczna** św. Tomasza z Akwinu. Autor dokonał w niej prawdziwego pojednania Arystotelesa z Biblią (Ateny i Jerozolima!). „Summa" składa się z kwestii, artykułów i odpowiedzi na trudności. Bardzo żmudna i czasochłonna lektura!

Równie często jak rycerz i poeta, bohaterem rozmaitych utworów bywał święty. Zwykle przedstawiano jego biografię, która pod piórem autora zamieniała się w legendę. Żywoty świętych były lekturą dla szerokiej publiczności — ich najpopularniejszy zbiór to **Złota legenda** Jakuba de Voragine.

Najbardziej lubianym świętym okazał się **Franciszek z Asyżu**. Rozdał swój majątek ubogim, wspomagał chorych i potrzebujących pomocy, żył w przyjaźni z naturą, przemawiał do ptaków, głosił szacunek dla życia w każdej postaci. Już po jego śmierci napisane zostały **Kwiatki św. Franciszka z Asyżu** — dowód, że średniowiecze bywało pogodne, a nawet uśmiechnięte!

1300

Wiosną tego roku **Dante Alighieri** rozpoczął swą poetycką wędrówkę poprzez Piekło, Czyściec i Raj. Rozmawiał z grzesznikami i świętymi, dyskutował z mędrcami i bohaterami historii starożytnej. Opis swej podróży zamieścił w **Boskiej Komedii**, którą ukończył tuż przed śmiercią (1321). Memento mori (pamiętaj o śmierci), zdają się mówić średniowieczne zegary. W XIV w. są już bardziej precyzyjne, mechaniczne. Europa wypróbowuje broń palną, choć kusza nie wychodzi jeszcze z mody. Szkło ozdabia nie tylko okna gotyckich katedr i mieszczańskich kamienic — coraz częściej trafia też na stoły (dotąd używano głównie naczyń cynowych).

1456

Drukarz z Moguncji Jan Gutenberg zastosował jako pierwszy w Europie udoskonalony typ czcionki metalowej. Pierwszą książką wydrukowaną w ten sposób była oczywiście Biblia. Koniec z mozolnym przepisywaniem wierszy, kronik i traktatów. Książka dla każdego? Tak, chociaż nie od razu.

Jesień średniowiecza — według określenia Johana Huizingi. Kryzys ideałów, poczucie schyłku, melancholia, smutek, pesymizm, obsesja śmierci i umierania. W poezji francuskiej najlepiej wyraził te nastroje **François Villon** — pisarz, który z racji swego burzliwego żywota omal nie zawisł na szubienicy.

1492

Kolumb odkrywa Amerykę. Kończymy średniowiecze. Trwało ponad 1000 lat!

EPOKA STAROPOLSKA

WIEK XVI I XVII
NARODZINY NOWOŻYTNEJ EUROPY
EPOKA RENESANSU I BAROKU
EPOKA REFORMACJI I KONTRREFORMACJI

Co robiły narody?

Przez dwa stulecia Europa nie tylko poznawała, ale i podbijała świat, toczyła wojny religijne, handlowała (również niewolnikami!). Powoli traciły znaczenie tytuły, zaszczyty, rodowody. Triumfował pieniądz. Rozwijały się banki. Coraz większy wpływ na życie polityczne wywierali ludzie interesu. A poza tym —

Włosi pozbawieni wspólnego państwa radzili sobie całkiem dobrze. Zapoczątkowali sztukę renesansu. Podbili Europę w takich dziedzinach, jak architektura, kuchnia i sztuka miłości.

Hiszpanie kolonizowali z powodzeniem Amerykę Południową, tępiąc bez litości tubylców. W kulturze też nie bez sukcesów.

Portugalczycy zapoczątkować mieli handel czarnymi niewolnikami przewożonymi w strasznych warunkach z Afryki do Ameryki. Zaglądali do Japonii i Chin. Skolonizowali Brazylię, która mówi do dziś po portugalsku.

Austriacy i Niemcy dzięki Habsburgom intrygowali na dworach całej Europy. Dzięki Lutrowi rozpoczęli proces reformacji.

Turcy objęli swymi wpływami Europę Środkową, Bałkany i Afrykę Północną. Ich armie stawały już pod murami Wiednia. W każdym razie dzięki nim nauczyliśmy się pić kawę.

Rosjanie od połowy XVI wieku mieli już carów, a w wieku XVII rządziła dynastia Romanowów, której potomków zgładzili bolszewicy po przewrocie 1917 roku. Powoli stawali się potęgą, powiększali terytorium podbijając Syberię.

Anglicy toczyli wojny domowe, kolonizowali (początkowo bez sukcesów) Amerykę Północną. Handlowali w Indiach. Z końcem XVII w. stali się największą w Europie potęgą ekonomiczną. Malować i gotować jednak się nie nauczyli.

Francuzi zajmowali się sztuką (pałac w Wersalu) i nauką (pierwsza w Europie Akademia Nauk). Czcili Ludwika XIV, „Króla-Słońce". Dali Europie savoir-vivre i nowy język międzynarodowy.

Holendrzy okazali się narodem bankierów, kupców, marynarzy i artystów. Stworzyli potężną flotę handlową. W XVII w. Amsterdam uważano za najważniejsze miasto Europy.

U schyłku XVII wieku formuje się obraz Europy, jaki dziś oglądamy. Anglia i Rosja stają się mocarstwami. Inne narody — Portugalczycy, Turcy, Polacy — okres świetności mają już za sobą. Będzie o nich jeszcze głośno w Europie, ale do dawnej potęgi nigdy już nie powrócą.

Reformacja i kontrreformacja

1517: pierwsze wystąpienie Lutra
1520: Luter pali papieską bullę, odcinając drogę do pojednania z Rzymem
1534: król angielski Henryk VIII (sześć żon!) ogłasza się głową Kościoła narodowego
1535: Kalwin organizuje w Genewie własny Kościół

Marcin Luter — głosił, że zbawia nas wiara, a nie dobre uczynki, odpusty, udział w ceremoniach kościelnych. W obliczu Boga człowiek jest zawsze „prochem i popiołem". Odrzucił ustalenia władz kościelnych (sobory), zachowując jako jedyny autorytet Biblię — sam był autorem najdoskonalszego niemieckiego przekładu Pisma Świętego.

Jan Kalwin — uznał, że postępowanie człowieka nie decyduje o zbawieniu, o losie ludzkim rozstrzyga jedynie tajemnicza łaska Boga (doktryna predestynacji). W zakresie etyki kalwinizm łączy kult pracy z purytańskim potępieniem rozrywek. Luteranizm zyskał powodzenie w państwach niemieckich i Skandynawii, kalwinizm w Szwajcarii i Francji (hugenoci). W połowie XVI wieku idee reformacji nie zyskały oddźwięku jedynie wśród Hiszpanów i Włochów. W Polsce Zygmunt Stary zabronił popularyzacji idei Lutra, ale zakazu nigdy nie przestrzegano. Luteranie działali bez przeszkód w Wielkopolsce i Małopolsce, kalwini także na Litwie. Katolickie pozostało Mazowsze. Jak obliczają historycy, co piąty szlachcic drugiej połowy XVI w. był luteraninem, kalwinem lub arianinem.

1534: Ignacy Loyola zakłada Towarzystwo Jezusowe, zalążek jezuitów
1540: powstaje zakon jezuitów
1542: powołanie Sacrum Officium (inkwizycja rzymska)
1543: kościelny indeks ksiąg zakazanych
1545—1563: obrady soboru trydenckiego, Kościół przechodzi do kontrofensywy

W Polsce głównym rzecznikiem kontrreformacji był kardynał Stanisław Hozjusz (1564 — sprowadzenie do Polski jezuitów, pierwsze kolegium jezuickie założono w 1565 w Braniewie). Wiele przyczyn złożyło się na to, że kontrreformacja w jednych krajach odniosła łatwe zwycięstwo, a gdzie indziej nie odnotowała żadnych sukcesów (Anglia, Skandynawia, kraje niemieckie pozostały protestanckie).

Max Weber dowiódł, że etyka protestancka, usprawiedliwiająca dążenie człowieka do osiągania zysku, pochwalająca oszczędność i pracowitość, sprzyjała rozwojowi wczesnego kapitalizmu. Reformacja zrodziła poniekąd „ducha kapitalizmu".

 ## Dokumenty

De revolutionibus orbium coelestium (O obrotach ciał niebieskich — 1543). Astronomiczny traktat Mikołaja Kopernika, podający argumenty na rzecz teorii heliocentrycznej.
Rozprawa o metodzie (1637). Traktat i zarazem intelektualna autobiografia francuskiego filozofa Kartezjusza (Descartes). Najsławniejsze, choć nie najważniejsze z dzieł człowieka, który zawyrokował: „cogito ergo sum" (myślę, więc jestem). Uczy zasad racjonalnego myślenia. Zawiera tezę, że rozum, a nie wiara prowadzi do odkrycia idei Boga.
Etyka (1662—1675). Łaciński traktat holenderskiego filozofa Spinozy. Bóg nieskończoną substancją. Człowiek wolny kieruje się rozumem. Pożądanie leży w ludzkiej naturze.
Myśli (1670). Zbiór aforyzmów i fragmentów francuskiego filozofa, fizyka i matematyka Błażeja Pascala. Człowiek jest tylko trzciną, najwątlejszą w przyrodzie, ale trzciną myślącą. Boga czujemy sercem, nie rozumem. Jeśli istnieje, jest niepojęty. Załóżmy, że istnieje.

Odkrycia i wynalazki

Od czasu gdy wyprawa Magellana i del Cano opłynęła świat (1522), podróżujemy coraz częściej. Astronomowie: Kopernik, Galileusz, Kepler, penetrują (od 1609 już za pomocą lunety) tajemnice kosmosu. Po ziemi jeździ się natomiast dyliżansem.Ubieramy się w bawełnę i jedwab, palimy węglem, stan pogody sprawdzamy (od 1643) na rtęciowym barometrze. Pracują pierwsze maszyny rolnicze. Ludzie zabijają się teraz przy użyciu broni palnej (rusznice, muszkiety, flinty). Medycy wykonują pierwsze zastrzyki, a dentyści — protezy dla bezzębnych.

Co jeszcze? Rzecz jasna — wynalazki Leonardo da Vinci, które pozostały na papierze aż do początków XX wieku (czołg, samolot, śmigłowiec). No i prawo powszechnego ciążenia sformułowane przez Newtona, a podane w wątpliwość dopiero przez dwudziestowiecznych fizyków.

Epoka wielkich mistrzów

Gdyby wykreślić z historii sztuki europejskiej wiek XVI i XVII, znacznie mniej turystów odwiedzałoby co roku sławne muzea. Bo właśnie wówczas powstały najbardziej fascynujące obrazy:

Sztuka włoska	Wiek	Najgłośniejsze dzieło
Leonardo da Vinci	XV/XVI	*Mona Liza, Ostatnia Wieczerza*
Botticelli	XV/XVI	*Narodziny Wenus*
Michał Anioł	XV/XVI	Kaplica Sykstyńska, posąg Dawida
Giorgione	XV/XVI	*Burza, Śpiąca Wenus*
Rafael	XV/XVI	*Szkoła ateńska, Madonna Sykstyńska*
Tycjan	XV/XVI	*Miłość ziemska i miłość niebiańska*, portrety
Arcimboldo	XVI	najdziwaczniejsze w historii portrety
Caravaggio	XVI/XVII	cykl o św. Mateuszu

Sztuka hiszpańska		
El Greco	XVI/XVII	*Widok Toledo*
Ribera	XVI/XVII	*Męczeństwo św. Bartłomieja*
Velázquez	XVII	*Prządki*, portrety infantek

Sztuka holenderska i flamandzka		
Bosch	XV/XVI	*Sąd Ostateczny, Kuszenie św. Antoniego*
Bruegel P.	XVI	*Zima, Ślepcy*
Rubens	XVI/XVII	pejzaże, sceny mitologiczne
Brouwer	XVII	*Palacze*
Rembrandt	XVII	*Straż nocna, Lekcja anatomii doktora Tulpa*
Vermeer	XVII	*Koronczarka, Ulica w Delft*

A także co najmniej dwa tuziny genialnych pejzażystów i twórców najwspanialszych na świecie martwych natur.

Byli jeszcze wspaniali Niemcy (Dürer, Cranach), Francuzi (Lorrain, Poussin), na przełomie XV i XVI w. działał Wit Stwosz, twórca ołtarza w krakowskim kościele Mariackim. Tylko Anglia nie miała jakoś szczęścia do malarzy ani rzeźbiarzy.

Epoka teatru

W końcu XV w. powracają do repertuaru (najpierw we Włoszech) dramaty antyczne. Rodzi się prawdziwy teatr z ruchomą sceną obrotową, dekoracją wykorzystującą perspektywę, kostiumami itd. W Anglii działa w pierwszej połowie XVII w. teatr „Globe" wystawiający sztuki Szekspira. „Złoty wiek" teatru hiszpańskiego: Lope de Vega (*Owcze źródło, Pies ogrodnika*), Calderón de la Barca (*Życie jest snem, Książę Niezłomny*). We Francji złoty wiek klasycyzmu: tragicy Racine i Corneille, komediopisarz Molier (*Skąpiec, Świętoszek, Don Juan*).

Na przełomie XVI i XVII w. powstają pierwsze opery (m.in. *Orfeusz* Monteverdiego).

> ### Dziesięć najchętniej oglądanych sztuk Szekspira:
> *Sen nocy letniej* (1594)
> *Romeo i Julia* (1595)
> *Henryk IV* (1596—1598)
> *Jak wam się podoba* (1600)
> *Wieczór Trzech Króli* (1600)
> *Hamlet* (1602)
> *Otello* (1604)
> *Król Lear* (1606)
> *Makbet* (1606)
> *Burza* (1611)

Od sonetu do powieści

Ulubioną formą poetów XVI i XVII w. jest sonet (we Francji — Ronsard, w Anglii — Szekspir, a także „poeci metafizyczni", np. John Donne). La Fontaine rozwija i wzbogaca bajkę, popularnością cieszy się poezja epicka (poemat dygresyjny Ariosta *Orland szalony* z 1532 r., poemat alegoryczny na motywach biblijnych *Raj utracony* Johna Miltona z 1667 r.). Montaigne swymi *Próbami* (1580—1588) daje początek esejowi. Nowela zmieni się niewiele od czasu napisania przez Boccaccia *Dekameronu* (było to jeszcze w XIV w., ale włoski renesans rozwinął się wyjątkowo wcześnie). Natomiast powieść dopiero się rodzi: epopeja komiczna *Gargantua i Pantagruel* (François Rabelais, 1532—1564) oraz parodia romansu rycerskiego *Don Kichot* (Cervantes, 1615).

RENESANS

Nie tylko styl (w architekturze, malarstwie, poezji, muzyce), ale także cała epoka w historii Europy. Najważniejsze cechy literatury renesansowej:

● **Umiar**
Znaleźć właściwą miarę w życiu i sztuce. Pamiętać, że w życiu radości przeplatają się z cierpieniami. Być rozważnym, nie popadać w rozpacz ani przesadę. Cieszyć się z tego, co ofiarował nam los.

● **Spokój**
Spokój sumienia i spokój ducha. Żyć umiejętnie, w zgodzie z porządkiem natury, znajdując pociechę w opiekuńczym Bogu. Tworzyć sztukę jasną i klarowną. Tworząc — uczyć albo dawać radość.

● **Prostota**
Zachować prostotę obyczaju — na przykład chroniąc się w zaciszu wiejskiego dworku. Przyglądać się naturze, pracować, bawić się. Unikać zawiłości w myśleniu i pisaniu.

● **Humanizm**
„Homo sum; humani nil a me alienum puto" (Człowiekiem jestem i nic, co ludzkie, nie jest mi obce). Słowa rzymskiego pisarza Terencjusza niech będą dla nas wzorem. Podziwiać człowieka — twórcę wielkich dzieł. Pamiętać o uprzywilejowanej pozycji człowieka we wszechświecie.

● **Harmonia**
Uczyć się od starożytnych mędrców i artystów doskonałości kompozycji. Brać pod uwagę proporcje i kanony. Raczej kontynuować i doskonalić istniejące już gatunki niż stwarzać nowe.

Człowiek renesansu

Tak zwana „osobowość renesansowa", czyli człowiek wszechstronnie wykształcony i utalentowany, geniusz zmieniający historię ludzkości. We Włoszech — Leonardo da Vinci, Michał Anioł. W Polsce — Kopernik.
Literatura podsuwa nam ponadto wzory skromniejsze: poety-mędrca (Kochanowski) i dobrego gospodarza-patrioty (Rej).

PISARZE
➡ **MIKOŁAJ REJ**
➡ **JAN KOCHANOWSKI**
➡ **PISARZE POLITYCZNI**
⬇
ANDRZEJ FRYCZ MODRZEWSKI

Poznajemy renesans

W nauce XIX i początków XX wieku podkreślano dystans dzielący renesans i średniowiecze. Zwolennikiem tej koncepcji był również Jakub Burckhardt, który opisał narodziny włoskiego renesansu. Zwrócił uwagę na takie fakty, jak wzrost roli jednostki (kult indywidualizmu), zwrot do starożytności, powstanie instytucji mecenatu artystycznego (świeckiego), ekspansja wiedzy. Być może największą zdobyczą renesansu było jednak rozpowszechnienie wynalazku druku. Staliśmy się „Galaktyką Gutenberga" (M. McLuhan). W Polsce, głównie dzięki Kochanowskiemu (a także ubóstwu naszej literatury średniowiecznej i słabej znajomości baroku), renesans cieszył się zawsze dobrą opinią.

BAROK

Styl (początkowo przypisywany jedynie dziełom malarskim), a także cała epoka w dziejach kultury. Najważniejsze cechy literatury barokowej:

● **Bogactwo**
Korzystać ze wszystkich dostępnych nam środków wyrazu. Rozwijać kunszt słowny. Nie unikać przesady. W sztuce — preferować dekoracyjność, malarskość, przepych.

● **Ekspresja**
Zaskakiwać, a nawet szokować czytelnika. Pamiętać, że brzydota i okrucieństwo też mogą stać się tematami dla artysty.

● **Sztuczność**
Natura wymaga upiększenia. Komplikacje i zawiłości są prawdziwym żywiołem artysty. Liczy się oryginalność, wyrafinowany smak, erudycja. Dziwaczności też są w cenie.

● **Niepokój metafizyczny**
Zrozumieć, że w obliczu Boga, a nawet kosmosu, człowiek jest nicością. Zadawać pytania o sprawy ostateczne, a nie znajdując odpowiedzi — popadać w rozpacz albo melancholię. Rozmyślać o śmierci i czasie minionym.

● **Koncept**
Cenić zaskakującą pointę, kunsztowny paradoks, metaforę i poetycki koncept. Poznać wszystkie tajemnice poetyckiego warsztatu. Brać od starożytnych przede wszystkim elementy dekoracji.

Człowiek baroku

Osobowość bardzo różnorodna tak jak zróżnicowany jest barok w poszczególnych krajach. W literaturze polskiej spotykamy na przykład barok dworski (Jan Andrzej Morsztyn), sarmacki (Wacław Potocki) i ewentualnie religijny („poeci metafizyczni": Sęp Szarzyński, Grabowiecki). Ideałem Morsztyna byłby zapewne „homo ludens" (człowiek zabawy), Potockiego — szlachcic-patriota.

PISARZE

 JAN ANDRZEJ MORSZTYN
 MIKOŁAJ SĘP SZARZYŃSKI
 JAN PASEK
 SARMATYZM
↓
WACŁAW POTOCKI

Poznajemy barok

Cechy baroku malarskiego opisano bardzo późno — uczynił to dopiero Wölfflin, przeciwstawiając barokowi renesans. Granice baroku w literaturze budzą do dziś dyskusje. Interesujące, że twórcy reprezentujący barok w najczystszej postaci (włoski poeta Giambattista Marino i Hiszpan Luis de Gongora) nie są wcale najwybitniejszymi pisarzami europejskimi XVII wieku.

W Polsce barok jest najdłuższym (nie licząc średniowiecza) okresem literackim. Trwa bez mała dwa wieki, a o jego żywotności decyduje związek z sarmatyzmem. Zdaniem Czesława Hernasa przejawy baroku w poezji polskiej spotykamy już w końcu XVI w. Historycy literatury polskiej dopiero w wieku dwudziestym zaczęli posługiwać się terminem „barok". W miarę poznawania zachowanych w rękopisach tekstów zrewidowano też opinię o upadku naszego piśmiennictwa w XVII wieku.

WIEK XVI. „Złoty wiek". Rozkwit renesansu i reformacji. Polska jednym z najpotężniejszych państw w Europie. Rozwój demokracji szlacheckiej.

Królowie	Wydarzenia	Świadectwa
Aleksander Jagiellończyk  1501 ... 1506	1501 Konstytucja „Nihil novi" (1505).	
Zygmunt Stary  1506 ... 1548	1506 Dwór wawelski ośrodkiem humanizmu renesansowego. Po przybyciu do Krakowa królowej Bony — wpływy włoskie. Wojny z Moskwą — zwycięstwo pod Orszą (1514). Hołd pruski (1525). Pogorszenie sytuacji chłopa.	Atmosferę panującą na dworze ukazują łacińskie wiersze Jana Dantyszka, Andrzeja Krzyckiego, Klemensa Janicjusza. *Krótka rozprawa* Mikołaja Reja (1543).
Zygmunt August  1548 ... 1572	1548 Śmierć Barbary Radziwiłłówny, małżonki Zygmunta Augusta (1551). Król mecenasem sztuki. Tolerancja religijna budząca podziw w Europie. Unia lubelska (1569).	W poemacie okolicznościowym *Proporzec albo hołd pruski* Kochanowski dał wyraz swoim sympatiom dla idei unii.
Henryk Walezy  1573 ... 1574	1573 Konfederacja warszawska, prawne usankcjonowanie równości wszystkich wyznań (1573). Ucieczka króla.	Do zgody pomiędzy wyznaniami nawoływali m.in. Kochanowski i Frycz Modrzewski. W odpowiedzi na antypolski paszkwil francuskiego autora Kochanowski pisze łaciński pamflet *Gallo crocitanti (Kogutowi piejącemu)*.
	Bezkrólewie. Najazd Tatarów na Podole (1575).	Jan Kochanowski: *Pieśń o spustoszeniu Podola* („Wieczna sromota i nienagrodzona...")*.
Stefan Batory  1576 ... 1586	1576 Wojny z Moskwą. Funkcję mecenasa artystów przejmuje kanclerz Jan Zamoyski, który staje się z czasem drugą osobą w państwie. Zamoyski doprowadza do ujęcia i stracenia zbuntowanego możnowładcy Samuela Zborowskiego (1584).	*Jezda do Moskwy*, poemat Kochanowskiego z 1583 r. Z okazji wesela Zamoyskiego wystawiono *Odprawę posłów greckich* Kochanowskiego (1578).

WIEK XVII. „Srebrny wiek". Rozkwit baroku. Kontrreformacja i słabnięcie tolerancji religijnej. Polska traci znaczenie w Europie. Kryzys ustrojowy.

Królowie	Wydarzenia	Świadectwa
Zygmunt III Waza	1587 Kontrofensywa Kościoła, rosną wpływy jezuitów na dworze. Wojny ze Szwecją — zwycięstwo pod Kircholmem (1605). Wojna z Turcją — zwycięska obrona Chocimia (1621). 1632	Idee kontrreformacji znalazły najpełniejszy wyraz w *Kazaniach sejmowych* Skargi (1597). Po upływie półwiecza zmagania polsko-tureckie opisze Wacław Potocki (*Wojna chocimska*).
Władysław IV Waza 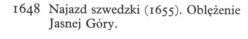	1632 Wojna z Moskwą zwana „smoleńską". Powstanie Chmielnickiego — klęski Polaków pod Korsuniem i Piławcami (1648). 1648	Pierwszych lat panowania króla, tej i wcześniejszych wojen z Moskwą dotyczy poemat epicki Samuela ze Skrzypny Twardowskiego *Władysław IV* (1649). Utwór wywołał oburzenie Rosjan i protest dyplomatyczny. Fala pamfletów, krytykujących słabości ustroju Rzeczypospolitej, m.in. *Satyry* Krzysztofa Opalińskiego (1650), *Coś nowego* Łukasza Opalińskiego. O napaści kozackiej i bohaterskiej obronie Lwowa mówią też *Sielanki nowe ruskie* Bartłomieja Zimorowica (1663).
Jan Kazimierz 	1648 Najazd szwedzki (1655). Oblężenie Jasnej Góry. Druga wojna północna. Wyprawa duńska. Wypędzenie arian (1658). 1668	*Nova Gigantomachia*, łaciński utwór księdza Kordeckiego, obrońcy Jasnej Góry, posłużyła za wzór paru pisarzom (m.in. anonimowy epos *Oblężenie Jasnej Góry*). Lamentem po klęsce jest *Duma niewolnicza* Zbigniewa Morsztyna (1656). *Pamiętniki* Paska. Dzieje wojen ze Szwecją, Moskwą, Tatarami i Kozakami opowiedział w obszernym poemacie epickim Wespazjan Kochowski (*Wojna domowa*, 1681). Protestem przeciw łamaniu zasady tolerancji religijnej są wiersze ariańskich poetów: Wacława Potockiego i Zbigniewa Morsztyna (*Pieśń w ucisku*, 1658).
Michał Korybut Wiśniowiecki 	1669 Wojna z Turcją. Zwycięstwo hetmana Sobieskiego pod Chocimiem (1673). Wcześniej tracimy jednak Kamieniec Podolski (1672). 1673	
Jan III Sobieski 	1674 Odsiecz wiedeńska (1683). 1696	*Dzieło boskie albo pieśni Wiednia wybawionego* oraz echa w *Psalmodii polskiej* Wespazjana Kochowskiego. Relacja, ale „z drugiej ręki", w *Pamiętnikach* Paska.

Pierwsze zdanie zapisane po polsku:

Daj, ać ja pobruszę, a ty poczywaj

Co znaczy: zostaw, kochanie, te żarna, teraz ja pokręcę...
Wypowiedział je Czech Boguchwał Brukał do swej żony. A może było to czeskie zdanie?
Literatura polska pełna jest tajemnic!
To słynne i zagadkowe zdanie znalazło się w łacińskiej kronice klasztornej zwanej
Księgą henrykowską (XIII w.).

Bogurodzica

- Zgodnie z tradycją – pierwszy polski wiersz i najstarsza pieśń religijna.
- Hymn narodowy – przynajmniej w XV w. (odśpiewali go polscy rycerze na polach Grunwaldu).
- Hymn królewski – towarzyszył uroczystościom koronacyjnym Jagiellonów.
- Najstarszy drukowany tekst poetycki (1506).

Poza tym same wątpliwości. Językoznawcy ustalili, że powstał z całą pewnością między X a XIV wiekiem, że wykazuje być może wpływy czeskie, łacińskie, bizantyjskie albo ruskie. W ogóle – nic pewnego.

Dwie pierwsze strofki są najstarsze, więc wypada je znać.

„Bogurodzica, Dziewica, Bogiem sławiena Maryja!
Twego Syna, Gospodzina, Matko zwolena, Maryja,
  Zyszczy nam, spuści nam.
              Kiryjelejzon.

Twego dziela krzciciela, Bożyce,
Usłysz głosy, napełń myśli człowiecze.
  Słysz modlitwę, jąż nosimy,
  A dać raczy, jegoż prosimy,
  A na świecie zbożny pobyt,
  Po żywocie rajski przebyt.
              Kiryjelejzon."

Literatura religijna polskiego średniowiecza to:

- **kazania**
(najstarsze – *Kazania świętokrzyskie* z XIV w. i *Kazania gnieźnieńskie* z XV w.)

- **przekłady Biblii**
(*Psałterz floriański* i *Biblia Królowej Zofii* z XIV–XV w.)

- **modlitwy, pieśni, hymny**
(najstarszy – *Gaude Mater Polonia* Wincentego z Kielc, napisany po łacinie z okazji kanonizacji św. Stanisława w XIII w.), żywoty świętych i legendy

Legenda o świętym Aleksym

Bardzo pouczający wiersz pochodzący z XV w. Wyraża tęsknotę ludzi średniowiecza do życia pełnego świętości – główną rolę odgrywają w nim posty, modlitwy, wyrzeczenia, ubóstwo. Święty Aleksy, który rozdał cały swój majątek biednym, zrezygnował z zaszczytów i tytułów oraz wszelkich radości doczesnych, już za życia osiągnął stan świętości. Legenda mówi o cudach, jakie zdziałał, ale również o cierpieniach bohatera. Cierpienie otwiera człowiekowi drogę do nieba.

Rozmowa Mistrza Polikarpa ze Śmiercią

Wierszowany dialog z XV w. Motyw śmierci należy do najważniejszych tematów sztuki średniowiecznej. Chociaż chrześcijaństwo traktuje śmierć jako otwarcie drogi do wiecznego życia, ludzie średniowiecza żyją w strachu przed śmiercią i umieraniem. W sztuce upiorna władza śmierci znajduje wyraz w licznych przedstawieniach „tańca śmierci" i „triumfu śmierci". Właśnie „triumf śmierci" jest tematem *Rozmowy*. Śmierć — jak często w średniowieczu — pojawia się tu nie w postaci szkieletu, lecz ciała w stanie rozkładu. Jest chudą, bladą kobietą, uzbrojoną w kosę. Oświadcza: WSZYSTKIM ŻYWYM UTNĘ SZYJĘ. Nie daje się przekupić ani przebłagać, bezwzględna władczyni tego świata, którą zwyciężył tylko Syn Boży. W Nim cała nadzieja.

Literatura świecka polskiego średniowiecza to:

- kalendarze
- drobne utwory okolicznościowe
- epitafia
- satyry — m.in. *Satyra na leniwych chłopów* i wiersz Słoty *O zachowaniu się przy stole*
- dokumenty
- kroniki

Kronikarze

Pisali wyłącznie po łacinie, ubogi język polski nie nadawał się jeszcze do opisu dziejów ojczystych. Byli przeważnie duchownymi — znaczna część literatury średniowiecznej to dzieło księży i zakonników. Pisali swe utwory najczęściej na zamówienie władców.

Gall Anonim (XII w.) prawdopodobnie był Francuzem. Jego kronika (zawierająca fragmenty poetyckie) opowiada o czasach trzech Bolesławów: Chrobrego, Śmiałego i Krzywoustego.

Wincenty Kadłubek (XII/XIII w.), biskup krakowski, beatyfikowany w 1764 r. Nie odróżniał jeszcze historii od mitologii, łączył prawdę z legendą. Kazał nawet Polakom uczestniczyć w historii starożytnej. Jego kronika zawiera rozmaite gatunki literackie.

Jan Długosz (XV w.), kanonik krakowski, dyplomata, sekretarz biskupa Oleśnickiego. Zasłużył na miano pierwszego polskiego historyka z prawdziwego zdarzenia. Wiedział, że historia to nie tylko ciąg epizodów, ale i prawdziwa lekcja życia. Niechętny Jagiellonom, głosił wyższość Kościoła nad państwem. Jego dzieło czytano długo w rękopisie, wydane zostało dopiero w XVIII, a przełożone w XIX wieku!

„Złe ganić, a przy dobrym zostać"

MIKOŁAJ REJ

1505 — 1569

- związany z ziemią chełmską (założył miasto Rejowiec)

- wbrew przydomkowi nie urodził się w krakowskich Nagłowicach, pochodził stamtąd ojciec pisarza

- samouk o niezbyt gruntownym wykształceniu, rok studiował w Akademii Krakowskiej

- człowiek głęboko religijny, od ok. 1550 r. zwolennik reformacji i propagator kalwinizmu, w związku z czym miewał częste zatargi z duchowieństwem

- typowy przedstawiciel polskiej szlachty renesansowej, zwolennik obozu reformatorskiego

- zgodnie z tradycją — „ojciec literatury polskiej", pierwszy znaczący pisarz tworzący w języku ojczystym, przekładał i przerabiał z zapałem cudze utwory, z nadzieją powiększenia liczby polskich książek:

  „A niechaj narodowie wżdy postronni znają,
  Iż Polacy nie gęsi, iż swój język mają."

- posługiwał się swobodnie wieloma stylami: kaznodziejskim, dosadnym, żartobliwym, pisał językiem potocznym, lubił gry słów, czułe zdrobnienia („ptaszek", „zajączek", „jagniątko", „prosiątko") i trzynastozgłoskowiec

- „człowiek pełen arcyludzkich sprzeczności" (według opinii Juliana Krzyżanowskiego), chętnie pouczał innych, nie zawsze pozostawał wierny głoszonym przez siebie ideałom

Prostota i poczciwość

„Grzech zaślepił oczy nasze", pisał ze smutkiem, oceniając sytuację panującą w Rzeczypospolitej. Piętnował upadek dobrych obyczajów, wystawność życia, niesprawiedliwość w sądach i urzędach, poniżenie chłopa. Jednocześnie nie widział żadnych sprzeczności między interesem narodowym i interesami szlachty polskiej. Nigdy w życiu nie był za granicą, Europy trochę się obawiał. Twórczość Reja wprowadza trzy ważne wątki, które przenikają kulturę polską następnych stuleci:

1. Przeciwstawienie Polski Europie i światu wyrażające się w obronie ojczystego języka, obyczaju, tradycji — często, niestety, kończące się tezą o wyższości nad innymi narodami.

2. Wybór tradycji wiejskiej, ziemiańskiej, gospodarskiej jako rdzennie polskiej — zdaniem krytyków stąd już tylko krok do osławionego „zaścianka".

3. Uznanie służebnej roli literatury — książka powinna być użyteczna, pisarz wychowuje czytelnika, poezja to rodzaj narodowej służby, a nie pogoń za pięknem.

Otwierający w dziejach naszej literatury okres renesansu, posiada Rej pewne cechy zagadkowe. Nie ma w nim pasji odkrywcy, poszukiwania wielkości i wszechstronności, głodu wiedzy — tego wszystkiego, co nazywamy potocznie „osobowością renesansową". Zaleca „prostotę" i „poczciwość", ceni umiar i spokój, choć potrafi swoim piórem skutecznie walczyć.

Krótka rozprawa między trzema osobami, Panem, Wójtem a Plebanem (1543)

Satyra obyczajowa w formie wierszowanego dialogu. Wypowiadają się przedstawiciele trzech „stanów", czyli warstw społeczeństwa ówczesnej Rzeczypospolitej: szlachty (Pan), duchowieństwa (Pleban) i chłopstwa (Wójt). Niewiele tu poszanowania dla ideału „poczciwości i prostoty". Ksiądz i pan grzeszą dokładnie tym samym: chciwością, umiłowaniem ziemskich rozrywek, pośród których rozkosze stołu i piwnicy odgrywają niemałą rolę. Żadna ze stron sporu nie może być sojusznikiem dla chłopa:

„Ksiądz pana wini, pan księdza,
A nam prostym zewsząd nędza."

Żwierzyniec (1562)

Zbiór zawierający 700 ośmiowierszy (epigramaty) napisanych trzynastozgłoskowcem. Są wśród nich anegdoty, alegorie, portrety, wreszcie swawolne *Figliki*. Znajdujemy tu utwory okolicznościowe, polityczne, obyczajowe, erotyczne. Krytyczna ocena stanu państwa (pusty skarb, skłócony sejm, niesprawiedliwe prawa) łączy się z wezwaniem do przyjęcia zalecanych przez pisarza ideałów.

Żywot człowieka poczciwego (1568)

Publicystyczny traktat prozą wchodzący w skład większej całości zatytułowanej *Żwierciadło*. Tematycznie zbliżony do *Wizerunku własnego żywota człowieka poczciwego* (ten wierszowany, dosyć osobliwy utwór ukazał się dziesięć lat wcześniej). *Żywot człowieka poczciwego* zawiera najpełniejszy wykład poglądów Reja, jest też ważnym dokumentem stanu świadomości polskiego szlachcica. Rej chciał nam powiedzieć, jak żyć powinien człowiek od urodzenia aż do śmierci. W największym skrócie wyglądać ma to jego zdaniem tak:

Wychowanie — raczej surowe niż cieplarniane, pod czujnym okiem niezbyt pobłażliwego ojca. Nauka też, ale bez przesady.

Podróżowanie — hm, podróżować oczywiście warto, byle nie ulegać łatwym fascynacjom i nie przejmować cudzoziemskich zwyczajów. Polskie są najlepsze!

Wybór zawodu — stan dworski raczej nie, lepszy już stan rycerski, a najlepsze oczywiście gospodarowanie na swoim.

Praca — czasu nie trawić, radził pracowity Rej, przekonany, że w gospodarstwie zawsze znajdzie się jakieś zajęcie: w ogrodzie, sadzie, pasiece czy na polu.

Służba — Bogu, przyjaciołom, ojczyźnie. Ta piękna hierarchia nie mogła być wzorem do naśladowania dla dobrego dworzanina.

Rozrywki — sama natura o nie zadbała. Mamy wszak las do polowania, ogród udziela schronienia w upalne dni, pole i pasieka zapewniają dostatek na naszych stołach. Cudzoziemska kuchnia nie smakuje Rejowi, gani też przesadę wszelkiego rodzaju (pijaństwo, obżarstwo, przepych stroju).

Miłość — ma być bez komplikacji, „prosta" i „poczciwa". Wybierając przyszłą żonę nie zwracajmy uwagi na tytuł, urodę ani majątek. Kobieta ma być wzorową gospodynią i matką.

Choroba — zdarza się, niestety, nawet w szczęśliwej Arkadii szlacheckiej Mikołaja Reja. A jak się już zdarzy, najlepiej ją leczyć za pomocą rodzimych ziół.

Starość i śmierć — i to nas czeka. *Żywot* uczy trudnej sztuki godzenia się z ludzkim losem. Śmierć jest naszym przeznaczeniem, jest elementem wiecznego boskiego porządku i nie powinien się jej obawiać człowiek, który zadbał o swe ziemskie sprawy.

„Sobie śpiewam a Muzom.”

JAN KOCHANOWSKI

Urodzony 1530
w Sycynie (Radomskie) jako syn ziemianina, średnio zamożnego.

rok życia

14 Rozpoczyna studia w Akademii Krakowskiej.

22 Przez następnych kilka lat studiuje w Królewcu, wówczas znaczącym ośrodku luteranizmu, oraz Padwie, ważnym ośrodku włoskiego renesansu. Pisze pierwsze łacińskie wiersze.

29 Podróż do Francji i spotkanie z Ronsardem. Wraca do kraju, zostaje dziedzicem Czarnolasu (wieś pod Zwoleniem, woj. radomskie). Pisze pierwsze utwory po polsku.

33 Sekretarz i dworzanin króla Zygmunta Augusta.

34 Wydaje **Satyra** i **Zgodę**, dwa poematy polityczne. Atakuje w nich przywary szlacheckie (rozrzutność, egoizm, nieuctwo, lekceważenie obowiązków obywatelskich), pracę sejmu, sądownictwa, zaniedbania w zakresie szkolnictwa i polityki obronnej państwa. Postępowaniu swoich współczesnych przeciwstawia dawne obyczaje rycerskie. Ideałem — zgoda, zarówno między stanami, jak i wyznaniami.

37 Wówczas albo nieco później tworzy **Muzę**, poetycki manifest renesansowego indywidualizmu:
„Sobie śpiewam a Muzom. Bo kto jest na ziemi,
Co by serce ucieszyć chciał pieśniami memi?”
Muza jest wyrazem zwątpienia, ale także dumy poety, samotnego i nie zawsze docenianego, mimo wszystko dystansującego się od otoczenia, w którym panuje pieniądz, władza, zaszczyty.

44 Kres dworskiej kariery. Żeni się z Dorotą Podlodowską i osiada w Czarnolesie.

48 W Ujazdowie pod Warszawą, z okazji wesela Jana Zamoyskiego, wystawiona zostaje
➡ **ODPRAWA POSŁÓW GRECKICH**. Przedstawienie obserwował król Stefan Batory. Poeta
nie przybył na premierę z powodu choroby. Tekst utworu, napisanego kilka lat wcześniej,
ukazał się wkrótce po premierze.

49
> Publikacja **Psałterza Dawidów**. Kochanowski tłumaczył biblijne psalmy z łaciny,
> z tekstu tzw. Wulgaty. Przekład ujawnił wszystkie cechy ogromnej indywidualności
> poety. Jak dowiedli badacze, podczas pracy nad *Psałterzem* kształtował się poetycki
> warsztat Kochanowskiego, wiele słów, wyrażeń i metafor znalazło się następnie w *Trenach* i *Pieśniach*. *Psałterz* spotkał się z uznaniem czytelników należących do różnych
> wyznań. Najwybitniejszy kompozytor staropolski, Mikołaj Gomółka, ozdobił psalmy
> Kochanowskiego muzyką. Mickiewicz uznał *Psałterz Dawidów* za najlepszy na świecie
> przekład Biblii.

50 Po śmierci córeczki Urszuli pisze ➡ TRENY. Nieco później traci drugą córkę, Hannę.

54 Umiera nagle w 1584 r. w Lublinie, pochowany w Zwoleniu, gdzie znajduje się nagrobek
z jednym z dwóch zachowanych wizerunków poety. W roku śmierci Kochanowskiego ukazały
się ➡ FRASZKI, a potem również ➡ PIEŚNI.

„I wdarłem się na skałę pięknej Kalijopy,
Gdzie dotychmiast nie było znaku polskiej stopy.”

Wcale nie był poetą skromnym. Wierzył, że stworzył dzieło trwałe, które podziwiane będzie przez czytelników.
Miał rację!
Współcześni uznali go od razu za najwybitniejszego polskiego poetę. Cenili jego twórczość Rej i Klonowic.
Sława Kochanowskiego trwała w wieku XIX (za jego następców uważali się Mickiewicz, Słowacki, Norwid, Lenartowicz). Żeromski nazwał go „pionierem w krainie ducha”. W wieku XX hołd złożyli mu m.in. Staff, Leśmian, Tuwim, Gałczyński.

ODPRAWA POSŁÓW GRECKICH

„Cokolwiek będzie sprawiedliwość niosła
I dobre rzeczypospolitej naszej."

Budowa

Epeisodion — odpowiednik aktu
w nowoczesnym teatrze, składa się z monologów
i dialogów bohaterów (E).
Stasimon — pieśń chóru komentująca
przedstawione na scenie wypadki,
w przeciwieństwie do epeisodionu nie posuwa
naprzód akcji dramatu (S).

E1 Monolog Antenora. Spór Antenora
z Parysem.
S1 „By rozum był przy młodości..."

E2 Monolog Heleny. Rozmowa Heleny z Panią
Starą.
S2 „Wy, którzy Pospolitą Rzeczą władacie..."

E3 Helena wysłuchuje relacji posła.

E4 Rozmowa Ulissesa z Menelausem.

S3 „O, białoskrzydła, morska pławaczko..."

E5 Rozmowa Antenora z Priamem, przerwana
wróżbą Kasandry.

Utwór przyjmuje zasadę jedności miejsca, akcji
i czasu (około 6 — 8 godzin). Zwraca uwagę
bogactwo i nowatorstwo wersyfikacyjne:
7 rodzajów wiersza, w tym wiersz biały,
bezrymowy.

Tradycja

Zarówno budowa, jak i temat mitologiczny
zbliżają *Odprawę* do wzorów klasycznej tragedii
antycznej (Sofokles, Eurypides). Badacze
twórczości Kochanowskiego dowiedli też
związków utworu z włoską tragedią renesansową.

Postacie

Parys
interes prywatny
„nacjonalizm"
duma
przyjaźń (?)
prawda to kwestia
interpretacji

Antenor
interes publiczny
patriotyzm
sprawiedliwość
poszanowanie prawa
prawda

Priam
brak zdania

Morał

Ludzi zajmujących się polityką może nauczyć
Odprawa kilku wciąż aktualnych prawd:

● że w debatach publicznych zwycięża raczej
demagogia niż zdrowy rozsądek
● że politycy od niepamiętnych czasów
oskarżali się wzajemnie o zdradę i korupcję
● że dla wielu mężów stanu polityka ważniejsza
jest od moralności
● że być może najgorszym rodzajem władzy jest
władza chwiejna, słaba, niezdolna do
podejmowania decyzji

Mit	Odprawa posłów greckich
Helena, córka Ledy, zostaje żoną Menelausa. Na małżeństwie ciąży jednak klątwa bogini Afrodyty — z jej wyroku Helena będzie niewierną żoną.	—
Wychowujący się w ukryciu Parys, syn króla Troi Priama, dokonuje pierwszych cudownych czynów. Zgodnie z przepowiednią Parys stanie się powodem zagłady Troi.	—
Z wyroku Zeusa Parys rozstrzyga, której z trzech bogiń (Hera, Atena, Afrodyta) należy się miano najpiękniejszej. Wybiera Afrodytę.	E3, S3
Po zwycięstwie w igrzyskach Parys odkrywa swe prawdziwe pochodzenie. Zaproszony przez Priama, przenosi się na dwór, choć pomni przestrogi doradcy namawiają króla do wydania wyroku śmierci. W tym momencie los Troi jest właściwie przesądzony.	—
Parys poznaje Menelausa, odwiedza Spartę i wspierany przez Afrodytę, skłania do ucieczki Helenę.	E1, S3
Posłowie greccy przybywają do Troi. Ich żądanie wydania Heleny spotyka się z odmową. Grecja przygotowuje się do wojny.	E1 — 5 (właściwa akcja dramatu)
Trwa oblężenie Troi. Śmierć Hektora z ręki Achillesa i Achillesa z ręki Parysa. Dzięki podstępowi Ulissesa (koń trojański) miasto zdobyte przez Greków.	E5 (prorocza wizja Kasandry)

Elementy dodane, nieobecne w micie

Trojański system władzy (rządy króla i sejmu przypominają oczywiście ustrój Rzeczypospolitej Obojga Narodów), przekupstwa Parysa, krytyka Menelausa pod adresem młodzieży trojańskiej („wrzód szkodliwy w rzeczypospolitej młódź wszeteczna"), połączenie religijności antycznej i chrześcijańskiej.

Kostium

Wszystko wskazuje na to, że kostiumy, jakich używali aktorzy podczas premiery *Odprawy posłów greckich*, czyniły z tragedii utwór niemal współczesny. Czy zatem dramat Kochanowskiego jest dramatem politycznym, dramatem „obywatelskim"? Padające ze sceny aluzje pod adresem rządzących zdają się o tym świadczyć. Choć z drugiej strony — czy Polska „złotego wieku", odgrywająca tak znaczącą rolę w Europie, mogła się wydawać królestwem „bliskim zginienia"?
I jeszcze jedno: Kochanowski usunął z mitycznej opowieści wszystko, co zwalniało człowieka od odpowiedzialności za swoje czyny. Nie ma zatem w *Odprawie* wszechwładnego fatum, decydującego o przyszłości. Zgodnie z duchem renesansu — człowiek kształtuje swój los i potęgę albo słabość swojego kraju.

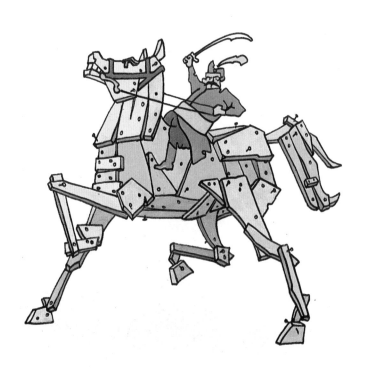

Orszuli Kochanowskiej

Żałość moja długo w noc oczu.mi nie dała
Zamknąć i zemdlonego upokoić ciała;
Ledwie mię na godzinę przed świtaniem swymi
Sen leniwy obłapił skrzydły czarnawymi.
Natenczas mi się matka własnie ukazała,
A na ręku Orszulę moję wdzięczną miała.

Postać dziewczynki

„słowik", „Safo słowieńska",
nadzwyczaj utalentowana (Tren VI)
źródło radości dla rodziców (VIII)
zapowiedź „przyszłych cnót" (III)
pobożna, dobrze wychowana,
czuła, skromna, pracowita, wesoła,
sympatyczna (XII)
(W chwili śmierci córka poety liczyła
sobie około 2,5 roku.)

Postać narratora

To nie zmarła jest główną bohaterką
dzieła. Najważniejszy jest w nim sam
poeta, który w kolejnych trenach
przyjmuje rozmaite role. Jest
świadomym swojej siły artystą, ale także
człowiekiem bezbronnym wobec Boga.
Jest mędrcem oczytanym w greckich
i rzymskich filozofach, ale także
bezradnym, zrozpaczonym ojcem.
1. Poeta (I—II)
2. Ojciec (III—VII)
3. Mędrzec (IX—XI)
4. Poeta (XV)
5. Mędrzec (XVI)
6. Człowiek wobec Boga (XVII—XVIII)
7. Śniący (XIX)

Śmierć

I — śmierć to bestia, smok pożerający
pisklęta
II, V — śmierć jest Persefoną
(Prozerpiną), czyli zgodnie z mitologią
antyczną królową Podziemia, okrutną
i nieubłaganą
IV, VII, XIII — śmierć (a w Trenie IV
nawet osobowa Śmierć) staje się
adresatką skargi poety; wcześniejsze
zarzuty zostały ograniczone do jednego:
zgon Urszulki narusza odwieczne prawo
natury, zgodnie z którym ojcowie
umierają przed dziećmi
XIX — śmierć w ujęciu chrześcijaństwa
pojawia się dopiero w ostatnim trenie;
myśl, że śmierć otwiera nam drogę do
lepszego świata, niesie pociechę
zrozpaczonemu poecie

Ewolucja

Zgodnie z duchem poetyki
renesansowej Kochanowski wprowadza
do swego utworu postacie znane
z mitologii: Niobe, która utraciła
siedem córek i siedmiu synów (V, XV),
Orfeusza, który musiał rozłączyć się
z ukochaną Eurydyką (XIV).
W końcowych trenach analogie te
ustępują: zrozpaczony poeta jest teraz
Hiobem, biblijnym bohaterem,
dotkniętym straszliwymi
i niezrozumiałymi cierpieniami.

Filozofia

Treny to również dramat mędrca
i filozofa. Przedstawiciele nurtu
zwanego stoicyzmem uczyli, jak
zachować spokój ducha nawet podczas
największych życiowych katastrof.
Niestety, w zestawieniu
z indywidualnym doświadczeniem
człowieka ich rady okazują się mało
przydatne. Górę biorą uczucia:
zwątpienia (I), rozpaczy i tęsknoty (III).
Poeta, który nie znalazł spokoju ducha,
zaczyna podejrzewać, że światem rządzi
raczej fatum niż Opatrzność.
Zdesperowany, pragnie udać się
w podróż w ślad za córką (XIV).
W sensie filozoficznym *Treny* oznaczają
wybór między Atenami i Jerozolimą.
Kończą się akcentem pokory
w niewytłumaczalnym cierpieniu.
Chrześcijaństwo najdoskonalszą filozofią
śmierci? Chyba — tak.

Tradycja

Podwójne niejako „zakorzenienie"
dzieła. Z jednej strony — odwołania do
greckich i rzymskich pisarzy (poeci:
Homer, Horacy, Katullus, Owidiusz,
tragicy: Sofokles i Eurypides, filozof
Seneka), z drugiej — dialog z Biblią
(zwłaszcza Eklezjasta i Psalmy).
Najświetniejszym z renesansowych
odpowiedników *Trenów*
Kochanowskiego są wcześniejsze jednak
o dwa stulecia sonety Petrarki napisane
po śmierci Laury.

Nowatorstwo

- po raz pierwszy w poezji żałobnej
  bohaterem utworu jest nie mąż stanu,
  artysta czy mecenas poety, lecz małe
  dziecko
- kompozycja zbioru, który jest nie
  tylko rodzajem lirycznego
  pamiętnika, ale również świadectwem
  ewolucji intelektualnej autora
- po raz pierwszy w historii literatury
  polskiej doszło z taką siłą do głosu
  uczucie intymne
- wykorzystanie „snu na jawie", wizji
  jako zamknięcia cyklu

Opinie

Treny nie tylko uznano za arcydzieło, ale
szybko zaczęto je naśladować. Po
śmierci poety Sebastian Fabian
Klonowic napisał nawet cykl trenów
*Żale nagrobne na śmierć Jana
Kochanowskiego.*
Dla niektórych historyków literatury
stanowiły zagadkę. Stanisław
Windakiewicz dopatrzył się w nich
zerwania z humanizmem
renesansowym, a Mieczysław Hartleb
uznał je za utwór barokowy. Wiele
wątpliwości budził też ostatni, XIX
Tren. Jego rolę w całym cyklu objaśnił
szczegółowo najwybitniejszy znawca
twórczości Kochanowskiego, Janusz
Pelc.

KTO MI DAŁ SKRZYDŁA, KTO MIĘ ODZIAŁ PIÓRY...

Księgi pierwsze (I) — 25 pieśni
Księgi wtóre (II) — 25 pieśni
Pieśń świętojańska o Sobótce (S) — pieśni 12 panien

Tradycja

Kilka pieśni to przekłady bądź swobodne przeróbki utworów Owidiusza i Propercjusza, a zwłaszcza **Horacego**. Kochanowski wykorzystał też kilka tematów mitologicznych. A poglądy, jakie wypowiada, przypominają często mądrości stoików i epikurejczyków. W *Pieśni świętojańskiej o Sobótce* na równi z antyczną tradycją sielankową doszły do głosu inspiracje polską twórczością ludową.

Pieśni

● stanowią właściwy początek liryki polskiej
● są najpełniejszym wyrazem myśli Jana Kochanowskiego
● tworzą ważny etap w rozwoju polskiego wiersza

Motywy, tematy, myśli

1. Człowiek

Wszystko w duchu dojrzałego renesansu. Uczmy się znosić szczęście i nieszczęście (o tym wiedzieli już stoicy). Cieszmy się jednak życiem i nie przejmujmy zbytnio przyszłością (tak doradzali epikurejczycy). Najważniejsza spośród wszystkich — cnota umiaru. Przeciwieństwem gonitwy, pogoni za zyskiem, sławą i zaszczytami jest spokojne życie domowe, przeciwieństwem pełnego intryg życia dworskiego — życie na wsi (S 12).
Kochanowski głosi potrzebę pogodzenia się z losem, uczy akceptacji „dziwności" świata, niekiedy — wbrew rozumowi. Przeżywanie piękna bierze górę nad refleksją: wszystkiego objaśnić się nie da!

2. Radość życia

Samotność jest złem, szukajmy więc towarzystwa, możliwie najlepszego. Zabawa zbliża do siebie ludzi. Zwłaszcza gdy na stole pojawia się wino, napój filozofów, gdy przyjaznym rozmowom towarzyszą gęśle i lutnia. *Pieśni* są wielką pochwałą sztuki: poezji, muzyki, tańca (S).

3. Miłość

Kilka pieśni to zapewne najlepsze polskie erotyki renesansowe. Znalazła w nich wyraz miłość dojrzała, pozbawiona wybuchów namiętności. Taka miłość kojarzy się nieraz poecie z przyjaźnią. Na plan pierwszy wysuwają się zalety duchowe kobiety, a nie jej uroda (wyjątkiem — S 11). W opisie idealnego małżeństwa (II 10) Kochanowski zbliżył się nieoczekiwanie do poglądów Reja!

4. Historia

Podobnie jak mitologia, żyje dzięki słowu poety (np. wiedzę o wojnie trojańskiej zawdzięczamy Homerowi). W *Muzie* sugestia, by piszący o dziejach zachował obiektywizm i „nie podlegał nikomu".

Tylko trzy pieśni dotyczą konkretnych wypadków historycznych. Najsławniejsza (II 5) zwana jest także *Pieśnią o spustoszeniu Podola* i mówi o najeździe tatarskim z 1575 r. Dwie pozostałe (I 13, II 13) dotyczą wojen polsko-rosyjskich. Rzeczpospolita ponosi porażki. Szlachta zamieniła oręż na „karty i kufel". Haniebnemu próżnowaniu potomków rycerzy przeciwstawił poeta obrazy pracy z *Pieśni świętojańskiej*.

5. Bóg

Bóg-Stwórca, budowniczy natury, pod którego opiekuńczymi skrzydłami pragnie schronić się człowiek (II 25 „Czego chcesz od nas, Panie..."), nie jest jedynym reprezentantem sił boskich. Z religijnością renesansową, a zwłaszcza obowiązującą konwencją poetycką, nie kłóci się wcale, że chrześcijańskiemu Bogu towarzyszy Fortuna, symbol przeznaczenia i chwiejności ludzkiego losu. Podobno Fortuna jest kobietą — kapryśną i niestałą. Cóż, skoro tak, cieszmy się tym, co zechciała nam ofiarować...

6. Natura

Zmienny rytm natury, cykl czterech pór roku przypomina zmienność ludzkich losów.

Wszystko się przeobraża (II 9). Najpiękniejsze z poetyckich pejzaży: wiosna (I 2), lato (S 6), zima (I 14). Przyroda nie zawsze jest sielankowa: opis powodzi (II 1) i upału (II 7) przypomina, że prawa natury bywają nieludzkie (S 1).

Osiem zdań

Dosyć na rozum człowieczy
Dzień dzisiejszy mieć na pieczy.   II 15

Cnota skarb wieczny, cnota klenot drogi.   II 3

Przywileje powieśmy na kołku,
A ty wedla pana siądź, pachołku.   I 20

Zegar, słyszę, wybija,
Ustąp, melankolija!   I 24

Miło szaleć, kiedy czas po temu.   I 20

A jesli komu droga otwarta do nieba,
Tym, co służą ojczyźnie...   II 12

Skujmy talerze na talery, skujmy,
A żołnierzowi pieniądze gotujmy!   II 5

Wsi spokojna, wsi wesoła,
Który głos twej chwale zdoła?   S 12

FRASZKI TO WSZYTKO!

Rodowód

Nazwę „fraszka" (z włoskiego „frasca" — przen. błahostka, drobiazg) wprowadził do literatury polskiej Jan Kochanowski. Proponowany przez Reja termin „figliki" jakoś się nie przyjął. Stosowana już w starożytności nazwa „epigramat" ma znaczenie nieco szersze.

Liczba

Kochanowski napisał ponad 300 fraszek. Najdłuższa (*O Łazarzowych księgach*) ma 36 wierszy, najkrótsze liczą 2 wiersze. Fraszka *Do Baltazara* składa się zaledwie z 10 słów!

Adresat

Większość fraszek posiada adresata: konkretną, wymienioną z nazwiska bądź imienia osobę, postać fikcyjną lub alegoryczną (np. fraszka *Do miłości*). W rzeczywistości pisane przez wiele lat fraszki tworzą liryczny pamiętnik poety. Są również wyrazem jego postawy życiowej.

Co się naprawdę w życiu liczy?

- Cnota
- Przyjaźń
- Umiar
- Biesiada
- Miłość

Przyjaźń ważniejsza od miłości? Chyba tak, skoro na jedną fraszkę adresowaną do kobiety przypadają aż trzy skierowane do przyjaciół.

A co z resztą?
„Zacność, uroda, moc, pieniądze, sława,
Wszystko to minie jako polna trawa."

Życie jest grą

Człowiek uczestniczy w grze i sam jest obiektem gry. Tajemniczą grę prowadzi z nami Opatrzność („człowiek boże igrzysko"), los, czyli kapryśna pani Fortuna. Powodzenie jest zmienne, żywot ludzki niepewny i nietrwały („Nie masz na świecie żadnej pewnej rzeczy"). To wszystko nie powinno powodować uczucia rozpaczy. Kochanowski głosi konieczność pogodzenia się z losem. Prawdziwy mędrzec dziwi się i wybacza światu niedoskonałość („A ja się dziwuję...").
Umiejętne korzystanie z radości doczesnego życia zapewnia nam poczucie duchowej równowagi („Pijcie, grajcie, miłujcie — Jan fraszki niech pisze!"). Czyżby poezja była także rodzajem gry albo zabawy? Niektóre fraszki zdają się potwierdzać taki pogląd.
„Miłości pragną nie pragną tu złota." Zdanie wydaje się zrozumiałe, ale jak na złość umieszczone zostało we fraszce zatytułowanej *Raki*. Możemy je więc czytać w odwrotnym porządku i wtedy wiersz staje się złośliwą satyrą. Przewrotność poety czy przewrotność świata? Wielcy mistrzowie też się bawią!

Podział fraszek

Autotematyczne
Do fraszek
O fraszkach
O nowych fraszkach

Fraszki to nie tylko gatunek literacki, to również pewna filozofia!

Filozoficzne
O żywocie ludzkim
Do snu
O rozkoszy

Wyrażają czasem zadumę, nigdy — rozpacz.

Religijne
Na dom w Czarnolesie
Do Pana
Modlitwa o deszcz

Poważniejsze od innych, ale przecież... fraszki!

Epitafia
Epitafium Sobiechowi
Nagrobek opiłej babie
Nagrobek Rózynie

Około 30. Niektóre dowodzą, że nawet wiersz nagrobny może być żartobliwy!

Patriotyczne
Na sokalskie mogiły

Nieliczne, mówią zwykle o bohaterach czasów minionych.

Obyczajowe
O kaznodziei
O swych rymiech
Na nabożną

Zawierają czasem elementy satyry obyczajowej, w zamyśle poety atakować mają występki, a nie osoby.

Pijackie
Za pijanicami
O doktorze Hiszpanie
O ślachcicu polskim

Dzban wina uważał poeta za miłe uzupełnienie biesiady. ,,Pijcie!'', powiadał, ale z umiarem...

Miłosne
Do Jadwigi
Do Hanny
Do Magdaleny

Przykład, że nawet w liryce staropolskiej wyrażano najsubtelniejsze uczucia.

Swawolne
O chłopcu
O gospodyniej
O rozwodzie

Biorą za temat nie miłość, lecz zawiłości życia seksualnego dawnych Polaków.

Mądrość fraszek

- świat nie jest doskonały
- życie ludzkie nie składa się z samych radości
- mimo wszystko możemy zachować spokojne sumienie, cieszyć się ziemskim pięknem
- możemy też patrzeć bez lęku w stronę Boga
- Bóg Kochanowskiego nie jest surowym sędzią karzącym grzeszników, lecz miłosiernym Stwórcą, opiekunem człowieka

,,Ja, Panie, niechaj mieszkam w tym gnieździe ojczystym,
A Ty mię zdrowiem opatrz i sumnieniem czystym,
Pożywieniem ućciwym, ludzką życzliwością,
Obyczajmi znośnymi, nieprzykrą starością.''

„Długa nadzieja, radość krótka..."

MIKOŁAJ SĘP SZARZYŃSKI

1550(?) — 1581

- związany ze Lwowem i okolicami Przemyśla
- w młodości sympatyzował prawdopodobnie z reformacją, potem żarliwy katolik
- typowy poeta epoki przełomu między renesansem i barokiem
- zmarł przedwcześnie, a większość jego utworów zaginęła, po śmierci ukazały się:

Rytmy abo wiersze polskie (1601)

Zawartość:

- sześć sonetów (obok podobnych utworów Kochanowskiego są to pierwsze sonety w naszej literaturze)
- parafrazy psalmów
- pieśni (m.in. dwie pieśni poświęcone pamięci bohaterów, którzy polegli w walkach z Tatarami — opisują wzór chrześcijańskiego rycerza-męczennika, ponoszącego śmierć z ręki pogan)
- epigramaty
- epitafia

Jak łatwo zauważyć, poeta sięga po gatunki znane dobrze autorom renesansowym. Barokowe są natomiast wypełniające jego utwory koncepty: wyszukane metafory, kunsztowny styl i język, przestawienia szyku wyrazów w zdaniu, wyrafinowane aluzje erudycyjne.

Koncepty
cień głęboki błędów
przepaść zrozumności
oblubieniec obleczon z szczyrego złota ubiorem
starość, co zębem stalnym wszystko kruszy
mgłą ciemną przyodziana noc
słodsze nad miód i nad złoty kruszec ważniejsze

„Próżne człowiecze staranie bez Bożej pomocy.''

Bóg

Wiekuista Mądrość
Nieskończoność
„Pan wszechmogący, wieczny, niepojęty''
„Przyczyna wszystkiego''
Stwórca, Budowniczy natury,
Pan wszystkiego, co żyje
Prawodawca wiecznych praw
Sędzia
Prawdziwy pokój
Prawdziwe piękno
„Szczęśliwość własna'', czyli największe
dobro człowieka

Człowiek

proch
„podła ziemia''
cień
grzesznik
istota rozdarta, „rozdwojona w sobie''

„Kto tak w cnotach utwierdzony,
Gdy przyjdzie na sąd prawdziwy,
By nie miał być potępiony?''

Jak widać, w przeciwieństwie do Kochanowskiego, Sęp buduje przepaść między człowiekiem a Stwórcą. Nie jest w naszej mocy życie bez grzechu. A zatem pozostaje nam liczyć na łaskę i miłosierdzie Boga. W takim ujęciu widać wyraźnie wpływ myśli Lutra. Świat, u Kochanowskiego pokazywany jako wspaniałe królestwo natury, staje się u Sępa obszarem walki. Trwa wojna, której stawką jest zbawienie duszy.

Wrogowie człowieka

szatan („srogi ciemności hetman'')
świat („łakoma marność'')
ciało („nasz dom''
i źródło naszego upadku)

Świat wartości pozornych

bogactwo („siła złota'')
władza („berło królewskie'')
rozkosz („rdza grzechu'')
ziemska uroda („stworzone
piękne oblicze'')

Podczas gdy przywiązujemy się do życia doczesnego, bez przerwy, krok w krok wędruje za nami kosiarz czyhający na wszystko, co się rodzi. To ŚMIERĆ!
A o czym przypomina nam „machina nieba''?

„Ogień w sobie czuję..."

JAN ANDRZEJ MORSZTYN

Urodzony 1621
prawdopodobnie w Wiśniczu pod Krakowem, w zamożnej rodzinie ziemiańskiej.

rok życia

16 Chłopiec wychowujący się dotąd w Chorzelowie (ziemia sandomierska) rozpoczyna studia w Lejdzie (dziś: Holandia). Z Gdańska przesyła swój najwcześniejszy znany dziś wiersz.

24 Po powrocie ze studiów przebywa w Osiecku, na dworze koniuszego królewskiego (urząd, nie zawód!) Aleksandra Lubomirskiego. Dzięki niemu podróżuje do Włoch. Fascynacja kulturą włoską widoczna jest w całej poezji Morsztyna.

25 Wiąże się z dworem wojewody krakowskiego Stanisława Lubomirskiego. Dzięki protekcji rozpoczyna karierę polityczną. Wraz z królem Władysławem IV podróżuje do Lwowa.

26 Latem przebywa na Ukrainie, gdzie uczestniczy w pracach komisji polsko-moskiewskiej zajmującej się wytyczaniem granicy. Pozbawiony radości życia dworskiego, pisze zbiór wierszy **Kanikuła albo Psia Gwiazda**. Ponad trzydzieści połączonych tematycznie utworów to obok *Trenów* Kochanowskiego najlepiej skomponowany cykl liryczny w poezji staropolskiej. Gorące lato jest dla Morsztyna porą, gdy wybuchają z największą siłą miłosne namiętności. W tym okresie na niebie wschodzi Syriusz, „psia gwiazda", zgodnie z tradycją astrologiczną również patronująca gorącym uczuciom. Do najbardziej znanych wierszy z tego zbioru należą *Nadgrobek Perlisi* i *Rękawice*. W dłuższym wierszu *Wiejski żywot* poeta zawarł pochwałę życia wiejskiego, które przeciwstawił — podobnie jak Kochanowski — życiu dworskiemu. Wydaje się jednak, że był to jedynie ukłon w stronę konwencji. Na wsi Morsztyn po prostu się nudził.

27 Poseł na sejm.

32 Dworzanin pokojowy króla Jana Kazimierza. Zaczyna używać imienia Jan. W misji dyplomatycznej udaje się do Siedmiogrodu.

33 W Warszawie wystawiono balet królewski, do którego libretto napisał Morsztyn. Podróżuje do Szwecji. Cudem uchodzi z życiem podczas katastrofy morskiej.

34 Odgrywa coraz większą rolę na dworze. Podróżuje do Wiednia i Frankfurtu.

36 W imieniu króla podpisuje akt kapitulacji Szwedów.

37 Sekretarz królewski, referendarz. Kolekcjonuje tytuły, robi zawrotną karierę, staje się jedną z najbardziej wpływowych osobistości z otoczenia Jana Kazimierza.

38 Żeni się z Katarzyną Gordon of Huntly, młodszą o kilkanaście lat damą dworu. Małżonka poety była szkocką emigrantką, pochodziła ze znakomitego rodu.

39

> W Zamościu wystawiony został po raz pierwszy **Cyd** Corneille'a w przekładzie Morsztyna. Bez porównania ważniejszym wydarzeniem kulturalnym (a także politycznym!) była późniejsza o dwa lata inscenizacja warszawska. Tłumaczenie dokonane przez poetę uważane jest za jedno z największych osiągnięć sztuki translatorskiej nie tylko epoki staropolskiej. Fakt, iż dzieło przedstawiciela francuskiego klasycyzmu przełożył tak doskonale poeta barokowy, uświadamia nam, jak płynne są czasem granice między stylami w sztuce.

40

> Ukończona zostaje **Lutnia** — obszerny, liczący ponad 200 utworów zbiór poetycki, pisany przez Morsztyna w ciągu ponad dwudziestu lat. *Lutnia* pozostała w rękopisie i na wydanie czekała dwa wieki! Jest to zbiór znacznie bardziej urozmaicony niż *Kanikuła* — zawiera wiersze miłosne i okolicznościowe, fraszki, a także świetne sonety (najsławniejszy sonet *Do trupa* to porównanie losu zakochanego z sytuacją człowieka, którego trafiła „strzała śmierci").
> *Lutnia* świadczy o doskonałym opanowaniu warsztatu poetyckiego i bogactwie barokowej wyobraźni. Podobnie jak Kochanowski (*Muza*), Morsztyn wypowiada pochwałę twórczości „dla siebie", bez nadziei znalezienia życzliwego odbiorcy.

46 Podróżuje z misją dyplomatyczną do Francji.

47 Podskarbi koronny, jeszcze jedna godność do kolekcji.

59 Ostatnia misja dyplomatyczna. Zostaje poddanym francuskim i sekretarzem króla Ludwika XIV („Król Słońce").

62 Profrancuskie sympatie Morsztyna stają się powodem konfliktu z królem Janem III Sobieskim (popierającym Austrię). Poeta, oskarżony o zdradę stanu, zmuszony do emigracji.

72 Dziesięć ostatnich lat życia spędza we Francji. Umiera w Paryżu w 1693 r. w swym domu nad Sekwaną, w pobliżu Luwru.

Życie upłynęło Morsztynowi na podróżach, zajęciach dyplomatycznych, a pewnie i dworskich intrygach. Tymczasem w jego twórczości, przynajmniej w znanym nam dzisiaj kształcie, polityka zajmuje stosunkowo niewiele miejsca.
Jaka różnica w porównaniu z Kochanowskim! W przypadku poety z Czarnolasu życie i twórczość łączą się w harmonijną całość. Natomiast u Morsztyna widać wyraźny rozdźwięk między biografią a literaturą. Nie przeniknęły do jego dzieła opisy podróży (a tyle ich odbył!) ani poważniejsze refleksje dotyczące bieżących wypadków politycznych. Z własnego wyboru czy też z konieczności stał się poetą jednej struny, jednego wielkiego tematu.
Tematem tym jest miłość. Powiedział o niej Morsztyn chyba wszystko, co był w stanie powiedzieć człowiek XVII wieku.
Jak się zdaje, zamilkł bardzo wcześnie, niemal w połowie życia. Jest też pierwszym polskim wybitnym poetą, który umarł w Paryżu, na emigracji...

KOCHAJ, MIŁOŚCI MIŁOŚĆ JEST NADGRODĄ

Ogród miłości

Czuwają nad nim dwie mitologiczne postacie. WENUS, rzymska bogini miłości utożsamiana z grecką Afrodytą, sprawiedliwa, rozstrzyga spory między zakochanymi, bywa adresatką licznych próśb, niełaskawa dla zakochanych bez wzajemności. Jej syn KUPIDO (Kupidyn) to jeszcze dziecko. Skrzydlaty chłopiec uzbrojony w łuk i strzały, za pomocą których wzbudza namiętne uczucia w ludziach, sprytny, figlarny, czasem złośliwy. Kiedy trafi nas strzała Kupidyna, tracimy głowę.

Do ogrodu zaglądają jeszcze inni bogowie: Minerwa, dzięki której odkrywamy w partnerze zalety ducha, Merkury, troszczący się, by panna była dowcipna, Feb (Apollo), za sprawą którego w miłości tyle jest poezji. W liryce Morsztyna mitologia spełnia funkcję dekoracji podobnie jak w malarstwie barokowym. Nawiązania do tradycji antycznej są niekiedy żartobliwe czy nawet ironiczne (*Do Walka*). Filozofia grecka i rzymska, tak istotna w *Pieśniach* czy *Trenach* Kochanowskiego, nie odgrywa w twórczości Morsztyna większej roli.

Szkoła miłości

Składają się na nią wzdychania i westchnienia, wymowne gesty, milczenie, czasem łzy (cóż szkodzi, że trochę teatralne?), schadzki, tajemne znaki, liściki. No i oczywiście — pocałunki. Już starożytni wiedzieli, że pocałunek jest połączeniem dusz. Podobnie sądzi Morsztyn („dusza z ust moich w twoje przeleciała"), który zresztą nigdy na pocałunkach nie poprzestawał...
Jan Andrzej Morsztyn jest bodaj pierwszym polskim poetą w pełni świadomym istnienia „ars amandi", czyli sztuki kochania.
„Już mię nie tak posępnym wzrokiem zabijała,
Już i mówić, i tańczyć z sobą dozwalała,
Już rękę ścisnąć wolno, już i trącić łokciem,
I po łechciwej dłoni poigrać paznokciem."

Miłość jest wojną

Pośród metafor użytych przez Morsztyna szczególną funkcję spełniają określenia z dziedziny militariów. Miłość jest walką płci, jest zdobywaniem. Trochę tu barokowej przesady. Czułe spojrzenia to „ogniste strzały". Poczciwa zapewne Zosia według poety „strzela, gromi, bije, siecze, wojuje, pali, pustoszy i piecze". Miłosne związki to „kajdany, okowy, węzły i sidła". Zakochany staje się jeńcem, miłość — niewolą.
Miłość bywa też spotkaniem dwóch potężnych żywiołów. Z jednej strony — wulkaniczny żar, gorejące ognie, płomienie namiętności. Z drugiej — mróz, lód i śnieg (pod tymi porównaniami kryje się zwykle obojętność panny). Zakochany przeżywa cierpienia nie mniejsze niż wtrąceni do piekła grzesznicy.

Album imion

Maryna   Marysia   Jaga   Jadwiga
Izabela   Kazimiera   Barbara   Zosia   Bogumiła   Stella
Regina   Jewka (Ewka)   Helena   Melita
Anna   Joanna   Kasia   Małgorzatka   Jagnieszka (Agnieszka)   Dosia

Jak wolno się domyślić, każdej z tych pań obiecywał nasz poeta wierność.

Ideał kobiety

„Niestateczność" spowodowana była zapewne daremnym poszukiwaniem idealnej partnerki. Zdaniem Morsztyna powinna być wesoła, tolerancyjna, niezbyt wstydliwa, zgodna, urodziwa. Takie cechy może posiadać kobieta-przyjaciółka, nigdy — własna żona!
Jak daleko odeszliśmy od gospodarskich ideałów Reja i Kochanowskiego! W poezji Morsztyna kobieta broni się przed zalotami, udaje obojętność, a w końcu... pozwala się zdobywać. Gra miłosna, pełna wyrafinowanego wdzięku, na krótko łączy zakochanych. Małżeństwo to szarzyzna, zdaje się mówić poeta (chociaż sam się ożenił).

Wiersze dla dorosłych

Na pocałunkach się nie kończyło. A Morsztyn nie był wcale poetą powściągliwym, wręcz przeciwnie – jednym z najśmielszych. Jego wiersz bywał nieraz „jako w łaźni nagi". Dwuznaczne erotyki (*Do Zosie, Dobra rola, Nowe ziele, Jabłka*) czynią tylko aluzje do wstydliwych tematów. Utwory takie, jak *O jednym* czy *Dwiema siostrom*, to typowe staropolskie „obscenia", teksty nieprzyzwoite. **Nieobiecany kąsek** wolno uznać za najlepszy erotyczny poemat epoki staropolskiej.

Brzydota i okrucieństwo

Renesans odkrywał urodę świata, barok – podobnie jak sztuka XX wieku – poszukuje także brzydoty. Któraś z dziewczyn Morsztyna „nos ma kaprawy, zęby jak czeluści" i jest „na jedno oko ślepa". Patrząc na młodą pannę, poeta wyobraża sobie niszczące młodość i urodę działanie czasu. Powraca częsty w jego wierszach obraz starej bezzębnej kobiety, targanej namiętnościami. Przemijanie i śmierć też stają się obiektem barokowego żartu (*Nadgrobek młodej paniej*).

Inne tematy

Morsztyn jest poetą drobiazgu, utalentowanym piewcą rzeczy błahych, przedmiotów i spraw, których jego poprzednicy zwykle nie zauważali (*Na balwierza, Do igły, Na rusznicę, Jedwabnik*). Pod jego piórem wszystko staje się niezwykłe:

„Patrz, Kasiu, jak to, gdy ciepła panują,
Jedwabną przędzę robaczkowie snują,
Jak żyją liściem, jak gęste osnowy
Puszczając, domek gotują grobowy."

Jest jednym z pierwszych poetów Warszawy. Jest nowatorem w zakresie traktowania motywu snu. Nie tylko – zgodnie z tradycją antyczną – nazywa sen „bratem śmierci". Wprowadza też do naszej literatury sen erotyczny (!).

Sztuka pisarska

Jak dowiodła Jadwiga Sokołowska, literatura polska XVII wieku odznacza się wielkim bogactwem środków poetyckich. Niemała w tym zasługa Morsztyna, który:
– wzbogaca rymy (przekładane, okalające)
– stosuje różnorodną wersyfikację
– doskonali „język lirycznej rozmowy" (monolog „udający" dialog)
– rozwija sztukę kompozycji
Jako typowy przedstawiciel poezji barokowej, należy do szkoły „metafory i konceptu". Lubi niespodziewane pointy, wyliczenia, rozbudowane porównania. Często bawi się literaturą: tworzy poetyckie zagadki (*Gadki*), akrostychy, znane już Kochanowskiemu „raki", miesza polski język z łaciną (*Ad Marcum*), sięga po stylizację gwarową (*Uczciwość*).

Nie wszystkie pomysły są dziełem samego Morsztyna. W epoce staropolskiej nie znano instytucji prawa autorskiego, swobodnie przerabiano więc utwory cudze. Morsztyn skorzystał najwięcej ze wzorów włoskiego poety barokowego G. Marina, w mniejszym stopniu z poetów rzymskich (Wergiliusz, Marcjalis).
Przejmuje barokową konwencję, ale potrafi zdobywać się na ironiczny dystans, którego mniej uważny czytelnik może nawet nie zauważyć:

„Oczy są ogień, czoło jest zwierciadłem,
Włos złotem, perłą ząb, płeć mlekiem zsiadłem."

Ciąg metafor „paralelnych" ociera się o banał. Tylko ta cera jak zsiadłe mleko. Czy o takim komplemencie mogła marzyć bohaterka wiersza? Poetę mało obchodziły dziewczęce marzenia i postanowił przy okazji powiedzieć kilka słów prawdy:

„Jak się zwadzimy – jagody* są trądem,
Usta czeluścią, płeć blejwasem bladem**,
Ząb szkapią kością, włosy pajęczyną,
Czoło maglownią***, a oczy perzyną."

---

* policzki   *** deska do maglowania
** farba   – ohydztwo

> *„Nie pragnę, aby ktokolwiek zdawał się całkowicie na mnie,*
> *albowiem i samem z siebie nierad,*
> *i niczyim stronnikiem nie jestem.”*

ANDRZEJ FRYCZ MODRZEWSKI

1503(?) — 1572

- sekretarz Zygmunta Augusta
- dyplomata
- wójt wolborski

De Republica emendanda (O poprawie Rzeczypospolitej)

Najważniejsze dzieło, wyd. 1554, niepełny polski przekład 1577. Całość zawiera pięć ksiąg:

1. *De moribus* (*O obyczajach*)
2. *De legibus* (*O prawach*)
3. *De bello* (*O wojnie*)
4. *De Ecclesia* (*O Kościele*)
5. *De schola* (*O szkole*)

Tradycja

Frycz Modrzewski nawiązuje do greckiej filozofii politycznej (Arystoteles, Platon), którą stara się łączyć z naukami Ewangelii. Jest najwybitniejszym polskim kontynuatorem wielkiego humanisty renesansowego, Erazma z Rotterdamu.

Jest to próba odpowiedzi na pytanie:
„Co się zda w naszej Rzeczypospolitej poprawy być godnego?”

	Tak być powinno:	A tak jest:
Prawo	Kara śmierci dla każdego zabójcy. Sprawiedliwe sądownictwo, oskarżony nie może być jednocześnie sędzią.	Nierówność wobec prawa (szlachcic za żabójstwo chłopa płaci co najwyżej karę pieniężną). Faktyczna niewola chłopa (jego pan bywał jednocześnie oskarżonym i sędzią).
Państwo	Wzorem — monarchia elekcyjna. Współpraca wszystkich stanów. Służba ojczyźnie powszechnym obowiązkiem. Powinnością państwa — opieka nad biedakami.	Prywata, lekceważenie interesów publicznych. Państwo nierządu, rzeczpospolita szlachecka.
Religia	Kościół narodowy obejmujący wszystkie wyznania chrześcijańskie, posługujący się w liturgii językiem polskim. Tolerancja religijna.	Nietolerancja, ciemnota, spory religijne, skłócenie wyznań.
Szkoła	Wychowanie religijne i patriotyczne gwarancją naprawy państwa. Wzmocnienie autorytetu nauczyciela i wychowawcy.	Nieuctwo, niski poziom nauki i oświaty. Brak szacunku dla wiedzy.
Moralność	Miłość i zgoda między ludźmi, tolerancja, gotowość przebaczenia zgodna z nauką Chrystusa. „Pokój ze wszystkimi ludźmi.”	Gniew, kłótnie, wojny.

„Mnie wiara jest widzeniem."

PIOTR SKARGA

1536—1612

- ● ksiądz, jezuita, nadworny kaznodzieja króla Zygmunta III
- ● związany z Wilnem, Krakowem, Warszawą
- ● najwybitniejszy przedstawiciel polskiej kontrreformacji
- ● silne poczucie misji i obecna w jego pismach religijna żarliwość sprawiły, że porównywano go czasem do biblijnego proroka przemawiającego w imieniu Boga

Żywoty świętych (1579)

Cieszyły się niezwykłą popularnością wśród czytelników. 400 żywotów zebranych przez Skargę pokazuje chrześcijaństwo jako religię pokuty, dystansu wobec świata i ziemskich rozrywek.
To nie jest religia pełna radości.

Kazania sejmowe (1597)

Jak dowiedli badacze, nie były w rzeczywistości wygłaszane przed posłami. 8 kazań, wydanych jako dodatek do *Kazań na niedziele i święta*, stanowi zatem traktat polityczny, projekt naprawy Rzeczypospolitej w duchu kontrreformacji. Ideałem Skargi jest państwo katolickie, łączące politykę i religię, politykę i chrześcijańską moralność. Przeszkodą na drodze do powstania takiego państwa jest:

„Sześć polskich chorób"

1. **Chciwość** i związana z nią prywata, przedkładanie interesu „domowego", czyli rodowego, nad interes kraju, co chętnie robiła współczesna Skardze magnateria.
2. **Niezgoda** — musi skończyć się niewolą, bo słaby jest kraj bez „jednego języka, jednego króla, jednej ojczyzny".
3. **Utrata wiary**, której wyrazem, zdaniem autora, jest popularność wyznań niekatolickich; zwolennikom reformacji Skarga ofiarowywał nie tolerancję, lecz nawrócenie.
4. **Osłabienie władzy królewskiej**: rządy skłóconego sejmu są nieudolne, prowadzą do ogólnej anarchii.
5. **Prawodawstwo** stwarza okazję do manipulacji w zakresie sądownictwa, daje szlachcie poczucie „złotej wolności", krzywdzi chłopa.
6. **Brak miłości chrześcijańskiej**: ideał etyczny Skargi to „naśladowanie Chrystusa". Porzucenie chrześcijańskich wartości prowadzi do upadku państwa i społeczeństwa. Wzorem biblijnych proroków, Jeremiasza, Ezechiela, Izajasza, Skarga przepowiada katastrofę Rzeczypospolitej.

„Jako prosty żołnierz, nierad się specyjałami pasę."

JAN CHRYZOSTOM PASEK

1636(?)–1701(?)

- urodzony w okolicach Rawy Mazowieckiej
- przez dwanaście lat żołnierz, służył pod komendą Stefana Czarnieckiego
- w późniejszym okresie życia gospodarował w Małopolsce
- typowy Sarmata, pieniacz i awanturnik, skazany na banicję (wyroku oczywiście nie wykonano)

Pamiętniki pisał u schyłku życia. Obejmują one bardzo niespokojny okres w dziejach Rzeczypospolitej Obojga Narodów (1656–1688). Pasek oczywiście nie zaniósł ich do wydawcy. Odnalezione w szczątkowej postaci, wydrukowane zostały dopiero w 1836 r., budząc podziw polskich romantyków: Mickiewicza, Słowackiego, Krasińskiego. Zwracał uwagę narracyjny talent autora, charakterystyczny, wzbogacony łacińskimi wtrętami barokowy język, barwne opisy batalistyczne, no i przede wszystkim szlachecki humor. *Pamiętniki*, — w większym nawet stopniu niż wiersze poetów barokowych, ukształtowały obraz XVII w. w świadomości Polaków. Zasługa to nie tylko samego Paska, ale nade wszystko Henryka Sienkiewicza (*Pamiętniki* należą do najważniejszych źródeł wykorzystanych w Trylogii). Z innego powodu atrakcyjny okazał się Pasek dla powieściopisarzy XX w., którzy dostrzegli w *Pamiętnikach* jeden z najdoskonalszych przykładów gawędy szlacheckiej.

Cechy gawędy szlacheckiej

- wywodzi się z literatury „mówionej", a nie „pisanej"
- traktuje czytelnika tak, jak gdyby był on bezpośrednim słuchaczem opowieści
- narrator jest zazwyczaj również świadkiem opisywanych wydarzeń i opowiada o własnym życiu (czasem zmyśla, czasem udaje)
- narrator stosuje często dygresje i powtórzenia, bez troski o wzorową kompozycję
- pierwszorzędna rola fabuły — liczą się przygody, zdarzenia, awantury; refleksja należy do rzadkości

Gawędę najłatwiej opisać, przeciwstawiając ją typowej powieści XIX–wiecznej, analizującej ludzkie charaktery, badającej drobiazgowo pejzaże i wnętrza domów, posługującej się wreszcie „obiektywną" narracją. Adresowana do słuchacza gawęda redukuje wszystkie te elementy. Narrację w trzeciej osobie zastępuje autorski monolog.

„W swych wierszach nie szukam próżnej chwały dźwięku."

WACŁAW POTOCKI

1621 — 1696

- ziemianin, całe życie związany z Łużną pod Bieczem
- arianin, w 1658 r. przeszedł na katolicyzm
- najwybitniejszy przedstawiciel baroku sarmackiego — krytyk sarmatyzmu
- najpłodniejszy z pisarzy staropolskich

Przeszłość rycerska

Epicki poemat **Transakcyja wojny chocimskiej** (zwany też w skrócie *Wojną chocimską* — pełny tytuł utworu liczy 87 słów!), napisany w 1670 r., czekał na druk prawie 200 lat. Potocki sięgnął w nim do wypadków sprzed półwiecza, gdy Rzeczpospolita Obojga Narodów z powodzeniem odpierała ataki Turków. Olbrzymi, liczący kilkaset stron poemat stał się okazją do konfrontacji bohaterskiej przeszłości Sarmatów z teraźniejszością:
„Zbytkami nieszczęsnymi — łakomymi gardły
Samiśmy się w Pigmejów postrzygli i karły."
Potomkowie dawnych rycerzy pogrążyli się w dostatku, porzucili patriotyczne ideały, a oddając się rozrywkom — po prostu zniewieścieli. Sarmackie orły nie fruwają już tak wysoko jak kiedyś. Czy to w ogóle orły („odzialiśmy z orlego wróblim się dziś pierzem")?

Autor herbarza

Kto wie, czy dla swoich współczesnych Potocki nie istniał głównie jako autor wierszowanego herbarza (*Poczet herbów*, 1696). W rękopisie pozostały dwa obszerne zbiory: **Moralia** (1688) i **Ogród fraszek** (1690). Opublikowano je dopiero po dwóch wiekach! Zawierają najważniejszą część dorobku poety: przypowieści, anegdoty, epigramaty, obrazki obyczajowe, moralitety.

Anarchia, prywata, ucisk poddanych

Zdaniem poety złem jest system oparty formalnie na zasadzie równości szlacheckiej, w rzeczywistości dający jednak przewagę magnaterii. Słaba władza i niedoskonałe prawo otwierają drogę anarchii („Kto mocniejszy, ten lepszy"). Korzystająca z niedojrzałości politycznej szlachty magnacka elita pozostaje bezkarna („Zawsze wielkich złodziejów czczą, małych wieszają"). Protestując przeciw uciskowi chłopa pisarz sięga po tradycyjny w literaturze staropolskiej argument religijny (poddani to „też chrześcijanie"). Jest oczywiście przeciwnikiem liberum veto: „bieda to, gdy zły nie pozwala na dobre".

Fanatyzm i nietolerancja

Jako arianin opowiada się za wolnością wyznaniową. Pisze nie tylko wiersze w obronie innowierców, atakuje również obyczaje duchowieństwa katolickiego (*Kazanie wielkopiątkowe*, *Sukcesja księża*), tworzy antyjezuicki pamflet (*Do Ojców Societatis*).

Wieczne ucztowanie

Drobne utwory Potockiego tworzą dość przygnębiający obraz życia polskiej szlachty na prowincji u schyłku „srebrnego" wieku. Renesansowa biesiada stała się ucztą, na której „i goście, i gospodarz pijany". Pieniactwo, ciemnota, egoizm, rozrzutność, niefrasobliwość cechują przeciętnego szlachcica. Przy okazji dowiadujemy się, na jakie to „polskie zbytki" spogląda autor z odrazą (sześciokonna kareta, perły przy kontuszach, „iluminacje", „cukrowe piramidy").

Rozwlekłe gawędziarstwo

Brzydkie obyczaje szlacheckiej braci Potocki krytykuje z pozycji oświeconego Sarmaty. Milsze mu gawędziarstwo niż książkowa, akademicka mądrość. Ceni zdrowy rozsądek, rubaszny żart, chytry podstęp. Prostota graniczy u niego często z frazesem (*Niegłupie odpowiedzi*), może dlatego, że sarmatyzm nie miał na ogół serca do głębokich refleksji filozoficznych. Wielbicielowi fraszek Kochanowskiego sprawia zawód — czy rozwlekłe gawędy z *Ogrodu* to jeszcze fraszki? Jak sam napisał, „słuchanie wierszów sen przywodzi". Bywa i tak.

POLSKA NIERZĄDEM STOI?

Rodowód
Nazwy „Sarmaci" w odniesieniu do Słowian używali już średniowieczni kronikarze. To, co w wiekach średnich mogło być wdzięczną legendą, stało się z punktu widzenia nowożytnej nauki dowodem nieuctwa. Jak się zdaje, znaczna część polskiej szlachty wierzyła, że ich przodkowie toczyli zwycięskie wojny z Aleksandrem Wielkim i Juliuszem Cezarem. Na rodowód antyczny Sarmatów powoływał się w XVI w. Stanisław Orzechowski, „jeden z największych warchołów, jakich miała Polska" (Ignacy Chrzanowski). U schyłku epoki staropolskiej Sarmatą mógł być już tylko szlachcic. Mieszczanie i chłopi zdaniem prawdziwego Sarmaty nie należeli do narodu.

Tradycja
Sarmata był w przeszłości rycerzem. Ten fakt wykorzystali rzecznicy naprawy Rzeczypospolitej. Ukazując dawną świetność sarmackiej krainy, wytykali współczesnym brak ducha rycerskiego i odejście od tradycji. W XVI w. pisali na ten temat Rej, Kochanowski, Marcin Bielski, a także Orzechowski. W XVII w. Wespazjan Kochowski:
„I snadź gdyby Polacy starożytni wstali,
Potomków by i własnych synów nie poznali."
Wydaje się, że narzekanie na teraźniejszość to nie tylko chwyt propagandowy, ale i polska cecha narodowa. „Dawniej" było z pewnością lepiej.

Herb
O przynależności do stanu rycerskiego świadczył „klejnot szlachecki" — herb dziedziczony po przodkach, ale czasem kupowany albo fałszowany. Księgi herbów (herbarze), zaopatrzone często w poetycki komentarz (tzw. legenda herbowa), stawały się okazją do burzliwych kłótni i polemik. Pierwsze herbarze stworzył Bartosz Paprocki (*Gniazdo cnoty*, 1578; *Herby rycerstwa polskiego*, 1584). Dużą rolę odgrywała symbolika herbowych barw. Według Zygmunta Glogera w Koronie ceniono najwyżej czerwień (zwłaszcza amarant i karmazyn), na Litwie — błękit, kolor żółty zdradzał niegdysiejszą przynależność do stanu mieszczańskiego, szary i zielony uważano za świadectwo wpływów obcych.

Rzeczpospolita szlachecka
Ulubieniec szlachty polskiej, Stanisław Orzechowski, wierzył, że żyje w najdoskonalszym państwie. Siłę i trwałość ustroju zapewnia „złota wolność" i przysłowiowy „nierząd", brak sprawnie działającej władzy centralnej. Optymizmu ideologa sarmackiego nie podzielali na ogół pisarze polskiego renesansu. W XVII w. śladami Górnickiego, Kochanowskiego i Frycza Modrzewskiego pójdą inni. Gruntownej krytyce poddał państwo szlacheckie Krzysztof Opaliński w *Satyrach*. Atakował ciemnotę, wyzysk chłopa, zepsucie obyczajów, fatalne wychowanie młodzieży. „A dla Boga, Polacy, czyście oszaleli!", pytał z rozpaczą. W XVII w. do najważniejszych wątków literatury patriotycznej zaliczamy walkę o zniesienie bądź ograniczenie liberum veto:
„Bóg słowem: «Stań się!» stworzył świat ten, ależ i my
Też słowem: «Nie pozwalam!» Polskę rozwalimy."
Cytowany wyżej Kochowski nie należał do najsurowszych krytyków ustroju. Największymi pesymistami byli poeci przepowiadający upadek państwa: Samuel ze Skrzypny Twardowski, Wacław Potocki i Krzysztof Opaliński („Nierządem Polska stoi i nierządem zginie").

Wobec obcych
Sarmaci uważali się przeważnie za naród wybrany. Europa, a zwłaszcza państwa kulturalnie silniejsze, dyktujące modę na kontynencie (Francja, Włochy, okresowo Hiszpania i Niemcy) budziły nieufność. Walka z wpływami cudzoziemskimi to z jednej strony obrona szlacheckiego zaścianka, z drugiej — wyraz poczucia narodowej tożsamości (Rej, Orzechowski, Kochowski, Krzysztof Opaliński).
Dopiero po zwycięstwie kontrreformacji sarmatyzm oddala się od ideałów tolerancji religijnej. Przesadą byłoby uznanie religijnej dewocyjności za najważniejszą z jego cech.

Styl życia
Marzeniem Sarmaty było „życie bez frasunku". Renesansowy ideał został niemiłosiernie wykrzywiony w XVII wieku. Niechęć do życia dworskiego objawiła się zaściankowym prowincjonalizmem, przyjacielską biesiadę zamieniono na pijacką burdę, umiłowanie swobody zrozumiano jako zachętę do upowszechnienia anarchii, dystans wobec nauki i uczonych zaowocował kultem ciemnoty.

Kultura sarmacka
Znajdowała się — zwłaszcza w okresie baroku — w opozycji do kultury dworskiej, „salonowej", mieszczańskiej, europejskiej („zachodniej"), w mniejszym stopniu — ludowej. Broniąc się przed obcymi wpływami zachowywała tożsamość, ale również zamykała się, wyrodniała, stawała z upływem lat kulturą bezmyślnego frazesu. Romantycy, a w drugiej połowie XIX w. konserwatyści podjęli próbę rehabilitacji sarmatyzmu. Nie cieszył się on natomiast względami pozytywistów. W PRL został jednoznacznie potępiony. Jest faktem, że trwałość kultury sarmackiej uniemożliwiła wyłonienie się w Polsce silnego mieszczaństwa i zahamowała postęp ekonomiczny. Sarmatyzm stworzył jednak narodową tradycję, do której odwoływać się będzie w przyszłości także Polska nieszlachecka.

OBYCZAJ STAROPOLSKI

Polska Arkadia

Prawdziwa Arkadia znajdowała się na Peloponezie. Był to kraj pokryty gęstymi lasami, dziki i prymitywny. Głównie za sprawą Wergiliusza i jego naśladowców Arkadia stała się w wyobraźni poetów krainą marzeń — ziemskim rajem, schronieniem dla ludzi zmęczonych tempem miejskiego życia. Tutaj odzyskiwało się spokój, zapominało o dworskich intrygach, a pośród pól i lasów można było rozmyślać o sprawach naprawdę ważnych.

W literaturze staropolskiej Arkadią jest polska wieś. Pochwałę życia ziemiańskiego, z dala od miast i królewskiego dworu, wypowiadają w XVI w. Rej i Kochanowski, a w XVII w. między innymi Szymon Szymonowic i Zbigniew Morsztyn. Gatunek literacki odpowiadający najlepiej arkadyjskiemu mitowi to **sielanka**, często spokrewniona z pieśnią, pokazująca piękno pejzażu, chwaląca prostotę życia wiejskiego, czasem idealizująca ludzkie charaktery.

Pejzaż polskiej Arkadii tworzą lasy, pola, łąki, kwietne ogrody zwane wirydarzami, sady, pasieki — zazwyczaj przyroda opanowana przez człowieka. Porządek prac ludzkich wyznacza niezmienny od wieków rytm natury.

Rok polski

Wszystkie pory roku budziły zainteresowanie poetów, chyba dopiero twórcy barokowi (Wespazjan Kochowski, Jan Andrzej Morsztyn) przyznali pierwszeństwo wiośnie. Nic dziwnego, skoro patronowała jej bogini miłości Wenus. Przypadające wiosną święta Wielkiej Nocy czcili poeci (często anonimowi) pieśniami pasyjnymi i wielkanocnymi. Okazją do żartów i nadużyć był pierwszy dzień kwietnia: ,,Prima Aprilis albo najpierwszy dzień kwietnia Do rozmaitych żartów moda staroletnia'' (Wacław Potocki).

Równie często inspirowało pisarzy lato, z którego początkiem obchodzono wigilię św. Jana (,,sobótkowe'' wiersze Jana Kochanowskiego, w XVII w. Daniela Naborowskiego), a z końcem — dożynkowe święto pojednania wsi i dworu (barokowe wiersze Kochowskiego i Zbigniewa Morsztyna). W samym środku polskiego roku odbywały się żniwa.

Szymon Szymonowic (1558—1629), związany ze Lwowem i Zamościem, spóźniony reprezentant polskiego renesansu, wydał w 1614 r. **Sielanki**. Spośród 20 zamieszczonych tam utworów **Żeńcy** cieszą się dziś największą popularnością. Szymonowic zakłócił harmonię arkadyjskiego mitu. Tak jak Rej pokazał wieś prawdziwą. Natomiast uważniej niż Rej przyjrzał się pracy chłopa — wyzyskiwanego, pogardzanego, karanego biciem. Trzy osoby prowadzą w *Żeńcach* poetycki, pełen ludowego humoru dialog: dowcipna Pietrucha, ostrożna Oluchna, bezwzględny Starosta (czyli ekonom). W *Żeńcach* okrucieństwo człowieka stanowi wyzwanie wobec mądrego porządku natury, która opisywana jest z szacunkiem i czułością (,,Słoneczko, śliczne oko, dnia oko pięknego! Nie jesteś ty zwyczajów starosty naszego.''). Inna sielanka, *Kosarze*, wzorowana na utworze Teokryta, sprowadza na polską wieś bohaterów mitologii greckiej. Szymonowic łączy chętnie dwie tradycje: antyczną i ludową, polską. Dafnis zaleca się (bez powodzenia) do wiejskiej dziewuchy, Wenus i Kupido snują się po rodzimych polach. Staropolskie damy nie gardzą pogańskimi gusłami, by zapewnić sobie wierność małżonka. Zgodnie z *Czarami* odpowiednią miksturę sporządza się z prosa, wosku, ziół i serca nietoperza. Przygotowania do ślubu są z kolei tematem dwóch bardzo różnych utworów: naszpikowanego aluzjami mitologicznymi panegiryku *Ślub* oraz lżejszych znacznie w lekturze *Kołaczy*.

Lato przypisał Jan Andrzej Morsztyn Cererze (Ceres), bogini urodzaju. Natomiast jesieni patronował Bachus, bóg winobrania. Saturn, uważany za bóstwo podziemne, opiekował się zimą. O jesieni i zimie nie pisano zbyt chętnie, obie pory roku przypominały bowiem o przemijaniu, a zima kojarzyła się ze śmiercią. Z początkiem grudnia następował adwent, upamiętniony w poezji polskiej pieśniami adwentowymi. Na Boże Narodzenie pisano kolędy (najsławniejszy ich zbiór to *Symfonie anielskie* Jana Żabczyca, autora *Przybieżeli do Betlejem pasterze*). Kończyły zimę ,,mięsopusty'', czyli dni poprzedzające wielki post. Urządzano wówczas kuligi, maskarady, tańce, pito bez opamiętania. Karnawałowe szaleństwa krytykowali w XVI w. ksiądz Jakub Wujek i Mikołaj Rej, a w XVII Kasper Miaskowski i Wacław Potocki.

Dwory i dworki

To w szlacheckich dworkach napisana została większa część literatury staropolskiej. Typowy dworek rzadko bywał murowany — najczęściej modrzewiowy, jodłowy albo sosnowy. „Dom, choć nie murowany, przecież też nie szopa", pisał w XVII w. Hieronim Morsztyn. Polska szlachta tradycyjnie nie lubiła murów i pięter. Za to trudno wyobrazić sobie dworek bez ganku (tam witano gości), sieni i gościnnych pokojów.

Stroje

W epoce staropolskiej toczy się prawdziwy spór o modę. Jak należy się ubierać: zgodnie z tradycją, czyli w kontusz zakładany na żupan, czy też zgodnie z wymogami mody europejskiej (francuskiej, włoskiej, hiszpańskiej). Zdecydowana większość polskich pisarzy opowiadała się za prostotą i poszanowaniem tradycji, ganiąc cudzoziemskie wpływy. „Nie ujrzysz polskich strojów, tylko same pludry", narzekał Zbigniew Morsztyn. Coraz chętniej ozdabiano też stroje złotem, srebrem, klejnotami. „W strojnych się dziś kochają panny", pisał z melancholią Hieronim Morsztyn. Cudzoziemczyzna nie przeszkadzała natomiast prawdziwemu Europejczykowi. Jan Andrzej Morsztyn życzył sobie tylko, by panny nie miały zbyt dużo na sobie.

Kuchnia

Potrawy staropolskie, według Reja najzdrowsze na świecie, do dietetycznych nie należały. Kapuśniak, rosół, grochówka, krupnik, bigos. Dużo mięsa i cukru. Z wypieków — baby, mazurki, a także torty na Wielkanoc. Ryby jadano najchętniej w okresie postu. Mnóstwo kasz i kiełbasy. Mało owoców i jarzyn. Pragnienie gaszono najchętniej alkoholem: piwem, miodem, wódką. Wyrafinowani smakosze głosili pochwałę win cudzoziemskich (prawdziwym znawcą był w tej dziedzinie Jan Andrzej Morsztyn). Trunków nadużywano i nie bez powodu Krzysztof Opaliński mówił o „pijanej Polsce" (XVII w.). *Pamiętniki* Paska świadczą, że abstynencja nie miała w dawnej Polsce racji bytu.
Nie znano herbaty ani ziemniaków! Kawa, „turecki trunek" (Wacław Potocki), była jeszcze mało popularna. Tradycyjne znaczenie symboliczne, wykraczające poza sferę pożywienia, miały natomiast chleb i sól.
Tytoń był nowością, nie zawsze akceptowaną. Zażywano go pod postacią tabaki albo palono w fajkach. Jan Andrzej Morsztyn nazywał tytoń „smrodliwą trucizną" i przepowiadał palaczom brak powodzenia u kobiet. Bardzo dyskusyjna opinia!

Rozrywki

Dawni Polacy byli nade wszystko muzykalni! Rozbrzmiewała muzyka kościelna, dworska, wojskowa, ludowa. Muzykalni byli też królowie „złotego wieku": Zygmunt Stary i Zygmunt August. Grywano na lutniach, harfach, fletach, bębnach. Imię królewskiego lutnisty Bekwarka przeszło do historii dzięki fraszce Kochanowskiego. Staropolski poeta czuł się bardziej muzykiem i pieśniarzem niż pisarzem, dlatego symbolem poezji była lutnia, a nie pióro.
Spośród gier powodzeniem cieszyły się znane już w średniowieczu szachy (motyw tej gry wykorzystał Kochanowski), warcaby (wzmianki u Paska i Krzysztofa Opalińskiego), w modę wchodziły karty. Wespazjan Kochowski i Jan Andrzej Morsztyn opisali wychodzącą już z mody „grę w zielone".
Obrońcy tradycji nie lubili zwłaszcza kart i doradzali młodym ludziom rozrywki na świeżym powietrzu, głównie polowania (poemat *Myślistwo* Wespazjana Kochowskiego). Polowano z psami i ptakami, na łowy ruszały także panie.

Edukacja

Tradycjonaliści patrzyli niechętnie na zagraniczne studia, nie mieli zaufania do uczonych ani studentów („doktor" bywał często obiektem kpiny). Do wychowania młodzieży przykładano jednak dużą wagę, o czym świadczą wypowiedzi Reja, Kochanowskiego, a w XVII w. choćby Potockiego czy Opalińskiego. Dotyczą one głównie edukacji szlacheckiej.

Edukacją dworską zajął się **Łukasz Górnicki** (1527—1603), pamiętnikarz i poeta, autor dzieła **Dworzanin polski** (1566), przeróbki traktatu włoskiego autora Baltazara Castiglione. Wychowaniu opisanemu przez Górnickiego patronują ideały humanizmu renesansowego. Idealny dworzanin łączy męstwo, takt towarzyski, dowcip z gruntownym wykształceniem, znajomością literatury starożytnej, kulturą osobistą itd.

RELIGIJNOŚĆ

Religijność średniowieczna

Cechuje ją: potępienie doczesności i marzenie o osiągnięciu stanu świętości. Człowiek poddany całkowicie woli Boga, wyrzekający się własnej woli, pokorny. Ideałem — święty, pustelnik albo też męczennik (na przykład rycerz walczący w obronie chrześcijaństwa).

W sztuce — wyrazem religijności średniowiecznej jest alegoryzm. Pojęcia stają się osobami, na przykład w ówczesnym dramacie występuje na scenie Pycha. Śmierć i Diabeł należą do najważniejszych bohaterów średniowiecznych misteriów.

W zachowanym fragmencie misterium pasyjnego **Lament świętokrzyski** (poł. XV w.) oryginalne ujęcie tematu Męki Pańskiej w formie skargi skrzywdzonej matki.

Przejawy religijności średniowiecznej i ludowej spotykamy jeszcze w XVI w., choćby w dramacie Mikołaja z Wilkowiecka **Historyja o chwalebnym Zmartwychwstaniu Pańskim**. Być może jest to przeróbka znacznie starszego tekstu.

Utwór nawiązuje do misterium średniowiecznego. Pokazuje złożenie do grobu i zmartwychwstanie Chrystusa. Mówi o zwycięstwie Syna Bożego nad siłami szatana. Biblijnym wątkom towarzyszą pełne ludowego humoru sceny z życia codziennego.

Religijność renesansowa

Ustalenie równowagi między człowiekiem, światem a Bogiem. Uznanie wielkości Boga przede wszystkim jako Stwórcy. Usprawiedliwienie niedoskonałej natury człowieka — grzech nie budzi już lęku, strach przed piekłem i potępieniem nie paraliżuje ludzkiej aktywności. Odkrycie urody świata stworzonego: przyrody, wszechświata, człowieka. Renesansową radość życia zakłóca niekiedy świadomość przemijania, przekonanie o nietrwałości szczęścia.

W sztuce — swobodne mieszanie wątków biblijnych i antycznych. Bóg układa wprawdzie nasze losy, ale zdaniem poetów i kapryśna pani Fortuna ma tu coś do powiedzenia. W literaturze polskiej religijność renesansowa znalazła najpełniejszy wyraz w twórczości Jana Kochanowskiego ➡ PIEŚNI ➡ TRENY.

Fenomenem w skali europejskiej jest polski model tolerancji religijnej — zgodne na ogół współistnienie różnych wyznań chrześcijańskich. Częstej krytyce poddawany jest natomiast system prawny, w którym Kościół katolicki odgrywa rolę instytucji politycznej i gospodarczej. W literaturze tego okresu ksiądz jest zwykle postacią negatywną.

Jezuita **Jakub Wujek** (1541—1597) należy do najbardziej wpływowych pisarzy polskiego renesansu. Wszechstronnie wykształcony, pisał po polsku i po łacinie. Do literatury wszedł jednak nie dzięki zbiorom kazań, lecz przekładowi **Biblii**. Nowy Testament w tłumaczeniu Wujka ukazał się w 1593 r., całość w 1599 r. Synod piotrkowski (1607) uznał przekład Wujka za obowiązujący.

Jeszcze w wieku XX czytano i poznawano Biblię dzięki wysiłkowi księdza Wujka. Nasze wyobrażenie o języku Pisma Świętego i rytmie biblijnej prozy ukształtował staropolski tłumacz. Stworzył on wzór, z którym liczyć się muszą nawet autorzy współczesnych przekładów.

Renesans nie zrywa całkowicie ze średniowieczem. Świadczy o tym odnowienie pewnych gatunków literatury religijnej (kazania, żywoty świętych, moralitety).

Religijność barokowa

Kształtuje się w dużej mierze pod wpływem kontrreformacji, ale także przemyśleń Lutra i Kalwina
➡ **Europa.** Potępienie świata jako źródła grzechu. Bóg postrzegany jest głównie jako nadzieja człowieka. Łaska ratuje przed wiecznym potępieniem. Człowiek staje przed Bogiem upokorzony: „Jam głownia piekła, jam wieczny grób śmierci, w którym ma robak loch, co duszę wierci" (Kasper Miaskowski).
W sztuce — bogactwo użytych środków wyrazu, metafora i koncept w poezji, odrodzenie alegoryzmu w najbardziej wyrafinowanej postaci. W liryce religijnej polskiego baroku dominuje forma **medytacji.** Sięgają po nią tzw. „poeci metafizyczni" ➡ **Sęp Szarzyński** i Sebastian Grabowiecki.

> Poeta żarliwości i pokory religijnej, **Sebastian Grabowiecki** (1543 — 1607), dopiero niedawno zyskał uznanie historyków literatury. Nękało go widmo grzechu i lęk przed potępieniem. Jego wiersze to liryczny dialog z Bogiem prowadzony przez wiele lat. Człowiek pozostaje tu bierny, jedynie przyjmuje z wdzięcznością akt boskiej łaski, który decyduje o zbawieniu. „Wdzięczna" śmierć stanowi dopełnienie, a nie przerwanie ludzkiego życia. Grabowieckiego inspirowały Psalmy i Księga Hioba. Jego rangę w literaturze podnoszą osiągnięcia warsztatowe: nowatorskie pomysły w zakresie budowy wiersza i wersyfikacji.

Podobnie jak renesans, barok łączy Biblię z mitologią (najchętniej rzymską). Osobliwością jest wprowadzenie do poezji religijnej myślenia o historii. W twórczości Kochowskiego miejsce biblijnego narodu wybranego (Izrael) zajmuje Polska. Zwycięstwa i klęski militarne to wyraz woli Boga. *Psalmodia polska* Kochowskiego to przykład kwiecistego, barokowego stylu: „Czyni nadzieja ufność w nieprzebranym miłosierdziu Twoim; ale skancerowane grzechami sumnienie sprawiedliwość trwoży." Dziwaczne, prawda? Ale ma swój wdzięk.

Religijność ariańska

Arianie (socynianie, bracia polscy) zaistnieli w drugiej połowie XVI w. w wyniku rozłamu Kościoła kalwińskiego.
● „heretycy" — nie uznawali dogmatu Trójcy Świętej
● „pacyfiści" — nie chcieli zabijać ludzi, nawet na wojnach
● „burzyciele porządku" — odmawiali przyjmowania urzędów, opowiadali się za zniesieniem pańszczyzny i poddaństwa chłopów
Rozwinęli naukę i literaturę (od 1602 działała Akademia w Rakowie — na początku XVII w. około 1000 studentów!). Pisali katechizmy, podręczniki szkolne, fraszki, satyry, erotyki, tłumaczyli Biblię. W 1658 r. zmuszono arian do opuszczenia kraju lub zmiany wyznania.

> Pierwszą z możliwości wybrał **Zbigniew Morsztyn** (ok. 1628 — 1689). Tworzył poezję żołnierską i religijną. W przeciwieństwie do innych autorów odsłaniał także okrucieństwo wojny, podobnie jak Frycz Modrzewski opowiadał się za pokojowym rozwiązywaniem konfliktów między narodami. W liryce religijnej nawiązywał do Biblii (Hiob, Eklezjasta, Psalmy, Pieśń nad Pieśniami). Pisał „emblemata" (kompozycja złożona z ilustracji, podpisu i wierszowanego komentarza — popularna w okresie baroku). Mówił o nietrwałości świata, pokazywał upadek państw i narodów. Jak Calderon porównywał ziemskie życie do snu, ratunek upatrując w łasce Boga.
> „Śmierć na ziemi kosi ludzi kosą, a człowiek w niebo patrzy przez perspektywę."

Wacław Potocki, także arianin, pozostał w kraju. Jego poezja religijna posiada cechy barokowe. Wypełnia ją refleksja nad znikomością życia, które jest w gruncie rzeczy „oczekiwaniem na śmierć". I człowiek, i wszystkie rzeczy tego świata są prochem, powstały „z ziemi" i „ziemią" znów się staną.

STAROPOLSKA MIŁOŚĆ

Poezja — męska sprawa

Poezję staropolską, w tym lirykę miłosną, napisali mężczyźni. Chyba dlatego reprezentuje ona męski punkt widzenia. I jest manifestacją męskiego egoizmu. Wypada żałować, że ówczesne panie nie trudniły się pisaniem wierszy. Męskie obelgi i złośliwe żarciki zmuszone były przyjmować z milczącą pokorą.

DZIEWCZĄTKO ☙ DZIEWCZĘ ☙
☙ PANNA ☙ BIAŁOGŁOWA ☙ BABA

Już to wyliczenie mówiło, co czeka każdą panienkę i młodą niewiastę. Niechże więc nie waha się zbyt długo, niech nie odmawia, skoro proszą. Elementem sztuki uwodzenia jest straszenie dziewczyny starością. Kochanowski czyni to jeszcze w formie dosyć eleganckiej:

„Daj, czegoć nie ubędzie, byś najwięcej dała;
Daj, czego próżno dawać potym będziesz chciała."

Oczywiście starość dotyczyła tylko kobiety. Mężczyzna nigdy nie był dość stary, nie tracił powodzenia i nawet jeśli uganiał się za młodymi pannami, to — wszystko w porządku! Znów Kochanowski:

„Nie uciekaj przede mną, dziewko urodziwa,
Z twoją rumianą twarzą broda moja siwa
Zgodzi się znamienicie..."

Co innego, jeśli zachciewało się miłości starszej pani. A w epoce staropolskiej trzydziestka to dla kobiety wiek podeszły! Na małżeństwo wdowy patrzył Wespazjan Kochowski z niesmakiem:

„Wdowę żoną pojmiesz, jakoby też stary
Żupan, lubo schodzone kupił szarawary."

Mężczyzna zawsze chciał być pierwszy i jedyny w życiu kobiety. A kobieta? Cóż, najpierw ją uwodzono, domagano się wzajemności, a potem naturalnie ganiono i potępiano. Jak w życiu.

Czułości i uczucia

Zanim została babą, zwracano się do niej bardzo ładnie. Na przykład tak:

serce moje
perło droga

skarbie drogi
moje kochanie

W trwałość uczuć wierzyli bardziej pisarze renesansu. Stąd u Reja i Kochanowskiego pochwała małżeństwa, no i wiara w ideał kobiety — mądrej, gospodarnej, troskliwej, choć oczywiście podporządkowanej mężczyźnie. Taka kobieta pasowała do szlacheckiego dworku. A na królewskich i magnackich dworach? Łukasz Górnicki widział tam najchętniej kobietę dowcipną, wykształconą, inteligentną, skromną, pogodną i... bardzo kobiecą. W okresie baroku pisarze doszli do wniosku, że „nie masz jarzma cięższego nad stan małżeński". I w mniemaniu potocznym (głównie mężczyzn) tak już zostało. Mężczyzna-zdobywca nie miał czasu ani ochoty, by zastanawiać się nad subtelnościami kobiecej psychiki.
Wyjątkiem są właściwie *Roksolanki* Szymona Zimorowica (wyd. 1654), gdzie doszły do głosu uczucia łagodne, delikatne, intymne. Staropolski autor wiedział już, że miłość wymaga odpowiedniej scenerii. W *Roksolankach* tworzy ją wirydarz, czyli ogród kwietny, gdzie rosną róże, fiołki, lilie i goździki.

Miłość jest zabawna!

Odmowa nie była tragedią, zdrada partnera nie dawała powodu do rozpaczy, chyba nawet — przynajmniej w poezji — nie umierano z miłości. W cenie był dowcip, żart, szyderstwo. Wyśmiewano dysproporcję wieku w małżeństwie, wykpiwano zdradzonego męża-rogacza. Rej, Janicjusz i Kochanowski żartowali z erotycznych zakusów księży. Obiektem satyry stawali się Włosi, chociaż właśnie do Italii jeżdżono po przygody miłosne. Z aprobatą spotykały się fortele używane przez kochanków. Częstym bohaterem anegdot bywał medyk poddający damę osobliwej „kuracji" (u Potockiego taką rolę spełnia duchowny). Oczywiście najczęściej żartowano z kobiety. Czy aby nie dlatego, że kobieta-czarodziejka (a może czarownica?) budziła zabobonny lęk? „Chytry jad niewiasta", powiadano z podziwem. Choć z drugiej strony „zła niewiasta gorsza nad diabła piekielnego". Humor znosił różnice stanowe. Zapewne, na wsi i na dworze kochano inaczej, ale o sprawach seksu chłop, szlachcic i magnat myśleli podobnie.

Zapomniany język

Poeci epoki staropolskiej nie łączyli seksu z grzechem. A o miłości, także fizycznej, potrafili mówić z wdziękiem i bez pruderii. W wieku XVI i XVII powstała w Polsce całkiem bogata literatura erotyczna — często anonimowa: ludowa, „sowizdrzalska". Ale wiersze „tłuste i niezawstydane" pisywali też najwybitniejsi poeci: Rej, Kochanowski, Jan Andrzej Morsztyn, Mikołaj Sęp Szarzyński, Wacław Potocki. Tę stronę kultury sarmackiej zatajano przed późniejszymi czytelnikami. Wiedzieli o jej istnieniu tylko specjaliści. Dopiero od niedawna skazane na zapomnienie wierszyki trafiają do wydań zbiorowych i antologii. Polszczyzna renesansowa i barokowa była bez porównania bogatsza od języka dwudziestowiecznej erotyki. Kto wie, ile w tym winy obyczajowych cenzorów? Znano większość słów uważanych dzisiaj za wulgarne!

Używano ponadto wielu określeń (znacznie sympatyczniejszych), które zniknęły z naszego języka. Czy to nie smutne, że zachowujemy z tradycji to, co najgorsze i najbardziej wulgarne? Staropolski erotyk posługiwał się najczęściej metaforą. Korzystano z różnych dziedzin słownictwa (militaria, nazwy geograficzne), przede wszystkim odwoływano się do porównań związanych z pracą na roli — popularne „koszenie łączki" najlepszym tego przykładem. Było czule, dowcipnie i bardzo różnorodnie. Wykształceni poeci prosząc o buziaczka kusili dziewczynę wizją połączenia dusz. A kiedy szlachcic albo chłop namawiał ją, by bez zwłoki „dała gębusi", robiło się bardzo swojsko.

Jak kochają królowie?

Podobno w miłości każdy staje się poetą. Miłość równała wszystkie stany, stawała się powodem udręki albo radości chłopa, mieszczanina, szlachcica, króla. Oczywiście — tylko miłość, bo małżeństwem rządziły zgoła inne prawa. Co prawda w okresie późnego baroku znajdujemy cenny dokument — opis miłości, która rozwinęła się w małżeństwie, a może i dzięki małżeństwu? Dokument tym osobliwszy, że nie pozostawił go pisarz, lecz najprawdziwszy król!

Listy do Marysieńki pisał **Jan III Sobieski** prawie przez dwadzieścia lat (1665 — 1683). Podobnie jak na polu bitwy, tak i w dziedzinie staropolskiej sztuki pisania listów, zwycięzca spod Wiednia nie ma sobie równych. Aż strach pomyśleć, ile straciłaby nasza literatura, gdyby nie częste rozłąki z żoną, gdyby nie tęsknota, gdyby nie miłość i małżeńska wierność...
Pobrali się w atmosferze skandalu, zaledwie kilka tygodni po śmierci pierwszego męża Marysieńki. Ona liczyła sobie 24 lata, on był o jedenaście lat starszy. Z całą pewnością romansowali już przed ślubem.
Listy pisał marszałek, hetman, a później król — człowiek nieprawdopodobnie zajęty, ratujący rozpadające się państwo. Zapracowanych też dosięga miłość. Sobieski nie spał po nocach, nie jadł, pisał listy — nieraz po trzy dziennie. Marysieńka, rodowita Francuzka, nie miała łatwego charakteru. Sobieski skarżył się, czynił wyrzuty, a potem wybaczał i siadał do pisania. Swój list zaczynał zwykle tak:

> *Duszy i serca pociecho*
> albo:
> *Moja śliczna panno* (choć była przecież mężatką)
> albo jeszcze ładniej:
> *Pierwsze moje i ostatnie na tym świecie kochanie*

MARGINESY

Pożegnanie łaciny

Odbywało się bardzo powoli. Na początku XVI w. nie znajdziemy ani jednego wybitnego autora piszącego wyłącznie po polsku! Język literacki dopiero się kształtuje, język naukowy czy publicystyczny jeszcze nie powstał. Możemy zrozumieć, że *Fraszki* czy *Treny* napisane zostały już po polsku. Ale trudno wyobrazić sobie, by po polsku mogli napisać swoje dzieła Kopernik albo Frycz Modrzewski.

> Pośród poetów polsko-łacińskich wczesnego renesansu wyróżniają się: biskup Jan Dantyszek, sekretarz królewski Andrzej Krzycki, a nade wszystko **Klemens Janicjusz**, jeden z najsympatyczniejszych poetów epoki staropolskiej. Był pierwszym w naszej literaturze znaczącym pisarzem pochodzenia chłopskiego. Jego kariera świadczy, że mecenat prywatny w XVI w. funkcjonował dosyć sprawnie. Zmarł młodo, jeszcze przed trzydziestką. Pozostawił po sobie wiersze dworskie i okolicznościowe, epigramaty i melancholijne elegie. W poczuciu nadciągającej śmierci stworzył elegię *O sobie samym do potomności*, rodzaj lirycznej autobiografii. Prawdziwą wielkość osiągnął tam, gdzie jego osobowość przekraczała granice literackiej konwencji.

W XVI w. łacina pełniła funkcję języka urzędowego, posługiwali się nią uczeni, prawnicy, dyplomaci. Prawie wszyscy znaczący pisarze „złotego wieku" władali łaciną (Kochanowski, Górnicki, Wujek, Frycz Modrzewski). „Nawet we Włoszech nie znajdzie tylu co tutaj ludzi z gminu, z którymi się po łacinie rozmówić można", pisał Marcin Kromer.

W XVII w. stopniowo żegnamy się z łaciną. Dla Paska jest ona jeszcze językiem międzynarodowym, pozwalającym porozumiewać się ze Szwedami czy Duńczykami. Ale już dla współczesnego mu Jana Andrzeja Morsztyna językiem międzynarodowym jest najpewniej francuski. Poeci używają łaciny zgoła wyjątkowo, choć właśnie dzięki rezygnacji z języka narodowego sławą cieszy się w Europie **Maciej Kazimierz Sarbiewski**. Wyróżniony przez papieża laurem poetyckim, jezuita zwany przez współczesnych „Horacym chrześcijańskim", autor pieśni religijnych i patriotycznych, poezji propagandowych zagrzewających Europę do walki z Turcją, a także — rozpraw z zakresu teorii poezji.

Dla teatru

Znacznie wolniej niż liryka czy nawet epika rodził się repertuar dla polskiego teatru. Chociaż swoich sił w dramacie próbowali Rej i Szymonowic, *Odprawa posłów greckich* pozostała wyjątkiem. Na tle twórczości poetyckiej epoki staropolskiej dramat wypada słabo, jakkolwiek badacze odnotowują przejawy życia teatralnego (teatr szkolny, ludowy, dworski, kościelny). Misteria pasyjne, szopki i jasełka powstają na marginesach literatury polskiej. Z tego nurtu wywodzi się też wracająca na scenę w wieku XX (Leon Schiller, Kazimierz Dejmek) *Historyja o chwalebnym Zmartwychwstaniu Pańskim* przypisywana Mikołajowi z Wilkowiecka ➡ RELIGIJNOŚĆ.

Prawdopodobnie na dworze Zygmunta III wędrowna trupa aktorów angielskich zagrała pierwszy raz w Polsce Szekspira (w języku niemieckim!).

Dla szkoły

1564 — pierwszy duży słownik łacińsko-polski Jana Mączyńskiego

1625 — pierwszy „słownik" pisarzy i pierwsza próba uporządkowania historii literatury polskiej (*Setnik pisarzów polskich* Szymona Starowolskiego — jeszcze po łacinie)

1577 — najważniejszy podręcznik europejski: gramatyka łacińska zwana **Alwarem**, używana we wszystkich szkołach jezuickich (znienawidzony przez uczniów autor nazywał się naprawdę Alvarez i był Portugalczykiem)

Bestsellery

Jakie książki czytano najchętniej? Zapewne Rej i Kochanowski należeli do autorów popularnych, ale najczęstszą lekturą szlachcica był **kalendarz**. Pierwsze staropolskie kalendarze w języku ojczystym pojawiły się w XVI w. Prawdziwy kalendarz informował, kiedy najlepiej puszczać krew (w owych czasach — podstawowy zabieg medyczny), zażywać lekarstwa, stawiać bańki, strzyc włosy, no i rozpoczynać prace polowe.

Powitanie Sowizdrzała

Dyl Sowizdrzał (Eulenspiegel Till), kpiarz
i bystry obserwator rzeczywistości, bohater
niemieckiej powieści jarmarcznej napisanej
u schyłku średniowiecza.
Literatura „sowizdrzalska" (określenie
Brücknera) to staropolska literatura
podziemna — plebejska, anonimowa,
„nieoficjalna". Rozwinęła się na przełomie
XVI i XVII wieku. Jej autorów znamy
jedynie z żartobliwych pseudonimów.
Atakowali i wyśmiewali właściwie
wszystkich: szlachtę, duchowieństwo,
kobiety, Żydów, protestantów. Pisali
fraszki, satyry, komedie, parodie
moralitetów. Do najbardziej znanych
utworów „sowizdrzalskich" należą:
Peregrynacja dziadowska oraz *Nędza
z Biedą z Polski idą*. Pierwsi anarchiści
w dziejach literatury polskiej.

Druki i rękopisy

1514 — pierwsza polska książka drukowana (modlitewnik **Raj duszny** w tłumaczeniu Biernata z Lublina).
Rozwijający się stopniowo w okresie renesansu obieg książki drukowanej ulega zakłóceniu w wieku XVII.
Trudno w to uwierzyć, ale ówczesny czytelnik mógł poznać dzieła Jana Andrzeja Morsztyna, Paska,
Potockiego niemal wyłącznie w rękopisach. W XIX wieku, a nawet na początku XX obraz literatury polskiej
„złotego" i „srebrnego" wieku nie mógł być pełny:

	Adam Mickiewicz poł. XIX w.	Ignacy Chrzanowski 1930	Jerzy Ziomek, Czesław Hernas (wsp.)
Mikołaj Rej	+	+	+
Andrzej Frycz Modrzewski	—	+	+
Jan Kochanowski	+	+	+
Szymon Szymonowic	+	+	+
Mikołaj Sęp Szarzyński	—	+	+
Sebastian Grabowiecki	—	—	+
Jan Andrzej Morsztyn	—	+	+
Zbigniew Morsztyn	—	/+/*	+
Wacław Potocki	—	+	+
Piotr Skarga	+	+	+
Jan Pasek	+	+	+

Znak — wskazuje, że w omówieniu okresu twórczość pisarza została pominięta.
* traktowany jako poeta drugorzędny.

Piśmiennictwo domowe

Ważne dokumenty kultury szlacheckiej: pamiętniki, listy, księgi rodzinne i kroniki, pozostały w rękopisach.
Spośród pamiętnikarzy popularność zyskał jedynie ➡ **Pasek**. Najpopularniejszy staropolski zbiór
korespondencji to *Listy do Marysieńki* Jana III Sobieskiego.

CO Z GEOGRAFIĄ?

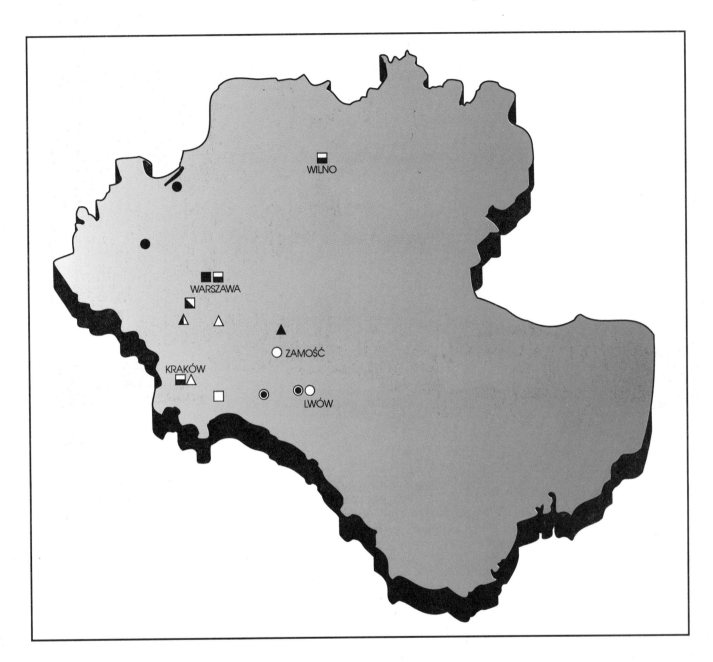

▲ Mikołaj Rej
△ Jan Kochanowski
◮ Andrzej Frycz Modrzewski
○ Szymon Szymonowic
● Mikołaj Kopernik
◉ Mikołaj Sęp Szarzyński
◨ Piotr Skarga
■ Jan Andrzej Morsztyn
□ Wacław Potocki
◣ Jan Chryzostom Pasek

Uwzględniono jedynie ważniejsze miejsca
związane z życiem i twórczością pisarza.

Granice Rzeczypospolitej Obojga
Narodów zmieniały się wraz z kolejnymi
wojnami i traktatami pokojowymi.
Załączona mapa przedstawia stan z połowy
XVI w. Zaznaczono Zamość, który powstał
w 1580 r.

PODRÓŻE POLSKICH PISARZY

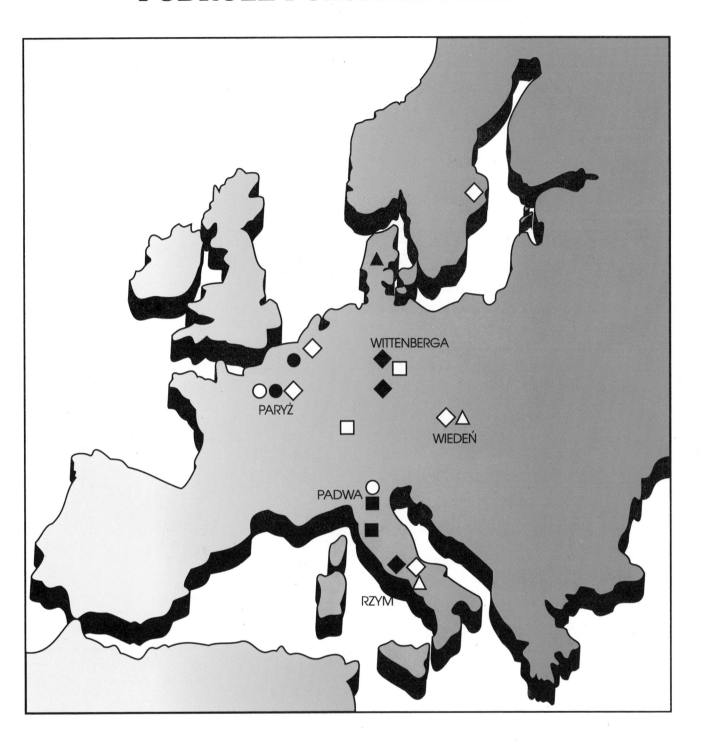

○ Jan Kochanowski
● Szymon Szymonowic
□ Andrzej Frycz Modrzewski
■ Mikołaj Kopernik
◆ Mikołaj Sęp Szarzyński
◇ Jan Andrzej Morsztyn
▲ Jan Chryzostom Pasek
△ Piotr Skarga

WIEK XVIII

WIEK XVIII

WIEK OŚWIECENIA, WIEK ROZKWITU LITERATURY, FILOZOFII, NOWOCZESNEJ MYŚLI POLITYCZNEJ I NAUKOWEJ

Wiek rewolucji
Wielka Rewolucja Francuska (1789–1799). Zburzono Bastylię, stracono (1793) parę królewską, Francję ogłoszono republiką. A potem przyszedł Napoleon.

Co jeszcze? Powstaje Petersburg (przez następnych 200 lat stolica Rosji!), cesarze rosyjscy stają się imperatorami. Wzrost znaczenia Prus.

Wiek francuszczyzny. Łacina traci popularność, francuski staje się językiem uniwersalnym Europy.

Wiek bez religii? No, może niezupełnie. Kościół przeżywa jednak poważny kryzys, traci wpływy we wszystkich katolickich państwach Europy. Próby kompromisu z ideologią Oświecenia podejmuje papież Benedykt XIV w okresie swego pontyfikatu (1740–1758). Jego następca wpisuje na indeks Encyklopedię. W wyniku porażek politycznych, rywalizacji między zakonami i zakazu działalności m.in. w Hiszpanii i Francji rozwiązany zostaje (1773) zakon jezuitów. Groźnych przeciwników dostrzega też Kościół w masonach (mniej lub bardziej tajne towarzystwa stawiające sobie za cel zjednoczenie narodów i wyznań).

Rewolucja Amerykańska (1775–1783), czyli wojna dawnych kolonii brytyjskich w Ameryce Północnej o niepodległość. W jej wyniku powstały Stany Zjednoczone, pierwsze duże państwo o ustroju republikańskim. Prezydentem (od 1789) Jerzy Waszyngton.

Wiek absolutyzmu oświeconego. Monarchia przestaje być tyranią, król korzysta z rady filozofów, pełni rolę mecenasa sztuk i nauk (Prusy, Austria, Rosja).

Wiek Europy. Rywalizacja angielsko-francuska o terytoria zamorskie, Europa interesuje się, a przy okazji i podbija Afrykę, Azję, Amerykę.

Odkrycia i wynalazki:
1715 — termometr (Fahrenheit)
1737 — klasyfikacja roślin (Linneusz)
1752 — piorunochron (Franklin) — wynalazek miał podobno spowodować osłabienie uczuć religijnych
1782 — silnik parowy (Watt) — niedługo pojedziemy lokomotywą!
1783 — balon (bracia Montgolfier), a wkrótce spadochron. Dzięki odkryciom Galvaniego i Volty droga do zbadania zjawiska elektryczności stoi właściwie otworem. Na razie jednak piszemy i bawimy się przy świecach.
Poznawanie gazów, wyodrębnienie tlenu i wodoru. Wkraczają maszyny, coraz liczniejsze.

Spory filozofów. Spór pierwszy
Jeśli ten świat jest czymś w rodzaju zegara, to skąd wziął się ten zegar?
Wolter: Bóg powiedział: nastawiłem zegar i więcej się nie wtrącam. Niech sobie tyka.
Słowem: Bóg stworzył świat, ale dalej już musimy sobie radzić sami (tak sądzili deiści, czyli zwolennicy deizmu).
Materialiści: Nie było nigdy żadnego zegarmistrza. Zegar istniał od zawsze. Zegar — czyli materia, wieczna i nie stworzona. Tak twierdzili La Mettrie i Holbach.

Spory filozofów. Spór drugi
Jaki jest ten świat — dobry czy zły? A może mógłby być lepszy?
Leibniz: Wszystko jest najlepsze na tym najlepszym ze światów (ten optymistyczny pogląd zwie się teodyceą).
Wolter: No to dlaczego zdarzają się tu takie okropności jak trzęsienie ziemi, które zniszczyło Lizbonę w 1755 r.?
Rousseau: Natura jest dobra, ludzie — źli. Na pytanie, czy odrodzenie sztuk i nauk przyczyniło się do poprawy obyczajów, odpowiedział przecząco i... uzyskał nagrodę (w 1749 roku).
Ale tak naprawdę zło tkwiące w człowieku ukazał dopiero **Markiz de Sade**, autor powieści dozwolonych od lat 18.

Dokumenty

„Spectator". Tak nazywał się londyński dziennik, propagujący idee Oświecenia (1711–1714).

O duchu praw. Dzieło Monteskiusza (1748) określające prawa jako „konieczne stosunki wypływające z natury rzeczy". Postulowany przez autora podział władzy na ustawodawczą, wykonawczą i sądowniczą jest do dziś aktualny!

Encyklopedia (1751–1780). Pod redakcją matematyka d'Alemberta i filozofa Diderota. Miała zbierać całą wiedzę dostępną rozumowi ludzkiemu, stała się arcydziełem oświeceniowej propagandy. Odniosła również sukces rynkowy!

Deklaracja niepodległości. Napisana przez Thomasa Jeffersona (1776), owoc rewolucji amerykańskiej. Głosiła, że człowiek ma prawo do życia, wolności, szczęścia osobistego, zaś władza zobowiązana jest do przestrzegania tych praw. W XVIII wieku były to tezy rewolucyjne!

Deklaracja praw człowieka i obywatela. Główny dokument Wielkiej Rewolucji Francuskiej (1789). Wszyscy ludzie są równi wobec prawa, należy zapewnić każdemu wolność sumienia i wyznania. Także — prawo własności. Z tego dokumentu korzystano później, opracowując konstytucje wielu państw zachodnich!

Krytyka czystego rozumu. Traktat filozoficzny Immanuela Kanta (1781). Niemiecki filozof podziwiał dwie rzeczy: „niebo gwiaździste nade mną i prawo moralne we mnie". To pierwsze przypominało o słabości człowieka zagubionego we wszechświecie, to drugie — wynosiło istotę ludzką ponad świat zwierzęcy. Człowiek, który poznaje świat, nie jest zwierciadłem biernie odbijającym jego obraz. Poznając — jednocześnie tworzymy! Nasz umysł postrzega świat za pomocą kategorii takich, jak np. ilość, jakość, stosunek. Proste, prawda? Wszystkie wielkie odkrycia są podobno proste...

Uwaga! Powstaje powieść!

Narodziny powieści — w Anglii, gdzie ukazały się:

1719 — *Robinson Crusoe* (Daniel Defoe)
1726 — *Podróże Guliwera* (Jonathan Swift)
1749 — *Tom Jones* (Henry Fielding)
1760 — *Tristram Shandy* (Lawrence Sterne).

Francuzi wolą **powiastkę filozoficzną** — to coś w rodzaju noweli pisanej przez filozofa, który dobrze wie, co chce powiedzieć:

1759 — *Kandyd* (Wolter)
1773 — *Kubuś Fatalista i jego pan* (wyd. 1796, Diderot).

A już rok później (1774) wydano książkę, która zrobi karierę dopiero za parę lat: *Cierpienia młodego Wertera* (Goethe).

Sztuki piękne

Paryż jest stolicą mody i stolicą sztuki. Melancholijny, delikatny kolorysta Antoine Watteau (*Odjazd na Cyterę* — 1711), dworski malarz scen trochę frywolnych François Boucher (*Porwanie Europy* — 1747), no i najwspanialszy po Holendrach malarz martwych natur Jan Baptysta Chardin. Ostatni już malarz fresków ściennych i plafonów, Włoch Giambattista Tiepolo, najwybitniejszy przedstawiciel XVIII-wiecznej szkoły weneckiej, i jego rodak rzeźbiarz Antonio Canova. W architekturze długo (do ok. 1760 r.) nie rozstajemy się z barokiem. Do miana najciekawszych budowli XVIII w. pretendują paryski Panteon i monachijski kościół Teatynów. W muzyce podobnie. Pierwsza połowa wieku należy do Bacha, Haendla, Vivaldiego. Dopiero w drugiej wkraczają na scenę Haydn i Mozart, a wraz z nimi rozpoczyna się zawrotna kariera instrumentu, którego dotąd prawie nie używano — fortepianu. Jednocześnie żegnamy jednak klawesyn. Szkoda!

WIEK XVIII. Ostatnie stulecie istnienia Rzeczypospolitej Obojga Narodów, która systematycznie traci znaczenie w Europie. Spóźnione próby reform w drugiej połowie wieku przerywa ingerencja obcych mocarstw. W wyniku kolejnych zaborów kurczy się terytorium państwa, które u schyłku XVIII w. przestaje istnieć.

Królowie	Wydarzenia	Świadectwa
August II 	1697 Wojna północna. 1733	
August III 	1733 Wojna o tron polski.	*Pieśń postna nabożna o Koronie Polskiej*, napisana prawdopodobnie przez Dominika Rudnickiego, jezuitę, jednego z wybitniejszych poetów czasów saskich. Również inne utwory tego autora przenika świadomość nadchodzącej katastrofy państwa.
Stanisław Leszczyński 1735–1736 	Kryzys ustrojowy, coraz gorsza sytuacja chłopa. 1763	Publicystyka polityczna: *Głos wolny, wolność ubezpieczający*, a pod koniec czasów saskich — *O skutecznym rad sposobie* Stanisława Konarskiego. Niezrównanym pamiętnikarzem czasów Augusta III był Jędrzej Kitowicz, autor *Opisu obyczajów* i *Pamiętników*. Półwiecze panowania Sasów ocenił nad podziw przychylnie: „Polska nie miała szczęśliwszych czasów i podobno mieć nie będzie."
Stanisław August Poniatowski 	1764 Konfederacja barska (1768–1772). Pierwszy rozbiór Rzeczypospolitej (1772). Sejm rozbiorowy, protest Rejtana (1772). Zniesienie zakonu jezuitów, powołanie Komisji Edukacji Narodowej (1773). Sejm Wielki (1788–1792).	Poezja konfederacji barskiej ➡ JESIEŃ BAROKU. *Opuchły* Trembeckiego, *Pieśń dziada sokalskiego w kordonie cesarskim* Karpińskiego. *Do Litwy* Kniaźnina. *Oda na ruinę zakonu jezuitów* Trembeckiego. *Powrót posła* Juliana Ursyna Niemcewicza. Pisma polityczne Kołłątaja (*Do Stanisława Małachowskiego Anonima listów kilka*) i Staszica (*Uwagi nad życiem Jana Zamoyskiego, Przestrogi dla Polski*). Ulotna poezja polityczna — m.in. słynne antyhetmańskie paszkwile przypisywane Zabłockiemu.

⇨

Królowie	Wydarzenia	Świadectwa
⇨	Konstytucja 3 maja (1791).	Okolicznościowe wiersze Krasickiego i Karpińskiego. Antykrólewskie pamflety (król „podwójnym zdrajcą" — wolności szlacheckiej i liberum veto). Dwa lata później surowo ocenią postawę króla autorzy dzieła *O ustanowieniu i upadku Konstytucji polskiej 3 maja 1791*(Hugo Kołłątaj, Franciszek Ksawery Dmochowski, Ignacy Potocki).
	Wojna polsko-rosyjska. Konfederacja targowicka (1792). Drugi rozbiór Rzeczypospolitej (1793).	Do wypadków z ostatnich lat (Konstytucja 3 maja, wojna z Rosją, zdrada targowiczan) odnosi się jeden z najgłośniejszych wierszy **Jakuba Jasińskiego** (1761–1794): *Do egzulantów polskich o stałości*. Jasiński reprezentuje najbardziej radykalny nurt poezji oświeceniowej: antyszlachecki i antyklerykalny (poeta zyskał sobie miano „polskiego jakobina"). Gdy Stanisław August po straceniu Ludwika XVI ogłosił żałobę, Jasiński odpowiedział wierszem, w którym znalazły się słowa: „niech zginą króle, a świat będzie wolny". Autor liryków filozoficznych i sentymentalnych erotyków w rodzaju *Jasia i Zosi* („Chciało się Zosi jagódek...") dowodził insurekcją na Litwie, poległ w obronie Pragi.
	Powstanie kościuszkowskie. Zwycięstwo pod Racławicami. Insurekcja w Warszawie i na Litwie. Klęska pod Maciejowicami. Rzeź Pragi (1794).	Atmosferę panującą przed powstaniem oddaje *Cud mniemany, czyli Krakowiacy i Górale* Bogusławskiego — patriotyczne kuplety z tego przedstawienia śpiewała cała Warszawa (nie wyłączając okupantów!). Wiersze Kniaźnina (m.in. *Na rewolucję 1794 r.*). Sceny wieszania zdrajców opisał w swych doskonałych *Pamiętnikach* uczestnik wydarzeń, Jan Kiliński. Insurekcja przyniosła kolejną falę poezji politycznej, w tym popularne „epitafia" („nagrobki") powieszonych targowiczan. Na przykład *Nagrobek hetmanowi Ożarowskiemu* brzmiał tak: „Obcych rubli przyjaciel, wszystko miał przedażne, Teraz wisząc poznawa, jak są ruble ważne."
1795	Trzeci rozbiór. Rzeczpospolita Obojga Narodów przestaje istnieć. Król abdykuje.	*Żale Sarmaty nad grobem Zygmunta Augusta* Karpińskiego.
	Legiony polskie we Włoszech (1797).	*Pieśń legionów polskich we Włoszech* Józefa Wybickiego ➡ JESZCZE POLSKA NIE ZGINĘŁA.

OŚWIECENIE

Nazwa epoki w dziejach kultury europejskiej. W XVIII w. idee Oświecenia docierają praktycznie do wszystkich krajów. W Polsce za datę początkową Oświecenia uważano kiedyś r. 1764 (koronacja Stanisława Augusta Poniatowskiego). Obecnie badacze opowiadają się za datą wcześniejszą (ok. 1740 r.).

Oświecenie oznacza przemiany w myśleniu o świecie, polityce, społeczeństwie, jednostce ludzkiej. Powoduje zwrot w filozofii, nauce, pedagogice. Pojęcie to nie mówi nam jeszcze o stylu sztuki czy literatury wyrażającej idee Oświecenia. Jeśli chodzi o literaturę polskiego Oświecenia, to stylem w niej dominującym jest **klasycyzm**, mniejsze znaczenie ma **sentymentalizm**, zaś **rokoko** spełnia rolę wręcz marginalną. Pamiętajmy ponadto, że oświeconej Warszawie prowincja przeciwstawia często twórczość w stylu schyłkowej fazy **baroku**.

Klasycyzm

● Rozum
Wierzyć, że rozum jest najwyższą instancją i najdoskonalszym instrumentem poznania świata. Wybierać raczej chłód i dystans, poskramiać emocje. Ufać mędrcom i filozofom. Szkiełko i oko nie mogą nas zwodzić.

● Norma
To oczywiste, że w literaturze nie wszystko wolno. Poznać zasady poetyki, wymyślone przez starożytnych, a udoskonalone przez francuskiego poetę Boileau. Gatunki literackie są stałe, podobnie jak przypisane im style. Dbać o jasność i czystość języka.

● Stały świat wartości
Wierzyć w postęp, nie poddawać się przeciwnościom losu, zwątpieniom, niepokojom. Ideałem — człowiek działający w zgodzie z prawami natury.

● Użyteczność
Po co wymyślono literaturę? Ależ właśnie po to, by wychowywała czytelnika, by bawiąc czy karcąc jednocześnie uczyła właściwego postępowania.

● Abstrakcja
Filozoficzne umysły nie zajmują się drobiazgami. Badajmy więc to, co ogólne: prawa, wartości, typy ludzkie, uniwersalną mądrość. W uczonej poezji mało miejsca zostaje dla lirycznego „ja". Uczucia osobiste na drugim planie.

Wzory. Literatura starożytna (rzymska na równi z grecką, a jednym z najważniejszych pisarzy Horacy), literatura renesansowa (w Polsce olbrzymim uznaniem cieszy się nadal Kochanowski, wzór poety-patrioty — Franciszek Bohomolec nie tylko wydał dzieła mistrza z Czarnolasu, ale też uczynił go bohaterem jednego ze swych utworów), współczesna literatura francuska (Boileau, La Fontaine, Rousseau, Wolter).

Tematy. Zdaniem Teresy Kostkiewiczowej trzy podstawowe kręgi tematyczne polskiego klasycyzmu to: 1) polityczny (poezja okolicznościowa), 2) obyczajowy (formujący model człowieka Oświecenia, przeciwstawionego Sarmacie), 3) zagadnień historiozoficzno-moralnych.

Gatunki. Satyra (Naruszewicz, Krasicki), bajka (Krasicki, Trembecki), poemat heroikomiczny (Węgierski, Krasicki), oda, hymn, komedia obyczajowa (Zabłocki), komedia polityczna (Niemcewicz), powieść (Krasicki).

PISARZE
➡ **IGNACY KRASICKI**
➡ **OBIAD Z KRÓLEM STASIEM**
⬇
   STANISŁAW TREMBECKI
   ADAM NARUSZEWICZ
➡ **TEATR**
⬇
   FRANCISZEK ZABŁOCKI

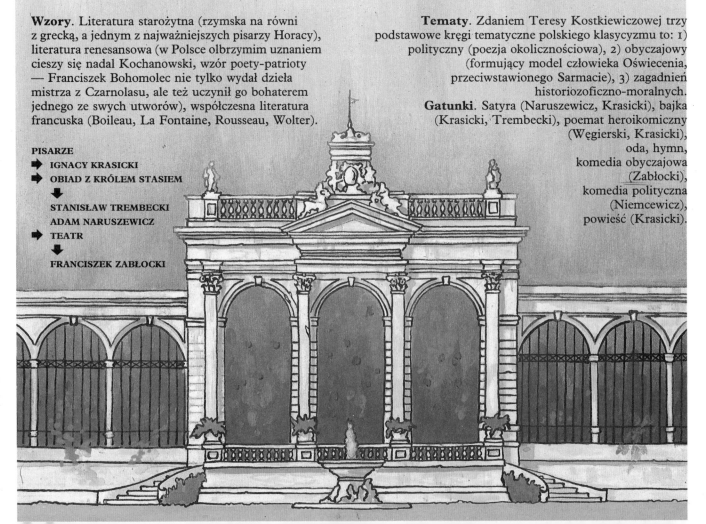

Rokoko

Termin bardziej z historii sztuki niż literatury. Uznawane do niedawna za styl późnej sztuki barokowej, dzięki badaczom, takim jak m.in. Władysław Tomkiewicz, zyskuje rangę samodzielnego stylu.

Rokoko cechuje duch zabawy, elegancja, wdzięk, delikatność, lekkość. Związane jest silnie z kulturą dworską, a jego ojczyzną jest rzecz jasna Francja. Najłatwiej opisać rokoko wyobrażając sobie buduar modnej damy, pełen stylowych mebelków, bibelocików, muszelek, róż, wachlarzy, porcelanowych amorków.

Właściwym tematem literatury rokokowej jest miłość, często ujmowana jako gra. Typowe gatunki: anakreontyk, epigramat, wiersz sztambuchowy, erotyk. W literaturze polskiego Oświecenia elementy rokokowego stylu znajdziemy w niektórych utworach Trembeckiego i Kniaźnina. Są jednak badacze gotowi wiązać z rokokiem także *Fircyka w zalotach* Zabłockiego, a nawet *Rękopis znaleziony w Saragossie* Jana Potockiego.

Sentymentalizm

● **Uczucie**

Wierzyć, że uczucie ważniejsze jest od rozumu. Cenić uczucia osobiste, szczere, autentyczne. Wybierać wrażliwość, a nie pełen chłodu dystans. Ufać własnemu sercu. Serce nie może nas oszukać.

● **Prostota**

Odrzucić — w miarę potrzeby — normy, poetyki, granice gatunków. Pisać w sposób możliwie najprostszy.

● **Ideałem — natura**

Obserwować i poznawać naturę. Uciekać z zatłoczonych miast, w których stosunki międzyludzkie ulegają zwyrodnieniu. Znajdować spokój na wsi, pokochać ptaki, zwierzęta, rośliny. Tylko człowiek żyjący w przyjaźni z naturą osiąga spokój ducha.

● **Wzruszenie**

Po co wymyślono literaturę? Ależ właśnie po to, by wzruszała czytelnika. Przecież wszyscy czujemy tak samo?

● **Konkret**

Wiejskie pejzaże: łąki, pola, ogrody, to właściwa sceneria dla poezji. Nie mówmy o tym, co ogólne i abstrakcyjne. Niech dojdzie do głosu liryczne ,,ja'' — konkretny człowiek i jego indywidualne doświadczenie. Zajmijmy się raczej sobą niż innymi. Mówmy we własnym imieniu.

Wzory. Poezja ludowa, oczywiście rodzima, często jednak przerabiana nie do poznania. Odrzucenie wzorów antycznych — zwłaszcza natłoku aluzji mitologicznych, typowych dla poezji ,,uczonej''. Prawdziwa rewolucja!

Tematy. Miłość, najczęściej nieszczęśliwa, miniona, wspominana z melancholią. Ucieczka z miasta na wieś — okazja, by wypowiedzieć parę gorzkich słów o zepsuciu miejskich obyczajów. Przyroda i wszystko, co w niej żyje — jest to nadal przyroda ,,oswojona'', z tego również powodu poeci sentymentalni szanują literaturę renesansu.

Gatunki. Sielanka, elegia, oda (ale mniej oficjalna niż u poetów reprezentujących klasycyzm), pieśń (sentymentalizm zaciera granice między niektórymi gatunkami).

PISARZE
 POECI SENTYMENTALNI
↓
FRANCISZEK KARPIŃSKI
FRANCISZEK DIONIZY KNIAŹNIN

JESIEŃ BAROKU

Barok saski

Epoka saska przynosi zmierzch kultury sarmackiej. W poezji dominuje ciągle barok, ale jest to barok dekadencki. Najwybitniejsi poeci pierwszej połowy XVIII w. podejmują już próby przełamania literackiej konwencji. Jedni dążą do uproszczenia środków wyrazu, inni — wręcz przeciwnie — wybierają maksymalną sztuczność. Zaciera się granica tego, co poetyckie, poszerzeniu ulega język liryki, zdarzają się wiersze bardzo ekscentryczne, dziwaczne, zagadkowe. W zakresie gatunków — niewiele zmian. Popularne są epigramaty, satyry, psalmy, pieśni i poematy religijne, medytacje. Coraz więcej wierszy patriotycznych przyjmuje formę lamentu, elegii, trenu. Poeci mają świadomość, że dzieje Rzeczypospolitej Obojga Narodów zbliżają się do końca.

Poeci „jesieni baroku"

Piotr Łoski, godny wzmianki miłośnik osobliwych dysonansów. Nadawał swym dziełom piękne tytuły: *Lutnia rozstrojona* albo *Dźwięk na wdzięk Opatrzności Boskiej*, albo *Panna jak angielska cyna*. A pisał tak:
„Liczna i śliczna dywizyja panien
Wygląda z Renu przezroczystych wanien."

Konstancja Benisławska swoje wiersze religijne wydała w 1776 roku. Poetka wielkiej wrażliwości i niebanalnej wyobraźni, zdobywała się w swojej liryce i na tony bardziej osobiste:

„Jeszcze na dal ode mnie starość jest garbata,
Jeszcze się w czarne włosy siwizna nie wplata,
Jeszcze twarz mam pogodną, nie siedzą na czele
Mierzłe marszczele..."

Elżbieta Drużbacka, pierwsza z wybitniejszych polskich poetek, choć zwalczała filozofię Oświecenia, zapowiadała już swą liryką klasycyzm, sentymentalizm, a może i rokoko.

Poezja konfederacji barskiej

Anonimowa, antykrólewska i antyrosyjska, w dużej mierze — barokowa. Tworzą ją pieśni religijne i żołnierskie, satyry, „proroctwa". Jest to literatura dokumentująca świadomość konfederatów, wyrażająca determinację i wolę zwycięstwa, pełna wiary w dziejową misję Polski (Polska jako feniks — mityczny ptak odradzający się z popiołów). Katolicki charakter konfederacji i kult maryjny, rozpowszechniony wśród jej uczestników, zaznaczył się w paru wierszach cenionych wysoko przez polskich romantyków:

„Służyliśmy Panny, co zrodziła Boga,
Pod Jej znakami święcim nasze szable,
Pod Jej opieką nam do zwycięstw droga,
Ona swym słowem kruszy moce diable."

Jesień polskiego baroku pogodniejsza, niż się zdawało? Tak! A co więcej, niemało tekstów czeka jeszcze na badaczy. W przeszłości bardzo nisko oceniano literaturę XVII w. W miarę kolejnych odkryć trzeba było zmienić zdanie. Być może zatem i dla poetów XVIII w., piszących jednak w konwencji barokowej, nastanie przychylniejszy czas. Właśnie wówczas, gdy we Francji Diderot zabierał się do pracy nad Encyklopedią, u nas jezuita Kasper Niesiecki kończył druk olbrzymiego herbarza „Korona polska", Benedykt Chmielowski zaś zaczynał wydawać „Nowe Ateny" — też encyklopedię, ale staropolską, dziwaczną i zdaniem krytyków spóźnioną o dobre dwa wieki. To z „Nowych Aten" pochodzi m.in. sławna sentencja: „Koń, jaki jest, każdy widzi." Kiedyś wyśmiewana, robi w naszych czasach zastanawiającą karierę...

JÓZEF BAKA

1707–1780

„Umierać,
a nie życie ciągnąć..."

- jezuita, związany głównie z Wilnem
- prawdziwy poeta „wyklęty", całkowicie skłócony z oświeceniową konwencją
- ostatni z wybitnych poetów barokowych

Prawdziwym poetyckim skandalem epoki okazały się **Uwagi śmierci niechybnej**, druga część *Uwag rzeczy ostatecznych* (1766). Baka pisał wyłącznie o śmierci — okrutnej, makabrycznej, niekiedy groteskowej. Ważniejsze — jak pisał. Nie tylko posługiwał się słownictwem potocznym i łamał wszelkie zasady sztuki poetyckiej. Ośmielił się również użyć wiersza, który w polszczyźnie brzmi dziwacznie, który przypomina naiwną dziecięcą rymowankę. Zastosował cztero-, a nawet trzyzgłoskowiec! Triumfująca barokowa śmierć zagarnia swą kosą wszystkich bez wyjątku: rycerzy, damy, duchownych, senatorów, wieśniaków:

„Ej, dziateczki!   Powycina,
Jak kwiateczki   Was pozrzyna
                 Śmierć kosą."

Nie oszczędzi też pijaków:

„Próżna flasza cię odstrasza,
Próżna krypta cię zaprasza."

Baka nie współczuje, nie lamentuje. Baka bawi się śmiercią. Baka śmiercią straszy. Robi to w sposób naprawdę niezwykły:

„Świat na morzu, tyś w korabiu,
Śmierć robaczek jest w jedwabiu."

Ten poeta horroru uwielbia estetykę brzydoty i okrucieństwa. Literacki ekstremista, nie chce wiedzieć, czym jest dobry gust, poczucie miary, smaku, harmonii. Dziką radość czerpie z szokowania czytelnika (czy nie przypomina pod tym względem zbuntowanych artystów XX w.?):

„O Dyjano! z ciebie mara   „Śmierć niemodna,
Czy poczwara, gdy czamara   Kiedy głodna
       Przybierze   Na ząb bierze
       W ofierze   W cudnej cerze
       Much rojem,   Z rumieńcem
       Rop zdrojem.   I wieńcem
       Nic nie miło,   Panienki
Gdy się zgniło."   W trunienki."

Historycy literatury uważali go tradycyjnie za grafomana. Poeci byli łaskawsi. Poeci lubią osobliwości, a nawet dziwolągi, nie zawsze cenią natomiast gładką poprawność i słuszną tendencję. Do Baki nawiązywali m.in. Słowacki, Syrokomla, Lemański, Jarosław Marek Rymkiewicz, Białoszewski. „Ulubiony mój poeto, księże Bako, jakże mało znany!" — pisała Maria Pawlikowska-Jasnorzewska.
Całkiem niedawno Baka zyskał sojuszników pośród historyków literatury (Antoni Czyż, Aleksander Nawarecki). Dziś mówi się o nim, że był być może pierwszym w literaturze polskiej dadaistą i surrealistą!

*„Świat poprawiać
— zuchwałe rzemiosło."*

IGNACY KRASICKI

**Urodzony 1735
w Dubiecku nad Sanem, w zubożałej rodzinie magnackiej (syn hrabiego).**

rok życia

16 Po ukończeniu nauki w lwowskim kolegium jezuickim wstępuje do seminarium duchownego w Warszawie. Dużo czyta. Wśród lektur — dzieła pisarzy francuskiego klasycyzmu.

19 Rozpoczyna karierę kościelną (kanonik—subdiakon—proboszcz).

24 Studiuje w Rzymie.

28 Sekretarz prymasa Łubieńskiego. Zwolennik obozu reformatorskiego.

29 Wygłasza kazanie podczas koronacji Stanisława Augusta Poniatowskiego. Zostaje kapelanem króla.

30 Rozpoczyna współpracę z „Monitorem". Jako prezydent trybunału małopolskiego podróżuje do Lublina i Lwowa. Zdaniem niektórych badaczy miasto opisane w *Monachomachii* to właśnie Lublin.

31 Biskup warmiński. Po otrzymaniu nominacji osiada w Lidzbarku. Utrzymuje nadal kontakty z Warszawą i dworem królewskim.

39 Publikuje **Hymn do miłości ojczyzny**, jedno z największych osiągnięć oświeceniowej liryki patriotycznej. Utwór ten na pewien czas staje się polskim hymnem narodowym:

„Święta miłości kochanej ojczyzny,   Dla ciebie zjadłe smakują trucizny,
Czują cię tylko umysły poczciwe!   Dla ciebie więzy, pęta nie zelżywe."

40 **Myszeis** — pierwszy z poematów heroikomicznych, parodiujących epos, opowieść o zwycięskiej wojnie toczonej przez myszy i szczury. Utwór odczytywany jest jako satyra obyczajowa, a przez niektórych również jako alegoria polityczna. W tekście *Hymn do miłości ojczyzny*.

41

> **Mikołaja Doświadczyńskiego przypadki** — pierwsza polska powieść nowożytna. Łączy elementy powieści obyczajowej, satyrycznej, awanturniczej, utopijnej. Napisana w formie pamiętnika tytułowego bohatera, który podróżując po rzeczywistości XVIII w. gromadzi wszelkie możliwe doświadczenia. Rozpoczyna od edukacji typowej dla prowincjonalnego szlachcica, potem dostaje się w krąg wpływów „złotej" młodzieży, w Paryżu ulega fascynacji modą francuską, wreszcie ucieka ścigany przez wierzycieli. W następstwie morskiej katastrofy ląduje na wyspie Nipu, gdzie mędrzec Xaoo odsłania mu tajemnice idealnego ustroju (społeczeństwo bez państwa, religia bez instytucji kościelnych, prostota obyczaju, kult pracy, poszanowanie tradycji). Po powrocie Doświadczyński podejmuje próby reform na polskiej wsi.

43 Ukazuje się *Monachomachia* — kolejny poemat heroikomiczny. Nie jest wykluczone, że do publikacji doszło wbrew intencji autora. Odpowiedzią na zarzuty i polemiki będzie późniejsza o dwa lata *Antymonachomachia* ➡ MONACHOMACHIA, ➡ ANTYMONACHOMACHIA.

Pierwszy tom obszernej powieści-traktatu **Pan Podstoli** (1778–1803). Utwór jest pochwałą tradycji staropolskiej, którą reprezentuje tytułowy bohater opisywany przez narratora. Podstoli — szlachcic, ziemianin, gospodarz doskonały, reprezentant tego, co najlepsze w kulturze sarmackiej. Religijność pojmuje jako szacunek dla wiary przodków, miejsce kobiety widzi przy krosnach, stroni od sporów politycznych, dba o edukację dzieci, sprawuje opiekę nad chłopem. Jeszcze jedna utopia — tym razem w wersji krajowej. Niestety, powieści z bohaterem pozytywnym w roli głównej rzadko wytrzymują próbę czasu.

---

44 *Bajki i przypowieści*. Pierwsza część *Satyr* ➡ BAJKI. SATYRY. LISTY.

49 Ukazują się *Wiersze XBW* zawierające kolejne *Satyry* oraz *Listy*. Skrót XBW to książę biskup warmiński — takiego tytułu używał wówczas Krasicki.

52 Utrzymuje przyjazne kontakty z królami pruskimi: Fryderykiem Wielkim i Fryderykiem Wilhelmem II. Bywa w Berlinie i Poczdamie, przyjmuje ordery i wyrazy uznania, co potomni ocenią nazbyt surowo.

57 Pisze *Pieśń na 3 dzień maja*.

60 Arcybiskup gnieźnieński. Przenosi się do Łowicza, a potem do swej rezydencji w Skierniewicach. Zajmuje się dwiema największymi pasjami: pisaniem i zakładaniem ogrodów.

65 Kończy *Bajki nowe* (rozpoczęte w 1779 r.).

66 Jego ostatnią pracą są *Listy o ogrodach*.
Umiera 14 marca 1801 r. w Berlinie.

 Miłośnik kawy, dobrej kuchni, znawca win, smakosz życia i literatury. Nauczyciel i wychowawca narodu, ale raczej teoretyk niż praktyk. Człowiek przez całe życie nie na swoim miejscu. Powinien był pisać w Paryżu, a zmuszony był tworzyć w Lidzbarku.
Wcześnie zyskał uznanie i miano „księcia poetów". Romantycy za nim nie przepadali (Mickiewicz gotów był przyznać miano najwybitniejszego poety polskiego Oświecenia Trembeckiemu), pozytywiści wielbili za dydaktyzm i słuszną tendencję. I w naszych czasach miał szczęście do świetnych badaczy. Zajmowali się nim autorzy tacy jak Roman Wołoszyński, Zbigniew Goliński i francuski polonista Paul Cazin. Wśród polonistów wciąż budzi zainteresowanie, z powodzeniem wśród czytelników bywa rozmaicie.
Pozostawił dorobek olbrzymi i bardzo różnorodny, a przecież obfitość produkcji i wszechstronność decydowały w XIX w. o pozycji pisarza. Tymczasem dzieła Krasickiego, z małymi wyjątkami, pokrywa dziś biblioteczny kurz. Nie lubimy, by nas pouczano, ganiono, instruowano. Model literatury, jakiemu wierne są „Satyry" czy „Bajki", nie jest już atrakcyjny. Kto wie, czy w przyszłości miejsca Krasickiego nie zajmą jego rywale — Trembecki albo Kniaźnin. Jako powieściopisarz już dziś nie może konkurować z Janem Potockim.

Pierwszą książkę poświęconą Krasickiemu napisał Kraszewski!

BAJKI

Na dwa zbiory: *Bajki i przypowieści* oraz *Bajki nowe*, składa się blisko 200 utworów. Typowa bajka Krasickiego jest zwięzłym przedstawieniem sytuacji dwóch postaci w formie opisu bądź dialogu. Zestawienie pary bohaterów odwołuje się często do świadomości potocznej (pan i pies, woda i wino, owca i wilk, kot i mysz, but i noga). Bajkę kończy zaskakująca pointa — epizod zmieniający radykalnie losy postaci. Czasem następuje po nim morał, zwykle jest to zgrabna sentencja.

Bajki nowe są znacznie bardziej rozbudowanymi historiami, które można by porównać do wierszowanych nowel. Wprowadzają też pewne urozmaicenia wersyfikacyjne (m.in. pięciozgłoskowiec).

Zwierzyniec księcia poetów

Bohaterami bajek — zgodnie z konwencją oświeceniową — są głównie zwierzęta, ale także owady, ptaki, rośliny, drzewa, przedmioty, wreszcie ludzkie typy („ślepy", „kulawy"). Zwierzęta Krasickiego nie posiadają stałych „charakterów" i w poszczególnych bajkach przypada im rozmaita rola. W sumie zwierzyniec księcia poetów tworzy ponad trzydzieści gatunków.

Bajka demaskuje świat pozorów — zewnętrzną oprawę, złudzenie, „cacko". Odsłania prawdę, zwykle okrutną. Uczy ostrożności w ocenie sytuacji: „Często, co złe z pozoru, dobre jest w istocie." Wyśmiewa pychę, głupotę, ignorancję, lekkomyślność, złośliwość, fałsz, demagogię, skąpstwo, pieniactwo, nadgorliwość.

Humor bajek

Bywa okrutny, szyderczy, a nawet makabryczny:

„Chciał się skąpy obwiesić, że talera stracił.
Żeby jednak za powróz dwóch groszy nie spłacił,
Ukradł go po kryjomu. Postrzegli sąsiedzi.
Kiedy więc, osądzony na śmierć, w jamie siedzi,
Rzekł, gdy jedni żałują, a drudzy go cieszą:
«To szczęście, że mnie przecież bez kosztu powieszą.»"

Najczęściej występujące zwierzęta:

- wilk
- owca
- lis
- pies
- kot
- wół
- lew
- koń
- orzeł
- zając

Złote myśli

Niektóre bajkowe pointy stały się przysłowiami i funkcjonują do dziś w świadomości Polaków:

„Miłe złego początki, lecz koniec żałosny."

„Wśród serdecznych przyjaciół psy zająca zjadły."

„Czy nos dla tabakiery, czy ona dla nosa?"

„Bywa często zwiedzionym,
Kto lubi być chwalonym."

„Nie nowina, że głupi mądrego przegadał."

W przeciwieństwie do uniwersalnych bajek i opisujących zjawiska satyr **Listy** mają konkretnych adresatów. Ten typ utworów Krasickiego nawiązuje do poezji rzymskiej (Horacy) i francuskiego klasycyzmu (Boileau). Obserwacji obyczajowej towarzyszy refleksja filozoficzna. *Listy* są również próbą przewartościowania tradycji sarmackiej. Ale co pozostaje po odrzuceniu cudzoziemskich wpływów? Czy tylko „żupany, kontusze i wąsy"? Czy tylko heroiczny wybór krajowego piwa i miodu zamiast francuskich win?

ŚWIAT SATYR

> *„Satyra prawdę mówi, względów się wyrzeka.*
> *Wielbi urząd, czci króla, lecz sądzi człowieka."*

Czas Oświecenia to czas rozkwitu literatury satyrycznej, czas pamfletów politycznych i obyczajowych, czas pamflecistów i paszkwilantów, często anonimowych. Nigdy dotąd literatura polska nie przemawiała tonem tak ostrym, tak stanowczym.

Satyry Krasickiego sądzą rzeczywistość dość łagodnie. Poeta dba o obiektywizm, nie atakuje nigdy konkretnych postaci, wyśmiewa jedynie ludzkie typy. Posługuje się monologiem (na przykład w formie kazania oskarżyciela-moralisty), dialogiem pozornym (*Przestroga młodemu*), dialogiem rzeczywistym (*Żona modna*), „cudzą" opowieścią (*Pijaństwo*). Podobnie jak w *Bajkach i przypowieściach* używa trzynastozgłoskowca.

Satyry przede wszystkim wyśmiewają i wyszydzają. Program pozytywny rysuje się w nich niezbyt jasno.

Występek

● **Hipokryzja**
Typowym mieszkańcem świata *Satyr* jest „filut" — szuler, zdrajca, hipokryta, lichwiarz, obłudnik, megaloman. W utworach takich, jak *Złość ukryta i jawna*, *Szczęśliwość filutów*, *Życie dworskie*, *Pochwała milczenia*, odsłonił poeta fałsz języka, form, etykiety.

● **Rozrzutność**
Krasicki zgromadził piękną galerię bankrutów — ludzi niegdyś majętnych, których fortunę pochłonęły kobiety, karty, wystawne życie, „pańskie" obyczaje (*Żona modna*, *Gracz*, *Marnotrawstwo*, *Pan niewart sługi*).

● **Moda**
Uleganie modzie cudzoziemskiej wiąże się z brakiem szacunku dla kultury ojczystej, rozrzutnością i lekkomyślnością (*Marnotrawstwo*, *Żona modna*). W dodatku ci, co ulegają modzie, mają fatalny gust i uwielbienie dla kiczu (chińskiego, japońskiego, perskiego, afrykańskiego, a nade wszystko francuskiego).

● **Pijaństwo**
Nasz problem narodowy numer jeden! Po dziś dzień — jak w satyrze *Pijaństwo* — okazję do oddawania się nałogowi stanowi wizyta, święto, nawet miłość ojczyzny. A później oczywiście kac...

● **Cynizm**
Negację wartości etycznych uznał Krasicki za największy grzech XVIII w. (*Świat zepsuty*). W małżeństwie cynizm wyraził się „modą romansów" (*Małżeństwo*).

Cnota

● **Szczerość**
(ale nienadmierna)

● **Oszczędność**
(opisana w satyrze pod takim właśnie tytułem)

● **Tradycja**
(staropolska, jak w *Panu Podstolim*)

● **Umiar**
(nie tylko w piciu)

● **Moralność**

W satyrze *Do króla* zastosował poeta interesujący środek wyrazu: pochwałę w formie nagany. Tym sposobem kierowane przeciw Stanisławowi Augustowi Poniatowskiemu zarzuty (nie dość dobrze urodzony, Polak — dlaczego nie cudzoziemiec, nazbyt wykształcony, nader łagodny) sprowadzone zostały do absurdu.

Co wynika z *Satyr*?

Trzeba wrócić do przeszłości, zmienić obyczaje, pracować, uczyć się, myśleć, odrzucić pozory:

> „Odmieńmy obyczaje, a jąwszy się pracy
> Niech będą dobrzy, będą szczęśliwi Polacy."

Jeśli tego nie zrobimy, grozi nam katastrofa — *Satyry* wprowadzają znane już w starożytności porównanie państwa do tonącego okrętu. Los Rzeczypospolitej zdaje się zależeć od stanu moralności jej obywateli:

> „Rzym cnotliwy zwyciężał. Rzym występny zginął."

To jedna z iluzji właściwych ludziom Oświecenia. Bo przecież w historii najnowszej potrafimy wskazać państwa i narody „występne" radzące sobie całkiem dobrze...

Monachomachia

OBIAD Z KRÓLEM STASIEM

Gospodarz

W chwili wstąpienia na tron król Stanisław August Poniatowski liczył sobie 32 lata. Prawdziwy Europejczyk, władający kilkoma językami, był zapewne najlepiej wykształconym ze wszystkich polskich monarchów. Kontrowersyjny jako mąż stanu, odniósł niewątpliwe sukcesy we wszystkich innych dziedzinach:

- inicjator reformy praw (Kodeks Zamoyskiego)
- inicjator reformy szkolnictwa (Komisja Edukacji Narodowej)
- inspirator rozwoju przemysłu (manufaktury, mennica, kopalnie)
- mecenas teatru polskiego (Teatr Narodowy)
- mecenas architektury (przebudowa Zamku Królewskiego, Łazienki)
- mecenas malarstwa (nadworni malarze Bacciarelli i Canaletto)
- mecenas literatury i czasopiśmiennictwa („Monitor")

Menu

Słynne obiady czwartkowe odbywały się na Zamku Królewskim, a także w Łazienkach, począwszy od 1770 roku. Debatowano do wieczora, popijając wyborne wino węgierskie, słuchając recytacji utworów poetyckich, żartując i dyskutując. Zmierzch nastąpił w latach osiemdziesiątych, dokładna data zaniechania czwartkowych spotkań nie jest znana.

Goście

Znajdowali się wśród nich duchowni, uczeni, politycy, malarze, wojskowi, urzędnicy, nade wszystko jednak pisarze: Adam Naruszewicz, Stanisław Trembecki, Ignacy Krasicki, Franciszek Bohomolec, Franciszek Zabłocki, Tomasz Kajetan Węgierski, okazjonalnie Franciszek Karpiński.

Stałym gościem był na obiadach czwartkowych biskup **Adam Naruszewicz** (1733–1796), poeta i historyk. Tworzył wiersze w duchu klasycyzmu, nawiązywał do Horacego. W liryce obywatelskiej — wierny sojusznik króla, „Pana dobroczynnego", patrioty, mecenasa sztuk i nauk, niedocenionego przez poddanych (**Głos umarłych**). Mistrz liryki okolicznościowej (wierszem **Balon** upamiętnił ekscytującą warszawiaków balonową podróż Blancharda). Typowy dworski poeta, wykazał świetne opanowanie rzemiosła i dużą kulturę literacką jako piewca tematów błahych (zegarek, filiżanka). Autor dwóch świetnych satyr obyczajowych: **Reduty** pokazują w karykaturze postacie fircyków, oszustów, karciarzy, hipokrytów, zaś **Chudy literat** prezentuje niełatwą sytuację poezji i poety w XVIII w., gdy literatura stała się już dla pewnej grupy ludzi zawodem — niezbyt zresztą dochodowym:

„Ostatnie to rzemiosło, co prócz sławy kęsa,
Nic nie daje autorom, ni chleba, ni mięsa."

Król-mecenas cieszył się dobrą opinią wśród pisarzy. Sławili go w swych utworach m.in. Naruszewicz, Krasicki i Trembecki. Swoje utwory dedykowali królowi: Zabłocki (*Fircyk w zalotach*), Krasicki (*Myszeis*), Dmochowski (*Sztuka rymotwórcza*). To zrozumiałe, że bywalcy obiadów czwartkowych pisali o gospodarzu raczej dobrze. Krytyka zdarzała się wyjątkowo:

„A uczone obiady? Znasz to może imię,
Gdzie połowa nie gada, a połowa drzémie;
W których Król wszystkie musi zastąpić ekspensa:
Dowcipu, wiadomości i wina, i mięsa."

Autorem tego wiersza był **Tomasz Kajetan Węgierski** (1756–1787), najbardziej złośliwy z poetów polskiego Oświecenia (choć rywali do tego tytułu ma poważnych). Wielce utalentowany, debiutował już w wieku 15 lat! Libertyn, miłośnik Woltera i Rousseau. Zaatakował obyczaje duchowieństwa w poemacie heroikomicznym **Organy** (wyd. 1784, napisane kilka lat wcześniej). Konflikt między proboszczem i organistą uczynił autor fabularnym pretekstem do satyrycznego ujęcia obrazu polskiej prowincji. Utwór ten znał zapewne Krasicki przed napisaniem *Monachomachii*. Jako pamflecista i paszkwilant Węgierski wyszydzał konkretne, wymienione z nazwiska postacie. Potępiał magnaterię za rozrzutność, hazard, styl bycia, prywatę. Sceptycznie oceniał postępy myśli oświeconej w Polsce, która jego zdaniem pozostała krajem barbarzyńców.

„Dla przyjemnej zabawy, a nie dla mozołu..."

STANISŁAW TREMBECKI
1739(?)–1812

- od 1772 roku związany z Warszawą
- nadworny poeta króla Stanisława Augusta Poniatowskiego
- jeden z najbardziej lekkomyślnych polskich poetów

Sztukmistrz
Zapewne najbardziej wyrafinowany poeta polskiego Oświecenia. Opanował wszystkie style i konwencje:

Barok	„Wnet jego sadło, ciało, jego miazga cała Od gnuśności z pijaństwem złączonej zropiała."
Klasycyzm	„Nikt z Sławianów nie przeszedł Jabłonowskich sławy: Mają w swym domu mitry, krzesła i buławy. Ich wysokimi czyny napełnione dzieje, W nich strapiona ojczyzna zwykła mieć nadzieję."
Rokoko	„Swego więc Kupidyna przywoławszy z bliska, Bierze chłopca na łono, całuje i ściska, Swawolnym pozwalając poigrać paluszkiem Z częściami, które tają ziemianki fartuszkiem."

Najdalszy może sentymentalizmowi, wykorzystał charakterystyczny motyw „ucieczki z Warszawy na wieś" (**Powązki**). Mieszał poetyki i gatunki. Bajkę zamieniał w wiersz miłosny, epitalamium w swawolny erotyk. Lubił gry językowe, neologizmy, zdrobnienia, stylizował (stylizacja gwarowa w *Pieśni dla chłopów krakowskich*).

Poeta kultury
Erudyta i bibliofil, przywiózł z Francji całą bibliotekę dzieł pisarzy i filozofów Oświecenia. W poezji odwoływał się do Homera, Wergiliusza i Lukrecjusza. Prowadził też systematyczny dialog ze swymi współczesnymi: Kniaźninem, Naruszewiczem, Węgierskim, Niemcewiczem.

Poeta miłości
Najzdolniejszy kontynuator i godny następca Jana Andrzeja Morsztyna, także w poezji miłosnej cenił dowcip i paradoks („mam ja serce z żelaza, lecz ty masz z magnesu"). Bez zakłopotania opisywał uroki kobiecego ciała („z róży kolanka, z alabastru uda"). W wierszach weselnych (epitalamia) ulubionym tematem Trembeckiego jest noc poślubna i inicjacja seksualna dziewczyny.

Libertyn
Ten miłośnik Woltera nie przepadał oczywiście za Kościołem i duchownymi. Z radością powitał zniesienie zakonu jezuitów (**Oda na ruinę zakonu jezuitów**). Oskarżał Kościół o szerzenie fanatyzmu, ignorancji, ciemnoty. Występował przeciwko wszelkiej religii, której nie da się pogodzić z ludzkim rozumem (**Oda nie do druku**).

Bajkopisarz
Zupełnie inny niż Krasicki. Stworzył polskie parafrazy bajek La Fontaine'a. Typowa bajka Trembeckiego jest stosunkowo długim utworem, wypowiedzi narratora przeplatane są dialogami, wersyfikacja urozmaicona, bajkę zamyka wyodrębniony z całości morał — często w formie rozbudowanego komentarza. Bajki Krasickiego cechuje prostota, bajki Trembeckiego — kunszt.

Mistyfikator
Zapowiedzią kariery Trembeckiego jako pisarza politycznego był **Opuchły** (1773) — bajka, a właściwie alegoryczny poemat o upadku Polski. W okresie późniejszym Trembecki lekkomyślnie próbował bawić się dziedziną tak niebezpieczną jak polityka — na przykład układając wiersze prorosyjskie i przypisując je innym poetom. Gra skończyła się fatalnie, gdy autorstwo zostało rozszyfrowane. Nieszczęsny mistyfikator miał u potomnych fatalną reputację.

Ganiąc słabości człowieka, doceniano przecież walory pisarza. Mickiewicz ocenił wysoko jeden z ostatnich utworów Trembeckiego, poemat opisowy **Sofiówka** (1806). Rzecz powstała na zamówienie Potockich, właścicieli parku pejzażowego pod Humaniem na Ukrainie. Wędrówka po parku jest dla poety okazją do pochwały mecenasa, ale także refleksji nad burzliwą historią Ukrainy (caryca Katarzyna osądzona nader łaskawie), staropolskim obyczajem, sukcesami wieku Oświecenia, filozofią materializmu. Na uwagę zasługuje wpleciona do tekstu, a zaczerpnięta z Owidiusza opowieść o uwiedzeniu Tetydy przez Peleusa — podejmując taki temat Trembecki zawsze był w formie!

„A serce niech mi tylko zostanie dotkliwe...”

FRANCISZEK KARPIŃSKI

1741–1825

- wychowanek jezuitów
- bibliotekarz, guwerner
- przez kilkanaście lat związany z oświeceniową Warszawą, po 1793 osiadł na wsi
- za życia — jeden z najpopularniejszych polskich poetów

Sentymentalizm

Poeta „czułego serca”, delikatnych uczuć i nastrojów, lirycznych wyznań, próśb i żalów. U Karpińskiego miłość wymaga sentymentalnej scenerii. Tworzy ją przyroda ujmowana w konwencji sielankowej: sad, pole, łąka, strumień, drzewa, takie jak jawor albo jabłoń. Wieczorem śpiewają zakochanym słowiki, nad ranem odzywają się skowronki. Są jeszcze nieodzowne rekwizyty: wieniec spleciony z róż, koszyk malin, imiona wycięte na korze. Miłość bywa przyczyną cierpienia, ale na ogół jest źródłem radości. A wszystko to bardzo teatralne — jak podstęp Filona, który schowany w zaroślach przysłuchiwał się wyznaniom Laury (**Laura i Filon**). Bardzo też melancholijne i płaczliwe, bo łez w liryce Karpińskiego nie brakuje (*Do Justyny. Tęskność na wiosnę*). Swój poetycki program wyłożył w rozprawie *O wymowie w prozie albo wierszu* (1782). Opowiadał się za poezją jasną i zrozumiałą, odrzucającą klasycystyczne reguły (m.in. aluzje mitologiczne). Pod piórem Karpińskiego konwencjonalna sielanka staropolska zamienia się w monolog liryczny.

Autobiografizm

Rodzajem poetyckiej autobiografii jest wiersz **Powrót z Warszawy na wieś**, opowiadający o przełomowym momencie w życiu autora. Decyzja porzucenia stolicy ma niewątpliwie wiele wspólnego z wyborem, jakiego dokonał w swoim czasie Kochanowski. Z jedną różnicą — wieś Karpińskiego nie jest ani „spokojna”, ani tym bardziej „wesoła”. Jest to wieś biedna. Z wiersza, jak również pamiętników poety (**Historia mego wieku i ludzi, z którymi żyłem**, wyd. 1844) wyłania się obraz osobowości autora — człowieka wrażliwego, niezależnego, chorobliwie ambitnego. Jest to pierwszy w naszej literaturze pamiętnik-wyznanie (wzorowany zapewne na *Wyznaniach* Rousseau).

Groby i ruiny

Dla poetów staropolskich katastrofa Rzeczypospolitej była proroczą wizją, dla Karpińskiego — ponurą rzeczywistością. Należy on do pierwszego pokolenia naszych poetów snujących się między grobami i ruinami, wspominających dawną świetność narodu (**Żale Sarmaty nad grobem Zygmunta Augusta**). W sielankach bliska mu była poezja ludowa, **Pieśń dziada sokalskiego w kordonie cesarskim** wystylizował na utwór anonimowy, jaki mógłby śpiewać wędrowny żebrak. Elegijna tonacja doszła do głosu w **Dumie Lukierdy** — utwór ten, nawiązujący do wypadków z XIII w., jest jednym z przykładów dumy sentymentalnej. Duma — gatunek istniejący już w epoce staropolskiej, staje się w okresie Oświecenia elegijną pieśnią o bohaterze żyjącym przed wiekami. Duma zapowiada romantyczną balladę.

Religijność

Karpiński miał wyjątkowe szczęście (a może pecha?). Stworzył bowiem cztery utwory, które znają miliony Polaków. Znają na pamięć — nawet nie podejrzewając, że napisał je Karpiński! Poza *Laurą i Filonem* są to trzy wspaniałe pieśni religijne:
Pieśń poranna („Kiedy ranne wstają zorze...”),
Pieśń wieczorna („Wszystkie nasze dzienne sprawy...”),
Pieśń o Narodzeniu Pańskim („Bóg się rodzi, moc truchleje...”).
Bóg Karpińskiego, przeciwnika oświeceniowego deizmu, jest Stwórcą, Opatrznością, Stróżem i Sędzią człowieczym. W wierszu *Przeciwko fanatyzmowi* poeta opowiedział się za tolerancją i religią bez dogmatów.

„Nie zna nikt mojej rany..."

FRANCISZEK DIONIZY KNIAŹNIN

1750(?)–1807

- wychowanek jezuitów
- bibliotekarz, guwerner
- przez kilkanaście lat związany z Warszawą
- od 1783 r. w Puławach, „nadworny" poeta i dramatopisarz Czartoryskich
- w ostatnich latach życia utracił kontakt ze światem (schizofrenia?)

Rozum i serce

W liryce miłosnej Kniaźnina znajdziemy jeszcze sporo elementów barokowych: strzały i pociski Kupidyna, miłosne rany i cierpienia, żarliwe namiętności.
To tylko rekwizyty, bo miłość przestaje tu być grą. Jest odruchem ludzkiego serca, często skrywanym (**Krosienka**), nie zawsze trwałym i odwzajemnionym. Tematem wielu erotyków Kniaźnina jest koniec miłości — wygasanie uczuć.
Podobnie jak u Karpińskiego, w sentymentalnych ogrodach Kniaźnina spotykają się Amarylle, Filony, Korynny, a obok nich Bartki i Kachny. Rozum doradza ostrożność, na szczęście „serce przemaga". Kto nie cierpi, niech się zakocha, doradza przekornie poeta (**Praktyka**).

Wieś i miasto

Także Kniaźnin uciekał z Warszawy — miasta brzydkiego i nieprzychylnego poetom sentymentalnym. Miasta, w którym tyle „kwasu i wrzawy", którym rządzą „Interes z Intrygą". Wyjeżdżał przede wszystkim do Puław, duchowej stolicy polskiego sentymentalizmu. Szukał też schronienia w Powązkach — wówczas były one jeszcze podwarszawską wsią (cmentarz założono dopiero w 1790 r.).
Przed Kniaźninem chyba żaden polski poeta nie obserwował z taką czułością przyrody. Lubił naturę sielankową, choć potrafił dostrzec także piękno dzikich górskich pejzaży.

Katastrofa i nadzieja

Liryka patriotyczna Kniaźnina zapowiada już romantyzm. Utrata niepodległości nabiera rozmiarów apokaliptycznej katastrofy (**Do potomności**).
Pojawia się nadzieja na cudowną interwencję Boga, stojącego po stronie pokonanych („Dobra nasza z Bogiem sprawa"). Poeta przywołuje obrazy dawnej świetności Rzeczypospolitej, zwiedza królewskie groby na Wawelu (**Do Krakowa**), głosi chwałę współczesnych bohaterów: Rejtana, Kościuszki, Dekerta. Nie zawsze jest patetyczny. Na przykład wówczas, gdy dowodzi, że symbolem patriotyzmu są... wąsy, tradycyjnie zdobiące twarz Sarmaty (**Do wąsów**).
Jako jedyny z wybitnych poetów polskiego Oświecenia Kniaźnin nosił wąsy i ubierał się w staropolski strój!

Monolog i rozmowa

Ulubiona forma Kniaźnina to oda, wolna całkowicie od akcentów wzniosłych, patetycznych, napisana w tonacji serdecznej rozmowy. Adresatem ody może być roślina (**Do drzewa**), zwierzę (**Wiewiórka**), element kosmosu (**Do gwiazd**).

„Skry złotej nocy, gminie jasno-lśniący,
Drobniuchni bracia, wysocy mieszkańce,
Co na podniebiu, ogień miecąc drżący,
Staczacie ciszkiem niepomylne tańce!

Lecą podówczas srebrne kołowroty,
Słodkie niebiosom czyniąc krotofile!
Gdy wszystkie ciała i tchnące istoty
Mrocznym ujęciem sen napawa mile."

Rozmowa zamienia się szybko w liryczny monolog duchowego samotnika, jakim był prawdopodobnie Kniaźnin. Sentymentalne wiersze odsłaniają obraz człowieka, który rzadko bywał szczęśliwy.

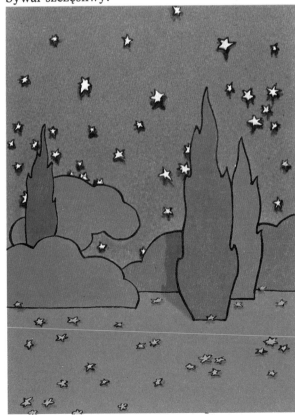

REDUTY OŚWIECENIA

Biblioteka Załuskich. Założona w 1747 r. przez braci: Andrzeja i Józefa Załuskich, jedna z pierwszych na świecie dużych bibliotek publicznych. Początkowo zbiory liczyły ponad 200 tysięcy pozycji, w ostatnim okresie — ponad 400 tysięcy. W bibliotece znajdowały się również ryciny i bogata kolekcja rękopisów staropolskich. W momencie otwarcia dostępna była dla publiczności dwa razy w tygodniu. Książki przechowywano w okropnych warunkach, brakowało oczywiście miejsca, zdarzały się kradzieże. Po upadku Rzeczypospolitej zamknięta. Zbiory wywieziono do Petersburga.

Spis przedmiotów w CN
historia
geografia
prawo
ekonomia
języki nowożytne
łacina (bez Alwara!)
nauki ścisłe
fizyka (już z doświadczeniami!)
poetyka i retoryka
taniec
szermierka
jazda konna

Collegium Nobilium (1740–1832). Elitarna szkoła pijarska dla chłopców z zamożnych rodzin. Założyciel: **Stanisław Konarski**. Wprowadzono — po raz pierwszy w Polsce — zasady nowoczesnej pedagogiki. Dbano m.in. o autorytet nauczyciela i dobrą atmosferę wśród uczniów. Zniesiono karę chłosty (w owym czasie — rewolucja!). Nauka trwała osiem lat, rozrywkę zapewniał szkolny teatr. Wypracowany przez szkołę model edukacji patriotycznej posłużył za wzór podczas reformy szkolnictwa pijarskiego (1753). Wykorzystała go również Komisja Edukacji Narodowej.

Komisja Edukacji Narodowej. Powstała w 1773 roku. Odpowiednik dzisiejszego Ministerstwa Edukacji Narodowej. Prezesi: Ignacy Massalski, później Michał Poniatowski. Członkowie: Ignacy Potocki, książę Adam Kazimierz Czartoryski, Joachim Chreptowicz. Osiągnięcia Komisji:

- próba zreformowania całej oświaty od szkół elementarnych (parafialnych) aż po szkoły wyższe
- ograniczenie łaciny w programach szkolnych
- walka o język polski jako język wykładowy, obowiązkowe nauczanie gramatyki polskiej
- wprowadzenie obowiązkowych lektur dzieł pisarzy staropolskich (Kochanowski, Szymonowic) i współczesnych (Krasicki, Naruszewicz)
- idea łączenia teorii z praktyką w procesie nauczania
- umieszczenie w programach przedmiotów matematycznych i przyrodniczych (m.in. botanika, mineralogia, chemia, mechanika)
- wprowadzenie nauki moralności (etyki)
- reforma nauczania religii (w szkole uczniowie przechodzili kurs trzyletni, późniejsza nauka — w kościołach)
- opieka nad autorami polskich podręczników — sprawowało ją Towarzystwo do Ksiąg Elementarnych

Powstanie i reformy Komisji ułatwiło zniesienie zakonu jezuitów (1773), sprawującego dotąd faktyczną kontrolę nad polską szkołą. Warto jednak zaznaczyć, że wielu (jeśli nie większość) ludzi polskiego Oświecenia było wychowankami kolegiów jezuickich.

Monitor (1765–1785). Czasopismo ukazujące się w Warszawie, dwa razy w tygodniu. Wydawca: **Wawrzyniec Mitzler de Kolof** (już w czasach saskich wydawał pisma propagujące idee Oświecenia). Mecenas: Stanisław August Poniatowski. Wzór: angielski „Spectator". Współpracownicy: Franciszek Bohomolec, Ignacy Krasicki, Stanisław Konarski, Franciszek Zabłocki. Program: „oświecenie" czytelnika, naprawa obyczajów, walka o język polski, popularyzacja osiągnięć nauki. Choć „Monitor" przeszedł do historii, nakład miał niewielki (ok. 500 egzemplarzy).

Szkoła Rycerska (1765–1794). Odpowiednik korpusu kadetów. Powstała z inicjatywy Stanisława Augusta Poniatowskiego. Przyjmowano uczniów w wieku 16–21 lat (potem 8–12 lat). Nauczanie w języku polskim. W programie — m.in. matematyka, fizyka, języki obce, gimnastyka, zajęcia praktyczne, ćwiczenia wojskowe. Absolwentami Szkoły Rycerskiej byli: Niemcewicz, Kościuszko, Jasiński, Kniaziewicz, Sowiński. Nazwiska mówią za siebie.

Towarzystwo Przyjaciół Nauk (1800–1832). Spadkobierca polskiego Oświecenia, zalążek akademii nauk. Kolejni prezesi: Jan Chrzciciel Albertrandi, Stanisław Staszic, Julian Ursyn Niemcewicz. Starało się integrować kulturę Polski porozbiorowej, broniło języka polskiego (m.in. poprzez reformę ortografii), opiekowało się przedsięwzięciami gospodarczymi, gromadziło zbiory biblioteczne, popierało badania nad literaturą polską i folklorem. Programowo — apolityczne.

Pod znakiem poetów. Księgarnia założona w 1763 r. przez wydawcę i drukarza **Michała Grölla** (przybył do Warszawy z Drezna). Mieściła się na ulicy Senatorskiej, a można w niej było kupić m.in. dzieła Krasickiego, Kniaźnina, Trembeckiego, Karpińskiego. Gröll wydawał przekłady literatury angielskiego i francuskiego Oświecenia, handlował też atrakcjami wprost z Paryża (m.in. Encyklopedią). Książki były dosyć drogie — na przykład bibliotekarz mógł za całą miesięczną pensję kupić nie więcej niż 30–40 tomów. Oczywiście pod warunkiem, że nie wydawał pieniędzy na nic innego.

Towarzystwo do Ksiąg Elementarnych (1775–1792). Przewodniczący: **Ignacy Potocki**. Zajmowało się — na zlecenie Komisji Edukacji Narodowej — opracowywaniem podręczników i programów szkolnych. Łącznie wydano 30 książek, w tym gramatykę Kopczyńskiego.

Zabawy Przyjemne i Pożyteczne (1770–1777). Pierwszy polski tygodnik literacki. Redaktorzy: Jan Chrzciciel Albertrandi, Adam Naruszewicz. Współpracownicy: Ignacy Krasicki, Stanisław Trembecki, Franciszek Dionizy Kniaźnin, Tomasz Kajetan Węgierski, Franciszek Zabłocki.

Nieoficjalny organ prasowy „obiadów czwartkowych"

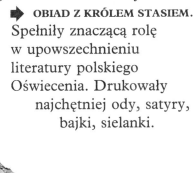

➡ **OBIAD Z KRÓLEM STASIEM.** Spełniły znaczącą rolę w upowszechnieniu literatury polskiego Oświecenia. Drukowały najchętniej ody, satyry, bajki, sielanki.

Prawdziwą „redutą Oświecenia" była też Warszawa. Na przestrzeni półwiecza wzrosła dwukrotnie liczba ludności — u schyłku XVIII w. w stolicy (nie licząc Pragi) mieszkało już ponad 100 tysięcy osób.

W latach poprzedzających upadek Rzeczypospolitej Obojga Narodów czytali w Warszawie prawie wszyscy. Książki pożyczano albo kupowano. A w księgarniach częstowano klientów kawą i czekoladą. Miły zwyczaj, prawda?

TEATR OŚWIECENIA

Teatr Narodowy rozpoczął działalność wiosną 1765 r. Brakowało polskiego repertuaru, damy nie chciały jeszcze być aktorkami, publiczność narzekała, że trzeba płacić za bilety (w czasach saskich przedstawienia były bezpłatne). Dzięki życzliwemu mecenatowi króla zorganizowano konkurs na napisanie polskiej sztuki, uformował się też stały zespół aktorski (16 osób, w tym 5 kobiet). Ostatecznie teatr nie zdobył widzów i powoli upadał.

Czasy świetności nadeszły wraz z otwarciem nowego budynku Teatru Narodowego na placu Krasińskich, co nastąpiło w 1779 r. Zespół polski liczył wtedy ok. 20 aktorów, grali też Francuzi, opery wystawiano w języku włoskim. Teatr stanowił rozrywkę dla wszystkich warszawiaków: król i damy zasiadali w lożach, najubożsi zajmowali galerię, na parterze spotykało się wyłącznie mężczyzn.

Rozwój komedii

Zarówno doraźne potrzeby mecenasów, jak i klasycystyczny gust sprzyjały rozwojowi komedii — początkowo głównie obyczajowej, później także politycznej. Z braku narodowej tradycji tłumaczono bądź przerabiano utwory obce, przeważnie francuskie. Zajmowali się tym m.in. Franciszek Bohomolec (*Czary, Małżeństwo z kalendarza*), Stanisław Trembecki (*Syn marnotrawny*), Franciszek Zabłocki, książę Adam Czartoryski.

Franciszek Zabłocki (1752–1821) — poeta, satyryk, komediopisarz, tłumacz. Urzędnik Komisji Edukacji Narodowej, zajadły pamflecista w okresie Sejmu Wielkiego. Biedny i niezależny. Z perspektywy lat jego utwory oceniamy jako największe osiągnięcie teatru polskiego Oświecenia.

Fircyk w zalotach (wyst. 1781) to daleko idąca przeróbka *Fircyka zakochanego* Romagnesiego. Głównymi postaciami komedii są: tytułowy Fircyk (lekkoduch, kobieciarz, karciarz, reprezentant „złotej" młodzieży) i stateczna Podstolina (bogata wdowa, dama z zasadami). Między tak niedobraną parą toczy się zabawna gra miłosna — trochę rokokowa, a trochę sentymentalna. Fircyk uwodzi z pełną wdzięku galanterią, Podstolina broni się, by w końcu poddać się uczuciu. W tej pogodnej komedii uczucie musi zwyciężyć. Coraz bardziej zakochany Fircyk pozbywa się swych brzydkich skłonności, a w nagrodę otrzymuje rękę posażnej wdowy. Zgodnie z komediową konwencją parze głównych bohaterów towarzyszą dwaj służący: Świstak i Pustak, postacie najzupełniej kontrastowe.

Świetnie oddany komizm postaci i komizm sytuacyjny, zgrabny wiersz i brak natrętnej tendencji nie wystarczyły do sukcesu scenicznego. *Fircyk w zalotach* nie spodobał się publiczności, dopiero potomni docenili jego walory.

Pisząc **Sarmatyzm** (wyst. 1785) Zabłocki odwołał się do XVII-wiecznego utworu francuskiego pisarza Hauteroche'a, *Szlachta prowincjonalna*. Na dobrą sprawę stworzył jednak utwór samodzielny, bo błaha fabuła jest tu chyba najmniej ważna.

Dwie niesamowite postacie, prawdziwe sarmackie potwory: Marek Guronos i Jan Chrzciciel Żegota, reprezentują ideologię szlachecką w najbardziej wynaturzonej postaci. Autor przypisał im ciemnotę, nieuctwo, umiłowanie anarchii, pieniactwo, pogardę dla chłopa. Na uwagę zasługuje język, jakim się posługują — jest to język saskiego baroku, gęsto przetykany łacińskimi wtrętami. Oczywiście zgodnie z konwencją komediową wszystko kończy się dobrze. Szlacheckie bestie łagodnieją, pogodzone przez zakochaną parę młodych bohaterów. Triumfuje sarmatyzm w wersji Skarbimira — rzecznika pokoju i zgody.

Julian Ursyn Niemcewicz (1758–1841) — autor politycznych komedii i dramatów, bajkopisarz, pamflecista, poeta, powieściopisarz i pamiętnikarz. A nade wszystko — człowiek o niezwykłym życiorysie (jedna z najpiękniejszych polskich biografii!).

- wychowanek Szkoły Rycerskiej
- poseł Sejmu Wielkiego
- współautor Konstytucji 3 maja
- sekretarz Tadeusza Kościuszki
- po klęsce pod Maciejowicami więziony przez Rosjan
- od 1796 emigrant (Stany Zjednoczone)
- po 1807 w kraju: działacz Towarzystwa Przyjaciół Nauk
- członek rządu w okresie powstania listopadowego
- po upadku powstania — znów emigrant (Londyn, potem Paryż)

Powrót posła (wyst. 1791) pisany był w pośpiechu, na zamówienie. Stanowił element propagandy obozu reformatorskiego w okresie Sejmu Wielkiego. To pierwsza polska komedia polityczna, literacko niezupełnie udana, ale wiadomo, że pionierzy i propagandziści mają ciężkie życie. Rzecznikami słusznej sprawy są w komedii Niemcewicza młodzi: Walery i Teresa (oczywiście zakochani), a spośród starszego pokolenia — ojciec Walerego, Podkomorzy. W pamięci widzów pozostają jednak raczej typy bohaterów negatywnych: starosta Gadulski (wielbiciel epoki Sasów, obrońca nierządu i liberum veto uznawanego za „źrenicę wolności"), Starościna (typowa „żona modna" rodem z satyry Krasickiego) i Szarmancki (sentymentalny fircyk, mniej sympatyczny niż bohater komedii Zabłockiego).
I tutaj miłość (a także słuszna sprawa) zwycięża. Happy end, ale tylko na scenie, bo utwór wywołał solidarne oburzenie Sarmatów i warszawskich fircyków. Autor miał przykrości!

Na początku XIX w. Julian Ursyn Niemcewicz był dla Polaków jednym z największych autorytetów moralnych.

Stało się tak w dużej mierze za sprawą **Śpiewów historycznych** (1816), cyklu 32 pieśni opisujących bohaterską przeszłość narodu polskiego. *Śpiewy* otwierała *Bogurodzica*, a dalej następowały wierszowane biografie królów i rycerzy (m.in. Piasta, Jana III Sobieskiego, Zawiszy Czarnego, hetmana Żółkiewskiego, ks. Poniatowskiego). Cykl odegrał rolę poetyckiego elementarza, od którego pokolenia zniewolonych Polaków rozpoczynały patriotyczną edukację.

Wojciech Bogusławski (1757–1829) — aktor, reżyser i dramaturg, całe życie związany z teatrem. Trzykrotnie (w latach 1783–1814) dyrektor Teatru Narodowego. Już w *Henryku VI na łowach* stworzył dramat aluzji politycznej.

Prawdziwym sukcesem okazał się **Cud mniemany, czyli Krakowiacy i Górale** (wyst. 1794), opera komiczna. Nie znamy tekstu, który na premierze stał się okazją do patriotycznej manifestacji i wywołał entuzjazm widzów. Dysponujemy jedynie późniejszym wydaniem.
Także w utworze Bogusławskiego wątek romansowy (miłość Basi i Stacha) powoduje komplikacje. Spór Górali i Krakowiaków ze wsi Mogiła grozi wojną na skalę powiatu. Tym razem zwaśnionych godzi inteligent, student Bardos (!). Czarodziejską moc zapewnia mu elektryczna maszyna (po raz pierwszy nowoczesna technika na scenie!). A finał jakby ambitniejszy niż w oświeceniowych komediach: bohaterowie nie tylko poprawiają się, ale poznają siłę, jaka tkwi w solidarności ludu. W miesiąc po premierze *Cudu* odbyła się bitwa pod Racławicami...

PISARZE POLITYCZNI

Głos wolny, wolność ubezpieczający (1743)

Traktat polityczny, wydany anonimowo, uważany dawniej za dzieło króla Stanisława Leszczyńskiego. W rzeczywistości — jak wykazały badania Emanuela Rostworowskiego — wyszedł spod pióra kogoś innego (być może Mateusza Białłozora).

Autor *Głosu wolnego* nie szedł zbyt daleko w projektach reform ustrojowych: bronił wolnej elekcji (królem miał być jednak wybierany przez sejm Polak), dopuszczał liberum veto (ale wskazywał na nadużycia w tym zakresie). Postulował reformę podatkową i administracyjną. Prawdziwa nowość: wezwanie do oswobodzenia chłopa. Tutaj autor nie odwoływał się do zasad chrześcijańskiego sumienia. Zastosował argumentację ekonomiczną (człowiek wolny lepiej pracuje) i polityczną (zniewolenie prowadzi do buntów i rewolucji). Bardzo chytrze.

„Nie masz zasług: to, co my zowiemy zasługi,
Są tylko ku ojczyźnie wypłacone długi."

STANISŁAW KONARSKI (1700–1773)

- duchowny, pijar
- zwolennik Leszczyńskiego
- założyciel Collegium Nobilium
- obrońca czystości polskiego języka
- uhonorowany przez króla Stanisława Augusta specjalnym medalem z napisem „Sapere auso" (Temu, który odważył się być mądrym)

„Nie lękajcie się ogólnej ludzi wolności, lecz
obawiajcie się złego wolności urządzenia."

HUGO KOŁŁĄTAJ (1750–1812)

- duchowny, doktor filozofii, prawa i teologii
- rektor Uniwersytetu Jagiellońskiego, który zreformował na polecenie Komisji Edukacji Narodowej
- współautor Konstytucji 3 maja
- zwolennik fizjokratyzmu (ziemia i praca źródłem bogactw)
- twórca oryginalnej teorii narodu i państwa (naród to jedność duchowa, jej materialnym wyrazem jest państwo)

„Paść może i naród wielki, zniszczeć nie może,
tylko nikczemny."

STANISŁAW STASZIC (1755–1826)

- duchowny, przyrodnik, poeta (nieudany)
- wybitny organizator życia naukowego
- po upadku niepodległości — jeden z największych autorytetów moralnych
- w życiu prywatnym — uważany za dziwaka i skąpca, stał się bohaterem licznych anegdotek obiegających Warszawę

W XVIII w. problemy ustrojowe Rzeczypospolitej obchodziły nie tylko jej obywateli. Pisarz i filozof francuski Jan Jakub Rousseau napisał rozprawkę, w której bronił zasady liberum veto. Osłabione państwo winno być zastąpione luźną konfederacją 30 województw, a król wybierany spośród senatorów drogą losowania.

Nawet najsławniejsi filozofowie mają czasem niezbyt mądre myśli.

	Stanisław Konarski	Hugo Kołłątaj	Stanisław Staszic
Najważniejsze dzieło polityczne	*O skutecznym rad sposobie* (1760–1763)	*Do Stanisława Małachowskiego... Anonima listów kilka* (1788–1789)	*Uwagi nad życiem Jana Zamoyskiego* (1787), *Przestrogi dla Polski* (1790)
Najważniejsze dzieło filozoficzne	—	traktat *Porządek fizyczno-moralny* (1810)	poemat filozoficzny *Ród ludzki* (1819–1820)
Wzory	Monteskiusz, Wolter, Locke, parlamentaryzm angielski	Wolter, Monteskiusz, Rousseau, parlamentaryzm angielski	Monteskiusz, Rousseau, parlamentaryzm angielski

PROJEKTY REFORM

Ustrój	Monarchia parlamentarna zbliżona do angielskiej.	Idealny ustrój: republika, w warunkach polskich — monarchia konstytucyjna.	Idealny ustrój: republika, w warunkach polskich — monarchia konstytucyjna.
Król	Zniesienie elekcji, tron dziedziczny. Władza ustawodawcza należy do sejmu, wykonawcza do Rady Rezydentów (rządu).	Zniesienie elekcji, dziedziczność tronu. Wzmocnienie władzy królewskiej.	Zniesienie elekcji, tron dziedziczny.
Sejm	Zniesienie liberum veto, które nie jest prawem, lecz zwyczajem. Sejm stały, głosowanie większością.	Zniesienie liberum veto, głosowanie większością. Sejm stały, władza wykonawcza w rękach komisji.	Zniesienie liberum veto, głosowanie większością.
Mieszczaństwo	Konieczność natychmiastowej poprawy sytuacji zrujnowanych miast.	Równouprawnienie mieszczan i szlachty. W sejmie — osobna izba dla mieszczan.	Zrównanie w prawach politycznych mieszczan i szlachty (wspólna izba w sejmie).
Chłopi	Wolność dla włościan.	Wolność dla chłopa. Zniesienie pańszczyzny — oczynszowanie.	Przejęcie przez chłopów uprawianych gruntów na własność. Oczynszowanie, zniesienie poddaństwa.
Prawa i sądy	W ogromnym dziele *Volumina legum* Konarski dokonał uporządkowania istniejących praw.	„Człowiek skarbem najdroższym.” Podkreślenie prawa własności ziemskiej jako podstawy dobrobytu jednostki i narodu.	Jednakowe sądy dla wszystkich obywateli.

„...co ulgnęło w moją młodą pamięć..."

JĘDRZEJ KITOWICZ

1728–1804

- wychowanek pijarów
- przez 20 lat w służbie na dworach magnackich
- żołnierz konfederacji barskiej
- u schyłku życia — ksiądz, proboszcz w Rzeczycy pod Wolborzem
- pamiętnikarz, historyk obyczaju, nade wszystko — gawędziarz

Zawartość
Opisu obyczajów

- wyznania i święta kościelne
- edukacja dzieci i młodzieży
- obyczaje duchownych
- sądy
- obyczaj wojskowy
- obyczaje stanu dworskiego
- obyczaje chłopskie (tylko rozpoczęte)

Dla swoich współczesnych nie istniał jako pisarz. Obydwa dzieła Kitowicza wydrukowano bez mała pół wieku po śmierci autora. **Pamiętniki, czyli Historia polska** (wyd. 1840, niepełne) zawierają opis takich wydarzeń, jak konfederacja barska, Sejm Wielki i powstanie kościuszkowskie. Zwolennik Sasów, przeciwnik Stanisława Augusta, stworzył prywatną wersję dziejów Rzeczypospolitej. Swój niezwykły talent narracyjny ujawnił w drugim dziele: **Opis obyczajów za panowania Augusta III** (wyd. 1840–1841, całość 1951). Obserwował z niepokojem, a czasem z niesmakiem, wypieranie tradycji staropolskiej, zastępowanej coraz częściej przez wzory francuskie i niemieckie. Kitowicz był świadomy, że za jego życia dokonuje się rewolucja obyczajowa. Oznaczył nawet dokładnie jej datę na „połowę panowania Augusta III", czyli okolice 1750 r. Przeciwnik Oświecenia, uważał religię za „grunt obyczajności". Spadkobierca Reja i Wacława Potockiego, głosił pochwałę prostoty i poczciwości. Z sentymentem, ale w pełni obiektywnie, wspominał minione czasy. Odkrywany powoli, doceniany bardziej przez historyków niż badaczy literatury, dziś może śmiało pretendować do miana najwybitniejszego prozaika piszącego po polsku w XVIII w.

Przy stole

Dawniej — chodzono w gości z własnym nożem i łyżką. Kto łyżki nie posiadał, temu wystarczała skórka chlebowa. Pito z jednego kielicha. Dopiero w połowie XVIII w. modne stało się zmienianie talerzy, komplet sztućców dla każdego gościa, a także używanie wykałaczek, czyli „zębodłubów".

Dawniej — potrawy naturalne, zdaniem Kitowicza, zdrowsze: ciasto na zjełczałym maśle, gęś pieczona z dodatkiem słomy, „w niedostatku czystej z bota czasem naprędce wyjętej". Teraz — potrawy wykwintne, cukier zamiast miodu, cytryny zamiast octu, ryby gotowane nie w wodzie, ale w winie, ponadto: kapary, oliwki, ostrygi (triumf kuchni francuskiej!).

„Nie ustępując nasi Polacy w niczym Włochom i Francuzom, nawykli powoli, a dalej w najlepsze specjały obrócili owady i obrzezki, którymi się ojcowie ich jak jaką nieczystością brzydzili. Jedli żaby, żółwie, ostrzygi, ślimaki."

Kuchni niemieckiej zawdzięczano w owych czasach jedną tylko potrawę — za to jaką! Na stoły pańskie i chłopskie trafiły najprawdziwsze ziemniaki! W ogóle w potrawach dużo zmian. „Jeden tylko chleb nie wychodzi z mody."

Gość w dom

Nie było przepychu. „Dom, jaki kto po ojcu odebrał, w takim mieszkał." Meble też przejmowano po rodzicach. W przypadku najazdu gości bywało ciasno. Rozkładano na podłodze słomę, na słomie pościel, na pościeli mili goście: „Nie było to ze wszystkim dobrze, ile że przy obżarstwie i pijatyce wydarzały się przypadki rażące powonienie i wstyd: kiedy jeden z przeładowanym żołądkiem, rozmarzony snem, nie mogąc trafić do drzwi, lada gdzie między śpiącymi złożył ciężar natury albo oblał niepachniącą wodą; drugi uplantowawszy sobie za widoku zdobycz jakiej urody, polował na nią o ćmie i na niewymowną od takiej przygody natrafiwszy, zdeboszował po cichu żonę przy chrapiącym mężu lub córkę przy matce."

Rozrywki

Dawniej — polowania, gra w kości i pliszki, a dla młodych — zabawa w ślepą babkę. W połowie XVIII w. grywa się głównie w karty i to na pieniądze. Powstaje zawód szulera. Magnaci przegrywają fortuny w faraona. Zabawy publiczne to przede wszystkim „reduty", czyli bale maskowe. Zabawa dość droga, ale w pełni demokratyczna, dostępna również dla mieszczan, a dla zakochanych — okazja do potajemnych schadzek.

Awantury

Ciąg dalszy dziejów „pijanej Polski". Pijaństwo akceptowane, a nawet podziwiane; pijane sejmiki rządzą, pijane sądy wydają wyroki. Sławni pijacy stają się bohaterami anegdot — Kitowicz wspomina, że zaliczali się do nich m.in. książę Radziwiłł i pewien sprytny bernardyn, zakonnik. W ogóle pijakom wybaczano chętnie największe wpadki: „Trafiało się i to, że komu trunku aż po dziurki (jak mówią) pełnemu nagle gardło puściło i postrzelił jak z sikawki naprzeciw siebie znajdującą się osobę, czasem damę po twarzy i gorsie oblał tym pachnącym spirytusem, co bynajmniej nie psuło dobrej kompanii."

OBYCZAJ OŚWIECONEJ WARSZAWY

Jędrzej Kitowicz obserwował pierwszą rewolucję obyczajową, która dokonała się jeszcze za panowania Augusta III. Kilkanaście lat później, gdy na tron wstąpił Stanisław August Poniatowski, obserwujemy dalsze przemiany. Dotyczą one głównie (choć niewyłącznie) Warszawy, która stała się wówczas — nawet w skali europejskiej — ważnym centrum życia naukowego i kulturalnego.

Cyna i srebro

Porcelana była droższa od srebra. W Szkole Rycerskiej — dla podkreślenia prostoty obyczaju — używano cynowych kubków i talerzy. Na ucztach u księcia Radziwiłła jadało się na złocie, goście zabierali naczynia „na pamiątkę". Taka biesiada kosztowała gospodarza 2 miliony złotych (śniadanie rzemieślnika kosztowało wtedy 6 groszy).

Kawa ze śmietanką

Kawa z mlekiem i cukrem na śniadanie wyparła tradycyjną staropolską polewkę. W Warszawie działały już nieliczne kawiarnie, gdzie podawano kawę ze śmietanką (w Europie podziwiano jakość naszej kawy!). Mięsa stały się bardziej wykwintne, powodzeniem cieszyły się buliony i zupy, popularność zdobyły owoce, trudno już było się obejść bez warzyw i przypraw.

Fraki i gorsety

Kto chciał być modny, musiał sprawić sobie angielski frak — biały, zielony, różowy, błękitny albo fioletowy, do fraka — spodnie z podwiązkami i białe pończochy. Szpady, koronki, loki, puder i perfumy używane przez „modnych mężów" budziły zgorszenie wśród obrońców staropolskiej tradycji. Ale czegóż się nie robi dla mody!
Panie bywały jeszcze bardziej ekscentryczne. Poza modnymi sukniami — częściej według wzorów angielskich niż francuskich — potrzebowały wachlarzy, parasolek, rękawiczek, mufek, młoteczków do zabijania robactwa, pierścionków (zakładanych także na palce u nóg). Gdy pojawiła się balowa moda „antycznych" strojów, panie i panienki zrzuciły gorsety, odsłoniły piersi i nogi powyżej kolan. Skandale są częścią mody.

Romanse i pojedynki

Wszystko, czym żyła oświecona Warszawa, nosi piętno mody. Modna była polityka, patriotyczne uczucia, teatr, opera, lektury francuskich pisarzy i filozofów. W modę weszły pojedynki na pistolety, rzadziej na szpady — walczono zazwyczaj o damy, przeważnie w Konstancinie pod Warszawą.
Modne były romanse i rozwody. Sam król dawał zły przykład, będąc „mężem żon wszystkich". Franciszek Karpiński twierdził, że „życie króla rozpustne zepsuło Warszawę i osłabiło śluby małżeńskie". Satyrycy opisywali z ironią typ „żony modnej". Ale satyrycy to bez wyjątku mężczyźni. Nie mieli zrozumienia dla kobiety broniącej swoich praw — rozrzutnej, nieposłusznej, lekkomyślnej, no i dalekiej od ideału gospodyni domowej. W romansach obowiązywał język francuski — może to nie był zły obyczaj?

Parki i ogrody

Kiedy już mieszkało się w Warszawie, należało do dobrego tonu trochę powybrzydzać i potęsknić za wiejskim pejzażem. Na szczęście wieś była niedaleko: Powązki, Mokotów, Żoliborz to w tych czasach jeszcze podwarszawskie wioski.
Naturę upiększano według obowiązującej mody sentymentalnej. Zakładano parki i ogrody na wzór angielskich lub chińskich. Sławą cieszyły się Powązki, gdzie księżna Izabela Czartoryska kazała wznieść nie tylko świątynie i sztuczne ruiny, ale również chatki kryte słomą, wewnątrz których znajdowały się luksusowe gabinety i wykładane marmurem łazienki.

„Co chwila błądziłem w coraz innych fantastycznych urokach, a myśl moja, niesiona na skrzydłach żądzy, mimowolnie stawiała mnie śród afrykańskich serajów, odsłaniała wdzięki ukryte w ich zaklętych murach i pogrążała w toni nieopisanych rozkoszy."

JAN POTOCKI
1761–1815

- urodzony w rodzinie magnackiej na Podolu
- historyk, erudyta, badacz najdawniejszych dziejów Słowian
- w okresie Sejmu Wielkiego — poseł, publicysta i wydawca, zwolennik Konstytucji 3 maja, uczestnik wojny 1792 r.
- podróżnik, powieściopisarz, dramaturg — pisał po francusku!

Podróże Jana Potockiego
1773–1776 Szwajcaria
1778–1780 Włochy
1784 Turcja, Egipt
1785–1787 Francja, Holandia
1791 Francja, Hiszpania, Maroko, Anglia
1797–1798 Kaukaz
1803–1804 Włochy
1805–1806 Mongolia, Chiny

Potocki-dramaturg

Parady, sześć jednoaktówek, wystawione zostały w 1792 r. w Łańcucie, na dworze Lubomirskich, gdzie gościli akurat emigranci z ogarniętej rewolucją Francji. Na język polski przełożono je dopiero w 1958 r. Nazwa „parady" wiąże się z formą reklamy teatralnej i oznacza krótką scenkę wystawianą w celu zachęcenia publiczności do kupna biletów.
Parady Potockiego wywodzą się z tradycji teatru francuskiego i włoskiego (tzw. komedia dell'arte). We wszystkich utworach występują te same postacie-typy sceniczne: rubaszny prostak Gil, sentymentalna, kochliwa Zerzabella, jej ojciec — naiwny i niezbyt mądry Kasander, fircykowaty kochanek Leander. Poszczególne jednoaktówki nie tworzą całości, powtarzają się np. te same sytuacje (Zerzabella wciąż wychodzi za mąż) i szczęśliwe zakończenia. Błyskotliwy humor, dowcipne dialogi, gry słowne oparte na nieporozumieniach (bohaterowie Potockiego mylą niekiedy homara z Homerem) stanowić musiały niemałą atrakcję dla widowni w Łańcucie.

Pisarz polski czy francuski?

Z całą pewnością — polski. Pamiętamy, że ani Długosz, ani Kopernik nie mogliby napisać swoich dzieł po polsku. Na początku XIX w. tradycje polskiej prozy powieściowej były nadzwyczaj skromne. Wystarczy porównać powieści Krasickiego z *Rękopisem znalezionym w Saragossie*, by przekonać się, że dzieło zamierzone na wielką skalę nie mogło zostać wówczas napisane w języku polskim. Niespełna pół wieku później byłoby to już możliwe, jak dowodzi doskonały przekład *Rękopisu* dokonany przez Edmunda Chojeckiego w 1847 r.

RĘKOPIS ZNALEZIONY W SARAGOSSIE

(tytuł oryginalny: *Manuscrit trouvé à Saragosse*)
Powieść pisana była w latach 1803–1815, a publikowana we fragmentach od 1804 r.

Akcja utworu rozpoczyna się w 1809 r., gdy narrator odnajduje tajemniczy rękopis. W zapoznaniu się z jego treścią pomaga narratorowi hiszpański kapitan. Rękopis przenosi nas w inne czasy, aż do r. 1739. Właściwa „akcja" trwa 66 dni, czas opowieści „rozszerzają" jednak kolejni narratorzy, którzy poprzez Hiszpanię i Francję prowadzą nas m.in. do Włoch i Meksyku. Bohaterami powieści są postaci wymyślone, autentyczne, a także legendarne — np. Żyd Wieczny Tułacz, dzięki któremu oglądać możemy całe dzieje cywilizacji (zgodnie z legendą Żyd Wieczny Tułacz skazany jest na nieśmiertelność).

Romans szkatułkowy

Wyobraźmy sobie szkatułkę dość pokaźnych rozmiarów, a w jej wnętrzu jeszcze jedną szkatułkę, znacznie mniejszą, kryjącą w środku kolejne pudełeczko. Puste? Po otwarciu stwierdzamy, że nie. Zabawa kończy się dopiero z chwilą, gdy zajrzymy do wnętrza ostatniej, najmniejszej szkatułki.

W podobny sposób czyta się *Rękopis znaleziony w Saragossie*. Właściwy, „pierwszy" narrator poznaje treść rękopisu Alfonsa van Wordena, którego częścią jest opowieść Naczelnika Cyganów. Ten ostatni włącza do własnej historii opowieść księżnej Medina Sidonia, która z kolei powtarza to, o czym opowiadał jej ojciec. Historie plączą się i krzyżują, urywają w najciekawszym momencie, są nieustannie wzbogacane i uzupełniane przez kolejnych narratorów. Czytelnik traci orientację, zapomina o głównym wątku, który powoli wygasa. Tę misterną kompozycję porównywano do techniki narracji stosowanej w *Baśniach z tysiąca i jednej nocy*.

Rękopis nie jest oczywiście dziełem jednolitym, zawiera elementy powieści płaszcza i szpady, gotyckiej powieści grozy, powieści inicjacyjnej (jej tematem jest wtajemniczenie adepta), powieści historycznej, romansu łotrzykowskiego, baśni, wizji, traktatu filozoficznego.

Myśli i przygody

W powieści Potockiego krzyżują się nie tylko rozmaite wątki fabularne. Ścierają się tu również poglądy. Rozważania autora skupiają się wokół kilku kwestii:

1. Religia. Powieść odwołuje się do tradycji trzech wielkich monoteistycznych religii ludzkości: chrześcijaństwa, judaizmu i islamu. Równie ważne jest to, co powstaje na marginesie religii: wiedza tajemna, mistyka, astrologia, mądrość kabalistów. Potocki głosi tezę, iż religie ulegają ewolucji. Niezmienny pozostaje ich fundament: wiara w jedynego Boga, przekonanie o możliwości kontaktu ze światem duchów, uznanie symbolicznego znaczenia rzeczy ziemskich.

2. Nauka. Próbą połączenia religii i nauki jest tzw. religia naturalna, czyli deizm. To nie jedyny ślad ideologii Oświecenia w utworze Potockiego. Odpowiednikiem dzieła francuskich encyklopedystów jest stutomowa synteza wszystkich nauk opracowana przez jednego z bohaterów *Rękopisu* — niestety, zjedzona przez szczury.

3. Europa. W powieści Jana Potockiego świat Orientu jest nie mniej pociągający niż kultura europejska. Emina i Zibelda symbolizują tajemnicę rodu Gomelezów, ale jednocześnie wprowadzają bohatera w świat zmysłowych rozkoszy. Trzeba pobierać nauki od wielu mistrzów, trzeba doświadczyć wszystkiego. Myślenie jest także przygodą!

CO Z GEOGRAFIĄ?

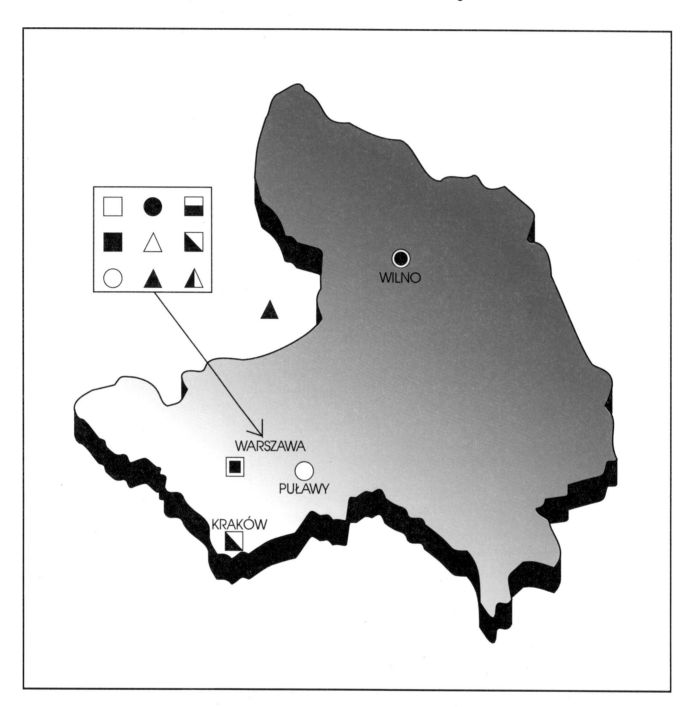

■ Trembecki
◣ Kołłątaj
▲ Staszic
◉ Baka
▣ Kitowicz
□ Karpiński*
■ Potocki
○ Kniaźnin
● Naruszewicz
△ Zabłocki
▲ Krasicki

* oraz w różnych miejscach w Galicji

Mapa przedstawia granice Rzeczypospolitej po pierwszym rozbiorze (1772). Zaznaczono jedynie najważniejsze miejsca związane z życiem i twórczością pisarzy polskich XVIII w. Nie uwzględniono miejsc pobytu po 1795 r. Na ten temat ➡ **JESZCZE POLSKA NIE ZGINĘŁA.**

PODRÓŻE POLSKICH PISARZY (DO 1795 r.)

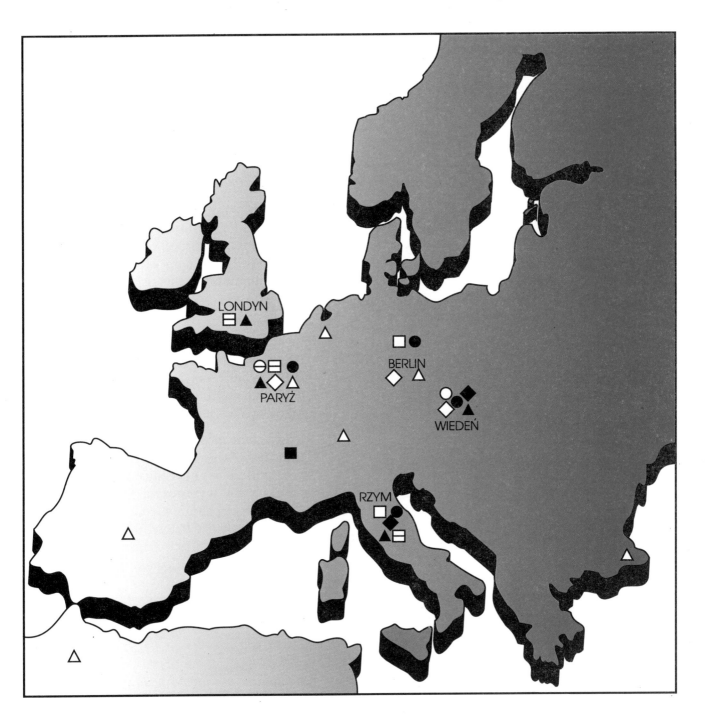

□ Ignacy Krasicki
■ Adam Naruszewicz
⊖ Stanisław Trembecki
⊟ Tomasz Kajetan Węgierski (także
  USA, Haiti, Martynika)
○ Franciszek Karpiński
● Stanisław Konarski
◆ Hugo Kołłątaj
◇ Stanisław Staszic
▲ Julian Ursyn Niemcewicz
△ Jan Potocki (także Egipt)

JESZCZE POLSKA NIE ZGINĘŁA

Co się stało z ludźmi Oświecenia?

Po roku 1795 przestaje istnieć mecenat królewski. Jednak również pisarze nie związani z warszawskim dworem schodzą powoli ze sceny. Ich miejsce zajmie wkrótce nowe pokolenie. — Losy ludzi Oświecenia po upadku Rzeczypospolitej:

Adam Naruszewicz — rozczarowany, złamał pióro. Jako biskup łucki osiadł w Janowie Podlaskim, gdzie zajmował się działalnością filantropijną. Wkrótce potem zmarł.

Ignacy Krasicki — w życiu wiodło mu się lepiej niż w literaturze. Doszedł do najwyższych godności kościelnych, ale dzieła na miarę *Monachomachii* już nie stworzył.

Stanisław Trembecki — najwierniejszy z poetów dworskich, towarzyszył królowi w drodze na wygnanie. Później przebywał na dworach Czartoryskich i Potockich, odwdzięczając się wierszami za gościnę. Zmarł na Ukrainie w pamiętnym roku 1812.

Franciszek Dionizy Kniaźnin — żył w obłędzie, który jedni tłumaczyli uczuciami patriotycznymi, inni — niepowodzeniem miłosnym. Być może i jedni, i drudzy nie mieli racji.

Franciszek Karpiński — gospodarował w Puszczy Białowieskiej, odwiedzał Warszawę, pisał pamiętniki.

Franciszek Zabłocki — bił się w powstaniu kościuszkowskim, wyjechał do Rzymu, został księdzem. Jako proboszcz w Końskowoli pod Puławami opiekował się chorym Kniaźninem.

Hugo Kołłątaj — po zwycięstwie targowiczan wyemigrował, uczestnik powstania kościuszkowskiego, przez 8 lat więzień austriacki, organizator liceum w Krzemieńcu, podczas kampanii napoleońskiej internowany w 1807–1808 r. w Moskwie.

Stanisław Staszic — upadek Rzeczypospolitej zastał go w Wiedniu, w 1801 r. powrócił do działalności publicznej i naukowej. W kraju cieszył się ogromnym szacunkiem, choć zarzucano mu nieraz nadmierną ugodowość wobec zaborcy.

No i wreszcie główny aktor tamtej epoki, król **Stanisław August Poniatowski**. Abdykował dokładnie w 31 rocznicę koronacji. Caryca Katarzyna wyznaczyła mu stałą pensję i nakazała wyjechać do Grodna. Po jej śmierci mógł zamieszkać w Petersburgu, który poznał tak dobrze w młodości. Zmarł nagle w lutym 1798 r. po wypiciu filiżanki bulionu.

Postęp czy tradycja?

Przywykliśmy uważać polskie Oświecenie za epokę walki sił postępu ze zwolennikami ignorancji, wstecznictwa, politycznego nierozsądku. Sprawa nie jest może taka prosta. W XVIII w. zbliżenie do Europy oznaczało w kulturze poddanie się silnym wpływom obcym (francuskim, angielskim, niemieckim), w sferze światopoglądu — materializm i deizm, w sferze polityki — perspektywę monarchii absolutnej. Trudno ukryć, że takiej Polski większość narodu nie chciała. Wyśmiewany i potępiany sarmatyzm miał oddać Rzeczypospolitej jeszcze niejedną przysługę. Po upadku niepodległości dworki szlacheckie wzięły na siebie zadanie ocalenia narodowej tożsamości. Tymczasem oświecona Europa patrzyła na rozbiory z obojętnością lub nawet aprobatą.

Kto napisał te wiersze?

Badacz literatury Oświecenia ma często do czynienia z rękopisami bądź utworami drukowanymi anonimowo, czasem krążącymi w odpisach. Dotyczy to zwłaszcza Trembeckiego, Naruszewicza, Węgierskiego, Jasińskiego, Zabłockiego. Przed wojną rozszyfrowywaniem autorstwa zajmował się Ludwik Bernacki, po wojnie — m.in. Tadeusz Mikulski, Mieczysław Klimowicz, Juliusz Wiktor Gomulicki, Zdzisław Libera, Roman Kaleta.

W XVIII w. poezja polska towarzyszyła wszystkim ważniejszym wydarzeniom historycznym. Ma swoją poezję konfederacja barska i powstanie kościuszkowskie, miały swoją literaturę również legiony polskie formowane we Włoszech pod komendą generała Dąbrowskiego.

Pieśń legionów polskich we Włoszech napisał **Józef Wybicki** (1747–1822), poeta, dramaturg, publicysta, prawnik. Gość obiadów czwartkowych, zwolennik obozu reformatorskiego, był m.in. autorem *Listów patriotycznych*. Po upadku Rzeczypospolitej — emigrant, organizator legionów.

Pieśń legionów polskich we Włoszech (tak brzmiał pierwotny tytuł *Mazurka Dąbrowskiego*) powstała w lipcu 1797 r. w Reggio, we Włoszech. Muzykę przypisywano samemu Wybickiemu, to znów Ogińskiemu, wreszcie wyjaśniło się, że chodzi o nieco zmodyfikowaną melodię ludowego mazurka.
Wybicki nie miał jakoś szczęścia u potomnych. Zapomniano szybko o autorze *Pieśni*, która otrzymała nowy tytuł, słowa, a nawet całe zwrotki. Pierwotna wersja brzmiała następująco:

> Jeszcze Polska nie umarła,
> Kiedy my żyjemy.
> Co nam obca moc wydarła,
> Szablą odbijemy.
>> Marsz, marsz, Dąbrowski,
>> Do Polski z ziemi włoskiéj,
>> Za Twoim przewodem
>> Złączem się z narodem.
> Jak Czarniecki do Poznania
> Wracał się przez morze,
> Dla ojczyzny ratowania
> Po szwedzkim rozbiorze.
>> Marsz, marsz, Dąbrowski...
> Przejdziem Wisłę, przejdziem Wartę,
> Będziem Polakami,
> Dał nam przykład Bonaparte,
> Jak zwyciężać mamy.
>> Marsz, marsz, Dąbrowski...
> Niemiec, Moskal nie osiędzie,
> Gdy jąwszy pałasza,
> Hasłem wszystkich zgoda będzie
> I ojczyzna nasza.
>> Marsz, marsz, Dąbrowski...
> Już tam ociec do swej Basi
> Mówi zapłakany:
> „Słuchaj jeno, pono nasi
> Biją w tarabany."
>> Marsz, marsz, Dąbrowski...
> Na to wszystkich jedne głosy:
> „Dosyć tej niewoli!
> Mamy racławickie kosy,
> Kościuszkę Bóg pozwoli."
>> Marsz, marsz, Dąbrowski...

Polskie hymny

Bogurodzica — XV/XVI w.
(hymn rycerstwa polskiego)

Te Deum (*Ciebie, Boże, chwalimy*) — XVII w.
(hymn kościelny i rycerski)

Hymn do miłości ojczyzny
Ignacego Krasickiego — 1774 r.

Jeszcze Polska... Józefa Wybickiego — 1797 r.

Boże, coś Polskę... Alojzego Felińskiego — 1816 r.
(hymn Królestwa Polskiego, potem nieoficjalny hymn Polaków w zaborze rosyjskim, w naszych czasach pełnił rolę „pieśni alternatywnej")

Chorał Kornela Ujejskiego — 1846 r.
(nieoficjalny hymn Polaków w zaborze austriackim)

Rota Marii Konopnickiej — 1908 r.
(nieoficjalny hymn Polaków w zaborze pruskim)

Polski hymn jest rówieśnikiem *Marsylianki*. Niewiele starszy od niego jest hymn angielski, hymny większości krajów europejskich — znacznie późniejsze.
Po odzyskaniu niepodległości walka o uznanie *Mazurka Dąbrowskiego* za hymn narodowy trwała aż 8 lat! Zdecydowano dopiero w 1926 r. — po objęciu władzy przez obóz Piłsudskiego.
Hymnem PRL został *Mazurek* w 1948 r., choć gorliwi polscy komuniści mieli co do hymnu własne plany. Zdecydowała podobno opinia Stalina — *Mazurek* przypadł mu do gustu!

WIEK XIX

WIEK XIX

WIEK PARY I ELEKTRYCZNOŚCI
WIEK PRZEMYSŁU I HANDLU
WIEK LITERATURY

Wydarzenia
Napoleon

Ten Francuz urodzony na Korsyce zmienił naprawdę oblicze Europy. W wieku lat 30 został pierwszym konsulem, 5 lat później (1804) cesarzem Francuzów. Najpopularniejszy wódz czasów nowożytnych. Zwycięstwa: Austerlitz, Jena, Somosierra, Wagram, Borodino. Porażki: Lipsk, Waterloo. W 1814 r. abdykował, w 1815 powrócił do władzy na sto dni. Po klęsce i ponownej abdykacji — więzień na Wyspie Św. Heleny. Kongres wiedeński decydował o losach Europy bez udziału Napoleona. Wielka nadzieja Polaków, nie do końca spełniona. Trwalszy od osiągnięć militarnych okazał się Kodeks Napoleona ustanawiający równość obywateli wobec prawa, ochronę własności prywatnej, śluby cywilne i rozwody.

Dla Francji było to bardzo burzliwe stulecie: rewolucja lipcowa (1830), Komuna Paryska (1871); zasięg europejski miała Wiosna Ludów (1848). Rozbite na drobne państewka Niemcy i Włochy jednoczą się w drugiej połowie wieku. O niepodległość walczą Polacy, Węgrzy, Norwegowie, Czesi, narody południowej Słowiańszczyzny. Z powodzeniem — tylko Serbowie, Grecy i Belgowie.

W USA — wojna secesyjna, Północ odnosi zwycięstwo nad Południem. Niewolnictwo zostaje zniesione.

Zachodnia Europa zmierza do demokracji, rodzi się wielki przemysł, coraz więcej ludzi mieszka w miastach.

Odkrycia i wynalazki

1805 — traktor (jeszcze parowy)
1806 — statek parowy (Fulton)
1810 — lodówka
1825 — lokomotywa (Stephenson)
1830 — kolej żelazna
1835 — dagerotyp (Daguerre), czyli pierwsza fotografia
1837 — ulepszony telegraf elektryczny (Morse)
1853 — lampa naftowa (Łukasiewicz)
1863 — metro, najpierw w Londynie
1866 — dynamit (Nobel); wynalazek przyniósł fortunę, dzięki czemu mamy dziś Nagrodę Nobla
1867 — maszyna do pisania
1869 — odkurzacz
1876 — telefon (Bell)
1877 — fonograf zapisujący dźwięk (Edison)
1879 — żarówka (Edison)
1885 — samochód
1895 — promienie X (Roentgen), pierwsze zdjęcia rentgenowskie wkrótce potem
1896 — elektron (J.J. Thomson), odkrycie na miarę XX wieku
1898 — rad i polon (Skłodowska-Curie, Pierre Curie)

Fantastyczne stulecie!

Para i elektryczność zmieniły otoczenie człowieka. Kolej żelazna i telegraf stały się symbolami zwycięstwa człowieka nad granicami czasu i przestrzeni. Powstał wielki przemysł, rozwinęły się miasta, handel, transport. Uczeni byli bohaterami XIX w., porównywano ich do bogów sprawujących władzę nad siłami przyrody.

Wszystko się zmienia!

Ulice oświetlamy teraz gazem, w domach zapalają się lampy naftowe (romantycy pisali jeszcze przy świecach), używamy zapałek. Dzwonią już budziki, jeżdżą windy. Dzięki Pasteurowi i Kochowi człowiek poznaje świat mikrobów. Z oceanów znikają powoli żaglowce, wypierane przez parostatki. Europa uzbrojona w pancerniki, okręty podwodne i karabiny maszynowe szykuje się pod koniec XIX w. do największej wojny w historii ludzkości. A optymiści twierdzili ok. 1900 r., że wiek XX upłynie nam bez wojen... Stulecie wielkich złudzeń, które wierzyło, że technika ma coś wspólnego z moralnością!

Dokumenty

Fenomenologia ducha (1807). Traktat niemieckiego filozofa G.W.F. Hegla. Cała rzeczywistość jest procesem rozwijającym się zgodnie z prawami dialektyki (teza–antyteza–synteza). Przyroda, ludzkie dzieje, sztuka, religia i filozofia to rezultat aktywności ducha absolutnego, działającego na wszystkich poziomach istnienia.

Albo — albo (1843). Zbiór filozoficznych esejów Duńczyka Sørena Kierkegaarda. Prawdą — istnienie jednostki, jej samotność i lęk. Akt wiary jest paradoksem (wobec Boga nigdy nie mamy „racji"). Myśl Kierkegaarda, z gruntu antyheglowska, okazała się prekursorska wobec refleksji współczesnego egzystencjalizmu.

Manifest komunistyczny (1848). Broszura Marksa i Engelsa, zawierająca m.in. zdanie: „Proletariusze wszystkich krajów, łączcie się!" Dokument programowy ruchu komunistycznego. Ta niewielka książeczka zrobi zawrotną (i dwuznaczną) karierę w następnym stuleciu.

Dawny ustrój i rewolucja (1856). Dzieło francuskiego myśliciela Alexisa de Tocqueville'a. Zawiera opis genezy i funkcjonowania społeczeństwa demokratycznego. Łączy dwa nurty obecne w życiu politycznym dzisiejszej Europy: liberalizm i konserwatyzm.

O powstawaniu gatunków (1859). Praca przyrodnika angielskiego Karola Darwina. W całej przyrodzie zachodzi ewolucja wynikająca z walki o byt. Rozwój gatunków określa zasada doboru naturalnego. Następcy Darwina spróbują odnieść jego spostrzeżenia także do świata ludzkiego.

Tako rzecze Zaratustra (1883–1891). Filozoficzny poemat prozą Fryderyka Nietzschego. Najpoważniejsza krytyka chrześcijaństwa w XIX w. W miejsce kultu słabości i cierpienia — akceptacja siły i radości życia (jej wyrazem — „nadczłowiek"). Odrzucenie idei równości ludzi, podział na „elitę" i „tłum".

Rerum novarum (1891). Encyklika papieża Leona XIII, rzecznika polityki porozumienia między narodami. Podstawa społecznej nauki Kościoła i dokument programowy dla chrześcijańskich związków zawodowych. Własność prywatną uznaje za nienaruszalną, wyraża jednak troskę o poprawę losu robotników. Odrzuca zarówno socjalizm, jak i liberalizm.

Wiek literatury

Bodaj nigdy przedtem książki nie wpływały w takim stopniu na życie ludzi. W XIX w. najwięksi pisarze narzucają publiczności styl myślenia i przeżywania, są autorytetami społecznymi, a z ich opinią liczyć się muszą elity polityczne.

Stulecie zaczyna się pod znakiem poezji. Na przełomie XVIII i XIX w. działają w Niemczech pisarze „Sturm und Drang": Schiller i Goethe, autor jednego z największych arcydzieł literackich, poematu dramatycznego *Faust*. W tym samym czasie w Anglii tworzy genialny poeta, malarz i wizjoner William Blake. W całej niemal Europie triumfuje romantyzm, który w Niemczech reprezentują Novalis i Heine, we Francji Hugo i Nerval, w Rosji Puszkin i Lermontow, w Anglii Shelley, Walter Scott i Byron. Ten ostatni wprowadza do literatury typ bohatera „bajronicznego" (zbuntowana, samotna jednostka, skłócona z otoczeniem, często kryjąca przed światem osobistą tragedię) i zapewnia obiecującą przyszłość romantycznemu poematowi dygresyjnemu w rodzaju *Don Juana*.

W tym wieku kształtuje się tradycyjny model powieści społeczno-obyczajowej (Balzak) i psychologicznej (Flaubert, Dostojewski). Charakterystyczne cechy: obecność wszechwiedzącego narratora, starannie skomponowana fabuła, opisy i dialogi, konkretne miejsce i czas akcji.

Powieść dociera nie tylko do koneserów. Mniej wybredne gusta zaspokajają XIX-wieczne „czytadła": powieści płaszcza i szpady (*Trzej muszkieterowie*), melodramaty (*Dama kameliowa*), powieści sensacyjne (*Tajemnice Paryża*).

U schyłku wieku popularna staje się twórczość Niemców i Skandynawów, nadal jednak prymat Francji jest bezsporny (w drugiej połowie stulecia pisali tu Baudelaire, Rimbaud i Verlaine, tutaj narodził się parnasizm, symbolizm, naturalizm Zoli i dekadentyzm Huysmansa).

Najsławniejsze powieści XIX wieku
Czerwone i czarne (Stendhal)
Stracone złudzenia (Balzak)
Klub Pickwicka (Dickens)
Szkoła uczuć (Flaubert)
Pani Bovary (Flaubert)
Alicja w krainie czarów (Carroll)
Wojna i pokój (L. Tołstoj)
Anna Karenina (L. Tołstoj)
Zbrodnia i kara (Dostojewski)
Biesy (Dostojewski)
Bracia Karamazow (Dostojewski)
Tajemnicza wyspa (Verne)

W świecie sztuki

Teatr ma się doskonale, a u schyłku XIX w. budzi ogromne namiętności. Piszą wówczas dla sceny dwaj autorzy skandynawscy: Norweg Ibsen (*Dzika kaczka, Nora*) i Szwed Strindberg (*Ojciec, Sonata widm, Do Damaszku*). Światowy rozgłos zyskuje Rosjanin Czechow (*Wiśniowy sad, Trzy siostry*).

A w malarstwie — rewolucja, ale dopiero w drugiej połowie XIX w. Za sprawą impresjonistów artysta wychodzi w plener, śledzi grę światła, zapisuje na płótnie ulotną chwilę — wrażenie.

Rewolucję posuwają naprzód postimpresjoniści. U schyłku wieku w architekturze i malarstwie dominuje secesja, pokrewna literackiemu modernizmowi (malarze: Munch, Klimt i Mucha, architekt Gaudi).

W muzyce — chyba jeszcze ciekawiej, bo w XIX w. stworzono większą część repertuaru dla współczesnych pianistów (utwory Chopina, Beethovena, Liszta, Schumanna), orkiestr (symfonie Beethovena, Brahmsa, Schuberta, Mahlera), teatrów operowych (dzieła Rossiniego, Verdiego, Bizeta, Wagnera). W ogóle — bardzo muzykalne stulecie.

A w 1895 r. w podziemiach paryskiej kawiarni bracia Lumière prezentują publiczności ciekawostkę, która okaże się wkrótce nowym rodzajem sztuki — film, na początek niemy, rzecz prosta.

Impresjoniści	Ulubione tematy
MANET	sceny rodzajowe
MONET	pejzaże, architektura
RENOIR	dziewczęta, portrety
DEGAS	tancerki, wyścigi konne
Postimpresjoniści	
CÉZANNE	pejzaże
VAN GOGH	martwe natury, portrety

ROMANTYZM

Nazwa epoki w dziejach kultury europejskiej, obejmującej pierwszą połowę XIX w. Romantyzm występuje w literaturze (głównie poezji i dramacie), teatrze, malarstwie, muzyce. W literaturze polskiej za datę początkową przyjmuje się r. 1822 (wtedy opublikowane zostały *Ballady i romanse* Mickiewicza), końcową r. 1864 (upadek powstania styczniowego), choć pamiętać powinniśmy, że ostatni romantycy działają niemal do końca wieku. Ponadto nie wszyscy wybitni pisarze tworzący w latach 1822–1864 są romantykami — najlepszym przykładem Aleksander Fredro. Dyskusyjna jest też przynależność do romantyzmu poezji Norwida, w której wielu badaczy skłonnych jest widzieć całkiem osobne zjawisko. Wczesna faza polskiego romantyzmu trwa bardzo krótko (do r. 1830) i różni się wyraźnie od romantyzmu popowstaniowego. Po r. 1840 następuje faza schyłkowa, którą — biorąc pod uwagę głównie twórczość wielkich poetów emigracyjnych — moglibyśmy nazwać „mistyczną''.

- **Przeszłość i przyszłość**
  Kult ruin i pamiątek przeszłości, bunt wobec teraźniejszości, dążenie do radykalnego przeobrażenia świata, nawet przez krwawą rewolucję.

- **Nawiązanie do średniowiecza**
  Epoką najbliższą duchowi romantyzmu — średniowiecze, w Polsce także sarmacki barok, pogańska Litwa, Słowiańszczyzna przed chrześcijaństwem.

- **Nieskończoność**
  Romantyków pociąga świat Tajemnicy, szukają drogi do zaświatów; cechą religijności romantycznej jest synkretyzm, łączenie elementów z różnych religii.

- **Irracjonalizm**
  Kult uczucia i fantazji, nieufność wobec rozumu, dystans wobec nauki.

- **Jednostka poza i ponad społeczeństwem**
  Indywidualizm, egotyzm, skłócenie z otoczeniem, wybór samotnej ofiary. Często — konflikt z istniejącymi normami społecznymi, ucieczka w marzenia.

- **Naród**
  Rozumiany jako duchowa wspólnota, ustanowiona przez Boga.

- **Polska**
  W myśleniu o historii punktem odniesienia jest Polska, a nie np. Europa czy świat. Polska przeciwstawiona Zachodowi, często uważana za naród wybrany. Niektórzy romantycy przypisują szczególną misję całej wspólnocie słowiańskiej.

- **Poezja**
  Poeta-wieszcz, duchowy przewodnik narodu, sam ustanawia granice swej sztuki.

- **Kompozycja otwarta**
  Luźna budowa utworu, fragmentaryczność, wieloznaczność, symbol.

- **Pejzaż romantyczny**
  Często przyroda dzika i ponura, pejzaż górski, pejzaże orientalne, przyroda pełna tajemnic, ożywiona, symboliczna.

Gatunki: Powieść poetycka, ballada, dramat romantyczny, romantyczny poemat dygresyjny, drobne formy liryczne (epigramat, sonet — często cykl sonetowy), list prywatny, który też jest literaturą!

Bohater romantyków: Marzyciel, nieszczęśliwy kochanek, często poeta, nawet jeśli nie pisze wierszy. Skłócony z Bogiem, światem i ludźmi. Walczy zazwyczaj samotnie. Występuje w obronie zniewolonego narodu, mając przeciwko sobie nie tylko zaborcze państwo, ale i siły nadprzyrodzone, demoniczne zło.

PISARZE
- ➡ ADAM MICKIEWICZ
- ➡ JULIUSZ SŁOWACKI
- ➡ ZYGMUNT KRASIŃSKI

POZYTYWIZM

Nazwa kierunku filozoficznego, zapoczątkowanego przez francuskiego myśliciela Augusta Comte'a jeszcze w pierwszej połowie XIX w. W literaturze polskiej terminem „pozytywizm" oznacza się:
1) Działalność (głównie w latach siedemdziesiątych XIX w.) grupy pisarzy skupionych wokół czasopism tzw. „młodej prasy" (najważniejsze z nich to „Przegląd Tygodniowy"). Łączył ich program: hasła pracy organicznej i pracy u podstaw, krytyka poezji i romantycznej filozofii historii, apolityczność, wyrzeczenie się bądź odłożenie na czas nieokreślony walki zbrojnej, kult nauki i nowoczesnej cywilizacji, areligijność.
2) Światopogląd pisarzy, takich jak Prus, Orzeszkowa, Świętochowski. Wszyscy uznają społeczeństwo za organizm, zastępują ideę rewolucji — pokojową ewolucją, wierzą w postęp, wykazują zainteresowanie nauką i zaufanie do cywilizacyjnego wysiłku; stosunek do religii — zróżnicowany.
3) Okres w dziejach literatury polskiej (lata 1870–1890 albo nawet 1870–1914) — tworzą w nim także autorzy nie związani z pozytywizmem czy nawet mu wrodzy (Lenartowicz, Gomulicki, Sienkiewicz).

- **Teraźniejszość i przyszłość**
  Życie chwilą obecną, troska o codzienność, życie dla przyszłości, wiara w dokonujący się nieustannie postęp.
- **Nawiązanie do Oświecenia**
  Epoką najbliższą duchowi pozytywizmu — Oświecenie, w programach „młodej prasy" — kult racjonalizmu, nauki, oświaty, w literaturze — dydaktyzm.
- **Świat zamknięty**
  Obiektem zainteresowania — świat zamknięty, zbadany, dostępny poznaniu naukowemu, rządzony niezmiennymi prawami.
- **Racjonalizm**
  Kult rozumu i rozsądku, potępienie „przerostu" fantazji i uczucia.
- **Jednostka w społeczeństwie**
  Altruizm, poświęcenie, kooperacja, wezwanie do pracy dla dobra innych, czasem — dla dobra ludzkości, odrzucenie marzycielstwa.
- **Społeczeństwo**
  Konkretna wspólnota, społeczny organizm jako najwyższe dobro.
- **Europa**
  Oczywiście — Zachód. Społeczeństwo polskie często porównywane z innymi, wynik — dla Polaków niekorzystny (zacofanie cywilizacyjne, wewnętrzne skłócenie, niezdolność do skutecznej pracy). Wzór pozytywny — Anglia.
- **Proza**
  Pisarz służący społeczeństwu, normą — użyteczność, w modzie pisanie prozą.
- **Kompozycja zamknięta**
  Zwarta budowa utworu (np. noweli), jasność, czytelność, konkret.
- **Pejzaż „pozytywistyczny"**
  Przyroda opanowana przez człowieka, koniecznie z widocznymi drutami telegraficznymi i dymiącą lokomotywą w tle. Pejzaż miejski.

Gatunki: Powieść społecznoobyczajowa, nowela, obrazek, opowiadanie, gatunki dziennikarskie (kronika, felieton, artykuł, korespondencja, list), powieść historyczna (początkowo przez pozytywistów nie akceptowana).

Bohater pozytywistów: Trzeźwy, rozsądny, próbujący działać w interesie społeczeństwa i w miarę możliwości z innymi ludźmi. Może być inżynierem, lekarzem, kupcem, rolnikiem, rzemieślnikiem. Wierzy w sens drobnych przedsięwzięć, ceni trud powszedniej pracy. Przyczynia się do rozwoju nauki, oświaty, techniki.

PISARZE
➡ **ELIZA ORZESZKOWA**
➡ **BOLESŁAW PRUS**
➡ **ENTUZJAŚCI I DZIENNIKARZE**
⬇
ALEKSANDER ŚWIĘTOCHOWSKI

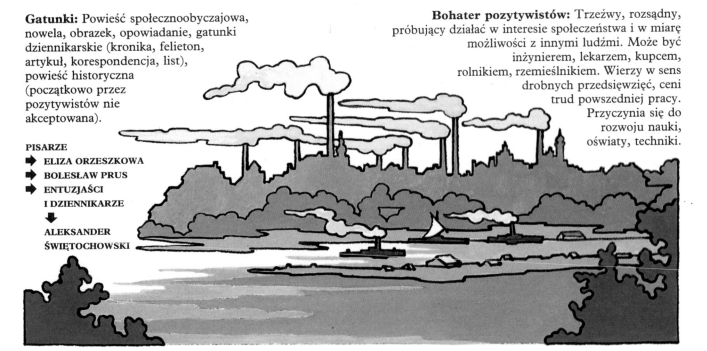

PRZECIWNICY POZYTYWIZMU

Równocześnie z pozytywistami działali pisarze pozytywizmowi obcy czy nawet wrodzy.

Konserwatyści. Oskarżali pozytywistów o nihilizm, ateizm i brak patriotyzmu. Bronili tradycji rodzinnej, wiary przodków, ziemiańskich dworków i posiadłości. Nie spieszyli się do Europy, nie przepadali za nowoczesnością. Za „swojego" pisarza uważali Sienkiewicza. Wśród krytyków tej orientacji wyróżniał się **Teodor Jeske-Choiński**. Poglądy konserwatywno-klerykalne prezentowała znaczna część pism tzw. „starej prasy".

Jeden z umiarkowanych odłamów polskiego konserwatyzmu to tzw. krakowscy „stańczycy" (m.in. dramaturg i historyk **Józef Szujski** oraz krytyk i historyk literatury **Stanisław Tarnowski**), autorzy pamfletu politycznego **Teka Stańczyka** (1869). Dowodzili, że „z rządem, jakimkolwiek jest, naród rachować się musi", opowiadali się przeciwko spiskom niepodległościowym, z pozytywistami łączyła ich aprobata programu pracy organicznej.

Socjaliści. Ich zdaniem społeczeństwo to nie organizm, lecz skupisko sprzecznych sił (teorią rozwoju społecznego — walka klas), konieczna jest rewolucja, a nie pokojowa ewolucja, należy doprowadzić do radykalnej przebudowy ustroju społecznego. Pozytywistów uważali za sojuszników kapitalizmu. Około 1880 r. rodzi się związana z ruchem robotniczym poezja rewolucyjna — m.in. **Czerwony sztandar** („Krew naszą długo leją katy...") Bolesława Czerwińskiego. Organem polskich socjalistów był na początku swego istnienia tygodnik „Głos".

Naturaliści

Naturalizm zrodził się we Francji, głównym przedstawicielem i teoretykiem kierunku był **Emil Zola**. Naturalizm uznaje człowieka za część przyrody, na plan pierwszy wysuwa problem zaspokojenia potrzeb biologicznych, dowodzi, że zarówno w przyrodzie, jak i społeczeństwie trwa walka o byt, łączy się zwykle z pesymistyczną oceną rzeczywistości. Najpełniejszym wyrazem tendencji naturalistycznych w prozie jest powieść-dokument (pisarz, sprowadzony do roli beznamiętnego obserwatora, gromadzi materiały, by dokonać analizy procesów społecznych).

W Polsce zwolennikami naturalizmu byli głównie pisarze skupieni w latach 1884–1888 wokół warszawskiego tygodnika „Wędrowiec". Występowali przeciwko pozytywistycznej powieści tendencyjnej, odrzucali literaturę dydaktyczną, „wychowującą" czytelnika, atakowali także konserwatystów. Interesowali się malarstwem, podnosząc problem formy w sztuce (ważne nie, co się maluje, lecz jak) — z tego powodu cenili Chełmońskiego wyżej niż Siemiradzkiego czy Matejkę (krytyka malarstwa historycznego i akademickiego). Do najwybitniejszych przedstawicieli polskiego naturalizmu zaliczani są:

Adolf Dygasiński (1839–1902). Pozytywista, naturalista, a pod koniec życia nawet modernista. Autor powieści społecznoobyczajowych i rozpraw popularnonaukowych, dziś w komplecie zapomnianych. Sławę przyniosły mu natomiast utwory, których bohaterami są zwierzęta: **Zając** (1900), historia, w której dopatrywano się aluzji politycznych, oraz **Gody życia** (1902), poemat prozą z mysikrólikiem w roli głównej, uważany za najpełniejszy wykład filozofii autora.

Antoni Sygietyński (1850–1923). Zwolennik Flauberta raczej niż Zoli, świetny popularyzator literatury francuskiej, autor pierwszej polskiej powieści naturalistycznej, przedstawiającej jednak dramat normandzkich rybaków (**Na skałach Calvados**, 1884). Tytuł drugiej (**Wysadzony z siodła**, 1891) przyjął się jako określenie grupy społecznej — szlachty, która w następstwie powstania i uwłaszczenia chłopów utraciła swe majątki.

Stanisław Witkiewicz (1851–1915), ojciec Witkacego. Malarz, prozaik, krytyk. W malarstwie — zwolennik impresjonizmu, w prozie — też bardziej impresjonista niż naturalista. Miłośnik folkloru podhalańskiego, miał nadzieję, że „styl zakopiański" okaże się w sztuce polskiej najważniejszy.

Gabriela Zapolska ➡ TEATR MŁODOPOLSKI

!!!

Terminu „naturalizm" używa się też w szerszym znaczeniu, nie związanym z twórczością wymienionych autorów. Mówimy na przykład o naturalistycznym ujęciu relacji człowiek — przyroda w *Placówce* Prusa czy *Chłopach* Reymonta, choć ściśle rzecz biorąc, pisarze ci nie byli naturalistami.

MŁODA POLSKA

Nazwa okresu w dziejach literatury polskiej obejmującego lata 1890–1914 (ewentualnie 1890–1918). Dochodzą wówczas do głosu nowe prądy artystyczne i umysłowe:

- **Modernizm**. Termin wieloznaczny i niewątpliwie szerszy niż „Młoda Polska". Dotyczy literatury europejskiej przełomu XIX i XX w. Możemy go odnieść do twórczości autorów niemieckich (George), austriackich (Rilke), skandynawskich (Strindberg), francuskich (Mallarmé, Verlaine). Wszystkich łączy przekonanie o szczególnej misji artysty, kult sztuki (często w powiązaniu z hasłem „sztuka dla sztuki"), niechęć do życia mieszczańskiego. Na gruncie polskim termin odnosi się do literatury młodopolskiej. W tradycji zachodniej terminem „modernizm" obejmuje się również większą część literatury XX w., u jego schyłku dostrzegając przejawy „postmodernizmu".

- **Dekadentyzm**. We Francji reprezentują go m.in. Verlaine i prozaik Huysmans (autor *Na wspak*), w Niemczech Nietzsche, w Anglii Wilde. Wszyscy mają świadomość, że kultura europejska weszła w fazę schyłkową. Poczucie końca wywołuje smutek, melancholię, pesymizm, formą ucieczki bywają narkotyki (np. opium) i alkohol. Sztuka dekadencka jest programowo „niemoralna", stroni od dydaktyzmu i naśladowania natury, bywa szokująca i perwersyjna. W okresie stalinizmu mianem „dekadenckiej" określano pogardliwie całą nowoczesną kulturę zachodnią.

- **Neoromantyzm**. Termin sugeruje, że literatura Młodej Polski odrzuca idee pozytywizmu i nawiązuje do dzieła romantyków (indywidualizm — zbuntowane „ja" znów w modzie! — przywrócenie znaczenia poezji, zwrot do religii, zainteresowanie mistyką, w zakresie kompozycji — powrót do formy otwartej, np. w dramacie poetyckim).

- **Symbolizm**. Kierunek, który ujawnił się najpełniej w poezji francuskiej. U nas reprezentuje go większość poetów młodopolskich (Tetmajer, Kasprowicz, Miciński, Leśmian, Staff). Symbolizm zrywa z opisywaniem świata, odrzuca model literatury tendencyjnej i programowej. Pragnie wyrażać nastroje i myśli za pomocą symboli ukrywających wieloznaczne sensy. Symbolem może być przedmiot (np. Złoty Róg z *Wesela*), postać (Chochoł), obraz (finałowy taniec postaci z *Wesela*). Przeciwieństwem literatury operującej symbolami jest na przykład twórczość pozytywistów, w której najważniejszy jest konkret.

- **Impresjonizm**. Kierunek w malarstwie i muzyce, łączony niekiedy z literaturą, zwłaszcza poezją. Artystę interesuje nie opis przedmiotu czy zjawiska, lecz wrażenie (impresja). Za pomocą luźnych obrazów wiersz zapisuje ulotne stany psychiczne. Tak traktowana sztuka poetycka zbliża się do malarstwa (bogactwo barw, gra światła) i muzyki (melodyjność wiersza).

Wyliczone terminy nie wykluczają się wzajemnie. Czy można być jednocześnie modernistą, dekadentem, neoromantykiem, symbolistą i impresjonistą? Oczywiście, że można. Chaos terminologiczny próbował uporządkować Henryk Markiewicz (artykuł *„Młoda Polska" i „izmy"*). Pamiętajmy, że w okresie zwanym Młodą Polską działają — z powodzeniem! — pisarze tacy, jak Prus, Sienkiewicz, Orzeszkowa.

PISARZE
 POEZJA MŁODEJ POLSKI
↓
 JAN KASPROWICZ
➡ **BOLESŁAW LEŚMIAN**
➡ **TADEUSZ MICIŃSKI**
➡ **STEFAN ŻEROMSKI**
➡ **WŁADYSŁAW ST. REYMONT**
➡ **STANISŁAW WYSPIAŃSKI**
➡ **MŁODOPOLSKIE LEGENDY I PORACHUNKI**
↓
 STANISŁAW BRZOZOWSKI

Wiek XIX. Polacy są narodem bez własnego państwa. Upadek Napoleona oznacza zwycięstwo zaborców. Powstania: listopadowe i styczniowe, kończą się klęską. W drugiej połowie stulecia — rusyfikacja w zaborze rosyjskim i germanizacja w pruskim. Jednak naród zachowuje swoją tożsamość — w dużej mierze dzięki literaturze.

Daty	Wydarzenia	Świadectwa
1803–1815	Wojny napoleońskie (utworzenie Księstwa Warszawskiego — 1807; wyprawa Napoleona na Rosję — 1812; abdykacja Napoleona — 1814).	*Ody* Kajetana Koźmiana na cześć cesarza (ostatnia mówi już o upadku Napoleona, nadzieją autora staje się car Aleksander). Legendę napoleońską budują głównie romantycy: Mickiewicz w *Panu Tadeuszu* („Bóg jest z Napoleonem, Napoleon z nami!") i *Literaturze słowiańskiej*, a także Słowacki, Krasiński i Norwid (*Coś ty Atenom zrobił, Sokratesie*). Pośród pamiętników z kampanii napoleońskiej — *Trzy po trzy* Fredry. Przeciwnikiem Napoleona był natomiast Kornel Ujejski (wiersz *Sąd matek*). W literaturze późniejszej najsłynniejszym wyznawcą legendy napoleońskiej jest Ignacy Rzecki, bohater *Lalki* Prusa. Wszechstronny obraz kampanii napoleońskiej przynoszą *Popioły* Żeromskiego, opublikowane już na początku XX w. Doskonały portret psychologiczny generała Dąbrowskiego stworzył Berent w *Nurcie*.
1824	Proces filomatów.	III część *Dziadów* Mickiewicza.
1829	Koronacja cara Mikołaja I na króla Polski.	*Kordian* Słowackiego.
1830–1831	Powstanie listopadowe.	Pieśni powstańcze: *Rozłączenie* („Za Niemen nam precz...") Augusta Bielowskiego, *Ułan na widecie* („Tam na błoniu błyszczy kwiecie...") Franciszka Kowalskiego, *Szlachta w roku 1831* Gustawa Ehrenberga, *Pieśni Janusza* Wincentego Pola, a ponadto: **Warszawianka** („Oto dziś dzień krwi i chwały..."), utwór francuskiego poety Casimira Delavigne'a, przełożony przez Karola Sienkiewicza. Wykonany po raz pierwszy w 1831 r. z muzyką Karola Kurpińskiego, stał się pieśnią narodową. Liryka patriotyczna Mickiewicza, Słowackiego, Goszczyńskiego, Garczyńskiego. *Powstanie narodu polskiego w r. 1830 i 1831* Maurycego Mochnackiego. Reakcją (pośrednią) na klęskę powstania listopadowego są arcydzieła polskiego romantyzmu: III część *Dziadów* oraz *Księgi narodu i pielgrzymstwa polskiego* Mickiewicza, *Kordian* i *Lilla Weneda* Słowackiego, *Nie-Boska komedia* i *Irydion* Krasińskiego. Uczestnikami powstania listopadowego byli najstarsi bohaterowie *Nad Niemnem* Orzeszkowej, tytułowy bohater *Latarnika* Sienkiewicza, stryj Wokulskiego z *Lalki*. Z tematem powstańczym związane są dramaty Stanisława Wyspiańskiego (*Warszawianka*, *Noc listopadowa*).

Daty	Wydarzenia	Świadectwa
1841	Śmierć Karola Levittoux — młodziutki spiskowiec zginął samobójczą śmiercią w płomieniach, obawiając się, że nie wytrzyma śledztwa.	Wiersze Romana Zmorskiego (*Modlitwa napisana dla Karola Levittoux*) i Mieczysława Romanowskiego (*Śmierć Karola Levittoux*).
1846	Rzeź galicyjska.	**Skargi Jeremiego** Kornela Ujejskiego — cykl poetycki zawierający m.in. słynny *Chorał*. Nawiązuje w stylistyce do poezji starotestamentowej. Ukazuje tragedię bratobójczej walki („Syn zabił matkę, brat zabił brata"). Nie stanowi jednoznacznego potępienia ciemnego chłopstwa, aluzyjnie wskazuje prawdziwych inspiratorów rzezi („O! rękę karaj, nie ślepy miecz!").

Inaczej ocenił rzeź galicyjską konserwatysta Zygmunt Krasiński (*Psalm żalu*, *Psalm dobrej woli*). Reminiscencje — w *Zaklętym dworze* Łozińskiego, a później m.in. w *Weselu* Wyspiańskiego. Najbardziej wyczerpującą analizę narodowej tragedii, jaką była rzeź 1846 r., dał Stefan Żeromski w dramacie *Turoń*. |
1848	Wiosna Ludów (rewolucja we Francji, powstanie węgierskie, powstanie wielkopolskie).	Artykuły Mickiewicza w „Trybunie Ludów", drobne wiersze Słowackiego związane z powstaniem wielkopolskim. Największym powodzeniem cieszył się temat „węgierski" i jego główny bohater, generał Józef Bem (aluzje w epilogu *Zaklętego dworu* Łozińskiego, *Bema pamięci żałobny-rapsod* Norwida, pamiętnikarski zapis Rzeckiego w *Lalce*).
1863–1864	Powstanie styczniowe.	Pieśni powstańcze: *Marsz żuawów* Włodzimierza Wolskiego. Poezje Ludwika Brzozowskiego, uczestnika powstania. Okolicznościowa liryka Felicjana Faleńskiego, *Branka* i *Partyzantka* Marii Konopnickiej, pośrednio związany z tematem *Fortepian Szopena* Norwida. Powieści Bolesławity (pseudonim Józefa Ignacego Kraszewskiego). Dramat *Na Ukrainie* Leonarda Sowińskiego. *Omyłka* Bolesława Prusa. Aluzje w *Lalce* i *Nad Niemnem*. Po latach — hołdem złożonym powstańcom jest *Gloria victis* Elizy Orzeszkowej. Temat powstania podejmują liczne utwory Żeromskiego (*Rozdzióbią nas kruki, wrony...*, *Wierna rzeka*, *Echa leśne*).
	Rusyfikacja i germanizacja.	*A... B... C...* Orzeszkowej, *Z pamiętnika poznańskiego nauczyciela* i *Za chlebem* Sienkiewicza, wiersze Konopnickiej (m.in. *Rota*), wypowiedzi Prusa w kronikach. *Syzyfowe prace* Żeromskiego.
	Represje wobec Polaków, w tym zesłania na Syberię.	➡ SYBERIA

*„Oryginalność czasem, a osobowość
i szczególność zawsze niczym innym nie
są, jak tylko niewiadomością
i nieumiejętnością."*

OSTATNI KLASYCY

Klasycy porozbiorowi, zwani niegdyś pogardliwie pseudoklasykami:
- spadkobiercy Oświecenia
- poeci salonów, zwłaszcza warszawskich
- miłośnicy poezji starożytnej (rzymskiej) i literatury francuskiego klasycyzmu
- w pisaniu — zwolennicy ładu, harmonii, czystości języka, stylu wzniosłego i patetycznego
- ulubione gatunki — poemat opisowy i historyczny, tragedia, oda
- w polityce — przeciwnicy powstań, rewolucji, spisków (z tego powodu nie mogli sympatyzować z romantykami)
- najbardziej cierpliwi (rzadka zaleta) z polskich literatów: po napisaniu utworu nie biegli natychmiast do wydawcy, lecz poprawiali go, czytali znajomym i rozmyślali, czy w ogóle wart druku
- działali w latach 1795–1863, jednak po r. 1830 klasycyzm jest w naszej literaturze nurtem marginalnym, przytłoczonym przez romantyzm
- „starcy" zgodnie z wizją romantyków — w okresie sporu rzeczywiście bardzo młodych — klasycy porozbiorowi byli wówczas ludźmi „w sile wieku"

Alojzy Feliński (1771–1820) — w młodości sekretarz Kościuszki, po upadku Rzeczypospolitej przebywał przez pewien czas w Warszawie, gdzie związał się z grupą klasyków, potem osiadł na Wołyniu (w Krzemieńcu).

> Największym osiągnięciem tego poety i dramaturga jest tragedia historyczna **Barbara Radziwiłłówna** (wyd. 1820, napisana 10 lat wcześniej, warszawska premiera z 1817 r. była wydarzeniem teatralnym). Zachowująca jedność czasu, miejsca i akcji, napisana doskonale, stylem dostojnym i retorycznym, przywodzi na myśl utwory Corneille'a, a szczególnie Racine'a. Feliński nie stworzył kroniki historycznej, lecz pełen aluzji dramat polityczny. Podkreślił znaczenie tradycji polskiego parlamentaryzmu (król poddaje się woli sejmu), wyidealizował postać tytułowej bohaterki, zamienił historię w mit. To między innymi dzięki niemu dzisiejsi Polacy uwielbiają Barbarę, a nie darzą sympatią Bony.

Kajetan Koźmian (1771–1856) — poeta, pamiętnikarz, senator. Konserwatysta, przeciwnik powstania listopadowego. Bywalec salonu generała Krasińskiego (ojca Zygmunta). Mickiewicza bardzo nie lubił i o wieszczu naszym narodowym śmiał powiedzieć, że to „półgłówek wypuszczony ze szpitala szalonych".

> **Ziemiaństwo polskie** (1839), poemat opisowy w duchu Wergiliusza, powstawało 30 lat — absolutny rekord w dziejach literatury polskiej! Koźmian głosi pochwałę życia wiejskiego i kult pracy we własnym gospodarstwie, pokazuje „polski rok" (orka, sianokosy, żniwa). Nawiązuje do tradycji szlacheckiej (ziemiańsko-rycerskiej), przywołuje obrazy z przeszłości (złoty wiek, w którym „były i serca prawe, i wioski swobodne"). Twierdzą polskości czyni folwark i ziemiański dworek. Tak jak przed wiekami Rej, potępia wyzysk chłopa, namawia do spokoju i zgody.

Jan Śniadecki (1756–1830) — zasłużony uczony (matematyk i astronom). Wraz z Kołłątajem reformował Uniwersytet Jagielloński, później — profesor Uniwersytetu Wileńskiego. Filozof, publicysta, okazjonalnie — krytyk literacki. Mickiewicz pokazał go jako ograniczonego i niezbyt mądrego starca w *Romantyczności*. Miał ku temu powody, skoro Śniadecki drwił z jego poezji — co gorsza, w obecności Słowackiego! Dla Słowackiego zaś Śniadecki był autorytetem (co prawda nie w sprawach poezji).

> Kontynuatorem innej oświeceniowej tradycji — sentymentalizmu — był **Kazimierz Brodziński** (1791–1835), pracowity poeta, krytyk literacki i tłumacz. Żołnierz Napoleona, po powstaniu listopadowym — zwolennik mesjanizmu. Miłośnik łagodności, tkliwości i prostoty, pisywał oczywiście sielanki (**Wiesław**). Ani romantyk, ani klasyk, choć Mickiewicz uważał go w pewnym okresie za „swojego człowieka". Całkiem słusznie wszedł do III części *Dziadów* jako IV Literat (ten, który mówi: „Sławianie, my lubim sielanki").

Walka klasyków z romantykami

Brodziński (O klasyczności i romantyczności tudzież o duchu poezji polskiej, 1818): Słowianin jest z natury łagodny i życzliwy, kocha pokój, nie w głowie mu rewolucyjne szaleństwa. Piszmy więc sielanki (idylle). Jednym słowem — ani klasycyzm, ani romantyzm, tylko jakaś XIX-wieczna odmiana sentymentalizmu.

Śniadecki (O pismach klasycznych i romantycznych, 1819): Precz z idealizmem i metafizyką, odrzućmy „zabobony, czary, gusła", bo prawdziwe piękno da się pogodzić ze zdrowym rozsądkiem. Niech Arystoteles i Horacy pozostaną naszymi mistrzami. Romantyzm to jarmarczne kuglarstwo.

Mochnacki (Niektóre uwagi nad poezją romantyczną, 1825): Klasycyzm jest martwy i sekciarski, gromadzi mierności. To właściwie falsyfikat, pseudoklasycyzm, a nie autentyk. Śniadecki się myli, nie rozumie ducha swoich czasów, którego wyrazem jest literatura romantyczna.

Mickiewicz (O krytykach i recenzentach warszawskich, 1828): Warszawa to ostatnia w Europie reduta klasycyzmu, śmieszny anachronizm, zacofana prowincja (wypowiedź sprowokowana atakami krytyków na *Sonety krymskie*).

Ostatnim akordem w tej wojnie była III część *Dziadów*, gdzie klasycy zostali ośmieszeni i skazani na zapomnienie. Rzeczywiście, mówiono o nich później źle. Próbę rehabilitacji podjął dopiero ostatnio Ryszard Przybylski, ukazując prawdziwy dramat ludzi postawionych przez historię w obliczu tragicznych nieraz wyborów.

PIERWSI ROMANTYCY

Cechy wczesnego romantyzmu:

- literatura powstaje w kraju (po 1830 r. najważniejsze utwory romantyczne ukazywać się będą na emigracji)
- ruch kresów, ruch prowincji
- literatura narodowa, odwołująca się do tradycji rodzimej, często ludowej
- literatura politycznej aluzji
- literatura zwrócona ku przeszłości (średniowiecze u Mickiewicza, wiek XVII w poezji „szkoły ukraińskiej": Malczewskiego, Zaleskiego, Goszczyńskiego)
- wprowadzenie nowego typu pejzażu: opisy przyrody dzikiej, groźnej, niedostępnej, czasem — egzotycznej
- wpływ Byrona i Scotta

1822 —	Mickiewicz: *Ballady i romanse*
1823 —	Mickiewicz: *Dziady*, cz. II i IV
1825 —	Malczewski: *Maria*
1826 —	Mickiewicz: *Sonety krymskie*
1828 —	Mickiewicz: *Konrad Wallenrod*
1828 —	Goszczyński: *Zamek kaniowski*
1829 —	Zaleski: *Rusałki*
1830 —	Mochnacki: *O literaturze polskiej w wieku XIX*

„Ach, na tym świecie śmierć wszystko zmiecie, Robak się lęgnie i w bujnym kwiecie."

Antoni Malczewski (1793–1826)

- kraj lat dziecinnych: Ukraina
- służył w wojsku Księstwa Warszawskiego
- jeden z pierwszych polskich alpinistów

Malczewski przeszedł do historii literatury tylko jednym utworem — powieścią poetycką **Maria**, której akcja rozgrywa się w XVII w. Tragiczne dzieje Miecznika i jego córki Marii opowiedziane zostały w kilku fragmentarycznych obrazach. Miłość Marii i Wacława, której stara się przeszkodzić dumny Wojewoda (ojciec Wacława), śmierć dziewczyny, rozpacz Miecznika i Wacława — wszystkie te epizody składają się na ponury dramat człowieka stającego w obliczu okrutnej historii. Załamuje się hierarchia wartości (miłość, patriotyzm), zwycięża zwątpienie, zbrodnia i bezsens. Scenerię dla utworu Malczewskiego tworzą posępne, niezmierzone stepy. Jego Ukraina jest milcząca, zagadkowa, kryjąca straszliwe tajemnice.

„Pamięć jak przeszłości echo..."

Józef Bohdan Zaleski (1802–1886)

- kraj lat dziecinnych: Ukraina
- przyjaźnił się przez wiele lat z Goszczyńskim — losy obu poetów układały się podobnie, a poróżnił ich dopiero stosunek do Towiańskiego
- żołnierz powstania listopadowego, później emigrant

Tworzył najchętniej dumy, dumki i ballady, inspirowane tradycjami ukraińskiej pieśni ludowej. Akcję swoich utworów umieszczał często w XVII w., bliskie mu były dzieje kozackich powstań. Jego Ukraina jest krainą rodem z sielanki. Pojawiają się tu rusałki, nigdy — groźne widma.

Już na emigracji Zaleski napisał obszerny poemat historiozoficzny **Duch od stepu**. „Wiatr stepowy, tchnienie Boże" pozwala oglądać poecie minione epoki z dziejów ludzkości. Utwór zamyka wizja przyszłości: Polska–pokutnica odzyskuje niepodległość.

Przez współczesnych ceniony na równi z Mickiewiczem, a znacznie wyżej od Słowackiego czy Norwida, autor **Rusałek** jest dziś poetą prawie zapomnianym. Przykład Zaleskiego dowodzi, że tzw. wpływowe czynniki (należał do nich Mickiewicz!) mogą nawet miernemu pisarzowi wyrobić opinię wieszcza — nie na długo, bo czas koryguje bezpodstawne sądy.

Zwróćmy uwagę, że Zaleski mówi o „matce-Ukrainie", a Mickiewicz o Litwie jako swej ojczyźnie. Wielonarodowościowa Rzeczpospolita, wymazana z mapy przez rozbiory, to nie tylko Polska! Te „dwie" ojczyzny jakoś nie kłócą się w świadomości poetów. Dla niektórych romantyków równie istotna jest wspólnota jeszcze szersza — ogarniająca wszystkie ludy słowiańskie (fascynacja ideą jedności wszystkich Słowian komplikuje ogromnie stosunek do Rosji). Polskich romantyków nauczył miłości do „Sławiańszczyzny" Zorian Dołęga Chodakowski, etnograf z początku XIX w.

„Słyszę pieśń śród grzmotu odgłosów..."

Seweryn Goszczyński (1801–1876)

- kraj lat dziecinnych: Ukraina
- młodzieńcze marzenia: zabić w. księcia Konstantego, walczyć o niepodległość Grecji (jak Byron)
- 29 listopada 1830 r. odłożył pióro, by wziąć udział w ataku na Belweder, przedtem zdążył zaszokować czytelników utworem, jakiego w literaturze polskiej dotąd nie było

---

Powieść poetycką **Zamek kaniowski** wydano początkowo w nakładzie 500 egzemplarzy. Akcja rozgrywa się w 1768 r. na Ukrainie, w okresie powstania hajdamackiego. *Zamek* zawiera wszystkie akcesoria powieści grozy (wisielec, skrzypiąca szubienica, wyjący pies, złowieszcze przepowiednie), wypełniają go sceny pełne okrucieństwa (mordy, egzekucje, gwałty, grabieże). Ukraina Goszczyńskiego jest dzika, ponura, groźna („kipią Dnieprowych wód męty"). W takiej scenerii rozgrywają się kolejne epizody: Orlika zakochana w Kozaku Nebabie zmuszona jest wyjść za mąż za polskiego rządcę zamku. Nebaba, bohater prawdziwie bajroniczny, szuka zemsty i znajduje ją przyłączając się do zbuntowanych Kozaków Szwaczki. Podczas szturmu na zamek Orlika zabija nie chcianego męża i wraz z przywódcą rewolty ginie w płomieniach. Nebaba wpada w zasadzkę i umiera wbity na pal. Sympatie poety są po stronie ludu ukraińskiego, co zbulwersować musiało warszawskich klasyków (przyjęli powieść jak najgorzej!).

- po klęsce powstania Goszczyński znalazł się na Podkarpaciu i Podhalu (jeszcze jeden romantyk zakochany w górskim pejzażu), swoje wędrówki opisał w *Dzienniku podróży do Tatrów*
- od 1838 r. na emigracji we Francji, po 1842 zbliżył się do Towiańskiego i został sekretarzem paryskiego Koła — z tego okresu pochodzi obszerny, wydany dopiero niedawno *Dziennik Sprawy Bożej*
- pod koniec życia wrócił do kraju i osiadł we Lwowie

„Dzieje nauk i literatury są najpiękniejszą częścią historii narodów."

Maurycy Mochnacki (1803 albo 1804–1834)

- pierwszy wybitny polski krytyk literacki
- w pracy *O literaturze polskiej w wieku XIX* omówił pierwsze dziesięciolecie romantyzmu polskiego
- w okresie powstania listopadowego — żołnierz, polityk i publicysta; później na emigracji
- świetny krytyk muzyczny i utalentowany pianista

Myśli o literaturze:

- literatura to sprawa wyobraźni i uczucia, a nie „szkolnych prawideł" (jak sądzili klasycy)
- twórca powinien iść za swym wewnętrznym głosem, nie kierując się opinią
- wielka sztuka rodzi się z natchnienia, a nie bezmyślnego naśladowania natury
- świadomość narodowa wyraża się w literaturze, a z drugiej strony literatura kształtuje tę świadomość
- szansą poezji romantycznej — nawiązanie do określonej tradycji (starożytność słowiańska, mitologia Północy, średniowiecze)
- rewolucje literackie są twórcze!

Najobszerniejszą pracą Mochnackiego jest wydane w 1834 r. **Powstanie narodu polskiego w r. 1830 i 1831.** Narracja w pierwszej osobie sprawia, że jest to pamiętnik, a jednocześnie rozprawa historyczna i dzieło publicysty. W tomie pierwszym — analiza szans militarnych powstania listopadowego, krótka historia Królestwa Polskiego, opis tajnych związków (filareci, Towarzystwo Patriotyczne, działania Niemojowskich). W tomie drugim — szczegółowy opis wydarzeń, począwszy od ataku na Belweder do chwili powołania Rządu Narodowego (dalszych tomów Mochnacki nie zdążył napisać). Przyczyny upadku powstania: brak przywódcy-dyktatora, nieudolność sejmu („gadatliwe bractwo"), intrygi „ludzi duszą i ciałem zaprzedanych Moskwie". Zdaniem autora zwycięstwo było realne, a powstanie wybuchło w najwłaściwszym momencie.

„Ja mistrz!"

ADAM MICKIEWICZ

Urodzony 1798

w Zaosiu lub Nowogródku, niewielkim miasteczku litewskim (w okresie międzywojennym należało do Polski, obecnie — w granicach Białorusi), w rodzinie niezamożnego prowincjonalnego adwokata, rodzice: Mikołaj i Barbara z Majewskich.

rok życia

14 Ogląda przemarsz wojsk napoleońskich idących na Moskwę, w tym samym roku (1812) traci ojca, a kilka lat później — matkę.

17 Po ukończeniu dominikańskiej szkoły powiatowej wstępuje na Uniwersytet Wileński. Studiuje początkowo na wydziale matematyczno-przyrodniczym, później — na wydziale literatury.

19 Wraz z grupą przyjaciół powołuje Towarzystwo Filomatów.

> Założone w 1817 r. **Towarzystwo Filomatów** (czyli — miłośników nauki) liczyło początkowo zaledwie 6 osób i było tajnym kółkiem samopomocy koleżeńskiej. Jego członków interesowała kultura Oświecenia i duch libertynizmu (Wolter był ich mistrzem), kpili z fanatyzmu, przesądów, dewocji. Pasjonowali się literaturą, sami pisali wiersze, z poetów polskich cenili najwyżej Trembeckiego i Karpińskiego. Zbliżały ich wspólne spacery, biesiady poetyckie, wspólne miłostki, łączyła — gorąca przyjaźń. Najwybitniejsi członkowie: Tomasz Zan, Jan Czeczot, Józef Jeżowski (prezes Towarzystwa); strój „organizacyjny": czarny frak; ideały: praca, cnota, patriotyzm. Towarzystwo zlikwidowane zostało w 1823 r. W 1820 rozpoczęło działalność **Towarzystwo Promienistych** (prezes — Zan), a po jego rozwiązaniu w tym samym roku przez władze — **Towarzystwo Filaretów** (miłośników cnoty). Przez wszystkie związki, które z czasem nabrały charakteru tajnych stowarzyszeń patriotycznych, przewinęło się kilkuset studentów. Śledztwo kierowane przez carskiego urzędnika Mikołaja Nowosilcowa doprowadziło do postawienia przed sądem około stu oskarżonych. Trzech skazano na kary więzienia, dwudziestu na zesłanie.

Z okresu filomackiego pochodzą pierwsze wiersze Mickiewicza — biesiadne, imieninowe, satyryczne. Utrzymane w poetyce klasycyzmu, często żartobliwe, wykorzystują spory zasób słów z języka potocznego.

20 Pierwszy drukowany wiersz: **Zima miejska**.

21 Kończy studia, wakacje spędza w Tuhanowiczach, gdzie poznaje Marię (Marylę) Wereszczakównę. Połączy ich niebawem miłość, ale nie małżeństwo. Maryla (naprawdę nazywała się Marianna Ewa), od 1821 r. żona Wawrzyńca Puttkamera, przejdzie dzięki Mickiewiczowi do literatury polskiej jako adresatka kilku liryków i domniemana bohaterka *Dziadów* (cz. II i IV).
Zostaje nauczycielem literatury, historii i prawa w szkole powiatowej w Kownie — nie lubił tego zajęcia!

22 Pisze **Odę do młodości**. Klasycystyczny gatunek wykorzystuje do stworzenia prawdziwie rewolucyjnego manifestu. Wiersz jest pochwałą działania, aktywności, poszukiwania ideałów („Młodości! ty nad poziomy wylatuj"), także — solidarności („Razem, młodzi przyjaciele!... W szczęściu wszystkiego są wszystkich cele") i gotowości do ofiary. Zawiera niewątpliwe aluzje polityczne („gwałt niech się gwałtem odciska"), mówi o nadziei za pomocą popularnych w XIX w. metafor („jutrzenka swobody", zwycięstwo światła nad ciemnością, skruszenie lodów). W okresie powstania listopadowego hasła *Ody* wypisywano na murach warszawskich domów.

24 **Ballady i romanse** ➡ LIRYKA MICKIEWICZA. Okres fascynacji Byronem („Byrona tylko czytam, książkę gdzie w innym duchu pisaną rzucam"). Przekłada i parafrazuje utwory angielskiego poety — m.in. **Sen** (z refrenem „Tu zaszła zmiana w scenach mojego widzenia"). Tłumaczenie **Giaura** skończy dopiero na emigracji.

25 Ukazują się ➡ DZIADY. CZ. II i IV oraz **Grażyna**, powieść poetycka, niezupełnie jeszcze romantyczna. Jej akcja rozgrywa się w średniowiecznej Litwie. Tytułowa bohaterka przekreśla tajemne plany męża (księcia Litawora), który zgodził się współpracować z Krzyżakami. W przebraniu rusza do bitwy. Litwini odnoszą zwycięstwo, ale Grażyna ginie. Litawor popełnia samobójstwo, wstępując na stos pogrzebowy.
Badacze odnajdują w poemacie wpływ klasycznej tradycji epickiej (Homer, epos renesansowy), a także „bajroniczne" ujęcie postaci i konstrukcję akcji bliską powieściom Waltera Scotta. Dowód, że w wojnie klasyczno-romantycznej zdarzały się zawieszenia broni.

W związku ze śledztwem prowadzonym przez Nowosilcowa Mickiewicz zostaje aresztowany. Przetrzymywany jest przez pół roku w wileńskim klasztorze bazylianów (zamienionym tymczasowo na więzienie).

26 W zakończonym procesie filomatów skazany zostaje na osiedlenie w Rosji i podjęcie tam pracy nauczycielskiej (tej części wyroku nigdy nie wykonano). Przebywa w Petersburgu (przyjaźń z dekabrystami: Rylejewem i Bestużewem), potem w Odessie i na Krymie.

27 Sięga do poetyki bajki — jeszcze jeden dowód, że tradycja Oświecenia nie jest mu obca (**Pchła i rabin, Przyjaciele**). Pisze jeden z najpopularniejszych wierszy miłosnych, **Niepewność** (z refrenem: „Czy to jest przyjaźń? czy to jest kochanie?").

28 **Sonety krymskie** ➡ LIRYKA MICKIEWICZA. Dwa lata spędza w Moskwie, rok w Petersburgu. Poznaje Puszkina. Zdaniem niektórych badaczy (np. Aliny Witkowskiej) przymusowy pobyt w Rosji i kontakt z tamtejszymi elitami intelektualnymi uczyniły z Mickiewicza poetę na skalę europejską. Warto pamiętać, że Warszawa (w przeciwieństwie do Petersburga) nie była przychylna jego twórczości.

29 Kolejne przekłady: Dante, Petrarca, Goethe. Zgodnie ze swym zwyczajem sięga do najlepszych.

30 W Petersburgu ukazuje się **Konrad Wallenrod**. Akcja utworu rozgrywa się u schyłku XIV w., gdy trwa wojna Zakonu Krzyżackiego z pogańską jeszcze Litwą. Wielkim Mistrzem Zakonu wybrany zostaje Konrad Wallenrod — działający w przebraniu Litwin, który potrafił zyskać zaufanie swych wrogów. Konrad doprowadza do klęski Krzyżaków, a zdemaskowany — popełnia samobójstwo.
Motto poematu: „trzeba być lisem i lwem", to słowa włoskiego filozofa i historyka renesansowego Machiavellego. Twierdził on, że „do obrony ojczyzny wszystkie środki są dobre — zarówno te, które przynoszą chwałę, jak i te, które przynoszą hańbę". Czy rzeczywiście w imię najszlachetniejszych celów wolno łamać zasady etyczne — na przykład posługiwać się zdradą albo podstępem („Tyś niewolnik, jedyna broń niewolników — podstępy")? Jak wykazała Maria Janion, był to dla polskich spiskowców problem bynajmniej nie abstrakcyjny.
Do najsławniejszych fragmentów poematu należy *Alpuhara*, ballada śpiewana przez Konrada podczas uczty (obrońca Alpuhary, Maur Almanzor, zemścił się na wrogach, przynosząc do ich obozu zarazę; stąd — pocałunek Almanzora). W *Pieśni Wajdeloty*, czyli litewskiego poety-kapłana („Kiedy zaraza Litwę ma uderzyć...") — podkreślenie znaczenia poezji jako „pieśni gminnej", śpiewanej przez lud, przypominającej o przeszłości narodu („arka przymierza między dawnymi i młodszymi laty"), opierającej się skutecznie dziejowym kataklizmom („pieśń ujdzie cało"). W *Powieści Wajdeloty* („Skąd Litwini wracali?...") — nowatorskie zastosowanie wiersza białego, bezrymowego, wzorowanego na greckim heksametrze.
Konrad Wallenrod to ważny etap w rozwoju romantycznej powieści poetyckiej, sentymentalne pozostają jednak opisy przyrody i sceny miłosne (dialogi Konrada i Aldony).
W drugim wydaniu — dla zmylenia czujności cenzury — Mickiewicz zamieścił przedmowę zawierającą pochwałę polityki cara. Trzeba być lisem?

31 W poszukiwaniu nowych źródeł inspiracji zajmuje się poezją orientalną — rezultatem m.in. poemat **Farys**. Jeden obraz: arabski jeździec na czarnym rumaku galopujący przez pustynię. Zwycięża huragan, obłok, sępa, mija bez trwogi karawanę szkieletów. Osiąga mistyczne zespolenie z naturą („Myśl moja ostrzem leci w otchłanie błękitu").
W następstwie interwencji wpływowych przyjaciół otrzymuje zgodę na opuszczenie Rosji. Podróżuje po Europie: Niemcy (w Berlinie słucha wykładów Hegla, w Weimarze poznaje Goethego), Włochy, Szwajcaria (spotkanie z Krasińskim).

32 Ciąg dalszy wielkiej podróży. Porównuje Rzym antyczny z chrześcijańskim. Rozmyśla o religii
➡ LIRYKA MICKIEWICZA. Następna wielka miłość bez szans na małżeństwo. W życiu Mickiewicza pojawia się Ewa Henrietta Ankwiczówna — „w białej sukience, ubrana w róże", bardziej anioł niż dziewczyna. Stanie się bohaterką III części *Dziadów* (Widzenie Ewy), paru liryków, a być może i *Pana Tadeusza* (matka Zosi?). Pisze wiersz **Do Matki Polki**, największe osiągnięcie liryki patriotycznej. Przeznaczeniem Polaka — męczeństwo i walka bez nadziei na sukces:
„Zwyciężonemu za pomnik grobowy
Zostaną suche drewna szubienicy,
Za całą sławę krótki płacz kobiécy
I długie nocne rodaków rozmowy."

33 Po wybuchu powstania listopadowego w Warszawie czekano na powrót Mickiewicza, uznawanego przez wielu za duchowego przywódcę narodu. Poeta opuszcza Rzym dopiero w kwietniu, dociera aż do Wielkopolski — zbyt późno, by przedostać się do stolicy. Uchylenie się od udziału w walce stanowi jedną z zagadek biografii Mickiewicza.

> Tematykę powstańczą podejmuje w wierszach: **Nocleg, Śmierć pułkownika** (wiersz poświęcony Emilii Plater), **Reduta Ordona, Pieśń żołnierza**. Z uwagi na wspaniałe obrazy walki (m.in. pojedynek artyleryjski) ceni się najwyżej *Redutę Ordona* — manifestację żarliwego patriotyzmu, głoszącą wiarę, że dzieło zniszczenia w dobrej sprawie jest święte. W wierszu Mickiewicza Juliusz Ordon, bohaterski obrońca reduty na Woli, ginie śmiercią samobójczą na polu bitwy. W rzeczywistości Ordon ocalał. Samobójstwo popełnił dopiero pół wieku później, we Włoszech.

34 Wraz z falą polskich emigrantów trafia do Drezna, gdzie napisze swoje największe arcydzieło:
➡ DZIADY. CZ. III.
Po trzech miesiącach wyjeżdża do Paryża, a już w końcu roku wydaje kolejną książkę (właściwie — książeczkę).

> **Księgi narodu polskiego i pielgrzymstwa polskiego** są dziełem nie mającym swego odpowiednika w naszej literaturze. Napisane biblijną prozą, wydane bezimiennie, pomyślane jako katechizm rozdawany bezpłatnie emigrantom, *Księgi* przynoszą mistyczną i mesjanistyczną wizję historii „od początku świata aż do umęczenia narodu polskiego". Uznają władców mocarstw zaborczych za „trójcę szatańską", zawierają też krytykę nowoczesnej cywilizacji europejskiej, nauki i filozofii (Wolter potępiony na równi z Heglem). Zapowiadają połączenie wszystkich narodów, wprowadzają ideę prymatu Polski („Cała Europa musi nauczyć się od Was, kogo nazywać mądrym", „Jesteście wśród cudzoziemców jako Apostołowie wśród bałwochwalców"). Głoszą świętość emigracji („Polak nie jest wygnańcem ani tułaczem, lecz pielgrzymem szukającym ziemi świętej, Ojczyzny wolnej"). Kończą się słynną modlitwą:
> „O wojnę powszechną za wolność ludów,
> Prosimy Cię, Panie.
> O broń i orły narodowe,
> Prosimy Cię, Panie."

36 Ukazuje się ➡ PAN TADEUSZ.
Poeta bierze ślub z Celiną Szymanowską (młodszą od męża o 14 lat), urodziwą brunetką, córką sławnej pianistki Marii Szymanowskiej. Przed ślubem nie kryje swych obaw („obaczymy, czy będzie lżej, czy ciężej"), jak się okazało — uzasadnionych. Małżeństwo nie było dobre, Celinę zaś zaczną wkrótce nękać ataki choroby umysłowej. Mickiewicz miał sześcioro dzieci, jeden z jego synów (Władysław) został opiekunem spuścizny ojca.

41 Profesor literatury łacińskiej w Lozannie. **Liryki lozańskie** ➡ LIRYKA MICKIEWICZA.

42 Profesor literatur słowiańskich w Collège de France w Paryżu.

43 W lipcu 1841 r. poznaje w Paryżu **Andrzeja Towiańskiego**. Ten litewski szlachcic z majątku Antoszwińce pod Wilnem opuścił kraj pod wpływem mistycznej wizji, jakiej miał doświadczyć. Już we Francji napisał **Biesiadę**, najważniejszy manifest towianizmu. Poglądy Towiańskiego: cała rzeczywistość znajduje się pod wpływem „niewidzialnej krainy ducha", człowiek jest „duchem uwięzionym w materii", jego przeznaczeniem jest cierpienie, „ofiara krzyża", której nie wolno odrzucić. Bóg działa poprzez ludzi obdarzonych szczególną misją (np. Napoleon). Nadejdzie jednak czas zstąpienia Chrystusa na ziemię i zwycięskiej walki ze złem. Formy działania: wspólne modlitwy w kościele Św. Seweryna w Paryżu, spowiedź w obecności współwyznawców, twarda dyscyplina organizacyjna. Zewnętrzni obserwatorzy posądzali Mickiewicza i Towiańskiego o zamiar stworzenia „nowego" Kościoła. Towiański (zwany Mistrzem Andrzejem) nie był pisarzem, a do literatury odnosił się z niechęcią. Wizjoner i reformator religijny, ujawnił z czasem cechy typowego sekciarza — ponurego i despotycznego. Chociaż Koło Sprawy Bożej (założone w 1842 r.) liczyło nie więcej niż kilkadziesiąt osób, to dzięki pozyskaniu takich indywidualności, jak Mickiewicz, Goszczyński i — przejściowo — Słowacki, towianizm stał się głośny.

Widziano w Towiańskim rosyjskiego agenta, to znów szaleńca, który „opętał" Mickiewicza i przyczynił się do milczenia poety (*Pan Tadeusz* to ostatni większy utwór poetycki Mickiewicza). W ostatnich latach badacze są nieco łagodniejsi i wskazują, że towianizm miał też pozytywne skutki (np. ożywienie życia umysłowego i religijnego na emigracji, przełamanie nastrojów beznadziejności).

Coraz wyraźniejsze zbliżenie do Rosji (uznawanej naiwnie za reprezentantkę narodów słowiańskich) doprowadziło w 1846 r. do rozłamu w Kole. Towiański pozbawiony wsparcia Mickiewicza działał jeszcze długo w Szwajcarii (z Francji wydalono go tuż po założeniu Koła), gdzie dożył późnej starości.

45 Kończy rozpoczęty kilka lat wcześniej cykl **Zdania i uwagi** ➡ LIRYKA MICKIEWICZA.

46 Władze uczelni nie akceptują wieszcza towianizmu na katedrze. Zawieszenie wykładów.

Literatura słowiańska zawiera tekst wykładów z lat 1840–1844, opracowany na podstawie notatek słuchaczy — w sumie cztery obszerne tomy. Mickiewicz podtrzymuje popularną w okresie romantyzmu ideę pierwotnej wspólnoty wszystkich ludów słowiańskich. Jego zdaniem około X w. doszło do podziału na dwie tendencje: polską (dążenie do wolności) i „rusińską" (zgoda na jedynowładztwo, czyli niewolę). Ta druga tendencja, „moskiewska" (zwana też „mongolską"), uzurpuje sobie prawo do duchowego przywództwa nad całą Słowiańszczyzną.

Dzieło zawiera obszerne analizy twórczości pisarzy polskich znanych Mickiewiczowi i jest apologią rodzimej literatury (Rej przewyższa Montaigne'a, Szymonowic — Wergiliusza, dobre noty wystawił też poeta Kochanowskiemu i Skardze, którego uznał za proroka). W części poświęconej romantyzmowi — m.in. doskonałe omówienie *Nie-Boskiej komedii* i polskiej filozofii XIX w. (Trentowski, Cieszkowski). Słowacki pominięty w całości.

Ostatnie wykłady autor wykorzystał dla spopularyzowania poglądów Towiańskiego: zaatakował „Kościół urzędowy", czyli ortodoksję katolicką, opowiedział się za kultem Napoleona („jego duch nie przestaje działać"). Wywołał skandal wśród Francuzów i Polaków nieprzychylnych Towiańskiemu.

50 W Rzymie organizuje legion polski do walki z jednym z państw zaborczych — Austrią.

51 Przez kilka miesięcy — dziennikarz „Trybuny Ludów" („La Tribune des Peuples"), gazety międzynarodowej w języku francuskim, wydawanej w Paryżu. Jako publicysta głosi ideę solidarności wszystkich narodów walczących o wolność, propaguje „socjalizm etyczny", zgodny z ideałami chrześcijańskimi, podtrzymuje kult Napoleona. W związku ze swym nowym zajęciem ma kłopoty z władzą — tym razem francuską.

54 Usunięty ostatecznie z uczelni otrzymuje skromne stanowisko bibliotekarza w Bibliotece Arsenału.

57 Udaje się do Turcji, by korzystając z trwającej wojny krymskiej, tworzyć legion polski do walki z Rosją. Umiera w Konstantynopolu 26 listopada 1855 r., według jednej wersji — na cholerę, według innej — otruty przez przeciwników politycznych. Kolejna zagadka, której chyba nigdy już nie uda się rozwiązać.

Pochowany w Montmorency pod Paryżem, w 1890 r. zwłoki poety przeniesiono na Wawel.

!!!

Ten zdaniem wielu najwybitniejszy polski poeta nie był nigdy w Warszawie ani w Krakowie, nie widział Tatr ani Bałtyku, a w dodatku więcej niż połowę życia spędził za granicą.

LIRYKA MICKIEWICZA

Ballady i romanse

(pierwsza polska książka romantyczna — właściwie: książeczka)

Ballada, jeden z najpopularniejszych gatunków poezji romantycznej (mówiono nawet o „balladomanii”), łączy cechy epiki i liryki, a posługuje się nierzadko i dialogiem. Akcja ballady rozgrywa się zwykle na pograniczu rzeczywistości i fantazji, autor zaś nie kryje swej obecności w utworze. Ballada polska wywodzi się z dumy, korzysta także ze wzorów angielskich, szkockich i niemieckich.

- zaświaty z *Ballad i romansów* zamieszkują syreny (**Rybka**), panny wodne (**Świteź, Świtezianka**), groźne, choć nie tak przerażające jak upiory wychodzące z grobów (**To lubię, Lilie**) czy mieszkańcy świata piekielnego (**Świteź, Tukaj**), z których najsympatyczniejszy i najpoczciwszy diabeł pokonany zostaje przez człowieka (**Pani Twardowska**)
- łącznicy między światem i zaświatami: zakochani (**Romantyczność**), dziecko (**Powrót taty**), mag-czarnoksiężnik (**Pani Twardowska**), starzec, często pustelnik (**Świteź, Tukaj, Lilie**)
- pejzaże: rodzinne strony poety, w których znaleźć można zaczarowane jezioro (**Świteź, Świtezianka**), ludzi przemienionych w głazy (**Rybka**) i rośliny (**Świteź**), w mrocznych lasach (**Lilie**) odzywają się ptaki nocy, puszczyki i sowy
- zbiór zawiera dość różnorodne utwory; poetykę sentymentalną reprezentuje **Pierwiosnek** oraz „romanse” (**Kurhanek Maryli, Dudarz**), romantyczną — m.in. **Lilie, To lubię, Świteź**
- znaczenie manifestu ma **Romantyczność** — polemika z racjonalistyczną filozofią Oświecenia i jej spadkobiercami (uosabia ich stary mędrzec dowodzący, że „duchy karczemnej tworem gawiedzi”) oraz prezentacja własnych poglądów („Czucie i wiara silniej mówi do mnie niż mędrca szkiełko i oko”), zakończona romantycznym hasłem: „Miej serce i patrzaj w serce”
- z tradycji ludowej (gminnej) wywodzą się: **Rybka, Lilie, Kurhanek Maryli**, rycerskiej — **Świteź**, sarmackiej — **Pani Twardowska**, obcej — **Rękawiczka** (przekład ballady Schillera)

Do gatunku ballady Mickiewicz powracał jeszcze kilkakrotnie, tworząc m.in. **Czaty** (arcydzieło rytmiki i wersyfikacji, ballada w poetyce dreszczowca) i **Trzech Budrysów** (balladę, która jest pochwałą Polek — „Bo nad wszystkich ziem branki milsze Laszki kochanki, wesolutkie jak młode koteczki” — całkiem uzasadnioną).

Sonety krymskie

(cykl 18 utworów opatrzonych znaczącym mottem, słowami Goethego: „Kto chce zrozumieć poetę, musi pojechać do jego kraju”)

- pejzaże: góry (**Ajudah, Droga nad przepaścią w Czufut-Kale**), morze (**Burza, Żegluga, Cisza morska**), step (**Stepy akermańskie**), ogląda poeta okiem wytrawnego obserwatora, podobnie jak później impresjoniści porównuje grę światła (**Ałuszta w dzień, Ałuszta w nocy**), podziwia morze ze szczytu góry (**Ajudah**), a step podczas jazdy (**Stepy akermańskie**), stosuje „perspektywy” i „zbliżenia” niczym dzisiejsi operatorzy filmowi
- uczucia: dochodzą zwykle do głosu w trzeciej i czwartej strofce sonetu, najsilniejsza jest świadomość samotności, wyobcowanie (**Burza, Pielgrzym**), tęsknota (**Stepy akermańskie, Cisza morska**)
- *Sonety krymskie* to również liryczny pamiętnik podróży — dla romantyków podróż jest najważniejszą może formą życia artysty
- podróżowanie na Wschód jest szczególnie modne, jako że w symbolicznej przestrzeni kultury europejskiej do romantyków należą zwykle Północ i Wschód (przeciwstawia się im Południe klasyków) — „orientalizm” widać najlepiej w sonetach takich, jak **Bakczysaraj, Czatyrdah, Mogiły haremu**
- wirtuozeria formalna: śmiałość i świeżość metafory (obłok „jak senny łabędź na jeziorze”), metafora personifikująca — przeniesienie cech ludzkich na twory przyrody (morze „jak narzeczona młoda”), poszerzenie słownictwa o wyrazy brzmiące bardzo egzotycznie, a dla szanującego się klasyka wprost nieznośnie

Sonety

(cykl 22 sonetów, zwanych „odeskimi”, choć pisane były także w Moskwie)

- sonety miłosne utrzymane częściowo w poetyce sentymentalnej, choć romantyzm i tutaj zwycięża
- sonety zwane także „erotycznymi” opisują wszystkie odcienie miłości: salonowy flirt, romans, głęboką romantyczną miłość, wybuchy namiętności i rozczarowanie (przeważnie kobieta jest aniołem, miłość — związkiem dusz, ale... nie zawsze)
- sonety adresowane są do różnych kobiet!
- niestałość poety wywołała oburzenie klasyków, choć zawiedzeni powinni być raczej romantycy

Liryka religijna

- dopiero po 1830 r. Mickiewicz staje się wybitnym poetą religijnym
- Bóg jest przeciwnikiem mędrców (**Mędrcy**), jest miłością, mieszka w sercu człowieka (**Rozmowa wieczorna**)
- śmiałe i typowo romantyczne porównanie: poeta—sztukmistrz ziemski, Bóg — Stwórca świata; świat nie pojął sensu stworzenia, dzieła poety też nikt nie rozumie (**Arcy-Mistrz**)
- drogę do kontaktu z zaświatami otwierają nam sny — zapisywać je trzeba ,,bez namysłu i poprawek'', sen bywa podobny do wizji mistycznej (**Śniła się zima**)

Liryki lozańskie

- zaledwie cztery krótkie utwory (**Snuć miłość**, **Nad wodą wielką i czystą**, **Gdy tu mój trup**, **Polały się łzy**) — za to jakie!
- arcydzieło ,,kunsztownej prostoty'', oryginalna metafora, nieprawdopodobna zwięzłość wypowiedzi
- utwory wykraczające poza poetykę romantyczną, zapowiadają już... tak, chyba poezję XX w.
- nie zostały opublikowane za życia poety, ale ukształtowały jego wizerunek w oczach potomnych (wierzymy np., że Mickiewicz miał dzieciństwo ,,sielskie, anielskie'', że lata dojrzałe ocenił jako ,,wiek klęski'')
- wiersze pełne goryczy, ale nie pozbawione akcentów mistycznej nadziei (miłość jako siła ludzi i aniołów, jako stwórcza moc Boga)

Zdania i uwagi

- wbrew tytułowi, wymieniającemu nazwiska Jakuba Böhmego, Angelusa Silesiusa (Anioła Ślązaka) i Saint-Martina, nie są na ogół przekładami ani nawet parafrazami — spośród trzech wspomnianych mistyków jedynie Angelus Silesius, poeta niemiecki z XVII w., był twórcą dystychów
- osobliwa forma zbioru: ok. 160 czterowierszy bądź dwuwierszy (dystychów) — krócej pisać będą poeci dopiero w XX w.
- daremny trud opisania Boga, który jest wiecznością, pokojem, miłością, a jednocześnie — niezmierzoną potęgą
- człowiek jest duchem (jego ciało to tylko ,,rusztowanie'') rozpiętym między czasem i wiecznością, ziemią i niebem, szatanem i Bogiem
- do zbawienia dochodzi się przez krzyż, cierpienie, wyrzeczenie własnego ,,ja''
- prawdziwa wiedza jest wynikiem religijnego objawienia — tylko prorok może zrozumieć sens historii
- najsławniejsze fragmenty *Zdań i uwag*:

,,Trudniej dzień dobrze przeżyć niż napisać księgę.''
,,Ten tylko pojmie przeszłe, kto zgadł przyszłe wieki.''
,,Kościuszko zaczął kosić, teraz młócić pora, A w końcu na Moskali bierz się do topora.''

DZIADY

Dziady kowieńsko-wileńskie 1823	Część II	(w inscenizacjach całości otwiera spektakl)
	Część IV	(w inscenizacjach — część środkowa)
	Część I	(zachował się tylko fragment, który pomijają zwykle reżyserzy teatralni)
Dziady drezdeńskie 1832	Część III	(w inscenizacjach — zamyka przedstawienie, bywa też traktowana jako samodzielny utwór)

Prawie nikt nie czyta dziś ani nie wystawia *Dziadów* zgodnie z numeracją części zaproponowaną przez Mickiewicza. O takim wystawieniu dramatu myślał swego czasu Maciej Prus, twórca kilku inscenizacji utworu. Obok niego najsławniejsze realizacje teatralne stworzyli: przed wojną Leon Schiller, a po wojnie — Kazimierz Dejmek i Konrad Swinarski. Tadeusz Konwicki przeniósł *Dziady* na ekran (film *Lawa*).

CZĘŚĆ II

Zaświaty

Inaczej niż w wizji chrześcijańskiej, a zgodnie z tradycją ludową, u Mickiewicza pokutujące duchy zmarłych pozostają na ziemi, kontaktując się z żywymi ludźmi. Podczas obrzędu zjawiają się, prosząc zgromadzonych o pomoc:

goście z zaświatów	życzenie	morał
● duchy powietrzne: Józio i Rózia (zmarłe dzieci)	„gorczycy dwa ziarna"	„Kto nie doznał goryczy ni razu, ten nie dozna słodyczy w niebie."
● duch złego dziedzica dręczony przez ptaki („sowy, puchacze, kruki")	jadło	„Kto nie był ni razu człowiekiem, temu człowiek nic nie pomoże."
● duch Zosi „dziewczyny pustej"	„dotknięcie ziemi"	„Kto nie dotknął ziemi ni razu, ten nigdy nie może być w niebie."
● milczące Widmo pozostaje w tajemniczym związku z Pasterką; praktyki magiczne i egzorcyzmy chrześcijańskie go nie odstraszają	?	

Świat ziemski

Bardzo niewielu w nim bohaterów — Guślarz, uczestniczący w ceremonii Chór i Pasterka. Ceremonia Dziadów, choć wywodzi się z obrzędu pogańskiego, wykorzystuje pewne elementy liturgii chrześcijańskiej. Warto przyjrzeć się używanym przez Guślarza rekwizytom. Sięga on po przedmioty magiczne („garść kądzieli", łuczywo, „kocioł wódki", ziarna maku, soczewica), ale także instrumenty liturgiczne (gromnica, stuła, krzyż). Są wreszcie przedmioty związane z religią, ale wykorzystywane niezgodnie z zaleceniami Kościoła (trumna, laska, wianek z poświęconego ziela).

Religia *Dziadów*

Połączenie etyki chrześcijańskiej i mądrości ludowej. Losy pokutujących duchów dowodzą, że człowiek nie może znaleźć raju na ziemi i co więcej, nie powinien go tam szukać. Przeznaczeniem ludzkim jest cierpienie, gorycz, ale także miłość i szacunek dla drugiego człowieka. W zaświatach karze podlegają zarówno zbrodnie (zły dziedzic), jak i życie bez cierpienia (dzieci, Zosia). Bóg z II części *Dziadów* okazuje się bardzo surowym sędzią.

Zgodnie z wizją *Dziadów* duchy są wszędzie: w powietrzu, wodzie, ziemi, roślinach.

CZĘŚĆ IV

Sceneria

Znajdujemy się na plebanii Księdza, w teatrze może ją symbolizować prawie pusta scena. Z rekwizytów — zegar, świece i kantorek, w którym hałasuje pokutujący duch. Najważniejszym przedmiotem jest sztylet trzymany w ręce przez Gustawa — potencjalnego zabójcę i samobójcę.

Kompozycja

godzina...	palą się...	rozpoczyna się...
21	trzy świece	„godzina miłości"
22	dwie świece	„godzina rozpaczy"
23	jedna świeca	„godzina przestrogi"

Spór

Ksiądz

„Znasz ty Ewangeliją?"
Porządek rozumu i rozsądku.
Jest jednakowe i niewzruszone prawo dla wszystkich, ustanowione przez Boga.
Człowiek stworzony został „dla dobra bliźnich swoich".

Cierpienie jest przeznaczeniem człowieka, przyjmujmy je z pokorą. Samobójstwo grzechem śmiertelnym.
O Dziadach: „pełen guślarstwa obrzęd świętokradzki".

Pustelnik-Gustaw

„A znasz ty nieszczęście?"
Porządek serca.
Gdyby tak rzeczywiście miało być, to „świat ten jest bez duszy", jest „wielkim zegarem".
„Ojczyzna i nauki, sława, przyjaciele" — wszystko to nie ma znaczenia, gdy kocha się nieszczęśliwie.
Człowiek ma prawo uchylić się od cierpienia — na przykład poprzez samobójstwo.

O Dziadach: „najpiękniejsze święto, bo święto pamiątek".

Poemat o miłości

Zapewne — najpiękniejszy (obok *W Szwajcarii* Słowackiego i *Assunty* Norwida) romantyczny poemat o miłości. Gustaw traktuje miłość jako akceptowany przez Boga związek dwojga dusz, istniejący także po śmierci. Dusze kochających się ludzi, rozdzielonych na ziemi, połączą się w niebie. Romantyczna miłość nie dotyczy małżeństwa:

„Gdy na dziewczynę zawołają: żono!
Już ją żywcem pogrzebiono!"

Idealizacja kobiety? Owszem, ukochana Gustawa jest kobietą-aniołem, ale też kobietą-zwodnicą, stworzeniem doprawdy nieznośnym. Kocha jednego, wychodzi za mąż za innego, a przecież po ślubie wcale nie umiera z rozpaczy i nie bawi się jak Gustaw sztyletem ani flakonikiem z trucizną. Jaka więc jest naprawdę?

„Kobieto! puchu marny! ty wietrzna istoto!
Postaci twojej zazdroszczą anieli,
A duszę masz gorszą niżeli!..."

Gustaw nie dokończył swojej wypowiedzi, sami musimy się domyślać, jak to naprawdę jest z kobietami i ich duszą. Zresztą nieszczęśliwy kochanek mówi nieraz straszne głupstwa, trochę szydzi, trochę się zgrywa. Na przykład:

„Kto miłości nie zna, ten żyje szczęśliwy,
I noc ma spokojną, i dzień nietęskliwy."

O, NIE❣

Pamiątki miłości

Przedmioty łączą ludzi, symbolizują pamięć, niekiedy stają się przekleństwem. Gałązka cyprysowa, kosmyk włosów dziewczyny, portret ukochanej, książki, kwiaty — z każdym z tych przedmiotów łączy się jakieś wspomnienie. A wspomnienia są prawdziwą obsesją nieszczęśliwego Gustawa.

„Książki zbójeckie"

Lektury Gustawa i jego ukochanej: *Nowa Heloiza* Rousseau, *Cierpienia młodego Wertera* Goethego (niebezpieczna książka, kończy się samobójstwem bohatera!). To są lektury romantyków, ale nie dzieła literatury romantyzmu! Są jeszcze inne „piękne księgi", które w latach szkolnych pochłaniał Gustaw, dawny uczeń Księdza. Symbolizują one odrzucony przez Gustawa system wartości. Zwróćmy uwagę, że w IV części *Dziadów* lektury zmieniają bieg życia ludzkiego.

CZĘŚĆ III

CELA KONRADA	DOM WIEJSKI POD LWOWEM	CELA KS. PIOTRA	SYPIALNIA NOWOSILCOWA	SALON WARSZAWSKI	POKOJE NOWOSILCOWA	KAPLICA

WIDZENIE EWY: RAJ PEŁEN KWIATÓW (nad DOM WIEJSKI POD LWOWEM)

RAJSKA WĘDRÓWKA DUSZY KS. PIOTRA (nad CELA KS. PIOTRA)

Prolog (Przemiana Gustawa w Konrada).
Scena I: Wigilijna wieczerza uwięzionych filomatów. Opowieść Sobolewskiego. Bluźniercza piosenka Jankowskiego. Mała Improwizacja Konrada.
Scena II: Wielka Improwizacja.
Scena III: Egzorcyzmy. Ks. Piotr zwycięża złe duchy, które opanowały duszę Konrada.

Zbuntowany poeta sam przywołuje demony.

Scena IV: Modlitwa Ewy zakończona widzeniem.

Scena V: Widzenie Ks. Piotra.

Scena VI: Sen Nowosilcowa pełen strachu przed carską niełaską.

Dusza Nowosilcowa też podróżuje w towarzystwie Belzebuba i jego świty.

Scena VII: Rozmowa o literaturze. Żal dam z powodu wyjazdu Nowosilcowa do Wilna. Opowieść Adolfa o Cichowskim.

Scena VIII: Narada w otoczeniu Nowosilcowa. Audiencja udzielona pani Rollison, matce jednego z więzionych chłopców. Ksiądz Piotr przesłuchiwany przez Nowosilcowa. Bal u Senatora. Powrót pani Rollison, która wie już o śmierci syna. Przelotne spotkanie Konrada z Księdzem Piotrem.

Scena IX: Noc Dziadów. Ukazują się potępione duchy Doktora i Bajkowa (współpracownicy Nowosilcowa). Na prośbę pasterki Guślarz wywołuje ducha Gustawa. Bezskutecznie (Gustaw-Konrad przecież żyje!).

Najkrótszy słownik III części *Dziadów*

Czterdzieści i cztery. Imię tajemniczej postaci, wskrzesiciela umęczonego narodu polskiego. Wiadomo tylko, że urodzi się „z matki obcej", że „krew jego dawne bohatery". O kogo chodzi — tej zagadki dramat nie wyjaśnia. Intrygowała ona już współczesnych poety. Mickiewicz wiedział, co robi, odpowiadając wykrętnie: „Kiedy pisałem, wiedziałem, teraz już nie wiem." Kolejne pokolenia czytelników dręczyła jednak ciekawość — tym większa, że III część *Dziadów* wielu Polaków uważało za dzieło prorocze. Podstawę do rozszyfrowania zagadki dała kabalistyczna teoria, zgodnie z którą każda litera posiada odpowiadającą sobie liczbę. Na szczęście Kabała jest mniej ścisła niż matematyka i pozwala na uzyskanie więcej niż jednego rozwiązania. Zdaniem różnych interpretatorów liczbowy symbol oznacza jedną z postaci utworu (Konrada albo Księdza Piotra), postać rzeczywistą (Mickiewicz, książę Adam Czartoryski, Andrzej Towiański), postać alegoryczną (człowiek-Bóg, przemieniona Polska). Większość powojennych badaczy jest zdania, że zagadki — zgodnie z wolą autora — rozwiązywać nie należy (Wacław Kubacki, Zofia Stefanowska).

Duchy i aniołowie. Charakterystyczny podział na duchy „lewej" i „prawej" strony to coś zupełnie innego niż rozróżnienie między aniołami i szatanami. W świecie duchowym toczy się walka — jej obiektem jest człowiek i to on decyduje, komu przypadnie zwycięstwo. Zgodnie z tradycją ludową, ale także chrześcijańskim traktowaniem obrzędu egzorcyzmów, szatan jest w dramacie „stujęzyczną żmiją" — w *Dziadach* posługuje się tylko sześcioma językami.

Filomaci.
➤ ADAM MICKIEWICZ.

Konrad. Główny bohater dramatu, poeta, wieszcz. Zaprzeczenie postaci nieszczęśliwego kochanka z II części *Dziadów* (choć łączą go z nim pewne wspólne cechy, np. niechęć do racjonalizmu i wiedzy naukowej). Pozostaje mimo wszystko — nawet w obecności przyjaciół — samotnikiem skłóconym ze światem i ludźmi. Walka o duszę Konrada to jeden z najważniejszych wątków dramatu. Bohater, kuszony przez duchy „lewej strony", znajduje obrońców w osobach Księdza Piotra i Ewy, wspieranych przez siły anielskie. Uzyskuje przebaczenie dzięki miłości („on kochał naród, on kochał wiele, on kochał wielu") i złożonej ofierze.

Kruk. Pojawienie się olbrzymiego ptaka („niebo całe zakrywa") kończy Małą Improwizację. W starciu z krukiem Konrad występuje jako orzeł. Zdaniem Juliusza Kleinera kruk jest aniołem, według Stanisława Pigonia — szatanem. Wacław Kubacki wywodzi symbol z mitologii orientalnych (ptak Simurg), a ostatecznie kojarzy kruka z carskim orłem, godłem dawnej Rosji.

Literaci. Literat I (autor „tysiąca wierszy o sadzeniu grochu") to Kajetan Koźmian, przeciwnik romantyzmu, surowy krytyk poezji Mickiewicza. Literat IV (ten od sielanek) to Kazimierz Brodziński. Wszyscy kochają aluzje mitologiczne, tęsknią do dworu, unikają literatury podejmującej tematy współczesne. Oni nie napisaliby nigdy *Dziadów*, bo przecież „czekać trzeba, nim się przedmiot świeży jak figa ucukruje, jak tytuń uleży".

Mała Improwizacja. Bluźniercza, „szatańska" pieśń Konrada. Zawiera słynne wezwanie: „Tak! Zemsta, zemsta, zemsta na wroga, z Bogiem i choćby mimo Boga!" Otwiera drogę demonom. Kończy się widzeniem kruka-olbrzyma.

Nowosilcow. Postać autentyczna. Senator rosyjski. Bliski współpracownik cara Aleksandra I. Osobisty wróg księcia Adama Czartoryskiego, ówczesnego kuratora naukowego okręgu wileńskiego. W życiu prywatnym — hulaka, łapówkarz i kobieciarz.

Religijność. III część *Dziadów* uważana jest za dzieło mistyczne, natchnione. Objaśnia sens historii za pomocą symboli Pisma Świętego (Polska jest „Chrystusem narodów", utrata niepodległości — ukrzyżowaniem, mocarstwa zaborcze to „Herodowie", Francja — „Piłat"). Nie wszystkie wątki religijne dramatu można wywieść z doktryny katolickiej. Wiara w senne wędrówki duszy pochodzi np. z neoplatonizmu. Myśl, że człowiek ma pełną swobodę wyboru między piekłem a niebem i że niektóre dusze wybierają świadomie potępienie (np. dziedzic z II części *Dziadów*), pojawia się u Böhmego i szwedzkiego mistyka Emanuela Swedenborga. Istotnego dla każdej religii problemu zła nie rozwiąże zbuntowany Konrad. Dzieła tego dokona raczej Ksiądz Piotr, tłumaczący w swoich przypowieściach, że niezbadane są drogi Opatrzności, a cierpienie należy do porządku zbawienia.

Rosja. „Instynktową i zwierzęcą nienawiść rządu rosyjskiego ku Polakom" uosabia w dramacie Nowosilcow i jego otoczenie. Postawy takiej nie popierają Rosjanie sympatyzujący z Polakami (np. Bestużew).

Następujący po ostatniej scenie dramatu *Dziadów części III Ustęp* jest prawdziwym poematem o Rosji. Przeszłość Rosji wydaje się poecie równie zagadkowa jak jej przyszłość („Kraina pusta, biała i otwarta jak zgotowana do pisania karta"). Tymczasem Rosja jest krajem zniewolonym, carskie rezydencje wzniesione zostały na „krwi i łzach", w następstwie kaprysu despoty. Rosja jest także ojczyzną najwierniejszych sług, pokornego ludu, który zna jedynie „heroizm niewoli" (obcy mu jak dotąd „heroizm walki"). Wieszcz narodu rosyjskiego, Puszkin (jeden z bohaterów poematu!), ma jednak nadzieję, że i dla Rosji „słońce swobody zabłyśnie". Kolejne fragmenty pokazują m.in. paradę wojskową na placu Marsowym w Petersburgu (przy 20° mrozu) i uprzątanie trupów stratowanych i zamarzniętych żołnierzy, życie carskiego dworu, wreszcie spotkanie bohatera (jest nim najpewniej Konrad-zesłaniec) z malarzem i mistykiem Józefem Oleszkiewiczem, który przepowiada powódź, a w dalszej perspektywie — całkowitą zagładę stolicy Rosji. III część *Dziadów* zamyka wiersz *Do przyjaciół Moskali*, poświęcony dekabrystom, uczestnikom nieudanego antycarskiego spisku (byli wśród nich poeci: Rylejew, skazany na śmierć, i Bestużew, zesłany na Syberię). W utworze tym znalazło się wyjaśnienie dotyczące być może kłopotliwej dla poety przedmowy do *Konrada Wallenroda* („pełzając milczkiem jak wąż, łudziłem despotę").

Salony. W III części *Dziadów* — dwa (warszawski i wileński). Bardzo niejednolite. Podczas gdy arystokracja zachwyca się towarzyskimi zaletami Nowosilcowa i bez oporów brata się z zaborcą, patriotycznie nastawiona młodzież (np. Piotr Wysocki, w przyszłości uczestnik powstania listopadowego) i część szlachty (np. Starosta) manifestuje bezsilny bunt wobec przedstawicieli zaborczej władzy.

Widzenie Księdza Piotra. Rozpoczyna się aktem pokory, bo Ksiądz Piotr — w przeciwieństwie do ogarniętego pychą Konrada — ma świadomość nicości człowieka stojącego w obliczu Boga. Właśnie pokora otwiera drogę do wizji („Pan maluczkim objawia, czego wielkim odmawia"). „Widzenie" wypełnia obraz zesłańców polskich wiezionych na Sybir (jak możemy przypuszczać, jest pomiędzy nimi Konrad). Kończy — przepowiednia zmartwychwstania Polski za sprawą tajemniczego męża o imieniu „czterdzieści i cztery".

Wielka Improwizacja. Dzieło poety-mistrza, który poniesiony pychą ma wrażenie, że jest twórcą nie gorszym od Boga („Cóż Ty większego mogłeś zrobić — Boże?"). Dlatego domaga się władzy nad innymi ludźmi, nad całym narodem („Daj mi rząd dusz!"). Wielka Improwizacja staje się zatem swego rodzaju pojedynkiem Konrada z Bogiem. Jednak niebo milczy. Wówczas bohater Mickiewicza dokonuje pewnego dość oczywistego nadużycia. Uznając Boga za uosobienie mądrości, sam występuje w roli romantycznego poety, którego siłą jest potęga uczucia (przypomina to nieco sytuację z wiersza *Romantyczność*). Gustaw przemieniony w Konrada zwraca się do Boga w imieniu całego narodu („Ja i ojczyzna to jedno"), przenosząc spór w dziedzinę historiozofii. Zrozpaczony, nie nazywa co prawda Boga „carem" (czyni to niecierpliwy diabeł), lecz jest jasne, że takiego właśnie słowa zamierzał użyć. Wielka Improwizacja kończy się omdleniem bohatera, które w planie metafizycznym równa się opętaniu przez złe moce.

PAN TADEUSZ
CZYLI OSTATNI ZAJAZD NA LITWIE
HISTORIA SZLACHECKA
Z ROKU 1811 i 1812
WE DWUNASTU KSIĘGACH WIERSZEM

Poemat Adama Mickiewicza napisany między 1832 i 1834. Wydany w Paryżu w 1834 r. w dwóch tomikach (to pierwsze wydanie jest dziś oczywiście białym krukiem).
Dzieło składa się z dwunastu ksiąg:

I. Gospodarstwo	VII. Rada
II. Zamek	VIII. Zajazd
III. Umizgi	IX. Bitwa
IV. Dyplomatyka i łowy	X. Emigracja. Jacek
V. Kłótnia	XI. Rok 1812
VI. Zaścianek	XII. Kochajmy się

Epilog dołączono już po śmierci poety, w 1860 r.

Najważniejsze postacie:

Soplicowie

Horeszkowie

Stolnik
zabity przez Jacka Soplicę ok. 1792

Sędzia —— **(Jacek)**
jego młodo zmarła żona pojawia się epizodycznie tylko w opowiadaniu Jacka (X); w większości ksiąg Jacek występuje w przebraniu kwestarza-bernardyna jako **Ksiądz Robak**

Ewa
z woli ojca poślubiła Wojewodę, zmarła młodo na Syberii

Tadeusz
ur. 1792?

Zosia
ur. 1797?

Wojski Hreczecha
daleki krewny i przyjaciel domu

Telimena
zwana przez Tadeusza „ciocią", pokrewieństwo jednak niepewne

Hrabia
daleki krewny

Woźny Protazy Brzechalski

Rejent Bolesta — gość Sopliców
Asesor — jak wyżej

Gerwazy
klucznik Horeszków, herbu Półkozic, zwany też „Mopanku" (od ulubionego powiedzenia) i „Rębajło" (od swych talentów szermierczych)

Gościem najbardziej dostojnym, zajmującym „najwyższe" miejsce za stołem jest:

Podkomorzy

wraz z żoną (Podkomorzyną) i dwiema córkami Różą i Anną

Ponadto: **Jankiel**
Żyd i dobry Polak,
karczmarz

Major Płut
najpewniej zruszczony Polak

Kapitan Ryków
typ „dobrego Rosjanina",
przyjaciel Polaków

Miejsca akcji: **Dwór Sopliców** i oddalony o „dwa tysiące kroków", będący przedmiotem sporu z Hrabią **Zamek**. Począwszy od księgi VI także **Zaścianek**, gdzie mieszkają Dobrzyńscy — zubożała szlachta.

Wydarzenia

Uwaga! *Pan Tadeusz* jest dziełem poetyckiej fantazji, a nie dokumentem. Nie wszystkie opisane w utworze wydarzenia dadzą się połączyć z realnymi wypadkami. Z grubsza wygląda to tak:

1791 — Konstytucja 3 maja. Stolnik jej zwolennikiem.

1792 — Targowica. „Krajowe zamieszki". Atak Moskali na zamek Horeszków zostaje odparty, Stolnik ginie jednak zabity przez Jacka. Część jego dóbr przypada Soplicom uważanym przez zaborcę za lojalnych przyjaciół. Jacek, nie mogąc znieść hańby, opuszcza kraj.

1797 — We Włoszech powstają legiony polskie.

1806 — Jacek Soplica ranny w bitwie pod Jeną.

1807 — Napoleon tworzy Księstwo Warszawskie, obejmujące część ziem dawnej Rzeczypospolitej. Litwa nadal pod władzą rosyjską.

1808 — Brawurowa szarża polskich szwoleżerów pod Somosierrą w Hiszpanii. Jacek znów ranny.

1811 — Polacy oczekują na wybuch wojny z Rosją i w perspektywie — odbudowę państwa polskiego w dawnych granicach. W Soplicowie — kłótnie, swary, umizgi, marzenia o czynie zbrojnym, zajazd i ucieczka głównych bohaterów. Śmierć Jacka.

1812 — Wyprawa Napoleona na Moskwę (zakończy się klęską, ale o tym w poemacie ani słowa!). Po drodze odwiedzają Soplicowo polscy generałowie: Dąbrowski i Kniaziewicz. Jacek Soplica zrehabilitowany i pośmiertnie odznaczony.

1834 — Mickiewicz wydaje *Pana Tadeusza*.

Polskie rekwizytorium

Dworek szlachecki Sopliców z portretami
Kościuszki, Rejtana, Jasińskiego (I), zegar grający
Mazurka Dąbrowskiego (I), tabakierka
Podkomorzego z portretem króla Stanisława
Augusta Poniatowskiego — dar od króla (I),
strój Sędziego ozdobiony tradycyjnym pasem
słuckim (I), polskie potrawy w szlacheckiej kuchni:
chołodziec (chłodnik) litewski (I), bigos myśliwski
(IV), rosół staropolski (XII),
arcy-serwis Wojskiego przedstawiający cykl
czterech pór roku, ale też historię polskich
sejmików (XII).
Ważną rolę spełnia w poemacie m u z y k a:
,,rogowej arcydzieło sztuki'', czyli koncert
Wojskiego po zwycięskim polowaniu (IV),
finałowy polonez prowadzony przez
Podkomorzego (XII), a zwłaszcza koncert Jankiela
grającego na cymbałach (XII). Pierwszym
utworem, jaki wykonuje, jest *Polonez Trzeciego
Maja*, ostatnim *Mazurek Dąbrowskiego*. Koncert
Jankiela wyznacza perspektywę historyczną *Pana
Tadeusza*.
Polski obyczaj przeciwstawiony jest obcym
wpływom:
francuskim (Podczaszyc z opowiadania
Podkomorzego — I),
angielskim (Hrabia — II),
rosyjskim (Telimena zachwycona Petersburgiem
— II),
włoskim (dyskusja o sztuce i pejzażu między Hrabią
i Tadeuszem — III).
Taką wymowę ma też zachowanie dawnych,
staropolskich tytułów (Wojski, Rejent, Klucznik),
stojących w opozycji do rosyjskich, zwanych przez
Mickiewicza ,,rangami''.

Mądrości i powiedzenia

,,Ładem — domy i narody słyną,
Z jego upadkiem — domy i narody giną.'' (I)
,,Grzeczność wszystkim należy, lecz każdemu
                                          inna.'' (I)
,,Na Litwie, chwała Bogu, stare obyczaje.'' (II)
,,Kraj lat dziecinnych! On zawsze zostanie
Święty i czysty jak pierwsze kochanie.'' (E)

,,O, gdybym kiedy dożył tej pociechy,
Żeby te księgi zbłądziły pod strzechy.'' (E)

Krajobrazy

Pan Tadeusz pokazuje zwykle przyrodę w stanie
rozkwitu, bogatą, pełną życia, przywodzącą na myśl
obraz rajskiego ogrodu. Najsławniejsze opisy to:
wschód słońca (II, XI),
zachód słońca (I),
gwiazdy na wieczornym niebie (VIII),
sad (II) i ogród w pełnym słońcu (III),
gaj brzozowy pełen grzybów (III),
puszcza litewska wraz z legendarnym
,,matecznikiem'' (IV).

Kochajmy się

We współczesnym języku, niestety gorszym
od tego, jakim posługiwał się Mickiewicz, znaczy
po prostu ,,happy end''. Szczęśliwe zakończenie
w *Panu Tadeuszu* znajdują: spór Horeszków
z Soplicami, spór Gerwazego z Protazym, spór
Asesora z Rejentem (o zalety psów myśliwskich
Sokoła i Kusego). A w sprawach sercowych:
zaręczyny trzech par (Zosia—Tadeusz, Tekla
Hreczeszanka—Asesor, Rejent—Telimena). Hrabia
zostaje bez pary (dobrze mu tak, skoro nie chce się
żenić!).
Happy end w kwestii nierówności społecznych:
Tadeusz ogłasza uwłaszczenie chłopów, czyli
nadanie im ziemi, którą i tak uprawiają. Gerwazy
komentuje to następująco:

,,Ale skoro Chrystus Pan, choć z królów pochodził,
Między Żydami w chłopskiej stajni się urodził,
Odtąd więc wszystkie stany porównał
                                  i zgodził.''(XII)

POLSKI SZLACHCIC NA ZAGRODZIE RÓWNY WOJEWODZIE

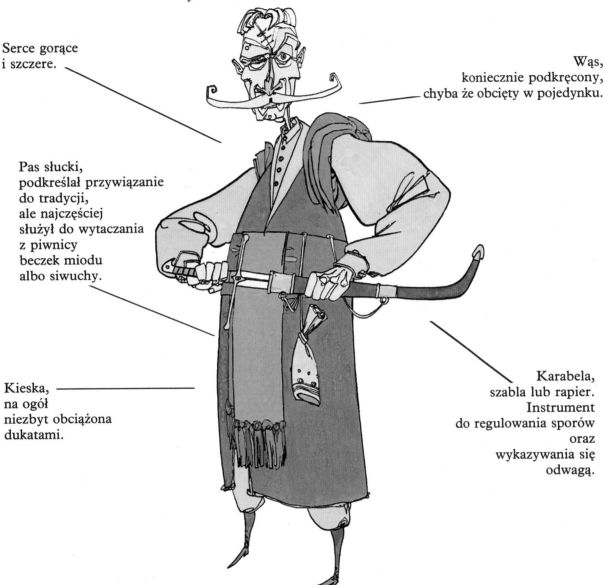

Na głowie: często rany cięte,
pamiątka walk w obronie ojczyzny albo
nieporozumień sąsiedzkich. W głowie:
myśli nie za wiele.

Serce gorące
i szczere.

Wąs,
koniecznie podkręcony,
chyba że obcięty w pojedynku.

Pas słucki,
podkreślał przywiązanie
do tradycji,
ale najczęściej
służył do wytaczania
z piwnicy
beczek miodu
albo siwuchy.

Kieska,
na ogół
niezbyt obciążona
dukatami.

Karabela,
szabla lub rapier.
Instrument
do regulowania sporów
oraz
wykazywania się
odwagą.

Uśmiechnij się! *Pan Tadeusz* jest nie tylko narodowym poematem, lecz także świadectwem nadzwyczajnego poczucia humoru poety!

Kuchnia literacka

1) *Pan Tadeusz* napisany jest trzynastozgłoskowcem (czyli wierszem złożonym z trzynastu sylab). Takiego samego wiersza używano już w średniowieczu. Przed Mickiewiczem zastosowali go m.in. Potocki (*Wojna chocimska*), Trembecki (*Sofiówka*), Malczewski (*Maria*).
2) *Pan Tadeusz* nazywany jest często eposem albo epopeją. Zwróćmy uwagę, ile tu — często żartobliwych — nawiązań do *Iliady* i *Odysei*

Homera. Tradycyjna epopeja rozpoczynała się zwykle i n w o k a c j ą, czyli prośbą do muzy o natchnienie. U Mickiewicza nie ma muzy. A inwokacja brzmi tak: „Panno Święta, co Jasnej bronisz Częstochowy i w Ostrej świecisz Bramie" (to też symbol! Matka Boska Częstochowska i Matka Boska Ostrobramska patronują Koronie i Litwie, częściom składowym Rzeczypospolitej Obojga Narodów).

Pana Tadeusza ciąg dalszy pisał — bez powodzenia zresztą — Mickiewicz. Ale nie tylko on! Zachowała się próbka „dalszego ciągu" autorstwa... Juliusza Słowackiego. Tylko nie mów, na Boga, podczas lekcji polskiego, że *Pana Tadeusza* napisał Słowacki!

*„Być sternikiem
duchami napełnionej łodzi..."*

JULIUSZ SŁOWACKI

Urodzony 1809
w Krzemieńcu (miasteczko utracone po III rozbiorze, w okresie międzywojennym
należało do Polski, dziś — w granicach Ukrainy), syn Euzebiusza (profesora Uniwersytetu Wileńskiego) i Salomei z Januszewskich.

rok życia

5 Dzieciństwo spędza w Wilnie i Krzemieńcu. Śmierć ojca. Kilka lat później — ślub matki
z doktorem Augustem Bécu, profesorem medycyny na Uniwersytecie Wileńskim.

10 Wstępuje do gimnazjum wileńskiego. Uczeń znakomity, cudowne dziecko. Już wówczas
pochłania książki (Kochanowski, Krasicki, literatura antyczna).

13 Pierwsze spotkanie z Mickiewiczem i pierwsze próby poetyckie.

15 Ojczym Juliusza współpracuje z Nowosilcowem podczas śledztwa przeciwko filomatom, co
opisze Mickiewicz w III części *Dziadów*. August Bécu ginie od uderzenia pioruna, co też
Mickiewicz opisze.

16 Po uzyskaniu świadectwa dojrzałości rozpoczyna studia na Wydziale Nauk Moralnych
i Politycznych Uniwersytetu Wileńskiego.

18 Kocha się w Ludwice Śniadeckiej (Jan był jej stryjem), odnosi sukcesy towarzyskie jako
♥ świetny tancerz, panny podziwiają jego młodzieńcze poezje.

20 Kończy studia i wyjeżdża do Warszawy, podejmuje pracę jako urzędnik w Komisji
Skarbu. Obserwuje koronację cara Mikołaja I na króla Polski — przyda się podczas
pisania *Kordiana*.

21 Poeta powstania listopadowego. **Hymn, Oda do wolności** i **Kulik** zapewniają Słowackiemu
rozgłos i pierwsze honoraria autorskie. Do tematyki powstańczej wróci po latach, pisząc
wiersz **Sowiński w okopach Woli**.
Opuszcza Warszawę w czwartym miesiącu powstania (misja dyplomatyczna? kuracja?). Przez
Drezno dociera do Paryża.

22 Zwiedza Londyn i Paryż, uczy się hiszpańskiego (genialny młodzieniec!), poznaje Chopina.

23 W dwóch tomikach ukazują się w Paryżu **Poezje**, gromadzące większość utworów młodzieńczych Słowackiego (powieści poetyckie i dramaty). Są one nade wszystko świadectwem rozległych lektur. **Jan Bielecki** przypomina *Marię* Malczewskiego, **Hugo** kojarzy się z *Konradem Wallenrodem* Mickiewicza. Jak na wczesny romantyzm przystało, główni bohaterowie wykazują cechy postaci bajronicznych (**Arab, Mnich**), technika opowieści zapożyczona z utworów Waltera Scotta. Mimo wszystko — świetny debiut, popis warsztatowej sprawności młodziutkiego przecież artysty. Zrywająca z poetyką klasycyzmu tragedia **Maria Stuart** stanowi pierwszy krok w kierunku stworzenia dramatu romantycznego. *Poezje* przyjęte zostały na ogół chłodno, a Mickiewicz ocenił je jako „świątynię bez Boga".

24 Podróżuje po Szwajcarii. Odwiedza kasyno i teatr, łamie serca dam. Wydaje trzeci tomik *Poezji* (tu m.in. **Lambro** i **Godzina myśli** ➡ POEMATY SŁOWACKIEGO, a we wstępie nieco uszczypliwości pod adresem Mickiewicza).

25 W Paryżu ukazuje się **Kordian** ➡ TEATR SŁOWACKIEGO. Ponieważ dramat wyszedł anonimowo, przypisywano go z początku... Mickiewiczowi.
Latem odbywa wycieczkę w góry. Alpejskie pejzaże opisze w kilku późniejszych utworach.

26 Nad jeziorem Leman pisze wiersz **Rozłączenie**. Nikt tak pięknie nie mówił dotąd o tęsknocie („Rozłączeni — lecz jedno o drugim pamięta; pomiędzy nami lata biały gołąb smutku"). Pracuje nad dramatem **Horsztyński** ➡ TEATR SŁOWACKIEGO. Utwór ten ukaże się dopiero po śmierci poety.

27 Rozpoczyna swą najdłuższą podróż (trwała prawie rok). W Rzymie poznaje Krasińskiego, w Neapolu wchodzi na szczyt Wezuwiusza, w Mykenach ogląda Grób Agamemnona, w Atenach — zachód słońca na Akropolu, w Egipcie — piramidy. W El-Arisz odbywa przymusową kwarantannę, w Jerozolimie spędza noc u Grobu Chrystusa (najważniejsze wydarzenie podróży), udaje się na Górę Oliwną, odnajduje groby proroków, zwiedza Betlejem. Damaszek go nie zachwycił, Bejrut trochę znudził.

Jak podróżował Słowacki?	
Trasa	**Środek lokomocji**
Neapol — Otranto	dyliżans
Otranto — wyspa Korfu	żaglowiec
wyspa Korfu—Patras	parowiec
Patras—Kalamaki	koń
Kalamaki—Ateny	łódź
wyspa Syra—Aleksandria	parowiec
podróż po Nilu	łódź
Kair—Gaza	wielbłąd
podróż po Ziemi Świętej	koń
Trypolis—Livorno	żaglowiec

Była to z pewnością najważniejsza podróż romantyczna, jej ślady znajdziemy w wielu późniejszych utworach Słowackiego (poematy **Podróż do Ziemi Świętej z Neapolu, Ojciec zadżumionych**, zapiski w dzienniku poety). Podczas rejsu do Aleksandrii napisany został słynny **Hymn** (zaczynający się od słów: „Smutno mi, Boże").

29 **Anhelli** ➡ POEMATY SŁOWACKIEGO. Pod koniec roku wyjeżdża z Włoch do Paryża.

30 W Szwajcarii ➡ POEMATY SŁOWACKIEGO.
Balladyna ➡ TEATR SŁOWACKIEGO. Recenzję — napastliwą i ośmieszającą dramat — ogłosił na łamach emigracyjnego czasopisma „Młoda Polska" Stanisław Ropelewski. Jeszcze o nim usłyszymy.
Poema Piasta Dantyszka herbu Leliwa o piekle. Najbardziej makabryczny utwór Słowackiego. W swej wędrówce przez piekło polski szlachcic spotyka m.in. potępione duchy Piotra Wielkiego i carycy Katarzyny.

Pisze **Testament mój**. Ten wiersz czyta się po latach jak antologię złotych myśli, romantycznych haseł, narodowych frazesów. „Zostanie po mnie ta siła fatalna" — czyli dużo więcej niż pamięć o poecie i jego dziełach. To potęga, której nie będą mogli oprzeć się Polacy, tajemna moc, co „zjadaczy chleba — w aniołów przerobi". Bardzo trudne zadanie! A strofka najczęściej cytowana w szkołach brzmi tak:

> „Lecz zaklinam — niech żywi nie tracą nadziei
> I przed narodem niosą oświaty kaganiec;
> A kiedy trzeba — na śmierć idą po kolei,
> Jak kamienie przez Boga rzucane na szaniec..."

31 Ukazują się dwa kolejne dramaty: **Mazepa** i **Lilla Weneda** ➡ TEATR SŁOWACKIEGO. Jako dodatek do *Lilli Wenedy* — **Grób Agamemnona**. W tym sławnym wierszu — krytyka polskich wad narodowych („dusza anielska" uwięziona w „czerepie rubasznym"). Surowo osądzona przeszłość Polski („pawiem narodów byłaś i papugą"). Wiersz kontrowersyjny, odbierany niegdyś jako szyderstwo.

W noc wigilijną bierze udział w przyjęciu na cześć Mickiewicza (od dwóch dni — wykładowcy w Collège de France). W obecności ponad czterdziestu osób doszło do słynnego pojedynku poetyckiego: Mickiewicz i Słowacki wygłosili improwizacje. Nie wiadomo dokładnie, co powiedzieli sobie dwaj najwięksi polscy poeci, bo ich słowa wypaczyła nieprzychylna Słowackiemu część paryskiej emigracji („szkoła litewska", uznająca jednego tylko wieszcza w osobie Mickiewicza).

Kocha się w pani Joannie Bobrowej, poprzednio — muzie Zygmunta Krasińskiego.

32 Rozprawia się z „Litwinami", posyłając do druku poemat ➡ BENIOWSKI. Zaraz potem wyjeżdża do Frankfurtu (sprawy osobiste).

Obrażeni „Litwini" decydują, że Ropelewski wyzwie Słowackiego na pojedynek i „stanie się kozłem ofiarnym za Litwę całą". Nie oddano ani jednego strzału, bo przeciwnik Słowackiego stchórzył („Litwini" zapewniali, że się rozmyślił).

33 Wstępuje do Koła Sprawy Bożej założonego przez Andrzeja Towiańskiego. Godzi się z Mickiewiczem.

34 Podróżuje do Pornic nad Oceanem Atlantyckim. Po powrocie zrywa z towiańczykami („położyłem veto z ducha polskiego przeciwko dążności rosyjskiej"). Mickiewicz próbuje go skłonić do zmiany stanowiska (Koło zdecydowało, że „brat Adam ma obowiązek stanowczo docisnąć brata Juliusza"). „Dociskanie" — bez rezultatu.

35 Wydaje dramaty: **Sen srebrny Salomei** ➡ TEATR SŁOWACKIEGO i **Ksiądz Marek**. Prawdopodobnie w tym roku (datowanie sporne) pisze tragikomedię **Fantazy** ➡ TEATR SŁOWACKIEGO. W sztambuchu Zofii Bobrówny, córki pani Joanny, wpisuje sławny wiersz zaczynający się od słów: „Niechaj mię Zośka o wiersze nie prosi." Pani Bobrowa wraz z córkami wraca rzeczywiście do ojczystego Krzemieńca, ale do Paryża jeszcze przyjedzie.

Drugi pobyt w Pornic. Powstaje **Genezis z Ducha** ➡ MISTYKA SŁOWACKIEGO. W życiu poety trwa okres mistyczny. Notuje własne sny, czyta Pismo Święte, przeobraża się nawet zewnętrznie.

36 W nocy z 20 na 21 kwietnia doznaje mistycznej wizji („Widzenie na jawie ognia ogromnego nad głową — kopuły niby niebios całych ogniami napełnionej — tak że w okropnym przestrachu mówiłem: Boże Ojców moich — zmiłuj się nade mną — i niby z chęcią widzenia Chrystusa przeszywałem wzrokiem te ognie, które się odsłaniały — i coś niby miesiąc biały ukazało się w górze — nic więcej. — Boże Ojców moich — bądź mi litosny!").

Prawdopodobnie w tym roku albo w następnym rozpoczyna pracę nad poematem **Król-Duch** ➡ MISTYKA SŁOWACKIEGO. Za życia poety ukaże się tylko niewielki fragment tego ogromnego dzieła, którego Słowacki nie zdążył skończyć.

38 Ostatnią książką, która ukazała się za życia poety, jest *Król-Duch. Rapsod I*. „Poezje niezrozumiałe dla nas bynajmniej", jak napisze jedna z emigracyjnych gazet. Krasiński jest podobnego zdania: „Albo ja wariat, czytelnik, albo autor, co pisał." 13 grudnia 1847 r. (historyczna data!) Węgrzy zagrali w Budapeszcie *Mazepę* (przekład na węgierski z... niemieckiego). Gyula Slovacky (jak podano na afiszu) chyba nawet o tym nie wiedział. Słowacki nie widział żadnego ze swych utworów na scenie. Zaiste, dziwną mamy literaturę...

39 Pisze testament. Wiosną wsiada do pociągu Paryż—Kolonia. Stamtąd jedzie do Berlina. Z Berlina — dyliżansem wprost do Poznania. W Wielkopolsce trwa właśnie powstanie przeciw Prusakom. Słowacki jest za kontynuowaniem walki, przepowiada „epokę świętej anarchii". Po miesiącu policja pruska zmusza go do opuszczenia Poznania. Jedzie do Wrocławia, gdzie spotyka się wreszcie z matką.

Dwadzieścia lat rozłąki z najbliższą poecie osobą zaowocowało tomem wspaniałych listów. Są wśród nich listy zaszyfrowane dla zmylenia czujności ewentualnych cenzorów, komentarze do własnych utworów, opisy kolejnych miejsc pobytu poety, relacje z podróży. Prawdziwe arcydzieło romantycznej epistolografii. Słowackiego **Listy do matki** porównać można chyba tylko z *Listami do Delfiny Potockiej* Krasińskiego i ewentualnie korespondencją Norwida. Pełnią też funkcję dziennika, choć rozmaite pamiętniki i raptularze prowadził poeta (bardzo nieregularnie) przez całe niemal życie.

Przez Drezno i Ostendę wraca do Paryża. W kraju był niespełna trzy miesiące.

W Lipsku (bezimiennie) ukazuje się **Odpowiedź na „Psalmy przyszłości"**, polemika z Krasińskim. Nie jest pewne, czy druk nastąpił za zgodą Słowackiego.

Spór wokół *Psalmów* interpretowano często w kategoriach walki politycznej, przeciwstawiając konserwatystę Krasińskiego — rewolucjoniście Słowackiemu. W rzeczywistości chodzi raczej o starcie dwóch odmiennych wizji historii. Duch Słowackiego („Duch-wieczny rewolucjonista") wybrać może drogę rewolucji właśnie dlatego, że jest Duchem, prawdziwym twórcą historii. Krasiński broni tradycyjnego ujęcia, potępiając rewolucję z pozycji etyki chrześcijańskiej. Rzecz jasna, jest to również spór o duchowe przywództwo narodu. Według Krasińskiego sprawować je powinna szlachecka elita. Zdaniem Słowackiego arystokracja ani szlachta do takiej roli pretendować nie mogą.

40 Choruje, ma krwotoki (zgodnie z relacją przyjaciółki poety „cera jego zżółkła jak pergamin, oddychał z trudnością; kaszel co chwila przerywał mu mowę"). Umiera — na gruźlicę — 3 kwietnia 1849 r. Pogrzeb odbył się na cmentarzu Montmartre w Paryżu, a za trumną szło podobno nie więcej niż 30 osób. W 1927 r. podczas „drugiego" pogrzebu Słowackiego za jego trumną pójdą setki tysięcy Polaków. Spocznie na Wawelu, obok Mickiewicza — „by królom był równy" (słowa z mowy pogrzebowej Józefa Piłsudskiego).

Grób Słowackiego w Paryżu

Trudno o bardziej romantyczny życiorys. Marzycielska młodość, nieszczęśliwa miłość (chyba nawet niejedna), podróże, trudności w znalezieniu przyjaznego otoczenia, romantyczny indywidualizm i bunt, życie w nieustannym napięciu — dramatyczne, gorączkowe, wreszcie rola narodowego wieszcza i wielka przygoda mistyczna. A to wszystko — na przestrzeni niespełna czterdziestu lat. Tak jak wielu romantyków europejskich (np. Novalis, Byron, Shelley, Puszkin, Lermontow, Nerval) — Słowacki zmarł przedwcześnie, w pełni sił twórczych. W przeciwieństwie do Mickiewicza zmarł nad stertą nie ukończonych rękopisów, których uporządkowanie wciąż budzi dyskusje wśród badaczy.
Za życia nie zawsze doceniany i nie do końca rozumiany, dla wielu pozostawał w cieniu Mickiewicza. Później — bywało, że w hierarchii narodowych wieszczów ceniono go wyżej niż autora „Pana Tadeusza". Dopiero w w. XX — dzięki pracom Jana Gwalberta Pawlikowskiego i Juliusza Kleinera, a ostatnio Marty Piwińskiej i Aliny Kowalczykowej — uznano znaczenie pism mistycznych Słowackiego. Kto wie, czy to nie najważniejsza, najbardziej dziś żywa część jego dorobku?

POEMATY SŁOWACKIEGO

Gatunkiem najchętniej uprawianym przez młodego Słowackiego (i innych romantyków) jest **powieść poetycka**. Łączy ona — podobnie jak ballada — elementy liryki i epiki. Napisana wierszem, nie zawsze jest utworem długim (np. **Arab** i **Hugo** liczą niespełna 300 wersów). Romantyczną powieść poetycką cechuje powikłana akcja, obecność zagadkowego bohatera, partie liryczne (np. pieśni). Tematu dostarcza zwykle historia; wydarzenia autentyczne i realia epoki traktowane są jednak swobodnie. Egzotyka — mile widziana. Wzorzec powieści poetyckiej stworzył **Byron** (*Giaur, Korsarz*). Młody Słowacki napisał aż siedem utworów należących do różnych odmian tego gatunku: „ukraińskiej" (**Żmija, Jan Bielecki**), „orientalnej" (**Mnich, Arab, Szanfary**), „krzyżackiej" (**Hugo**).

> Najlepiej udał się poecie **Lambro**. Akcja tej powieści poetyckiej rozgrywa się w Grecji — dla romantyków kraju szczególnym, walczącym o niepodległość podobnie jak Polska. Tytułowy bohater, „powstańca grecki", miał być w zamyśle poety „obrazem naszego wieku, bezskutecznych jego usiłowań". Lambro — istota rozdarta wewnętrznie, tragiczna, nieszczęśliwa, jest opiumistą, poszukiwaczem „sztucznych rajów". Narkotyk otwiera mu wstęp do krainy romantycznych marzeń. Ten patriota i przedstawiciel podbitego narodu, a równocześnie wyjęty spod prawa korsarz to kolejny bohater skłócony z Bogiem i ludźmi. „Czyż się beze mnie sam nie zemścisz, Boże!", pyta retorycznie. Niebo milczy, bo wezwane przez Lambra anioły zemsty i zarazy, roztaczające wizję katastrofy tureckiego imperium, zdają się być raczej duchami upadłymi.

Późniejsze poematy Słowackiego odrzucają wyczerpany już gatunek powieści poetyckiej. *Godzina myśli* to poemat autobiograficzny, *W Szwajcarii* — poemat miłosny, wreszcie ➡ BENIOWSKI, najświetniejsza realizacja romantycznej formuły poematu dygresyjnego.

Godzina myśli — poetyckie studium świadomości romantycznej:
- romantyczne marzycielstwo („Karmił się marzeniami jak chlebem powszednim" — rzeczywistość jest nie do wytrzymania, życie romantyka to nieustanna ucieczka (w świat marzeń i lektur, w sny, w poezję)
- romantyczna przyjaźń — pierwowzorem dla jednego z bohaterów poematu był Ludwik Spitznagel, utalentowany orientalista, typ najwyraźniej neurotyczny („myśl samobójstwa ulatywała nad nim"), kochał się w dwunastolatce, lecz raczej mania samobójcza niż nieszczęśliwa miłość stała się przyczyną jego śmierci w wieku zaledwie 22 lat
- romantyczna melancholia — „wyobraźnia chora, wypalona [...] smutna, jak w starcach pamięć przeminionych czasów" — romantyk jest smutny, źle przystosowany do otoczenia, już za młodu staje się zgorzkniałym samotnikiem
- romantyczna miłość — oczywiście do dziewczyny-anioła, romantyczna kobieta jest wróżką, czarodziejką, inspiratorką poetyckich natchnień, a także opiekunką słabszego zwykle partnera

Godzina myśli to najdoskonalsza synteza wczesnej fazy romantyzmu. Bo dalsze dzieje i poety, i polskiego romantyzmu wyglądać będą zgoła inaczej. Słowacki miał rację, gdy w ostatnim zdaniu poematu pisał, że „powieść nie skończona".

> **W Szwajcarii** — poemat o miłości nieszczęśliwej, zakończonej rozstaniem („Odkąd zniknęła jak sen jaki złoty"), przypomina zapis snu rozgrywającego się w nierealnej przestrzeni:
> - bohaterka — jak z baśni („miała powozy z delfinów, z gołębi, i kryształowe pałace na głębi")
> - „tak się zaczął prędko romans" — właściwie nie romans, lecz niezwykła podróż na granicy nieba i ziemi, wędrówka Beatrycze prowadzącej poetę („sercem tylko byliśmy złączeni")
> - wyobraźnia i pamięć — dwie najważniejsze władze duszy, to dzięki nim powstaje poezja miłosna
> - barwy użyte w poemacie: błękit, biel, złoto — tworzą mistyczną scenerię
> - Arkadia jest w Szwajcarii! w Alpach, pośród „tęcz, mgieł, róż i lazurów" — słynne opisy m.in. kaskady na rzece Aar i lodowej groty

ANHELLI

Najważniejszy (obok *Ksiąg narodu polskiego i pielgrzymstwa polskiego*) przykład stylizacji biblijnej w polskiej literaturze romantycznej. Sam poeta wyznawał: „pisałem ubierając wszystko w szaty Chrystusowe".

Poemat o Syberii
Zawiera obrazy martyrologii polskich zesłańców (rusyfikacja i głodzenie dzieci, kopalnie Sybiru, bicie więźniów łańcuchami). Syberia z *Anhellego* jest krainą bieli (biel śniegu, gwiazd, skrzydeł ptasich i anielskich). Ciemność rozświetlona płomykami kaganków pojawia się w scenie nad jeziorem (rozdział VIII). Motyw wędrówki poprzez piekło, jak również niektóre symbole łączą poemat Słowackiego z *Boską Komedią* Dantego.

Poemat o emigracji
Zesłańcy (nazwani „wygnańcami") tworzą trzy stronnictwa:
1) szlacheckie, „kontuszowe" (przywódca graf Skir, hasło KREW),
2) demokratyczne, „ludowe" (żołnierz Skartabella, hasło RÓWNOŚĆ),
3) mesjanistyczne (ksiądz Bonifat, hasło WIARA).
Ich przedstawiciele (nie przywódcy!) zostają przybici do krzyża: „kto najdłużej żyć będzie, przy tym zwycięstwo". Pojedynku nie rozstrzygnięto. A kto miał rację?
Poemat kończy pojawienie się rycerza z ognistą chorągwią — są na niej napisane trzy litery (w liście do Konstantego Gaszyńskiego poeta wyjaśnił, że miał na myśli słowo LUD). Zakończenie nie musi wcale oznaczać bezkrytycznego poparcia dla rewolucji, co wykazał Cyprian Norwid w pełnej wirtuozerii analizie poematu.

Poemat religijny
Tradycja chrześcijańska dominuje w *Anhellim*, wykracza jednak poza nią postać Szamana. U ludów syberyjskich, wyznających jeszcze prymitywną pogańską religię, szaman był czarnoksiężnikiem, zaklinaczem, kapłanem, a jednocześnie pieśniarzem-poetą. Jako jedyny członek plemienia mógł kontaktować się z duchami zmarłych. U Słowackiego Szaman jest „królem, a zarazem księdzem". Pojawia się w wężowej koronie, wobec Anhellego spełnia rolę mistrza. Cuda Szamana (stracenie popa, wskrzeszenie zmarłego, uwolnienie duszy, przemiana jabłoni w drzewo pełne gwiazd, odwalenie kamienia) upodobniają go do Chrystusa. Zauważmy jednak, że w poemacie chodzi głównie o „cud niedoskonały", wskrzeszenie doprowadza do ponownej śmierci, ukrzyżowanie staje się parodią ofiary Chrystusowej. W syberyjskim piekle człowiek utracił kontakt z Bogiem, nie rozumie intencji Opatrzności, działa na oślep.

Poemat o śmierci
Zgodnie z romantyczną filozofią śmierci *Anhelli* usprawiedliwia akt samobójstwa. Gorzkie słowa Szamana o „niepoświęconej mogile" oraz ironiczne przeciwstawienie męczeńskiej śmierci zesłańca — umieraniu we własnym domu zawierają wyzwanie pod adresem Kościoła („przed wiatry silnemi i wam padać wolno"). Śmierć pozostaje w ukrytym związku z miłością, dlatego Eloe, anioł śmierci, podobna jest do ukochanej Anhellego. Śmierć porównana została do spokojnego snu — w ostatniej scenie Eloe nie pozwala obudzić się zmarłemu bohaterowi.

Poemat o przemijaniu
Tak jak potępione duchy z poematu Dantego, Anhelli zachowuje pamięć. To jedyna broń człowieka w walce z niszczącym działaniem czasu. Życie Anhellego, na początku utworu młodzieńca, jest nieustannym przybliżaniem się do śmierci. Lata spędzone w ojczyźnie, szczęśliwe dzieciństwo i miłość do dziewczyny wydają się nierealnym snem:
„Oto szafirowe niebo i gwiazdy białe patrzą na mnie: sąż to gwiazdy te same, które mnie widziały młodym i szczęśliwym?"
„Oto już jednego włosa nie ma na mojej głowie z tych, które były dawniej, oto się nawet kości we mnie odnowiły, a ja zawsze pamiętam."

BENIOWSKI

Poemat dygresyjny

Pionierem tego gatunku literackiego był włoski poeta Lodovico Ariosto (XVI w.), dzięki któremu do poważnej zazwyczaj epiki rycerskiej trafił żart, satyra, ironia, a ponadto — swobodna kompozycja (poemat *Orland szalony*).

Romantyczny poemat dygresyjny (m.in. *Don Juan* Byrona i *Eugeniusz Oniegin* Puszkina) to utwór zbudowany z luźnych epizodów. Narrator (utożsamiany zwykle z samym autorem) wystawia cierpliwość czytelnika na ciężką próbę, przerywając nieustannie opowieść, komentując opisywane wypadki, wplatając nie związane z tematem dygresje czy też — jak w *Beniowskim* — atakując swoich przeciwników.

Poemat Słowackiego napisany został oktawą, wierszem jedenastozgłoskowym.

Streszczamy *Beniowskiego*

Beniowski, niezamożny szlachcic z Podola, traci nie tylko majątek, ale i szanse na zdobycie ręki Anieli. Bogata i niezależna panna umie jednak sprzeciwić się woli ojca i potajemnie spotyka się z Beniowskim (Pieśń I). Sytuację dziewczyny komplikuje pojawienie się kolejnego konkurenta — Regimentarza. Musimy jednak dodać, że akcja poematu rozgrywa się w okresie, gdy trwa konfederacja barska. Regimentarz Dzieduszycki jest jej zaciekłym wrogiem. Nie oszczędzą go więc konfederaci, którzy pod wodzą księdza Marka zdobywają zamek (Pieśń II).

Trwa walka o Bar. Beniowski spotyka księdza Marka i zgłasza akces do konfederacji (Pieśń III). W wyniku błahego nieporozumienia Beniowski pojedynkuje się z Kozakiem Sawą. Spór łagodzi ksiądz Marek, który postanowił pozyskać dla sprawy konfederackiej osobliwego sojusznika — krymskich Tatarów. Z poselstwem pojedzie Beniowski (Pieśń IV).

Rozpoczyna się podróż Beniowskiego. Poznajemy historię Sawy (Pieśń V).

To jeszcze nie koniec *Beniowskiego*, choć tylko pięć pierwszych pieśni traktuje się dziś jako lekturę obowiązkową. Słowacki nie wiedział, że tak się stanie, próbował więc pisać dalej. Następne pieśni zachowały się w wersji fragmentarycznej i opublikowane zostały dopiero po śmierci poety. Wydanie Kleinera uwzględnia łącznie czternaście pieśni (piętnasta zaplanowana), ale wydawca nie ręczy za ścisłość rachunku.

W dalszych pieśniach pojawiają się nowi bohaterowie, m.in. Wernyhora — legendarny poeta i wieszcz ukraiński (wystąpi w dramacie Słowackiego *Sen srebrny Salomei* i *Weselu* Wyspiańskiego), by wydobyć z grobu zakopaną lirę. W tym samym czasie Beniowski dociera na Krym. Przygotowując się do audiencji u chana, popada w tarapaty. Próbuje uwolnić polską brankę z haremu, dokonuje niezwykłych wyczynów na dworze krymskiego władcy. Ostatecznie otrzymuje posiłki i na czele dwustu walecznych Tatarów powraca, by kontynuować walkę.

Czy to jest *Beniowski*?

NIE! Gdyby Słowacki napisał swój utwór według przytoczonego wyżej streszczenia, otrzymalibyśmy zapewne kolejną powieść poetycką. W poemacie dygresyjnym mieszają się wątki, czasy, przestrzenie, postacie realne i wymyślone. Fabuła jest tu najmniej ważna i traktowana z przymrużeniem oka. A zatem *Beniowski* to jeden z pierwszych w naszej literaturze utworów, których naprawdę nie da się opowiedzieć!

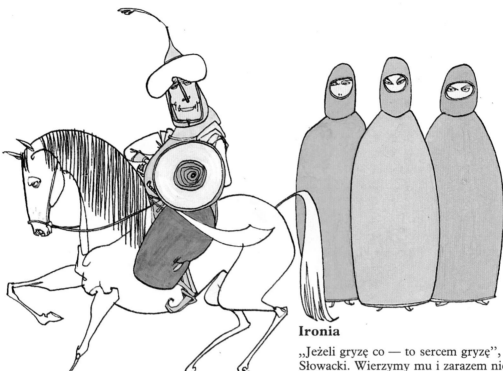

„JA"

Tak naprawdę Słowacki potraktował Beniowskiego okropnie. Nie dość, że zmienił mu żywot, a nawet narodowość, to kazał pełnić rolę cokolwiek dwuznaczną. Tytuł sugeruje, że poeta opowie nam prawdziwą historię Beniowskiego. Nic z tego! Jedynym potraktowanym całkiem serio bohaterem poematu jest sam Słowacki.
W *Beniowskim* przemawia autor świadomy siły swej poezji:

„Chodzi mi o to, aby język giętki
Powiedział wszystko, co pomyśli głowa;
A czasem był jak piorun jasny, prędki,
A czasem smutny jako pieśń stepowa,
A czasem jako skarga nimfy miętki,
A czasem piękny jak aniołów mowa...
Aby przeleciał wszystko ducha skrzydłem.
Strofa być winna taktem, nie wędzidłem."

To poeta, do którego rym się „miłośnie uśmiecha", spadkobierca tradycji Jana Kochanowskiego, twórca natchniony i radosny, bez żalu rozstający się z „mową smętną". Już wie, jak rozprawić się z przeciwnikami, jak dopiec owym złośliwcom wybrzydzającym a to na *Balladynę*, a to na *Anhellego*.
Beniowski jest bowiem również aktem zemsty (literackiej).

Ironia

„Jeżeli gryzę co — to sercem gryzę", tłumaczy się Słowacki. Wierzymy mu i zarazem nie wierzymy. Bo gdzie indziej powiada, że stłumił emocje („Milcz, serce!"), i dodaje perfidnie: „Niech się komedia gra!" Jest ironiczny i szyderczy, chyba także dosyć bezwzględny. Nie daruje nikomu. Ośmieszy swoich wrogów z „Młodej Polski", krytyków nazwie „woźnymi", zdystansuje się od tradycji sentymentalizmu, bajronizmu i romantycznej „poezji grobów". Dobije wreszcie „Litwinów", narazi się niewątpliwie Mickiewiczowi, obiecując 44 pieśni *Beniowskiego* i szydząc z „wallenrodyzmu" („zdrady metodyzm"). Ostatecznie pozwoli nieszczęsnemu Mickiewiczowi zamieszkać gdzieś bardzo daleko, najlepiej na innej planecie („dwa na słońcach swych przeciwnych — Bogi"), ale przecież wyzna bez śladu zakłopotania: „moje będzie za grobem zwycięstwo".

Okrucieństwo

Są w *Beniowskim* sceny okrutne, na miarę obrazów zawartych w ostatnich dramatach poety: śmierć Dzieduszyckiego, któremu konfederaci przybili ręce do stołu, próba pisania pozwu sądowego krwią zabitego, wizja rzezi hajdamackiej. Największym może okrucieństwem są jednak owe straszliwe polemiki poetyckie — otwarte i zawoalowane (np. przedstawienie Krymu jako krainy zdegenerowanej, tonącej w narkotycznych oparach, poszukującej zmysłowych rozkoszy można uznać za atak na Mickiewiczowskie widzenie Orientu w *Sonetach krymskich*). Trudno się dziwić, że po *Beniowskim* zaatakowani postanowili Słowackiego zabić.

> „Beniowski" jest sygnałem wyczerpania konwencji poezji romantycznej. Cóż bowiem można było napisać po tym utworze?
> Słowacki mógł zamilknąć, bo ostatecznie należał do grona nowatorów, a nie pisarzy powielających w nieskończoność zużyte formuły. Mógł przestać pisać wiersze i ostatnie lata życia spędzić na przykład u wód. Doświadczenie mistyczne pozbawiło go tej możliwości, ale dało szansę stworzenia nowego rodzaju literatury i zaowocowało głęboką duchową przemianą.

TEATR SŁOWACKIEGO

Dramat romantyczny

- pomieszanie rodzajów literackich (liryka, epika, dramat), wykorzystanie różnych tradycji: teatru Szekspirowskiego, teatru hiszpańskiego (Calderon, Lope de Vega), misterium średniowiecznego
- nowy typ kompozycji — luźne sceny, początek i koniec często problematyczne
- łączenie świata ziemskiego z zaświatami, elementy fantastyki
- integracja sztuk — malarskie wizje, wpływ gatunków muzycznych (zwłaszcza opery i pieśni)
- tematy — przeważnie historyczne, przy czym prawda historyczna interpretowana jest z dużą swobodą
- dramat do czytania, nie zawsze liczący się z możliwościami inscenizacyjnymi (np. w *Kordianie* 10 tysięcy szatanów!)

Podstępny towarzysz bohatera romantycznego: Szatan.

Ważniejsze dramaty Słowackiego

tytuł	gatunek	temat
Maria Stuart	tragedia	historyczny
Kordian	dramat	współczesny
Horsztyński	tragedia	historyczny XVIII w.
Balladyna	tragedia	legendarny
Lilla Weneda	tragedia	legendarny
Mazepa	tragedia	historyczny XVII w.
Fantazy	tragikomedia	współczesny
Ksiądz Marek	poemat dramatyczny	historyczny XVIII w.
Sen srebrny Salomei	romans dramatyczny	historyczny XVIII w.
Samuel Zborowski	dramat	metafizyczny

Teatr tradycji i nowatorstwa

SZEKSPIR: *Balladynę* porównywano do *Snu nocy letniej* (także do *Makbeta*), *Horsztyńskiego* do *Hamleta*, *Mindowe* wykazuje pewne podobieństwo do kronik historycznych Szekspira. Częsty motyw: walka o władzę. Postać błazna, np. w *Horsztyńskim*.
CALDERON: patronuje zwłaszcza późnym dramatom (*Ksiądz Marek*, *Sen srebrny Salomei*). Metafizyka śmierci, wątki religijne. Z okresu mistycznego pochodzi przekład, a właściwie parafraza *Księcia Niezłomnego*.

Teatr okrucieństwa

Zbrodnia w *Marii Stuart* i *Balladynie*. Oślepienie króla Derwida w *Lilli Wenedzie*. Wypalanie oczu i ścinanie głów jeńcom w *Horsztyńskim* (tam również — okrutna śmierć karła i wieszanie zdrajców), apokaliptyczne obrazy rzezi w *Księdzu Marku* i *Śnie srebrnym Salomei*.

Teatr obrachunków z romantyzmem

Już w *Kordianie* — dystans wobec bohatera romantycznego. W *Lilli Wenedzie* — zakwestionowanie roli poezji. W *Fantazym* — kompromitacja romantycznej pozy (na przykładzie postaci Fantazego i Idalii), odrzucenie „lakieru byrońskiego", przeciwstawienie grze pozorów autentyzmu ofiary (Major).

DRAMAT W TRZECH AKTACH.
CZĘŚĆ PIERWSZA ZAMIERZONEJ TRYLOGII (DALSZE SIĘ NIE UKAZAŁY).
W PRZYGOTOWANIU — NOC POPRZEDZAJĄCA NARODZINY XIX WIEKU.
AKCJA III AKTU KOŃCZY SIĘ W R. 1829 („SPISEK KORONACYJNY”).

KORDIAN

Osoby:
KORDIAN — młody arystokrata
GRZEGORZ — jego sługa
LAURA — polska panna romantyczna
WIOLETTA — namiętna i przedsiębiorcza Włoszka
PAPIEŻ — Grzegorz XVI (pod naciskiem zaborczych mocarstw potępił
          powstanie listopadowe)
PREZES — spiskowiec, przeciwnik terroru
WIELKI KSIĄŻĘ — Konstanty, brat cara, przejawiał pewne sympatie dla Polaków
CAR — Mikołaj I

Świat duchowy:
aniołowie, demony, Strach, Imaginacja

W Przygotowaniu pojawia się szatan XVIII-wieczny („ma płaszcz cały dziełami Woltera łatany” i „pióro gęsie Russa”), sprawujący opiekę nad maszynerią świata. Demony tworzą wodzów powstania listopadowego (m.in. Chłopickiego i Skrzyneckiego), bardzo nieudolnych. W akcie I młodziutki, piętnastoletni Kordian ukazuje się nam jako typowy romantyczny marzyciel — słaby, niedojrzały, poszukujący bezskutecznie życiowego celu. Ma obok siebie starego Grzegorza, żołnierza napoleońskiego i syberyjskiego zesłańca, oraz Laurę. Młodzieńcze niepokoje przerywa próba samobójcza — nieudana. W akcie II kolejna forma ucieczki — w podróże. Nie zachwyca Kordiana Londyn. Nie zatrzyma przy sobie namiętnej Wioletty. Nie znajdzie zrozumienia u papieża, który zgodnie z ówczesną polityką Kościoła nie chce występować przeciw caratowi („Na pobitych Polaków pierwszy klątwę rzucę”). Swoją życiową misję odkryje Kordian dopiero na szczycie Mont-Blanc, pośród ukochanej przez romantyków górskiej przyrody („Jam jest posąg człowieka na posągu świata”). Postanawia związać swe dalsze losy z walką narodu o niepodległość. Polska ma być jego zdaniem „Winkelriedem narodów”. Tak jak Winkelried, bohater szwajcarski z XIV w., przyjmie na siebie uderzenie wroga, a ginąc — ocali innych. W akcie III odbywa się koronacja cara Mikołaja I na króla Polski. Spiskowcy, którym Kordian przedstawił plan zamachu, odrzucają go większością głosów. Kordian sam udaje się do sypialni cara, lecz Imaginacja i Strach obezwładniają zamachowca. Ujęty, trafia najpierw do szpitala dla umysłowo chorych, a później już na plac Saski jako skazaniec. Do egzekucji chyba nie dojdzie, gdyż na żądanie Wielkiego Księcia car podpisuje ułaskawienie Kordiana.

Walka z szatanem tworzy centralny problem dramatu (stąd m.in. pokrewieństwa z III częścią *Dziadów*). Szatan jest w nim ruchliwy, widoczny, wszechobecny. Bóg pozostaje ukryty, bohaterowie muszą Go dopiero odnaleźć. Diabeł to anarchista bez doktryny, burzyciel ludzkich i boskich planów. Pragnie kusić, namawiać do grzechu, powodować błąd. Przyjmuje najrozmaitsze role, raz po raz zmienia kostiumy. Niby papieska papuga przemawia cudzymi językami, z wielką zręcznością wykorzystuje cudze poglądy, podsuwa fałszywe filozofie.

Szatan pełni też funkcję opiekuna rezydencji cara, do której Kordian wdziera się, by zwyciężyć zło za pomocą zła. Posługuje się przy tym zdradą, co więcej — plan zamachu zrodził się w podziemiach kościoła. W takiej sytuacji nie tylko romantyczna słabość duszy staje na przeszkodzie zabójstwu cara. W samotnej i beznadziejnej walce człowiek zmierzy się z szatanem. Rezultat konfrontacji jest z góry przesądzony.

Utwór czytano jako odpowiedź na III część *Dziadów* (w Prologu — polemika z Mickiewiczem) i próbę oceny przyczyn klęski powstania listopadowego.

TRAGEDIA W 5 AKTACH, DEDYKOWANA ZYGMUNTOWI KRASIŃSKIEMU.

BALLADYNA

AKCJA ROZGRYWA SIĘ W POBLIŻU GOPŁA, „ZA CZASÓW BAJECZNYCH". SZTUKA NAPISANA, „JAKBY JĄ GMIN UKŁADAŁ, PRZECIWNA ZUPEŁNIE PRAWDZIE HISTORYCZNEJ".

Osoby:
PUSTELNIK — król Popiel III na wygnaniu
KIRKOR — władca zamku
BALLADYNA — jego żona, później królowa
GRABIEC — „rumiany wieśniak"

Osoby fantastyczne:
GOPLANA — nimfa, „stworzenie z mgły i galarety"
CHOCHLIK, SKIERKA — jej słudzy
i inni.

Czas akcji wiąże *Balladynę* z powstałą kilka lat później *Lillą Wenedą*. Jakże odmienne to jednak utwory! *Balladynę* można nazwać rodzajem przypowieści politycznej w konwencji baśniowej. Losy państwa polskiego określa tu konkretny symbol — korona Lecha.

Balladyna dochodzi do władzy, niszcząc wszystkich ewentualnych rywali: siostrę Alinę, męża Kirkora, Pustelnika, Kostryna. Czy zdobywając wreszcie tron stanie się surowym, lecz sprawiedliwym monarchą? Scena sądu świadczyłaby, że jest to możliwe. Niestety, pierwszą oskarżoną jest sama Balladyna. Szanując prawo, musi wydać na siebie wyrok śmierci. Wtedy „piorun spada i zabija królowę".

Dramat mówi o różnych sposobach pojmowania i sprawowania władzy. Bezmyślne okrucieństwo „krwawego" Popiela jest wyzwaniem wobec Boga. Pustelnik sądzi, że celem władcy jest szczęście poddanych — niezbyt fortunnym realizatorem jego koncepcji okazuje się w tragedii Kirkor. Jak często bywa, politykę trudno pogodzić z etyką. Najszlachetniejsi przegrywają, po władzę sięgają najbardziej bezwzględni.

W *Balladynie* duchy plączą ludzkie losy. To one podsuwają pomysł osobliwego pojedynku, którego stawką jest małżeństwo z Kirkorem („która więcej malin zbierze, tę za żonę pan wybierze" — ten motyw zapożyczył Słowacki z ballady Aleksandra Chodźki *Maliny*). Reżyserują też prawdziwą komedię pomyłek, czasem rzeczywiście zabawną (nieszczęśliwa miłość Goplany do Grabca).

W epilogu podjął Słowacki polemikę z Joachimem Lelewelem (1786—1861), polskim historykiem, prezesem Towarzystwa Patriotycznego, wybitnym politykiem powstania listopadowego. Poeta — chyba nieco lekkomyślnie — ośmieszył postać zasłużonego badacza, próbującego metodami naukowymi zgłębić najdawniejsze dzieje Polski. Wystąpił w obronie mitu, legendy, baśniowej wizji przeszłości.

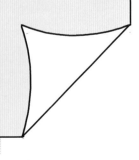

TRAGEDIA W PIĘCIU AKTACH, „Z CZASÓW BAJECZNYCH".
AKCJA ROZGRYWA SIĘ „BLISKO GOPŁA", PODCZAS WOJNY WENEDÓW
Z LECHITAMI.

LILLA WENEDA

Osoby:
DERWID — król Wenedów
LILLA WENEDA — córka Derwida, symbol ofiary
ROZA WENEDA — córka Derwida, symbol zemsty
LECH — król Lechitów
ŚW. GWALBERT — asceta, misjonarz
ŚLAZ — jego sługa, tchórz i błazen
i inni.

Kazimierz Brodziński uważał, że w naturze Słowian leży umiłowanie spokoju, dobroć, łagodność. Tragedia Słowackiego zdaje się temu zaprzeczać. Lechici są okrutnymi, bezwzględnymi zdobywcami. Prehistorię Polski tworzą mordy, rzezie, podstęp, zdrada. Okolicę Gopła zamieszkują jeszcze poganie, chrześcijaństwo reprezentuje św. Gwalbert, postać tyleż tajemnicza, co dziwaczna. Towarzyszy mu Ślaz, odgrywający rolę ślepego narzędzia fatum. Ród Wenedów skazany został na zagładę. Jego los zależy od złotej harfy, która dostała się w ręce Lechitów. Nadchodzącą katastrofę przepowiada Roza, stara się jej zapobiec przez poświęcenie swego życia Lilla. Obie siostry to najzupełniej różne charaktery. Rozę, kapłankę śmierci, wzywającą do mordu i zemsty, charakteryzuje czerwień, niewinną i czystą Lillę symbolizuje biel.
Nietrudno zauważyć, że nawet poprzez odwołania do symboliki barw *Lilla Weneda* dotyczy spraw polskich. Dramat był kolejną próbą oceny powstania listopadowego. W takim ujęciu wenedyjska harfa, która nie zagrała, stanowić by mogła metaforę poezji romantycznej.

DRAMAT W PIĘCIU AKTACH.
AKCJA TOCZY SIĘ OKOŁO 1841 ROKU NA PODOLU.

FANTAZY
(Nowa Dejanira)

Osoby:
FANTAZY — hrabia
IDALIA — jego dawna kochanka
DIANNA — jego obecna narzeczona
JAN — ukochany Dianny, dziś zesłaniec
MAJOR HAWRYŁOWICZ — oficer rosyjski

Sztuka, ceniona wysoko przez polskie teatry, łączy cechy komedii i tragedii. Ukazuje kontrast dwu światów. Do pierwszego należą Fantazy i Idalia, ironicznie przedstawiona para „romantycznych" kochanków. Podróże do Włoch, lektury, romanse i flirty pozwalają zapomnieć im o nudzie życia. Drugi świat tworzą ludzie, których losy wiążą się z Syberią (stamtąd przybywają Major i Jan, żołnierz powstania listopadowego wcielony przymusowo do armii carskiej; na zesłaniu poznali się i zaręczyli Dianna z Janem).
Punktem kulminacyjnym akcji jest samobójstwo Majora, postaci reprezentującej w utworze najwyższe wartości etyczne. Pozwala ono Diannie uniknąć małżeństwa z niekochanym Fantazym i połączyć się z Janem. Tytułowemu bohaterowi otwiera drogę do duchowej przemiany.

TRAGEDIA W PIĘCIU AKTACH (PROZA).

HORSZTYŃSKI

RZECZ DZIEJE SIĘ NA LITWIE W R. 1794. UTWÓR NIE ZOSTAŁ WYDANY ZA ŻYCIA AUTORA. ZACHOWANY RĘKOPIS JEST NIEKOMPLETNY..

Osoby:
HETMAN KOSSAKOWSKI — zdrajca, targowiczanin
SZCZĘSNY KOSSAKOWSKI — jego syn
KSAWERY HORSZTYŃSKI — dawny konfederat barski, niewidomy starzec
SALOMEA HORSZTYŃSKA — jego żona, zakochana w Szczęsnym
i inni.

Jest to być może najwspanialszy, najbardziej „teatralny" i najbliższy dylematom człowieka XX wieku dramat Słowackiego. Szczęsny, zamierzony jako natura „hamletyczna", zachowuje się czasem jak współczesny egzystencjalista odkrywający tragiczną absurdalność istnienia, doświadczający uczucia porażającej pustki („Nie widzę żadnej drogi przed sobą"). Ten najważniejszy bohater utworu czyta już nie romanse i *Cierpienia młodego Wertera*, lecz — Platona. Jest marzycielem, ale nie idealistą. Zna cynizm, grę masek, hazard, a w poczuciu bezsensu gotów jest powierzyć swoje życie ślepemu losowi.
Główne postacie *Horsztyńskiego* łączą ścisłe i dość niezwykłe związki, z których żaden nie jest harmonijny. Miłość Szczęsnego do Salomei może zakończyć się jedynie tragedią, miłość ojca do syna nie będzie odwzajemniona, na przeszkodzie miłości małżeńskiej stanie „ten trzeci". Kontakty międzyludzkie w dramacie cechuje niemożliwość porozumienia, a w konsekwencji — narastająca nienawiść. Tę stronę utworu wydobyła nowoczesna interpretacja dokonana przez Marię Kalinowską.
Horsztyński, odczytywany jako dramat historyczny, jest głosem w dyskusji toczącej się po klęsce powstania listopadowego. Słowacki obciąża winą za utratę niepodległości magnaterię (reprezentowaną przez hetmana Kossakowskiego). Jej samowola, okrucieństwo, nihilizm prowadzą do zdrady targowickiej. Polska szlachecka to przede wszystkim Horsztyński, bohater-męczennik. Ale jest w dramacie i „trzecia" Polska — Polska zbuntowanego ludu, który rozprawia się bezwzględnie ze zdrajcami. To Polska rewolucjonistów takich jak Jasiński. Możemy się domyślać, że Horsztyński nie widzi w niej dla siebie miejsca.
Dramat nie został dokończony, rozwój akcji wskazuje wyraźnie, że zakończy się ona śmiercią wszystkich ważniejszych bohaterów: samobójstwami Szczęsnego, Horsztyńskiego i Salomei oraz opisaną już przez poetę egzekucją hetmana Kossakowskiego.

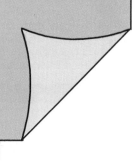

ROMANS DRAMATYCZNY W PIĘCIU AKTACH
(według określenia autora), zaliczany już do dzieł okresu mistycznego.

SEN SREBRNY SALOMEI

AKCJA ROZGRYWA SIĘ W 1768 R. NA UKRAINIE, PODCZAS BUNTU CHŁOPSKIEGO (TZW. „KOLISZCZYZNA"). W OSTATNICH LATACH NIEKTÓRZY BADACZE UZNALI TEN WŁAŚNIE UTWÓR ZA NAJWIĘKSZE OSIĄGNIĘCIE TEATRALNE SŁOWACKIEGO.

Osoby:
GRUSZCZYŃSKI — polski szlachcic
SALOMEA — jego córka, uwiedziona przez Leona
REGIMENTARZ — dowódca Gruszczyńskiego
LEON — syn Regimentarza, cyniczny oszust
SEMENKO — Kozak, zakochany w Salomei
i inni.

Losy poszczególnych postaci, tak przejmujące i tragiczne, określa tym razem historia. Bunt chłopski odsłania słabość Polski szlacheckiej (Polak już nie do szabli, woli „karty i kieliszek"). W tej sytuacji waleczny Gruszczyński jest niejako przedstawicielem „ginącego gatunku". Także i on popełnia błąd „późnej ofiary", co przesądza o jego klęsce.

W dramacie Słowackiego historię tworzą zresztą duchy, a nie ludzie. To duch wybiera drogę ofiary, wywołuje rzezie, popycha „czarne, krwawe, wściekłe chłopstwo" do buntu. Jednak chłopskie noże, użyte „w imieniu Boga", poświęcone zostały w cerkwi i w dodatku przez popa, co skłaniać powinno interpretatorów do ostrożności.

Bo przecież świętość otacza także polskich obrońców, konfederatów barskich, „żołnierzy Chrystusowych" („zaufali Chrystusowi, a upadli", dziwi się Gruszczyński po upadku Baru). Możemy więc mówić jedynie, że historia jest w tym utworze nieprzenikniona dla żyjących. *Sen srebrny Salomei* reprezentuje typ dramatu mistycznego. Na scenę wkraczają żywi i umarli, śmierć nie przerywa aktywności postaci. Istnieje stała łączność pomiędzy światem a zaświatami, umożliwiają ją sny i wizje pochodzące — jak mówi Semenko — „z ducha".

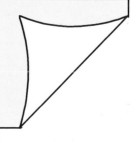

MISTYKA SŁOWACKIEGO

Mistyka — w najszerszym rozumieniu: wiara w możliwość kontaktu człowieka z zaświatami lub samym Bogiem. **Dzieło mistyczne** — próba zapisu wiedzy objawionej. Mistyka towarzyszyła wszystkim wielkim religiom ludzkości (judaizm, chrześcijaństwo, islam, buddyzm). Oprócz mistyki uznawanej przez kościoły różnych wyznań istnieje **mistyka heterodoksyjna**, niegdyś ostro zwalczana przez władze kościelne (w średniowieczu — Mistrz Eckart, w XVII w. — Jakub Böhme i Angelus Silesius, w XVIII w. — Emanuel Swedenborg).

Najważniejsze pisma mistyczne Słowackiego	
Genezis z Ducha	poemat prozą
Sen srebrny Salomei	dramat
Dialog troisty	proza
Samuel Zborowski	dramat
Król-Duch	poemat
Dialog jednolity	proza
List do Rembowskiego	proza
Dzieje Sofos i Heliona	poemat

Mistyka Słowackiego

- wobec teologii i Kościoła: mistyka to „religia serca", nie uznaje instytucji, odrzuca ceremonie i dogmaty, szuka wiary żywej, „Boskiego natchnienia" („katolicki kościół jest zaczarowanym posągiem")
- wobec nauki: zamierzeniem poety jest mistyczna synteza wszystkich nauk; astronomia, fizyka, geologia, filologia, ekonomia powinny ukazywać pracę ducha („z nauką zrywamy — ale nie z wiedzą")

- wobec filozofii: mistyka kładzie nacisk na prawdę objawioną, filozofia jest na ogół wysiłkiem ludzkiego umysłu („O filozofy — wysłane kibitki po głupców")
- mistyczny autor nie jest właściwie pisarzem, lecz medium, przez które przemawiają duchy („w ludzi usta duchowie kładą żyjące wyrazy")

Mistyki Słowackiego nie można „zrozumieć" ani się „nauczyć". Zrozumieć — to uwierzyć. A w co każe nam wierzyć Słowacki?
- Człowiek jest duchem (to zupełnie coś innego niż powiedzieć, że posiada duszę i ciało!).
- Jako duch — człowiek nie działa sam, należy do duchowej wspólnoty.
- Jako duch — nie jest człowiekiem „tu i teraz", żyjącym w teraźniejszości, ale twórcą Historii minionej i przyszłej. To wielka odpowiedzialność!
- Jako duch — jest równy Bogu, w mistycznym sensie jest nawet Bogiem.

Wszystkie te idee wyłożone zostały w poemacie **Genezis z Ducha**. Utwór ten przyjmuje formę spowiedzi. W niezwykłej scenerii, pośród skał wznoszących się nad brzegiem oceanu, Duch „opowiada" Bogu swoje dzieje, które są zarazem historią powstania świata.

Mistyka Słowackiego oznacza prawdziwą rewolucję literacką. W latach czterdziestych Słowacki pisze „na nowo" biblijne księgi (*Genezis z Ducha* to jakby rozwinięcie i dopełnienie Księgi Rodzaju), „poprawia" lub „kończy" utwory Mickiewicza (*Pan Tadeusz*, *Dziady*). Wprowadza też do literatury polskiej całkiem nowe gatunki.

Samuel Zborowski nie jest dramatem historycznym, a tytułowy bohater pojawi się na scenie dopiero w akcie czwartym — w dodatku jako duch. Wśród postaci utworu: Chrystus, Lucyfer, Nereida, Walkirie, a także Mgła, Twarz, Gwiazda. Z całą pewnością jest to dramat wykraczający poza konwencje dziewiętnastowiecznego teatru. Słowacki inaczej niż historycy oceniał rolę Zborowskiego. W dramacie nie neguje się występków buntownika, lecz podkreśla, że za sprawą Samuela „Polska szła w górę". Dlatego boski sąd inny jest od ludzkiego. Lucyfer jest tu bohaterem dziejów i uczestnikiem ludzkiego dramatu. Ukazuje się w różnych wcieleniach — jako rajski wąż, Kain, wreszcie anioł. Szatan-Bukary staje się obrońcą Samuela, a wybierając pokorę i cierpienie jako jedyną swą zasługę, może powrócić do boskości. W zakończeniu utworu — utożsamienie ducha z Bogiem. Człowiek jako istota materialna został stworzony, ale jego duch jest wieczny („a myśmy w słowie byli... jako Bogi").

Król-Duch

Mistyczna epopeja, nie dokończona przez poetę, a co gorsza — pozostawiona w postaci kilku tysięcy kartek. Wyzwanie dla najcierpliwszych badaczy (zdaniem Juliusza Kleinera — ,,najtrudniejszy problem edytorski na świecie"). Czy gdyby Słowacki zdążył napisać *Króla-Ducha* w ostatecznej wersji, dzieło to przesłoniłoby wszystkie inne utwory polskiego romantyzmu, arcydzieł Mickiewicza nie wyłączając? W istniejącym kształcie *Król-Duch* dzieli się na cztery obszerne rapsody. Przedmowa nie pozostawia wątpliwości, że poemat — ,,ofiarowany Polsce" — miał być dziełem porównywalnym chyba tylko z Biblią: ,,Znajdziesz w nim tajemnicę początku i końca — Alfę i Omegę świata — a zatem i ojczyzny. Znajdziesz początek sił antychrystowych przed wiekami zaczętych — znajdziesz tajemnicę ziarna wpływu Ducha Świętego."

Narratorem poematu napisanego w pierwszej osobie jest Duch wcielający się w postacie kolejnych polskich władców: Popiela, Piasta, Mieczysława (Mieszka), Bolesława. Każdy z nich rządzi inaczej i odmiennie pojmuje swoją misję. Popiel sprawuje władzę metodami rosyjskich despotów, Mieczysław dąży do spokoju i szczęścia swych poddanych. We wszystkich przypadkach panowanie oznacza pracę mistyczną, ,,pracę ducha". Jej obszarem jest nie tylko historia, ale również natura (opisywana w poemacie z niezwykłym mistrzostwem) i cały kosmos, a także zaświaty.

Nie są to z pewnością zaświaty chrześcijańskie ani kraina ludowej wyobraźni. W momencie pisania *Króla-Ducha* Słowackiemu nie wystarczała żadna z istniejących tradycji. Nie ma zatem w poemacie podziału na piekło i raj ani tym bardziej anielskie siły dobra i potępione demony czyniące zło. Aniołowie sami wybierają miejsce dla swego objawienia. Anioł Globowy, łączący cechy szatana i... gniewnego Jehowy, panuje w świecie żywiołów (elementów), czyli w naturze widzialnej. Anioł Słoneczny reprezentuje królestwo świata. Wspomaga go — nie zawsze zgodnie z wolą Boga — Anioł Miesięczny (Miesięcznica). Istotną rolę w planie historiozoficznym odgrywa Pani Słowa, w której badacze dostrzegają zarówno Polskę, jak i mistyczne wcielenie Najświętszej Marii Panny.

Najśmielszym pomysłem Słowackiego wydaje się zachowanie przez ducha świadomości nawet w momencie śmierci, która oznacza dla niego przejście w ciało innej postaci. Dzięki temu historia utrzymuje ciągłość, nabiera cech logicznego i koniecznego procesu. Nieprzerwany postęp — podobnie jak w innych utworach z okresu mistycznego — zapewnia ofiara, nierzadko krwawa.

Król-Duch, o czym świadczą rozmaite zapiski poety, nie musi być wodzem czy władcą. Podobną rolę spełniać może na przykład poeta, w XIX w. zaś ,,naród cały papiestwem ducha zajmie się". W tym kontekście jaśniejszy staje się sens przepowiedni o ,,słowiańskim papieżu" (wiersz **Pośród niesnasków — Pan Bóg uderza...**). *Król-Duch*, ostatni wielki poemat literatury XIX w., jest zadziwiająco bliski niektórym problemom współczesności. Na przykład popełniający kolejne zbrodnie Popiel kojarzy się nam z bohaterami Dostojewskiego i Nietzschego. On także bierze pod uwagę możliwość ,,śmierci Boga" i jej następstw: ,,Nic nie ma na Niebie! Ja sam jak Pan Bóg będę sądził siebie!"

Poemat napisany został — podobnie jak *Beniowski* — oktawą, wierszem jedenastozgłoskowym, nad którym w owym czasie Słowacki panował już niepodzielnie. A tytuł utworu stał się dla jego wielbicieli symbolicznym pseudonimem poety.

Mistyka Słowackiego, tak trudna i w przeszłości oceniana bardzo kontrowersyjnie, cieszy się u schyłku XX w. rosnącym zainteresowaniem badaczy i młodego pokolenia polonistów. Dyskutuje się o niej podczas konferencji naukowych, wciąż powstają nowe studia i przyczynki. Zdeklarowanym przeciwnikiem twórczości mistycznej Słowackiego pozostaje natomiast Czesław Miłosz. Nasz noblista ceni wyżej Mickiewicza!

*„Jedno wiem tylko:
Polska zmartwychwstanie..."*

ZYGMUNT KRASIŃSKI

Urodzony 1812

w Paryżu, w zamożnej rodzinie arystokratycznej (ojciec Wincenty był generałem w służbie Napoleona, a później rosyjskiego cara — ojciec chrzestny: Napoleon).

rok życia

15 Dzieciństwo spędza w rodzinnym majątku (Opinogóra w Ciechanowskiem) i w Warszawie. Kończy liceum, rozpoczyna studia na Uniwersytecie Warszawskim (prawo). Ma już wówczas za sobą pierwsze próby poetyckie.

17 Posłuszny woli ojca, nie bierze udziału w studenckiej manifestacji patriotycznej. Obrażony przez kolegę, Leona Łubieńskiego (prototyp Pankracego z *Nie-Boskiej komedii*), porzuca uczelnię i wyjeżdża do Szwajcarii, gdzie pozna niebawem Mickiewicza. Zachwyca się alpejskimi pejzażami, które staną się częstym motywem jego twórczości.

19 Wiadomość o wybuchu powstania nie skłania go do powrotu. Ulegając presji ojca, pozostaje za granicą. Generał zawiezie go wkrótce do Petersburga, by przedstawić carowi Mikołajowi I. Lojalistyczna postawa Wincentego Krasińskiego stanie się dla Zygmunta powodem osobistej tragedii.

21 Z Warszawy udaje się przez Kraków do Wiednia, a dalej do Włoch. Odtąd przebywać będzie i tworzyć na emigracji (głównie w Paryżu i Rzymie), od czasu do czasu odwiedzając kraj. Rzym wywiera na nim ogromne wrażenie. Budzą się uczucia religijne. Pisze do Gaszyńskiego: „żebyś tu był, ukląkłbyś i uwierzył".

22 Powieść historyczna **Agaj-Han** (akcja w początkach XVII w.) — napisana rytmiczną prozą, ciekawy przykład romantycznego orientalizmu.

23 Ukazuje się ➡ NIE-BOSKA KOMEDIA.

24

> Wydaje drugie ze swych wielkich dzieł scenicznych. **Irydion**, poetycka wizja upadku cesarstwa rzymskiego, odczytywany był też jako dramat politycznych aluzji (odnoszących się do powstania listopadowego). Tytułowy bohater, Grek, reprezentant ludów podbitych przez Rzym, dąży wszystkimi środkami do zniszczenia cesarstwa. Posługuje się podstępem i zdradą (stąd analogie do postaci Konrada Wallenroda), przyjmuje pomoc Masynissy, utożsamianego przez interpretatorów dzieła z szatanem. W Dokończeniu — zgodnie z ideą metempsychozy (wędrówki dusz) — Irydion wysłany zostaje „na Północ w imieniu Chrystusa", „do ziemi mogił i krzyżów". Patriotyzm ocalił go przed wiecznym potępieniem, ale w Polsce odpokutować ma za swoje czyny.
>
> Sam poeta widział w Masynissie symbol wiecznego zła, które przeobrazić się musi w dobro. Rozumiał też tragizm postaci Irydiona. Sądził jednak, że postęp w historii jest dziełem Opatrzności, a przeznaczeniem człowieka jest nie zemsta, lecz miłość, cierpienie i praca ducha.

25 Powieść **Herburt**, zamierzona jako „romans w stylu Balzaka" (choć przypomina bardziej powieść Novalisa), zawierająca krytykę mieszczańskiego stylu życia, potępiająca cywilizację kapitalizmu („świat cały był jako giełda").

26 W Rzymie poznaje Słowackiego — stanie się jednym z nielicznych przyjaciół poety.
Pisze wiersz zaczynający się od słów: „Bóg mi odmówił tej anielskiej miary, bez której ludziom nie zda się poeta..." Nazywa tam siebie „wierszokletą". Poeci nie powinni pisać takich wierszy, bo badacze literatury i czytelnicy skłonni są im uwierzyć.

Poznaje Delfinę Potocką, ich romans potrwa wiele lat.

Co drugi dzień list! Według obliczeń Zbigniewa Sudolskiego Krasiński napisał ok. 3500 listów do stu kilkudziesięciu adresatów! Krótko mówiąc — co drugi dzień pisał jakiś list (bywało, że częściej). Niektórzy korespondenci Krasińskiego:
August Cieszkowski — jeden z najwybitniejszych polskich filozofów romantycznych.
Konstanty Gaszyński — poeta, przyjaciel z lat młodości, później wychowawca synów Krasińskiego.
Stanisław Koźmian — poeta, publicysta, tłumacz Szekspira, rówieśnik Krasińskiego.
Jerzy Henryk Lubomirski — arystokrata, polityk, domniemany Orcio z *Nie-Boskiej komedii*.
Stanisław Małachowski — przyjaciel, uczestnik powstania listopadowego, emigrant.
Delfina Potocka — hrabina, przyjaciółka Chopina i Krasińskiego (starsza od niego o 5 lat), Słowackiego też znała. Adresatka listów najbardziej szczerych, ale również wypowiedzi dokumentujących ewolucję filozoficzną Krasińskiego. Niektórzy uważają korespondencję z Delfiną Potocką za największe dzieło poety!
Henryk Reeve — Anglik, przyjaciel z lat młodości. Krasiński pisywał do niego po francusku.

28 **Trzy myśli pozostałe po śp. Henryku Ligenzie**. Dwa wizjonerskie poematy prozą i jeden wierszem są próbą pojednania idei filozofii niemieckiej (Hegel) z nauką chrześcijańską. Duch „przechodzi"przez etap człowieczeństwa, zmierzając do uformowania „człowieka gwiezdnego". Podobnej ewolucji podlega wszechświat — staje się niebem, Królestwem Bożym. Szczególna misja przypada narodowi polskiemu, a zwłaszcza polskiej szlachcie, wiernej ideałom chrześcijańskim.

29 W pracy **Kilka słów o Juliuszu Słowackim** poezję polskiego romantyzmu interpretuje po heglowsku: Mickiewicz jest tezą (siłą dośrodkową), Słowacki antytezą (siłą odśrodkową), rolę syntezy miał spełnić kolejny poemat Krasińskiego.

30 Interesuje się mistyką, magnetyzmem, snami, które nazywa „iskrami, co z wieczności spadają na ziemię". Łączy poezję z religią, język uznając za „objawienie Boże".

31 Żeni się (oczywiście zgodnie z życzeniem ojca) z nie kochaną Elizą Branicką. Małżeństwo jak najgorsze, a Krasiński jako mąż zachowuje się zgoła niemożliwie.

Ogłasza (w Paryżu) **Przedświt** — poemat, jedno z najważniejszych dzieł polskiego mesjanizmu. Wykłada w nim własną filozofię historii. Państwa uznaje za twór człowieka, narody za dzieło Boga. Rozbiory były zatem zbrodnią polityczną, ale także bluźnierstwem, złamaniem woli Boga. Męczeństwo jest jednak zapowiedzią przyszłej chwały, co pokazuje przykład Chrystusa i... Polski („Jak im Syna niegdyś dałem, tak im, Polsko, daję ciebie"). W wizji Krasińskiego zwycięstwo nad złem polega na syntezie sprzecznych sił. Pokonany szatan staje się więc aniołem, skażona grzechem ziemia przeobraża się w niebo.
W XIX w. *Przedświt* należał do kanonu arcydzieł literatury polskiej, później oceniano go niżej, choć niektóre fragmenty zachowały do dziś poetycką urodę (np. wędrówka bohatera poprzez ziemskie piekło czy nocna scena miłosna w Alpach).

33 W wyniku błahego incydentu, który mógł skończyć się nawet pojedynkiem — ochłodzenie stosunków ze Słowackim. Pojedynek poetycki — wkrótce.

Psalmy przyszłości to w pierwotnej wersji *Psalm wiary*, *Psalm nadziei* i *Psalm miłości*. Chrześcijańska interpretacja historii każe poecie odrzucić idee rewolucyjne (*Psalmy* napisane zostały w odpowiedzi na broszurę Henryka Kamieńskiego). Kto podburza polski lud do zbrojnych wystąpień, kto lekceważy solidarność zniewolonego narodu, działa w interesie Rosji („mongolskich natchnień słucha"). Cykl zamyka wezwanie do zgody narodowej („hajdamackie rzućcie noże") i utopijna wizja przekształcenia wszystkich Polaków w szlachtę.
Już po rzezi galicyjskiej 1846 r. i polemice Słowackiego powstanie *Psalm żalu* i *Psalm dobrej woli* — uzupełnienie zbioru. Rozpacz dyktuje Krasińskiemu słowa potępienia dla bratobójczej i niegodnej walki. Podtrzymuje wiarę w dziejową misję polskiej szlachty, opowiada się za postępem bez pomocy „siostry gilotyny" i „brata knuta". Dostało się przy okazji Słowackiemu („inkwizytor", „Atylla", „Robespierre", „ducha oszczerca").

35 W poemacie **Ostatni** ➡ SYBERIA przepowiada zjednoczenie Słowiańszczyzny pod przewodnictwem Polski.

36 Podczas Wiosny Ludów przebywa w Rzymie. Poznaje tam Norwida. Razem ruszają bronić papieża Piusa IX przed zbuntowanymi tłumami.

40 W Rzymie pisze jeden z najbardziej pesymistycznych wierszy **Nim słońce wzejdzie, rosa wyżre oczy**. Już wie, że pokolenie romantyków nie zobaczy wolnej Polski.

47 Pod koniec życia zajmuje się spirytyzmem, eksperymentuje z „wirującymi stolikami". Schorowany, fatalnie leczony, umiera 23 lutego 1859 r. w Paryżu, w miejscu swego urodzenia.

!!! Za życia Krasiński był „poetą bez imienia". Swoje utwory wydawał anonimowo, pod pseudonimem lub cudzym nazwiskiem. Dzięki takiemu zabiegowi mógł wypowiadać się swobodnie, a jednocześnie przyjeżdżać do kraju, nie narażając się na represje.

DRAMAT POETY

Fałszywy prorok

Poeta (Mąż, czyli Hrabia Henryk) z *Nie-Boskiej komedii* nie jest wieszczem. Ten romantyczny buntownik wie, że wiara w bezgraniczną moc poezji to iluzja ("chwale twojej niby nic nie zrówna"). Fałszywy prorok mówi o miłości, ale sam nie potrafi kochać ("nic nie kochał, tylko siebie"), tworzy piękno, dostarcza innym wzruszeń, lecz sam doświadcza upadku ("Przez ciebie płynie strumień piękności, ale ty nie jesteś pięknością").

Poeta w małżeństwie

Żona "dobra i skromna" wystarczyłaby może do szczęścia zwykłemu śmiertelnikowi, ale nie romantycznemu poecie. Z jego perspektywy małżeństwo jest związkiem nieludzkim, narzuconym i usankcjonowanym przez Boga. Czy to możliwe? "Boże, czyś Ty sam uświęcił związek dwóch ciał? czyś Ty sam wyrzekł, że nic ich rozerwać nie zdoła, choć dusze się odepchną od siebie, pójdą każda w swoją stronę i ciała, gdyby dwa trupy, zostawią przy sobie?" Niesamowita wizja, prawda?

Kuszenie poety

Oczywiście demony nie zostawią poety w spokoju i kuszą go ziemską sławą ("stary orzeł wypchany w piekle" to właśnie symbol literackiego sukcesu — iluż pisarzy wzięło go za prawdziwego ptaka!), ziemskim pięknem ("spróchniały obraz Edenu"), wreszcie ziemską miłością — występną, rzecz jasna.

Igranie z losem

Inaczej niż w *Dziadach* czy utworach Słowackiego, opisujących mistyczny kontakt z zaświatami, w *Nie-Boskiej komedii* górę bierze magia. Wypowiedziane słowo zyskuje magiczną moc, określa przyszły los postaci. Szczególnego znaczenia nabierają w dramacie cztery przekleństwa — rodzaj osobliwego zakładu z losem. Tradycja przeklinania siebie i innych nie jest typowa dla mistyki chrześcijańskiej, jej obecności w dramacie nie uzasadnia także wpływ folkloru czy starotestamentowych wzorów. Współczesna psychologia poucza natomiast, że tego rodzaju zachowania magiczne właściwe są neurotykom. Przypomnijmy:
1) Henryk przeklina swą ewentualną niewierność małżeńską;
2) Henryk przeklina swoje małżeństwo (czyli — sytuacja już bez wyjścia);
3) "błogosławieństwo", które jest przekleństwem — z woli żony Henryka ich syn Orcio zostanie poetą, ale przypadnie mu wyjątkowo okrutny los;
4) drugie przekleństwo żony — ona również "staje się poetą", wybierając po zdradzie męża szaleństwo i śmierć.

Miłość

Myśl, że tworzenie prawdziwej sztuki niemożliwe jest bez miłości, bliska była Krasińskiemu. Bez miłości nie można być dobrym mężem, ojcem, nie można być po prostu człowiekiem. "Odkryłem próżnię grobową w sercu moim", wyznaje bohater *Nie-Boskiej komedii*. Ale właściwie kto w tym utworze potrafi kochać?

Gatunek przyszłości

Nawet na tle innych dramatów romantycznych *Nie-Boska komedia* jest utworem osobliwym. Rozpada się wyraźnie na dwie połowy (części 1–2 oraz 3–4). Łączy bardzo rozmaite gatunki: widowisko misteryjne, poemat prozą, dramat wizyjny i historyczny (chociaż tekst nie odnosi się do konkretnych wydarzeń), nawet — dramat mieszczański (część 1). Słowem — Krasiński napisał sztukę niezbyt odległą od poszukiwań znacznie późniejszego teatru. I może to nie przypadek, że zagrano *Nie-Boską* dopiero na początku XX w., kilkanaście lat przed wystrzałem z "Aurory".

DRAMAT ŚWIATA

Realia

Nie-Boska komedia rozgrywa się w symbolicznej przestrzeni świata i zaświatów. Okopy Świętej Trójcy są jednak autentyczne — istniały na Podolu od czasów Jana III Sobieskiego.

W tekście dramatu — liczne nawiązania do symboliki Wielkiej Rewolucji Francuskiej (np. „czerwona czapka wolności" — organizacyjne nakrycie głowy jakobinów). Dla filozofów francuskich pierwszej połowy XIX w. (Ballanche, De Maistre) rewolucja stanowiła przedmiot sporów. Widziano w niej karę Opatrzności albo rodzaj próby, jakiej Bóg poddaje ludzkość. U Krasińskiego rewolucja jest dziełem człowieka uzurpującego sobie prawo do rozstrzygania o losach świata. Pewne obrzędy rewolucyjne wiążą się z ideami francuskiego socjalisty utopijnego Saint-Simona, który nie był jednak zwolennikiem krwawej rozprawy z przeciwnikami politycznymi.

Spór

Rewolucjoniści
- symbol: czerwona czapka wolności, szubienica
- przywódca: Pankracy
- ludzie bez przeszłości — „nędzni, ze znojem na czole, z rozczochranymi włosy, w łachmanach" — uzbrojeni w kosy, młoty, łopaty (narzędzia pracy, które stały się narzędziami mordu) — także sztylety
- „krzyż, wróg nasz" — ideałem człowiek bez Boga, tańczący na ruinach kościołów — rewolucyjny mesjanizm jako parodia Ewangelii („idźcie bez trwogi i mordujcie bez wyrzutów — boście wybrani z wybranych")
- ideał: „wolność bez ładu, rzeź bez końca"
- Pankracy po wyliczeniu zbrodni i nadużyć popełnianych przez arystokratów: „Głupstwo i niedola kraju całego — oto rozum i moc wasza"

Arystokraci
- symbol: herb rodowy
- przywódca: Hrabia Henryk
- zgodnie z tradycją Krasiński uznaje szlachtę rodową za spadkobierców średniowiecznego rycerstwa i obrońców kultury chrześcijańskiej (symbole zamku i katedry)
- obrona wartości chrześcijańskich, w praktyce częste łamanie ewangelijnego nakazu miłości bliźniego
- ideał: utrzymanie istniejącego porządku za wszelką cenę
- odpowiedź Henryka: arystokraci „wam wśród głodu rozdawali zboże, wśród zarazy stawiali szpitale [...], postawili świątynie i szkoły"

Wzorowy rewolucjonista

Jest nim właściwie nie Pankracy, lecz Leonard ze swym ślepym posłuszeństwem wobec idei, fanatyzmem i gotowością do śmierci, nawet najbardziej bezsensownej. Takich rewolucjonistów spotkamy w XX w. Nie potwierdzi się natomiast inna przepowiednia poety: „nowa arystokracja" powstawać będzie jeszcze p r z e d, a nie p o wybuchu rewolucji. Ponadto udane rewolucje są w naszych czasach raczej dziełem grupy manipulatorów niż zrywem zbuntowanych mas.

Dlaczego Pankracy chce ocalić Henryka?

Tajemniczy związek łączy te dwie postacie stojące po przeciwnych stronach. Jednoznacznej odpowiedzi autor nie daje. Doświadczenia XX w. pokazują, że rewolucyjni autokraci zawsze interesowali się artystami. A kiedy nie można było ich przeobrazić w bezwolne narzędzia propagandy, posyłano poetów czy malarzy do łagrów, terroryzowano albo po prostu zabijano. Rewolucja potrzebuje wszak pieśni, a jej przywódcy — dworskiego panegiryku.

Zakończenie

„Galilaee, vicisti!" — zdaniem Mickiewicza „znaczy ono, że prawda nie była ani w obozie Hrabiego, ani w obozie Pankracego, była ona ponad nimi". Przypomnijmy, że „Galilejczyk", czyli Chrystus, zwycięża bronią, której zabrakło obu stronom — miłością.

SYBERIA

„Jeśli zapomnę o nich,
Ty, Boże na niebie, zapomnij o mnie.''

Niezmierzona kraina wiecznych śniegów — kolorem czarnym zaznaczono obszar Europy (bez Rosji).

Najkrótszy słownik zesłańczy

Katorga — kara ciężkich robót i zesłania.
Katorżnik — człowiek skazany na katorgę.
Kibitka — szeroki wóz na kołach albo saniach, używany przez policję rosyjską do przewożenia więźniów i skazańców.
Knut — rzemień przytroczony do pałki, bat. Dla poddanych rosyjskiego cara — symbol władzy.
Posieleniec — zesłaniec.

Wszystkie te słowa pochodzą z języka rosyjskiego. Polacy nie dali im odpowiedników w języku ojczystym.

Syberia to nie tylko rejon geograficzny, to również przestrzeń symboliczna, miejsce męczeństwa narodów. Przez cały wiek XIX zesłano na Syberię co najmniej kilkaset tysięcy Polaków. Kolejne fale zesłańców przybywały w następstwie konfederacji barskiej, wojen napoleońskich, powstania listopadowego i styczniowego, spisków niepodległościowych. Drogę do miejsca przeznaczenia odbywali kibitką albo nawet pieszo. Pracowali (nierzadko skuci kajdanami) w kopalniach, hutach, osadach i wsiach odciętych od świata.

Polscy pisarze-zesłańcy (XIX w.)

		okres na zesłaniu
Jan Czeczot	poeta	17 lat
Tomasz Zan	poeta	13 lat
Gustaw Zieliński	poeta	8 lat
Henryk Kamieński	publicysta	5 lat
Karol Baliński	poeta	4 lata
Gustaw Ehrenberg	poeta	20 lat
Apollo Korzeniowski (ojciec Józefa Conrada)	dramaturg, poeta	6 lat
Leonard Sowiński	poeta	6 lat
Adam Szymański	prozaik	17 lat
Jan Ludwik Popławski	publicysta	3 lata
Wacław Sieroszewski	prozaik	20 lat
Andrzej Strug	prozaik	3 lata
Edward Słoński	poeta	2 lata

Większość autorów to postacie dziś prawie zapomniane. Kim byliby jednak, gdyby nie zesłanie?

Wbrew stereotypowi, Syberia to nie tylko kraina wiecznych śniegów. Przyroda syberyjska urzekła wielu polskich zesłańców.

Piekło Syberii

Jest pewnym paradoksem, że najbardziej sugestywny obraz Syberii stworzyli ludzie, którzy nigdy tam nie byli: poeci Juliusz Słowacki (w *Anhellim* ➡ **POEMATY SŁOWACKIEGO**, i Zygmunt Krasiński (poemat *Ostatni*), malarze Artur Grottger i Jacek Malczewski. Syberia jest dla nich bezkresną krainą wiecznych śniegów („śnieżne piekło"), pośród której snują się umęczeni skazańcy żyjący w nieludzkich warunkach („krzyżowcy Pańscy dziś jedyni" według określenia J. B. Zaleskiego).

Bohaterem poematu **Ostatni** (1847) jest być może Walerian Łukasiński, spiskowiec, organizator Towarzystwa Patriotycznego, który spędził w więzieniach rosyjskich 46 lat. Rosja jawi się Krasińskiemu jako państwo gwałtu i bezprawia, prawdziwe piekło despotycznej władzy, gdzie bogiem jest knut:

„I takem poszedł do strasznych guberni
Pośród moskiewskiej podłych zbójców czerni!
— A kat — pamiętam — wiódł konia przed rzeszą —
Ni siadł nań kiedy — wciąż szedł, jak my, pieszo. —
Na siodle tylko leżał knut rzemienny
I kat powtarzał: »Instrument kazienny«,
I głowom ludzkim bić kazał pokłony,
Jakby krzyż z siodła sterczał poświęcony!"

Knut jako rosyjskie berło wystąpi też w *Cieniach syberyjskich* Lenartowicza. Sarkazm i gorzka ironia dominują natomiast w wierszach poetów-zesłańców: Gustawa Ehrenberga i Karola Balińskiego.

Spośród utworów powstałych w drugiej połowie wieku na uwagę zasługują **Szkice** Adama Szymańskiego (1852–1916). Chociaż ukazały się niemal równocześnie z innymi, sławniejszymi dziełami (*Lalka, Nad Niemnem,* Trylogia), stały się „ukochaną książką pokolenia". Największą popularność zdobył pochodzący z tego zbioru *Srul z Lubartowa* — wzruszająca historia Żyda nękanego tęsknotą do kraju, uważającego Syberię za „psią ziemię", „ziemię przeklętą". Bohaterami *Szkiców* są zesłańcy polityczni (powstańcy 1863 r.), ale i ludzie z marginesu — więźniowie kryminalni.

Kilkanaście utworów poświęcił tematyce syberyjskiej **Wacław Sieroszewski** (1858–1945). Najsłynniejszy z nich to powieść **Na kresach lasów** (1894) — obraz życia polskiego zesłańca stykającego się z egzotycznym światem Jakutów. Jego Syberia nie przypomina piekła, jest intrygującą krainą surowego, olśniewającego piękna. Zainteresowanie budzą też jej mieszkańcy, prymitywni tubylcy żyjący w zgodzie z rytmem natury.

Istnieje ponadto obfita literatura pamiętnikarska — bezcenny dokument martyrologii narodu polskiego.

Rosjanie na Syberii

Pamiętajmy, że Rosjan też zsyłano. Tematu Syberii nie pominęli milczeniem wielcy pisarze rosyjscy żyjący w XIX w.: Fiodor Dostojewski, Lew Tołstoj, Antoni Czechow.

„Szereg odkryć mych spełnię do końca..."

CYPRIAN NORWID

Urodzony 1821
we wsi Laskowo-Głuchy pod Radzyminem, w rodzinie szlacheckiej — na chrzcie otrzymał imiona Cyprian Ksawery Gerard Walenty, imię Kamil wybrał do bierzmowania, na pamiątkę nieszczęśliwej miłości.

rok życia

16 Uczeń piątej klasy, porzuca warszawskie gimnazjum i wstępuje do prywatnej szkoły dla artystów malarzy.

18 Pierwsze próby poetyckie (sonety) i malarskie. Przez całe życie uprawiać będzie różne gatunki sztuk pięknych: malarstwo (głównie akwarele), rysunek, grafikę (akwaforty).

19 Debiutuje w prasie jako poeta. Zawiera pierwsze znajomości w środowisku literackim, m.in. z członkami Cyganerii warszawskiej.

21 Pierwsza podróż zagraniczna (Niemcy). W następnym roku pojedzie do Włoch (wolny słuchacz Akademii Sztuk Pięknych we Florencji).

24 Miłość do Marii Kalergis, gwiazdy europejskich salonów. „Nie jestem praktycznym,
♥ nie chcę być praktycznym" — napisze w jednym z listów. Praktyczna była za to pani Kalergis, odrzucając uczucie młodego poety.

25 Przenosi się do Berlina, nawiązuje kontakty z emigracją. Studiuje kulturę Etrusków, próbuje tłumaczyć Dantego. Wraca do Rzymu, gdzie spędzi kolejne dwa lata i pozna m.in. Mickiewicza i Krasińskiego. Krytycznie oceni towiańczyków („zboczenie biorą za ofiarę, okropność biorą za energię"). Zachwyci się Krasińskim („dziś największym na świecie jest poetą").

28 W Paryżu pozna Słowackiego i Chopina (spotkania z nimi utrwali później w *Czarnych kwiatach*). Znajomość z Józefem Bohdanem Zaleskim (cenił Norwida).

29 Żyje w biedzie, głuchnie, naraża się Krasińskiemu, ma kłopoty z publikowaniem utworów („znikam zupełnie dla publiczności").

30 Pisze **Bema pamięci żałobny-rapsod** ➡ LIRYKA NORWIDA.

> Wydaje poemat **Promethidion** złożony z dwóch wierszowanych dialogów (*Bogumił*, *Wiesław*) i epilogu prozą. Nawiązuje w nim zarówno do Platońskiej formy dialogu filozoficznego, jak i greckiej teorii łączącej Piękno, Dobro i Prawdę. Uważa, że wielkiej sztuce towarzyszy miłość („kształtem miłości piękno jest") i praca pojmowana jako działalność twórcza i praktyczna („I stąd największym prosty lud poetą, co nuci z dłońmi ziemią brązowemi"). Każdemu narodowi przeznaczona jest inna droga do sztuki — Polakom wskazał ją Chopin przez „podnoszenie ludowych natchnień do potęgi przenikającej i ogarniającej Ludzkość całą". Artysta, niezależny od opinii, jest organizatorem narodowej wyobraźni.

31 Oświadcza się Marii Trębickiej, przyjaciółce Marii Kalergis, i... dostaje kosza. Trębicka zostanie później żoną innego poety — Felicjana Faleńskiego. W życiu Norwida odegra natomiast ważną rolę jako adresatka wielu listów.

> Korespondencja Norwida — podobnie jak Słowackiego i Krasińskiego — wiąże się ściśle z jego dziełem. Stosunkowo niewiele w niej osobistych zwierzeń, relacji z podróży, komentarzy do własnych utworów. **Listy** poety, zwłaszcza z okresu dojrzałego, zamieniają się często w rozbudowane eseje. Do bardziej znanych korespondentów Norwida należeli Lenartowicz, Cieszkowski, Kraszewski, Zaleski.

Pod wpływem nieprzyjaznej krytyki myśli o porzuceniu literatury (!!!). Próbuje wstąpić do zakonu zmartwychwstańców — bezskutecznie. Nie zostanie w Paryżu, gdzie spotkało go tyle nieszczęść. Może wracać do kraju albo pojechać do Chin. Wybiera — chyba niefortunnie — podróż do Ameryki.

32 Po dwumiesięcznym rejsie dociera do Nowego Jorku. Pracuje jako grafik.

33 Nie zrobił kariery w Stanach, ale jako pierwszy polski romantyk widział Amerykę. Wraca do Europy, najpierw do Londynu, później do Paryża („wyjechać musiałem, iż w taką popadłem melancholię, która mało mię od obłąkanego odróżniała"). Na pamiątkę morskiej podróży sypiać będzie odtąd w hamaku.

34
> Pracuje nad swym najobszerniejszym poematem epickim **Quidam**. Miejscem akcji, podobnie jak w *Irydionie* (utwór dedykowany został Krasińskiemu), jest starożytny Rzym. W tej malowniczej dla romantyków dekoracji pojawia się dosyć osobliwy bohater („nic właściwie nie robi — cierpi wiele, a zabity jest prawie że przypadkiem"). Rezygnując z opisu wielkich dziejowych katastrof, Norwid przedstawił swoją wizję formowania się kultury europejskiej. Poszczególne postacie poematu reprezentują jej źródła: kulturę antyczną Grecji i Rzymu (Artemidor, Zofia) i kulturę żydowską (mag Jazon). Z ich dorobku czerpie cywilizacja chrześcijańska.

35 Dzięki carskiej amnestii może wrócić do kraju. Wybiera jednak emigrację. Wiersz **Coś ty Atenom zrobił, Sokratesie** ➡ LIRYKA NORWIDA.

> Wszechstronnie utalentowany, był również Norwid interesującym prozaikiem. Podobnie jak w poezji czy dramacie nie zadowalały go istniejące już gatunki i konwencje. **Czarne kwiaty** to cykl impresji łączący cechy eseju, pamiętnika i wspomnienia pośmiertnego. Norwid opisał tam sześć postaci stojących już w obliczu śmierci — romantycznego poetę Stefana Witwickiego, francuskiego malarza Delaroche'a, nieznajomą Irlandkę spotkaną na statku podczas podróży do Ameryki, wreszcie — Słowackiego, Chopina i Mickiewicza. W zachowaniu albo słowach każdej z nich jest coś niezwykłego. Autor zapamiętał Chopina, który nie jest już w stanie wejść o własnych siłach na schody, Słowackiego palącego fajkę, Mickiewicza poprawiającego ogień w kominku. Teoretycznym uzasadnieniem techniki opowiadania przyjętej w *Czarnych kwiatach* są **Białe kwiaty**. „Nieobecność stylu" podniesiona tu została do rangi mistrzostwa artystycznego. Na przykładach z różnych dziedzin twórczości Norwid bada znaczenie ciszy, która jest dla dramatu tym samym, czym biel (brak koloru) w malarstwie. Podejmuje też jeden ze swych ulubionych tematów: nieobecność wielkich postaci kobiecych w literaturze polskiej.

37 Powstaje (3 lata po śmierci Mickiewicza, 9 lat po śmierci Słowackiego) wiersz **Klaskaniem mając obrzękłe prawice** ➡ LIRYKA NORWIDA.

39 Wygłasza — z dużym sukcesem — cykl wykładów **O Juliuszu Słowackim**. Zawierają one m.in. nowatorską interpretację *Balladyny* i *Anhellego*. Ukażą się drukiem w roku następnym.

41 Dopiero teraz wydaje w Lipsku pierwszy obszerny zbiór utworów pod tytułem **Poezje** (zawierają prócz liryków także poemat *Quidam*). Książka przechodzi bez echa. „Synonim dziwactwa", podsumowuje Norwida Kraszewski.

42 Włącza się do działalności publicznej po wybuchu powstania 1863 r. Próbuje organizować pomoc, wspiera piórem walczących. Poznaje w Paryżu Romualda Traugutta. Oceniając sens powstania pisze z goryczą, że „Polska jest dla Moskwy jakoby źródłem, k t ó r e o n a d e p c e n o g a m i, p i j ą c z n i e g o". Przenikliwy obserwator wypadków politycznych, dochodzi do wniosku, że „granicząc z Rosją trzeba w niej mieć swą PARTIĘ". Szkoda, że nikt nie skorzystał z rady Norwida.
Pisze **Fortepian Szopena** ➡ LIRYKA NORWIDA.

44 Rozpoczyna pracę nad cyklem **Vade-mecum** ➡ LIRYKA NORWIDA. Ukończy ją w następnym roku, ale do wydania nie dojdzie.

48 W obecności kilkuset słuchaczy odczytuje poemat **Rzecz o wolności słowa**. Polemizuje m.in. z teorią Darwina, broniąc biblijnej wersji pochodzenia człowieka. Dowodzi istnienia w przeszłości jednego języka, prezentując własne koncepcje lingwistyczne. A wszystko to — przy użyciu trzynastozgłoskowca!

49 Wojna francusko-pruska pogarsza sytuację materialną poety („mam zrujnowane siły głodem").

Pisze **Assuntę**, swój jedyny poemat miłosny, zdaniem samego autora — dopiero trzeci w literaturze polskiej (po IV części *Dziadów* i *W Szwajcarii*). Jest to utwór o wielkiej urodzie poetyckiej, mniej w nim niż zwykle u Norwida retoryki, więcej konkretu, barwy, obrazu. Pejzaże opisywane są za pomocą niezwykle kunsztownych porównań (np. ,,domki się patrzą — jak dzieciąt jagody powychylane nad białe kołnierze''). Miłość narratora do wnuczki starego ogrodnika wydaje się zaprzeczeniem wzorca miłości romantycznej (zwłaszcza w ujęciu Mickiewicza). Assunta jest piękna, lecz niema. Ma odwagę pokazać się ukochanemu ,,z rozczochranym włosem'', ,,rączęta mając ziemią zawalane''. Jeśli pojawia się w otoczeniu kwiatów, to są nimi nie lilie i róże, lecz ,,heliotropy, co balsamią płuca''. Nie ma w poemacie rozdźwięku między ideałem i rzeczywistością, nie ma sporu rozumu i serca. Jest natomiast nietakt salonowej damy, pragnącej wydać Assuntę za mąż, i potwornie złośliwa, miażdżąca riposta narratora. Nieszczęśliwe zakończenie historii zostało ledwie zarysowane, zgodnie z poetyką niedopowiedzenia, któremu Norwid przypisywał znaczenie niemal mistyczne (,,gdzie są b e z m o w n e cierpienia, są wniebogłosy''). Niektórzy badacze radzą, by czytać *Assuntę* jako poemat alegoryczny, zawierający wykład poglądów Norwida.

51 Choruje na gruźlicę, bieduje, pogrąża się w coraz większej samotności (,,Rok, czy dwa, n i k o g o nie widywałem''). Tworzy arcydzieła teatralne: **Kleopatra i Cezar** oraz **Pierścień Wielkiej-Damy** ➡ TEATR NORWIDA.

56 Pozbawiony środków do życia, zostaje pensjonariuszem Domu Św. Kazimierza (przytułek w Ivry, na przedmieściach Paryża). Spędzi tam swoje ostatnie lata — samotny, zapomniany, zgorzkniały.

59 Pisze dramat **Miłość-czysta u kąpieli morskich** ➡ TEATR NORWIDA.

62 Choruje, nie ma pieniędzy na leczenie. Przed śmiercią, z myślą o wydawniczym sukcesie, kończy nowele: **Stygmat, ,,Ad leones!'', Tajemnica lorda Singelworth**. W ostatnim liście napisze: Cyprian Norwid ,,zasłużył na dwie rzeczy od Społeczeństwa Polskiego: to jest, ażeby oneż społeczeństwo nie było dlań o b c e i n i e p r z y j a z n e''.
Umiera we śnie 23 maja 1883 roku. Spoczywa we wspólnej mogile, dziś miejsce grobu nie znane.

Wiersz ,,Coś ty Atenom zrobił, Sokratesie'' okazał się proroczy i dla losów Norwida. Kilkanaście lat po śmierci poety zaczęto zbierać i wydawać rozproszone dotąd rękopisy (część przepadła zresztą bezpowrotnie). Ciekawe, że wysiłek ten podjęli najpierw literaci, a nie historycy literatury: Zenon Przesmycki (Miriam) i Wiktor Gomulicki. Dopiero w latach siedemdziesiątych XX w. ukazały się ,,Pisma wszystkie'' Norwida w opracowaniu Juliusza W. Gomulickiego (syna Wiktora).
Poeta za życia prawie nie znany, którego współcześni nie potrafili zrozumieć?
Chyba niezupełnie, bo jednak i na emigracji, i w kraju dobrze wiedziano o istnieniu Norwida. Podejrzewam również, że wielu szyderców i krytyków miało świadomość wielkości jego poezji. I właśnie dlatego atakowano go bezpardonowo, z taką furią.
Już w połowie XIX w. Norwid jest bezsprzecznie największym polskim poetą — przynajmniej spośród żyjących. Tylko że właśnie wówczas kończy się czas poezji. Wkrótce gazeta zacznie konkurować z książką, a czytelnik (coraz bardziej masowy) domagać się nowinek i rebusów zamiast trudnych wierszy. Norwid nie mógł też liczyć na uznanie przeżywającej kryzys duchowy emigracji. Z kolei młodym pozytywistom walczącym z poezją i tępiącym poetów człowiek obdarzony taką świadomością estetyczną, przywracający godność sztuki, podobać się nie mógł.
W naszym życiu zdarzają się wybory określające cały późniejszy los. W wypadku Norwida takim wyborem — kto wie, czy słusznym? — była decyzja o pozostaniu na emigracji, której dziejowa i kulturalna misja powoli dobiegała końca. Nikt nie potrafi odpowiedzieć, jak wyglądałaby literatura polska, gdyby Norwid pisał i wydawał w Warszawie. Mam jednak wrażenie, że młodym poetom debiutującym około 1870 r. ogromnie brakowało mistrza na miarę autora Vade-mecum.

LIRYKA NORWIDA

- w przeważającej części — liryka intelektualna, refleksyjno-filozoficzna
- liryka dialogu — poezja Norwida zakłada istnienie adresata utworu i jego współpracę w odczytywaniu ukrytych sensów
- gatunki: Norwid odrzuca charakterystyczne dla poezji romantycznej gatunki (ballada, powieść poetycka, poemat dygresyjny, dramat romantyczny), zastępując je formami lirycznymi bez ścisłej przynależności gatunkowej (co cechuje także poezję współczesną)
- tradycja: Biblia, Homer, Platon, Dante, Calderon (wyłącznie arcydzieła)
- poszerzenie języka poetyckiego, niejednolitość stylistyczna (elementy stylu publicystycznego, naukowego, potocznego)
- w zapisie: podkreślenia i wyróżnienia graficzne, innowacje językowe (neologizmy), swobodne traktowanie interpunkcji (charakterystyczne nadużywanie myślnika, ulubiony znak — wielokropek), troska o odpowiedni graficzny układ tekstu
- innowacje wersyfikacyjne: wiersz nieregularny o zróżnicowanej liczbie zgłosek, wiersz bezrymowy

---

Bema pamięci żałobny-rapsod

Wiersz napisany w rocznicę śmierci generała Józefa Bema, bohatera powstania listopadowego i Wiosny Ludów na Węgrzech. Nie jest naturalnie opisem autentycznego pogrzebu, lecz kunsztowną stylizacją. Żałobne rekwizyty pochodzą z różnych epok i kultur (antycznej, słowiańskiej, średniowiecznej). Korowód żałobników staje się w zakończeniu symbolem ludzkości podążającej w ślad za bohaterem-przewodnikiem. W utworze tym Norwid posłużył się polską odmianą heksametru. Zwraca uwagę bogactwo obrazów i oryginalność metafor.

Bema pamięci żałobny-rapsod zrobił na przełomie lat sześćdziesiątych i siedemdziesiątych naszego wieku dość niezwykłą karierę. Zamieniony przez Czesława Niemena w rodzaj beatowego oratorium (17 minut muzyki! — tego wówczas nie praktykowano), zajmował wiele tygodni pierwsze miejsce na młodzieżowych listach przebojów. Dotarł nawet do tych, co uważali Norwida jedynie za autora tekstów...

Coś ty Atenom zrobił, Sokratesie

Wiersz napisany pod wpływem emigracyjnych sporów „nad trumną Mickiewicza". Pokazuje, jak traktuje ludzkość swoich bohaterów: skazuje na śmierć (Sokrates), wygnanie (Dante, Napoleon), więzienie (Kolumb). A po śmierci oczywiście wielbi, nagradza, składa hołdy, stawia pomniki. Zdaniem Norwida inaczej być nie może, skoro wielcy przekraczają granice swej epoki. Ostatecznie do nich należy jednak zwycięstwo: „Człowiek jeden zwyciężył i wygra. Wygra często po wiekach, ale wygra" (cytat z późniejszego o kilka lat listu poety).

Manipulacje norwidowskie

Norwid pisał sentencjami. Jego wiersze, dramaty, a nawet listy to bogata kolekcja tak zwanych „złotych myśli", którymi można niestety dość łatwo manipulować. Niżej przytoczone aforyzmy i fragmenty podajemy bez komentarza, zachęcając Czytelnika do odszukania kontekstu, w jakim zostały wypowiedziane:

- „Arystokracja nasza jest s a l o n - f r a n c u s k i.
  Demokracja nasza jest k a r c z m a - f l a m a n d z k a.
  Suma: z a t r a c e n i e t e g o, c o p o l s k i e."
- „Jesteśmy żadnym s p o ł e c z e ń s t w e m.
  Jesteśmy wielkim s z t a n d a r e m n a r o d o w y m."
- „Kiedy cała Inteligencja są ludzie bez butów lub lokaje, nie może być odwagi cywilnej."
- „Nie miecz, nie tarcz — bronią Języka, lecz — arcydzieła!"
- „Awanturniki, facecjoniści, gawędziarze, pasibrzuchy, którzy jedzą, piją, grzyby zbierają i c z e k a j ą, a ż F r a n c u z i p r z y j d ą z r o b i ć i m o j c z y z n ę... Kobiet w tym arcytworze narodowym dwie: jedna — m e t r e s a p e t e r s b u r s k a, druga — p a n i e n k a p e n s j o n a r k a, i wyrostek bez profilu wyrobionego."
  (o bohaterach *Pana Tadeusza*)

Vade-mecum

Cykl złożony ze stu liryków (pierwotnie obejmować miał
również dwa dramaty), zachowany w postaci
niekompletnej, za życia poety pozostawał w rękopisie.
Norwid przywiązywał do niego ogromną wagę. „Sto
poezji drobnych — sto argumentów" otwierać miało
nowy, poromantyczny okres poezji polskiej. Był zdania,
że szybki rozwój dziennikarstwa zdezaktualizował poezję
związaną ściśle z bieżącymi wypadkami, ewolucja zaś
malarstwa spowoduje odejście od liryki opisowej. Dotąd
literatura polska mówiła głównie o „prawach". Teraz
nadchodzi czas, by zaczęła mówić także
o „obowiązkach".

Dotyczą one każdego człowieka, wynikają z postulatów
etycznych Nowego Testamentu, głoszą konieczność
przebaczenia i pojednania (**„Ruszaj z Bogiem"**).
Perspektywa religijna obecna jest w każdym właściwie
utworze z *Vade-mecum*, często jednak w formie utajonej
czy wręcz zaszyfrowanej. Szczególnego znaczenia nabiera
pojawiający się wielokrotnie symbol krzyża.

W interpretacji misterium pasyjnego romantycy widzieli
głównie akt ofiary, Norwid akcentuje tajemnicę
Przemienienia, które staje się jednym z kluczowych pojęć
w jego poezji.

Symbolika krzyża łączy boskość i człowieczeństwo, godzi
również czas i wieczność. Norwid traktował historię jako
część współczesności („Przeszłość — to dziś, tylko
cokolwiek dalej"), w dziełach sztuki widział twory
ponadczasowe — jego zdaniem za sprawą artysty
„zwieczniają się chwile".

Skłócony z wiekiem XIX, atakował zachodnią cywilizację
„pieniądza i pracy" (**Larwa, Syberie, Nerwy**). Oskarżał
ją o wypaczenie zasad etyki chrześcijańskiej, bezkrytyczne
zaufanie do nauki, emocjonalną pustkę (**W Weronie**).
Nie odpowiadał mu płaski materializm, rewolucji
społecznej przeciwstawiał wizję moralnej przemiany całej
ludzkości (**Socjalizm**).

Liryka *Vade-mecum* pełna jest czułości i współczucia, ale
nie czułostkowości (**Czułość**), cechuje ją wielka
wrażliwość, a nie histeryczny krzyk rozpaczy. Poeta
rozprawia się z romantycznym gawędziarstwem
(**Powieść**) i mesjanizmem (**Vanitas**). Wybiera dystans,
niedopowiedzenie, ironię („konieczny bytu cień"). Myślą
przewodnią zbioru mogłaby być jedna z najsławniejszych
jego sentencji: „Odpowiednie dać rzeczy słowo!"

W skład *Vade-mecum* wchodzą między innymi trzy
bardzo głośne utwory:

Klaskaniem mając obrzękłe prawice

Wiersz-wyznanie, wiersz-manifest.

Co robić, gdy z wyroku Bożego poeta rodzi się zbyt
późno, by zostać romantycznym wieszczem, gdy rolę tę
spełniły już i wyczerpały „wielkoludy" (Mickiewicz,
Słowacki, Krasiński), gdy wreszcie znajduje się lud
„znudzony pieśnią", niechętny nowej poezji? Twórcy
takiemu jak Norwid — samodzielnemu, poszukującemu,
oryginalnemu — przeznaczona jest samotność („samotny
wszedłem i sam błądzę dalej"). Poeta ma świadomość, że
nie doczeka się już uznania u współczesnych. Jego
nadzieją są przyszłe pokolenia („Syn — minie pismo, lecz
ty spomnisz, wnuku").

Jak...

Jeden z nielicznych liryków miłosnych Norwida. Kolejne
obrazy (fiołki lub spojrzenie „fiołkowych oczu", białe

kwiaty akacji nad otwartym fortepianem, postać
dziewczyny, po której włosach wędruje światło
księżyca, rozmowa z nią „podobna do jaskółek lotu")
budują napięcie, które wręcz domaga się efektownej
pointy. Zapowiada ją wybrana konstrukcja językowa
(jak... tak...). Nic z tego, bo Norwid wybiera milczenie,
niedopowiedzenie.

Jakaż różnica w porównaniu z romantykami, którzy tak
chętnie opowiadali o swoich dramatach miłosnych!

Fortepian Szopena

W 1863 r., wkrótce po zamachu na generała Teodora
Berga, carskiego namiestnika, żołnierze rosyjscy
splądrowali pałac Zamoyskich na Nowym Świecie.
Podczas tego incydentu wyrzucono przez okno
fortepian, na którym grywał młody Chopin. Norwid
oceniał jego muzykę równie wysoko jak arcydzieła
antycznej rzeźby (Fidiasz), biblijne psalmy (Dawid),
grecką tragedię (Aischylos). Osiągnięciem Chopina
było m.in. pogodzenie tego, co ludzkie, z tym, co
narodowe. W jego kompozycjach dostrzegł poeta wizję
nowej Polski („Polska-przemienionych kołodziejów").
Zwraca uwagę sposób potraktowania Rosjan. Norwid
uznał ich nie za odrażających barbarzyńców (na co
zresztą w pełni zasługiwali), lecz — zgodnie
z chrześcijańską zasadą przebaczenia — ludzi
ogarniętych gniewem, „błądzących". *Fortepian
Szopena*, napisany nieregularnym wierszem, operujący
mistrzowską rytmiką, jest utworem wieloznacznym,
przy czym interpretacja wydobywająca ukryte symbole
religijne zdaje się obiecywać najwięcej.

TEATR NORWIDA

- teatr bez odwołań do tradycji — polemiczny wobec Szekspira i Słowackiego (teatr bez okrucieństwa), wobec klasycyzmu i pseudoklasycyzmu (swoboda gatunkowa, brak rygorów formalnych), wobec współczesnego Norwidowi francuskiego teatru „mieszczańskiego" (teatr intelektualny)

- teatr bez dramatycznej akcji — fabuła sztuk Norwida, zazwyczaj bardzo prosta albo wręcz banalna, zdaje się nieraz „zamierać" — napięcia, konflikty, dramaty bohaterów wynikają z monologów lub traktowanych nietypowo dialogów scenicznych

- teatr poetycki — w utworach współczesnych dialogi na pograniczu salonowej konwersacji i wypowiedzi lirycznej (bohaterowie mówią wierszami Norwida)

- teatr wielkiej literatury — dramaty Norwida przeznaczone są zarówno do czytania, jak i wystawiania na scenie, przy czym wiersz bezrymowy wymaga szczególnej staranności od aktora

- teatr „białej tragedii" (tragikomedia, komediodrama) — chodzi tu o tragedię bez zgonów i krwi na scenie (Norwid używał w stosunku do swoich utworów określenia „Tragedia-Biała")

- teatr bliski współczesności, zapowiadający już poszukiwania awangardy teatralnej XX w.

Kleopatra i Cezar to tragedia z wielu względów nietypowa: historyczna, a w dodatku monumentalna (na scenie pojawia się kilkadziesiąt postaci), „krwawa", bo oglądamy jednak śmierć jednego z głównych bohaterów, Marka Antoniusza. Całkowicie odmienne opracowanie tematu podejmowanego przez wielu pisarzy (m.in. przez Szekspira). Norwida nie interesują mechanizmy walki o władzę, lecz świat ludzkiej psychiki. Kleopatra i Cezar tworzą w dramacie związek harmonijny, są też jednostkami wyrastającymi ponad otoczenie, ponad naród i własną kulturę. Tragiczne jest zwłaszcza osamotnienie Kleopatry: „Nigdy-nigdzie-nikogo przy sercu!"

Obie cywilizacje ścierające się w dramacie weszły w fazę schyłkową. Społeczeństwo egipskie, „lud wychowany między Sfinksem a Mumią", reprezentuje cywilizację grobów, cywilizację śmierci. Jej charakter pokazują najlepiej obrzędy balsamowania zwłok, a także „architektura grobowa", czyli piramidy. Potęga Rzymu opiera się na wojowniczych legiach, podbijających coraz to nowe ziemie. Ze swym prawem i organizacją państwową jest przecież Rzym „wielką zbrodnią", demoniczną wielkością, która „nie znosi człeka". W obu przypadkach system niszczy więc jednostkę.

Tragedia, choć poprzedzona starannymi studiami (umarłe cywilizacje zawsze interesowały poetę), ma wiele cech utworu współczesnego, wykorzystującego jedynie historyczny kostium.

Podobnie jak Słowacki Norwid nie widział nigdy premiery żadnej ze swoich sztuk. Zaczęto je grywać — bardzo rzadko i z oporami — dopiero ćwierć wieku po śmierci poety. Ogromne zasługi we wprowadzeniu ich na scenę ma Wilam Horzyca, twórca głośnych inscenizacji *Kleopatry* i *Za kulisami*. Największym powodzeniem wśród reżyserów cieszył się jak dotąd *Pierścień Wielkiej-Damy*, jednak za Kazimierzem Braunem ciągle możemy powiedzieć, że w polskim teatrze „Norwid jeszcze nie zamieszkał na stałe".

Pierścień Wielkiej-Damy to skrót tytułu, który w pełnej wersji brzmi: *Pierścień Wielkiej-Damy, czyli Ex-machina-Durejko*. Tytuł jak z Witkacego, a dramat równie niezwykły. Można w nim dojrzeć fragment ironicznej autobiografii poety. Bo przecież hrabina Maria Harrys, chłodna, kapryśna i bardzo bogata arystokratka, przypomina panią Kalergis, a „wzniosły nieznajomy" Mak-Yks, ubogi i głodujący wielbiciel, to sam Norwid. *Pierścień* jest także satyrą na salonowe obyczaje nakazujące ludziom raczej grę pozorów niż szczerość („trzeba zawsze dystynkcję zachować"). Jest wreszcie — mimo wyjaśnień zawartych we wstępie — krytyką pewnej części emigracji. Reprezentuje ją sędzia Durejko, typowy „Litwin" z rodzaju osobistości, które dały się we znaki Słowackiemu. Rozkochany w dziwacznościach filozoficznych Trentowskiego, cytujący Mickiewicza, nie widzi miejsca dla innych poetów („jeden dość"). Sędzia, któremu mieszczański ideał życia („Rachunki swe akuratnie przejrzeć, posłusznym być sługą, czułym mężem") nie pozwala akceptować wrażliwej, artystycznej natury Mak-Yksa, staje się powodem towarzyskiego nietaktu. Korzystając z tego, że podczas zabawy zginął kosztowny pierścień z brylantem („talizman Marii"), sprowadza policję i rzuca podejrzenie na Mak-Yksa. W momencie rewizji młody człowiek ma w jednej kieszeni zebrane ze stołu okruszyny chleba, w drugiej nabity rewolwer. Zawstydzona hrabina ofiarowuje Mak-Yksowi rękę, ale zakończenie dramatu pozostaje niejasne. Nie mamy żadnej pewności, że wszystko skończy się szczęśliwie.

Oprócz sztuk kilkuaktowych, wypełniających cały spektakl, Norwid pisywał również jednoaktówki (m.in. **Noc tysiączna druga**), a nawet pozostawił tragedię złożoną z jednej tylko sceny (**Słodycz**).

Miłość-czysta u kąpieli morskich, określona w tytule jako „komedia", to jednoaktówka złożona z pięciu scen. Cztery główne postacie utworu tworzą prawdziwy „biały" kwartet. Jak zwykle u Norwida, emocje są wygaszone i starannie ukrywane, słowa maskują uczucia, przemilczenie i niedopowiedzenie stają się podstawowymi środkami ekspresji. Fabuła — najmniej może ważna — jest tu wyjątkowo błaha, prawie farsowa. Marta kocha Erazma, Feliksowi podoba się Julia, ale właśnie nazajutrz odbyć się mają zaręczyny Erazma z Julią. W finale nad morski brzeg podążają wszystkie postacie, a trzy z nich — w celach samobójczych. Ich przyszłość pozostanie jednak dla widza zagadką.

W tej komedii nie ma prawdziwej miłości. Jest tylko gra interesów i gra konwenansów.

W CIENIU WIESZCZÓW

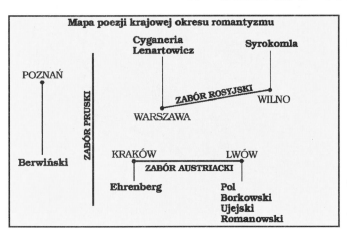

Mapa poezji krajowej okresu romantyzmu

Kalendarz

1833 — Garczyński: *Wacława dzieje* (emigracja)

1841–1843 — najważniejszy okres działalności
                            Cyganerii warszawskiej

1843 — Pol: *Pieśń o ziemi naszej*

1847 — Ujejski: *Skargi Jeremiego*

1854 — Syrokomla: *Urodzony Jan Dęboróg*

1855 — Lenartowicz: *Lirenka*

1856 — Dunin-Borkowski: *Sonety pełtewne*

1861 — Romanowski: *Dziewczę z Sącza*

1862 — Syrokomla: *Melodie z domu obłąkanych*

1870 — Lenartowicz: *Album włoskie*

Cechy romantycznej poezji krajowej

● poezja w cieniu i pod wpływem wielkich mistrzów (Mickiewicza, Słowackiego, Krasińskiego)

● ulubione gatunki: gawęda szlachecka, piosenka, satyra, powieść poetycka

● tradycje: szlachecka (Pol, Syrokomla), ludowa (Lenartowicz), bajronowska (Berwiński)

● najsilniejszym ośrodkiem literackim jest Lwów, ożywienie kulturalne w Wielkopolsce, trudna sytuacja w zaborze rosyjskim (ponura epoka paskiewiczowska, likwidacja uniwersytetów w Warszawie i Wilnie, rusyfikacja)

Wincenty Pol (1807–1872)

● poeta-konserwatysta (tacy też bywali), żołnierz powstania listopadowego, geograf, muzykolog

● zyskał popularność żołnierskimi pieśniami (m.in. *Grzmią pod Stoczkiem armaty*)

● „kolekcjoner" różnych typów polskiego pejzażu omówionych w **Pieśni o ziemi naszej** (Podhale, Litwa, Galicja, kresy) — dowód, że romantyczne podróże odbywano także w kraju

● piewca dawnego obyczaju rycerskiego (poemat **Mohort**)

● poeta bardzo gadatliwy („Bajże baju po zwyczaju o tym naszym polskim kraju"), niegdyś mocno przeceniany

Kornel Ujejski (1823–1897)

● poeta o ambicjach wieszcza — „galicyjski Słowacki"

● rozgłos przyniósł mu **Maraton**, poemat politycznych aluzji, krytyka społeczeństwa polskiego i wezwanie do walki

● na wypadki 1846 r. (rabacja galicyjska) odpowiedział **Skargami Jeremiego** ➡ CO Z HISTORIĄ?; zamieszczony w tym zbiorze **Chorał** („Z dymem pożarów, z kurzem krwi bratniej...") stał się pieśnią narodową

● przeciwnik Pola i zwolenników lojalizmu wobec zaborców

● twórca poezji patetycznej i monumentalnej, ceniony przez współczesnych, dziś już nieco zapomniany

Józef Dunin-Borkowski (1809–1843)

● poeta, badacz dziejów kultury, żołnierz powstania listopadowego

Sonety pełtewne (napisane około 1840 r., wydane znacznie później) to cykl 18 utworów. Tytuł pochodzi od nazwy rzeki, a właściwie ścieku, nad którą leży Lwów (Pełtew). Dunin-Borkowski wykorzystał formę romantycznego sonetu w sposób zgoła nowatorski. Posłużył się narracją niemal powieściową. W obrazach pełnych ironii, satyry i groteski pokazał społeczeństwo lwowskie w krzywym zwierciadle. *Sonety pełtewne* to właściwie parodia arcypopularnego w poezji romantycznej gatunku. Parodie są twórcze!

Mieczysław Romanowski (1833–1863)

● utalentowany liryk, próbował swych sił również w prozie i dramacie

● poległ w powstaniu 1863 r. mając niespełna 30 lat („Baczyński powstania styczniowego")

● najpopularniejszy utwór: poemat **Dziewczę z Sącza** (akcja utworu rozgrywa się w okresie szwedzkiego „potopu")

● najpopularniejsza strofka pochodzi z innego wiersza (**Kiedyż?**):
„I kiedyż uczynim, swobodni oracze,
Lemiesze z pałaszy skrwawionych?...
Ach! kiedyż na ziemi już nikt nie zapłacze
Prócz rosy pól naszych zielonych?!"

Te słowa wpisała Biruta (czyli Ania) do pamiętnika pewnej gimnazistki...

Gustaw Ehrenberg (1818–1895)

- syn (nieślubny, rzecz jasna) cara Aleksandra I
- poeta-rewolucjonista, wielokrotnie aresztowany, zesłany na Syberię
- najpopularniejszy utwór: pieśń rewolucyjna **Szlachta w r. 1831** („Gdy naród na pole wystąpił z orężem...")
- wróg sentymentalizmu, „poezji ruin" i romantycznego marzycielstwa
- nienawidził magnaterii i salonów („bracie, chodź ze mną między gminnych ludzi")

Cyganeria warszawska

- nieformalna grupa poetycka — Włodzimierz Wolski (1824–1882), Roman Zmorski (1822–1867), w luźnym związku: Lenartowicz i Norwid
- artyści przeciw mieszczaństwu i szlachcie, kontestatorzy
- styl bycia: rewolucyjne brody, czarne peleryny, surduty zamiast fraków; ulubione miejsca: strychy, piwnice, knajpy (niestety, alkoholizm też w modzie)
- fascynacja muzyką (Wolski stworzył libretta do oper Moniuszki: *Halki* i *Hrabiny*)
- patriotyzm, często w powiązaniu z dążeniem do rewolucji (Wolski, Zmorski), sympatie po stronie ludu, zainteresowanie wsią (wyprawy etnograficzne)

Teofil Lenartowicz (1822–1893)

- poeta i rzeźbiarz, kraj lat dziecinnych: wieś mazowiecka („lirnik mazowiecki" opisywał ją przez całe życie)
- od 1851 r. na emigracji (Francja, Włochy), wydawał jednak w kraju
- tematy ludowe: liryzm bez sentymentalizmu, dźwięczność i prostota jak w ludowej piosence (**Kalina, Złoty kubek**), poeta uspokojenia i pojednania ze światem („nienawiść z serca wygonię")
- tematy patriotyczne: pamięć powstania kościuszkowskiego (**Bitwa racławicka**), nadzieje na odzyskanie niepodległości wiązał z ludem („Jak Moskala my nie zdusim, to Moskal nas zdusi")
- tematy religijne: w poemacie **Zachwycenie** (tytuł jest próbą wprowadzenia polskiego odpowiednika dla mistycznej wizji) opisał stan, w którym dusza ludzka ulatuje z ciała, ogląda przyszłość i zaświaty — raj Lenartowicza jak z ludowej pieśni: rosną tu jabłonie i grusze, a Pan Jezus jest pasterzem
- w tomie **Album włoskie** — motywy antyczne i renesansowe, poezja kultury, dzięki niej jest prekursorem polskiego parnasizmu
- w drugiej połowie XIX w. — najpopularniejszy z żyjących poetów (poczytniejszy od Asnyka i Konopnickiej)

Władysław Syrokomla (1823–1862)

- poeta, „lirnik wioskowy", prawie całe życie spędził na wsi, miewał kłopoty z carską władzą (aresztowanie za udział w manifestacji patriotycznej)
- w nurcie tradycji szlacheckiej — „obrazki" i „gawędy" (**Urodzony Jan Dęboróg**), mistrz języka prowincji
- w nurcie tradycji ludowej — poezja „od chaty do chaty", przeciwstawienie chat — pałacom (**Lirnik wioskowy**), krytyka szlachty („hańba herbowej pieczęci")
- poeta zdumiewająco wszechstronny — także wybitny „poeta śmierci", ukazywanej w poetyce wręcz barokowej (**Grabarz**)
  „Na trupie dziecka wąż się obwije,
  Mędrcom — szczur wlezie do ucha
  I gniazdo złoży, i mózg mu wyje,
  W piersiach dziewicy — ropucha."

> Sławny cykl 6 utworów **Melodie z domu obłąkanych** porównywano z dziełami Norwida i... poezją surrealistów. Są one monologiem szaleńca zamkniętego w szpitalu psychiatrycznym. Taka sytuacja narratora usprawiedliwia osobliwą poetykę *Melodii*: kaprysy chorej wyobraźni, wyszukane koncepty („łza zasuszona biednego Murzyna"), luźną konstrukcję. Syrokomla nie mówi tu o wielkim romantycznym szaleństwie, choć i w *Melodiach* — podobnie jak w *Kordianie* — grasuje szatan. Ostatni utwór cyklu to obraz pogrzebu „chudego literata" w czasach dla poezji niełaskawych („skarlał czas, pokarleli nasi literaci").

Ryszard Berwiński (1819–1879)

- poeta walki, rewolucjonista („bicz Boży — nie wieszcz"), zmarł w Turcji (żołnierz Sadyka Paszy)
- najwybitniejsze dzieło — poemat dygresyjny **Don Juan poznański**, zawiera krytykę społeczeństwa polskiego XIX w., utwór odczytany jako bluźnierstwo: zdaniem Berwińskiego o przyszłości Polski zdecydują kosy i siekiery polskiego ludu, nie interwencja Opatrzności („więc gdy stary Bóg nie słucha, pomódlmy się do obucha")

Stefan Garczyński (1805–1833)

- **poeta emigrant**, żołnierz powstania listopadowego (na podstawie opowieści Garczyńskiego powstała *Reduta Ordona*)
- najwybitniejsze dzieło: poemat filozoficzny **Wacława dzieje** z typowym bohaterem romantycznym w roli głównej (Wacław powtarza drogę „od Gustawa do Konrada")
- pisarz trochę przereklamowany za sprawą przyjaciela (a był nim sam Adam Mickiewicz), który nie tylko popularyzował i wydawał, ale nawet poprawiał utwory Garczyńskiego

GAWĘDY I ROMANSE

Co to jest **romans**? Używano tego terminu w odniesieniu do utworów literatury starożytnej i średniowiecznej. Na początku XIX w. romansem była po prostu powieść. Dziś uznajemy romans za odmianę powieści — niekoniecznie najambitniejszą. Romans to historia miłości, jeśli nawet odwzajemnionej i szczęśliwej, to z komplikacjami. Romans bywa smutny i często źle się kończy, tak że jest nad czym popłakać. Akcja typowego romansu dzieje się w wielkim świecie, co pozytywistów, którzy pisali o umorusanych chłopach musiało denerwować. W czasach świetności pisaniem romansów zajmowali się nie literaci z gatunku groszorobów (a fe!), lecz prawdziwe damy — takie jak **Maria Wirtemberska** (1768–1854), córka księcia Adama Kazimierza Czartoryskiego i Izabeli (tej od Puław!), która dzielnie podtrzymywała tradycje polskiego sentymentalizmu.

Malwina, czyli Domyślność serca jest romansem niebanalnym. Tytułowa bohaterka „do końca życia była kochana", a i jej miłości „ni czas, ni lata nie odmieniły". W powieści Wirtemberskiej kocha się inaczej niż w późniejszych o parę lat *Dziadach* (choć są i niejakie podobieństwa). Malwina „miała bardziej serce tkliwe niż uczucia gwałtowne, imaginację żywą i zbyt może wybujałą", „z wielką chciwością i trochę może nadto czytywała romansów".
Nowatorska w analizie uczuć (zwłaszcza kobiecych), skomponowana zgrabnie z listów przeplatanych narracją niekiedy w duchu sterne'owskim, *Malwina* łączy cechy romansu i powieści psychologicznej.

Nurt tradycji sarmackiej zrodził **gawędę** (cechy polskiej gawędy szlacheckiej ➡ JAN CHRYZOSTOM PASEK). W XIX w. gatunek kontynuował, a raczej adaptował na potrzeby XIX-wiecznej prozy **Henryk Rzewuski** (1791–1866).

Okoliczności powstania i publikacji **Pamiątek Soplicy** są tyleż intrygujące co zagadkowe. Wiadomo, że do spisania gawęd namówił autora poznany w Rzymie Mickiewicz. Rzewuski był znakomitym gawędziarzem i kto wie, czy jego opowieści nie odegrały znaczącej roli w narodzinach pomysłu *Pana Tadeusza*. Gawędy zgromadzone w *Pamiątkach Soplicy* pokazują schyłek Rzeczypospolitej Obojga Narodów i wydarzenia takie, jak konfederacja barska, protest Rejtana, rozbiory. Narratorem jest Seweryn Soplica, „cześnik parnawski". Ulubionymi bohaterami — bajecznie bogaty pijak i hulaka książę Radziwiłł „Panie Kochanku" oraz ksiądz Marek (w ujęciu Rzewuskiego raczej świetny mówca trafiający do mas szlacheckich niż natchniony prorok).
Pamiątki Soplicy kreślą (wnikliwie, ale z humorem) obraz szlachcica święcie przekonanego, że „wszystko dawniej szło lepiej niż teraz", kochającego „wiarę i ojczyznę", wrogiego innowiercom i cudzoziemcom. Szlachcica, który od czasu do czasu — o ile mógł — podnosił głowę znad szklanki, by chwycić szablę w obronie swego honoru, a potem godzić się ze swym przeciwnikiem (znów nad szklanką). Bardzo zwariowany świat.

Ceniony jako prozaik, w życiu publicznym Rzewuski zachowywał się wyjątkowo paskudnie. Czołowy publicysta „koterii petersburskiej", współpracownik „Tygodnika Petersburskiego", był politycznym ekstremistą. Obwieszczał upadek cywilizacji zachodniej, potępiał Oświecenie, spiski niepodległościowe nazywał „robactwem" toczącym trupa Polski. Bo dla Rzewuskiego Polska umarła nieodwołalnie po rozbiorach. A teraz jedynym wyjściem jest współpraca z caratem, uznanie wielkości Rosji i rojenia o wspólnocie słowiańskiej.

Wśród pisarzy uprawiających w drugiej poł. XIX wieku powieść historyczną warto wymienić Zygmunta Miłkowskiego, znanego lepiej pod pseudonimem **Teodora Tomasza Jeża** (1824–1915), oraz **Walerego Przyborowskiego** (1845–1913). Obaj płodni i bardzo popularni, stworzyli po kilkadziesiąt powieści niegdyś chętnie czytanych, dziś już raczej zapomnianych.

W połowie wieku powieść polska staje się bardziej urozmaicona. Pisarze opowiadają coraz sprawniej, do ich utworów trafiają też nowe tematy.

Narcyza Żmichowska (1819–1876) tworzy w **Pogance** nowy typ powieści o artyście. Sztuka jest tu namiętnością silniejszą niż miłość, staje również na przeszkodzie działalności społecznej, stanowi wyzwanie dla istniejącego porządku etycznego. Żmichowska związana była z grupą tzw. „entuzjastek” walczących o równouprawnienie kobiet, angażujących się w spiski patriotyczne, opowiadających się za demokratycznym modelem społeczeństwa.

Józef Korzeniowski (1797–1863) wprowadził do swych powieści (**Kollokacja, Krewni**) świat drobnych urzędników i rzemieślników, finansistów i spekulantów, nieudolnie gospodarujących szlachciców. Utwory to wprawdzie skromne, ale pokazujące trafnie powstawanie nowych mechanizmów życia gospodarczego. Polski Balzak nigdy się nie narodził, dobrze, że mamy chociaż Korzeniowskiego. Pisał także dramaty; najbardziej liczący się wśród nich to *Karpaccy górale*.

Edmund Chojecki (1822–1899) robił w życiu bardzo różne rzeczy: udzielał się w salonach warszawskich, redagował pisma, podróżował, wreszcie wybrał emigrację. Pisywał do Mickiewiczowskiej „Trybuny Ludów”, przyjaźnił się z Norwidem. U schyłku życia został pisarzem francuskim i jako Charles-Edmond odnosił pewne sukcesy.

Alkhadar napisał jeszcze po polsku. Jest to jedna z najdłuższych powieści w naszej literaturze (cztery obszerne tomy!). Pokazuje Galicję pierwszej połowy XIX w. — jej osobliwą rzeczywistość, w której spotykają się hrabiowie, bankierzy, ziemianie, książęta, Austriacy, Węgrzy i oczywiście panny na wydaniu. Także i tutaj — jak w powieściach Korzeniowskiego i komediach Fredry — pieniądz jest „wartością nad wartościami”. Małżeństwo traktuje się jak kontrakt handlowy, patriotyzm staje się — przynajmniej dla upadającej arystokracji — przeżytkiem. Chojecki kreśli szeroką panoramę społeczną, opisuje rodowód poszczególnych postaci, nawiązuje do wydarzeń jeszcze z 1764 r., losy niektórych bohaterów łączą się z historią Europy (walka o zjednoczenie Włoch). Arabskie słowo użyte w tytule mówi o przeznaczeniu, które układa ludzkie żywoty w sposób nie zawsze najmądrzejszy. Takim fatalnym kaprysem, nieszczęsnym zbiegiem okoliczności jest śmierć Władysława Wilczka w pojedynku z Kazimierzem Porajem. Dawny hulaka i awanturnik przeobraził się bowiem w dobrego gospodarza i w jakimś sensie okupił swoje winy.

W rozdziale wstępnym — rozważania, jak napisać powieść. Interesujące.

Powieść gotycka to taki gatunek powieści, w którym wieje grozą. Duchy i upiory buszują w jakimś starym zamczysku, rozrabiają ponadto czarne charaktery. Szlachetni bohaterowie i prześladowane piękności wpadają w tarapaty. Najpopularniejsze powieści gotyckie powstały u schyłku XVIII i na początku XIX w. w Anglii (Walpole, Lewis).

Walery Łoziński (1837–1861) to jeden z największych zmarnowanych talentów w dziejach naszej literatury. Przeżył zaledwie 24 lata, zginął nierozsądnie — w pojedynku. Pozostawił pięć (!) liczących się powieści, a poza tym opowiadania, komedie, publicystykę. Kto wie, czy nie stałby się pisarzem równie płodnym jak Kraszewski?

Zaklęty dwór Łozińskiego wolno nazwać polską odmianą powieści gotyckiej. Jest tu dwór, w którym straszy. Jest strażnik zaklętego miejsca, wierny sługa Kost' Bulij, tajemnicza dziewczyna i bohater w przebraniu. Co prawda w finale okazuje się, że duchów nie było, utwór zaś stanie się powieścią aluzji politycznej. Jego akcja rozgrywa się zresztą w bardzo gorącym dla Galicji okresie poprzedzającym wypadki 1846 r. W epilogu jeden z głównych bohaterów, Damazy Czorgut, pojedzie do Turcji, by walczyć pod komendą generała Bema. Łozińskiemu nieobca też była problematyka społeczna i sporo uwagi poświęcił „ekonomskim planom” i „spekulanckim brudom”. Odważnie mówił o kwestii chłopskiej.

Zaklęty dwór napisany jest po mistrzowsku, techniką powieści w odcinkach. Sztukę narracji opanował młody autor nie gorzej niż Rzewuski.

Rangę Galicji jako centrum literatury krajowej (jednocześnie — pociągający temat dla pisarza) próbował podtrzymać współczesny już pozytywistom **Jan Lam** (1838–1886). W powieściach takich, jak **Wielki świat Capowic** i późniejsze o cztery lata **Głowy do pozłoty**, okazał się utalentowanym i drapieżnym satyrykiem. Atakował biurokrację galicyjską, ugodowo nastawioną arystokrację, niezbyt inteligentną szlachtę. Satyra Lama bliska jest groteskowemu widzeniu świata. Krytykowany przez konserwatystów, zyskał uznanie wśród pisarzy z kręgu pozytywizmu — zdaniem Prusa pokazał „wyczerpujący obraz wad społeczeństwa, naturalnie z barwą galicyjską”.

Powieść przed pozytywistami

1816 —	Wirtemberska: *Malwina, czyli Domyślność serca*
1839 —	Rzewuski: *Pamiątki Soplicy*
1843 —	Kraszewski: *Ulana*
1846 —	Żmichowska: *Poganka*
1847 —	Korzeniowski: *Kollokacja*
1854 —	Chojecki: *Alkhadar* Kraszewski: *Chata za wsią*
1859 —	Łoziński: *Zaklęty dwór*
1869 —	Lam: *Wielki świat Capowic*

„W rozpaczy tworzą sobie ludzie każdej epoki historię na obraz i podobieństwo swoje..."

JÓZEF IGNACY KRASZEWSKI

1812–1887

- prozaik, poeta, dramaturg, historyk, krytyk, dziennikarz, kolekcjoner
- urodzony w Warszawie, związany z Wilnem, wołyńską wsią, Żytomierzem, Warszawą
- od stycznia 1863 r. na emigracji w Niemczech, w 1883 r. aresztowany i więziony (za szpiegostwo na rzecz Francji), następnie we Włoszech i Szwajcarii, gdzie zmarł
- sam uważał się za pisarza o rodowodzie kresowym
- najbardziej pracowity z polskich pisarzy (pozostawił ok. **500 tomów!**)
- „człowiek-instytucja", wywarł olbrzymi wpływ na polskie życie kulturalne, zwłaszcza w drugiej połowie XIX w.

Powieści współczesne

Z najwcześniejszych utworów tej grupy: **Poeta i świat** (1839), powieść o klęsce romantycznego marzycielstwa w zetknięciu z nieprzyjaznym otoczeniem, na zasygnalizowany w tytule konflikt autor patrzy obiektywnie, obie strony obarczając częścią winy; **Latarnia czarnoksięska** (1843–1844),

powieść o ciekawej, luźnej kompozycji, rozległa panorama społeczna, jeden z pierwszych w naszej prozie portretów psychologicznych kobiety dojrzałej (Kraszewski nie należał do autorów, których obchodziły wyłącznie podlotki!). Z późniejszych dzieł na plan pierwszy wysuwają się tzw. **powieści ludowe**.

Akcja **Ulany** (1843) rozgrywa się na Polesiu. Miłość, która połączyła dziedzica, Tadeusza, i prostą chłopkę, Ulanę, to uczucie romantyczne, szalone, a w dodatku „występne", potępione przez otoczenie. Taka historia skończyć się musi tragicznie — jak melodramat. Jest w finale zemsta pokrzywdzonego wieśniaka (męża tytułowej bohaterki), małżeństwo dziedzica z dobrze urodzoną panną i samobójstwo zdradzonej kobiety. Inaczej niż niektórzy z krajowych romantyków, Kraszewski nie idealizuje ludu. Dostrzega nędzę wsi i prymitywne warunki życia jej mieszkańców („stan wpółdzikiego ludu, nie myślącego o niczym nad zaspokojenie pierwszych potrzeb zwierzęcych").

Ciemnotę, nędzę i nietolerancję społeczności wiejskiej pokazuje również **Chata za wsią** (1854–1855), której akcja rozgrywa się częściowo w środowisku cygańskim — jego malowniczy folklor to jeden z wątków tego utworu. Pierwowzorem Sienkiewiczowskiego Janka Muzykanta jest natomiast bohater **Historii kołka w płocie** (1860). Kończy się ona fatalnie dla obu bohaterów — utalentowanego skrzypka i... tytułowego kołka.

Powieści Bolesławity

Powstały w Dreźnie, w latach 1863–1870. Poświęcone są tematyce związanej z powstaniem styczniowym i poprzedzającymi je manifestacjami patriotycznymi. Utwory te Kraszewski podpisywał pseudonimem B. Bolesławita. Powieści takie, jak **Dziecię Starego Miasta, Szpieg, Moskal, Para**

czerwona, zawierają ocenę postawy rozmaitych grup społecznych wobec wypadków 1863 r. Patriotyzmowi inteligencji, mieszczaństwa i warszawskiego ludu przeciwstawił autor bierność czy wręcz obojętność części szlachty i arystokracji. W sporze o przywództwo powstania sympatie Kraszewskiego są tym samym po stronie „czerwonych".

Powieści historyczne

- niezgodne z modelem powieści Waltera Scotta — zdaniem Kraszewskiego najważniejsza jest prawda historyczna, fikcja fabularna ma znaczenie drugorzędne
- brak idealizacji przeszłości Polski
- historia to rozumny, logiczny ciąg przyczyn i skutków („Jak w życiu człowieka, tak w życiu narodów, żadna wina nie przechodzi bez kary, żadna zasługa bez owocu")
- wykorzystanie materiału źródłowego (kroniki, pamiętniki, dokumenty, opracowania historyczne)
- starannie oddane realia obyczajowe epoki (zwróćmy uwagę, że Kraszewski chętniej opisuje życie codzienne niż np. sceny wielkich bitew — batalistą był zresztą przeciętnym)
- bohaterami — w znacznej mierze autentyczne postacie historyczne
- archaizacja językowa — stosowana z umiarem i troską, by język powieści był zrozumiały dla współczesnego czytelnika („Ducha wieku można pochwycić nowymi wyrazy i wszelką mową")

Najważniejsze powieści historyczne Kraszewskiego

tytuł	opisana epoka	rok wydania
Stara baśń	legendarna	1876
Kraków za Łoktka	XIV w.	1880
Krzyżacy 1410	XV w.	1882
Zygmuntowskie czasy	XVI w.	1846/1847
Historia o Janaszu Korczaku i pięknej miecznikównie	XVII w.	1875
Hrabina Cosel	XVIII w.	1874
Brühl	XVIII w.	1875
Saskie ostatki	XVIII w.	1889
Barani Kożuszek	XVIII w.	1898
Półdiable weneckie	XVIII w.	1866

Blisko 100 utworów pisarza składa się na zbeletryzowaną historię Polski. A jak odróżnić utwory historyczne od współczesnych? Pozornie to bardzo łatwe, gdy chodzi o autora nam współczesnego. Z Kraszewskim, który pisał o wszystkich właściwie epokach — będzie nieco trudniej.
Ciekawe kryterium proponuje Wincenty Danek, zasłużony badacz twórczości Kraszewskiego. Nazywa on „historycznymi" powieści, których akcja rozgrywa się w czasie przed narodzinami pisarza.

Akcję **Starej baśni** umieścił Kraszewski w IX w., ale jest to, rzecz prosta, lokalizacja raczej dowolna. Niedostatek materiałów dokumentujących najdawniejsze dzieje Słowiańszczyzny sprawił, że tym razem pisarz odwołać się musiał głównie do wyobraźni. Tworzywem *Starej baśni* jest więc nie tyle historia, co legenda.
Walka słowiańskiego plemienia Polan z żywiołem germańskim i bunt społeczności kmieciów przeciw władcy kończą się zwycięstwem. Na czele Polan staje teraz Piast, zgodnie z legendą — założyciel dynastii rządzącej Polską w następnych wiekach. Kraszewski poświęcił sporo miejsca obyczajom pogańskiej jeszcze Słowiańszczyzny — jej religii i kulturze. Sceptyków (a byli już wśród nich krytycy związani z pozytywizmem) do swojej wizji przeszłości słowiańskiej raczej nie przekonał. Utwór zdobył jednak dość znaczną popularność i należy do największych osiągnięć powieści historycznej XIX w.

 *Istnieją pisarze, których całe dzieło poznać można w ciągu jednego tygodnia, a nawet jednego wieczoru. Poznanie całej twórczości Kraszewskiego to kilka lat systematycznej lektury. Może i dlatego autor „Ulany" i „Starej baśni" ma ciągle niewielką, ale wierną grupę zwolenników. Podejrzewam, że są to ludzie, którzy niezbyt chętnie zawierają nowe znajomości, którym obca jest niecierpliwość i pośpiech. Takich czytelników Kraszewski nigdy nie zawodzi. W ogóle pisarz to bardzo solidny. Arcydzieł nie stworzył, ale wielkich klęsk artystycznych też nigdy nie doświadczył.*

„Prawda w oczy kole, może ukłuć i w uszy.”

ALEKSANDER FREDRO

Urodzony 1793(?)

w Surochowie koło Jarosławia, w zamożnej rodzinie szlacheckiej; w 1822 r. ojciec otrzymał tytuł hrabiowski.

rok życia

15 Dzieciństwo spędza w Beńkowej Wiszni koło Sambora (dziś — Ukraina) i we Lwowie. Prywatni nauczyciele uczą go „francuskiego, muzyki, przyzwoitości” — niezbyt pilnie („Książki w rękę nie wziąłem. Jeżelim czytał, to romanse”).

16 Wstępuje do armii księcia Józefa Poniatowskiego. Otrzymuje stopień podporucznika kawalerii.

19 Bierze udział w wyprawie Napoleona na Rosję. Wzięty do niewoli, ucieka i powraca do wojska.

> Swoją młodość opisze po latach w dosyć osobliwym pamiętniku **Trzy po trzy**. Nie przeznaczony początkowo do druku, pomyślany raczej jako dokument rodzinny, pamiętnik opublikowany został dopiero w 1877 r., gdy zaczęto opróżniać szuflady zmarłego pisarza.
> *Trzy po trzy* wykazuje pewne cechy gawędy, choć swobodną (a właściwie programowo bałaganiarską) kompozycją i narracją przerywaną dygresjami budzi też skojarzenie z prozą Sterne'a. Pisząc tę książkę Fredro przybiera maskę starca — mądrego, dowcipnego, ale jednocześnie zgorzkniałego, trawionego melancholią. Na kampanię napoleońską patrzy człowiek, który przez cały czas wojennej tułaczki chciał się porządnie wyspać. No, a ktoś, kto wyznaje z zakłopotaniem, że najbardziej lubił w życiu łóżko, nie nadaje się chyba ani na bohatera, ani na wieszcza narodowego. Na komediopisarza — z całą pewnością.

21 Po klęsce Napoleona opuszcza armię. Z Francji wraca do rodzinnego majątku. Poluje, gra w karty, z nudów uwodzi panny. I pewnie z tych samych powodów zaczernia papier.

24 Debiut na scenie lwowskiej (jednoaktówką **Intryga naprędce**).
Miłość do Zofii z Jabłonowskich Skarbkowej, żony Fryderyka Skarbka, powieściopisarza i... wybitnego ekonomisty.

28 Pierwsza z ważnych komedii — **Pan Geldhab** (satyryczny portret dorobkiewicza pukającego do arystokratycznych salonów).

29 **Mąż i żona**. Komedia o zdradzie małżeńskiej. Był to w owym czasie bardzo aktualny dla pisarza temat.

31 Jedzie do Włoch — nie po artystyczne wrażenia, lecz „by się ożenić”. Nic z tego. Pozostaje wierny pani Skarbkowej.

32 **Damy i huzary** (akcja w okresie wojen napoleońskich). Najlepsza farsa w dorobku pisarza. Ten gatunek komedii — zazwyczaj błahej, pozbawionej głębszych treści, ale wielce zabawnej — publiczność uwielbia. Krytycy często ignorują jako literaturę bez ambicji.

35 Po wielu perypetiach związanych z rozwodem pani Skarbkowej — wreszcie ślub. Małżeństwo szczęśliwe (cud prawdziwy!).

39 Zostaje posłem do Sejmu Stanowego. Ceniony i szanowany w Galicji jako polityk o umiarkowanych poglądach. Dla powstań i rewolucji nie miał nigdy zrozumienia.
Lwowska premiera komedii **Pan Jowialski** ➡ TEATR FREDRY.

40 Kolejny sukces na scenie. **Śluby panieńskie** już na premierze przyjęte zostały ciepło przez publiczność, najpierw lwowską, a rok później warszawską. Akcja sztuki rozgrywa się gdzieś pod Lublinem, jak niemal zawsze u Fredry w dworku szlacheckim i pośród szlacheckich bohaterów. Dwie pary (Gustaw—Aniela, Albin—Klara) muszą się w końcu pobrać, ale zanim to nastąpi, oglądamy prawdziwą komedię pomyłek. Do Gustawa, miłośnika kart i butelki, wracającego do domu nad ranem (i często przez okno) pasowałaby może lepiej rezolutna, energiczna Klara. Sentymentalny Albin znalazłby pewnie dobrą żonę w czułej i spokojnej Anieli. Cóż, kiedy jest dokładnie na odwrót. Co gorsza, panny postanawiają „nie iść za mąż" i „nienawidzić ród męski" (dla kilku panów robiąc jednak wyjątek). W finale marzenia o wielkiej miłości okazują się silniejsze niż nieroztropne przyrzeczenia i wszystko kończy się szczęśliwie.

Śluby panieńskie, komedia miłosna, związane są bardziej z tradycją XVIII w. (we Francji Marivaux, u nas Zabłocki, autor *Fircyka w zalotach*) niż romantycznym traktowaniem uczuć. Prócz staroświeckiego wdzięku i zabawnych sytuacji proponują także pewien morał (zapowiada go już motto). Otóż ludzie o skrajnie odmiennych charakterach tworzyć mogą całkiem udane związki. W małżeństwie mężczyzna reprezentuje siłę rozumu, kobieta — zalety serca (choć różnie bywa, jak przekonuje komedia). A ostatecznie racje rozumu i serca są do pogodzenia. Pełny tytuł utworu brzmi *Śluby panieńskie, czyli Magnetyzm serca*. „Magnetyzm" to jeszcze niewinny, dopiero za pół wieku przyzwoite panny zaczną się obawiać, że „zamagnetyzuje" (czyli mówiąc w uproszczeniu, zahipnotyzuje) je jakiś niecny uwodziciel.

41 Premiera **Zemsty** ➡ TEATR FREDRY.

42 Ostatnia z wielkich komedii Fredry, **Dożywocie**. Lichwiarz i dorobkiewicz, Prosper Łatka, w wyniku zawartej transakcji zmuszony jest troszczyć się o zdrowie i możliwie najdłuższe życie Leona Birbanckiego — hulaki, karciarza, rozrzutnika. Łatka kupił bowiem wymienione w tytule „dożywocie" (czyli dożywotnią rentę — termin ze świata gospodarki kapitalistycznej, ubezpieczeń społecznych nie dotyczy!) Birbanckiego. Tak zawiązana intryga daje okazję do konfrontacji krańcowo różnych bohaterów. Pokazuje również — jak często u Fredry — zmiany zachodzące na ziemiach polskich. Rozpada się świat szlacheckiego obyczaju. Wkracza rzeczywistość, w której panuje pieniądz, rzeczywistość wielkich i małych interesów.

Dożywocie porównywano ze *Skąpcem* Moliera — niezupełnie słusznie.

Atak na komedie Fredry zapoczątkowany przez Seweryna Goszczyńskiego (źle napisane, źle skomponowane, w ogóle — „nienarodowe", a co gorsza — o miłości; to źle, bo „miłosna strona narodu jest to jego rys kosmopolityczny").

49 Odkłada pisanie komedii na kilkanaście lat.

57 Kolejnych pięć lat życia spędza w Paryżu. Spotyka się tu z synem (z powodu uczestnictwa w powstaniu węgierskim 1848 r. nie mógł powrócić do kraju). Poznaje Mickiewicza, który — jeśli wierzyć anegdocie — wolał objadać się szynką niż porozmawiać z największym bądź co bądź polskim komediopisarzem. Książę Adam Czartoryski namawia go do założenia emigracyjnego dziennika. Styka się z teatrem francuskim, robi wycieczkę do Londynu.

61 Powraca do pisania, ale swoich utworów już nie publikuje. Lęk? Zemsta za krytykę? Fredro też ma swoją wielką tajemnicę!

Z późnych komedii na uwagę zasługują: **Wychowanka, Rewolwer** i **Wielki człowiek do małych interesów**. Stanowią kontynuację gatunku, rozszerzają zasięg obserwacji społecznych, wprowadzają nowe typy postaci. Zdecydowanie mniej pogodne, dowodzą, że pisarz czuł się coraz bardziej obco w galicyjskiej rzeczywistości drugiej połowy XIX w.

63 Osiada we Lwowie, w dworku na Chorążczyźnie. Żyje w otoczeniu rodziny, rzadko przyjmuje gości, stroni od świata.

68 Poseł do Sejmu Krajowego. Do polityki nie ma już serca i po kilku miesiącach składa rezygnację. Nastrój, w jakim spędził ostatnie lata życia, oddają najlepiej **Zapiski starucha** — zbiór aforyzmów, anegdot, notatek. Jedna z nich brzmiała: „Już teraz nie śmierci lękam się — ale życia."

83 Umiera we Lwowie, 15 lipca 1876 r.

Coś z tym nieszczęsnym Fredrą trzeba było zrobić. Uważano go więc za spadkobiercę Oświecenia, libertyna i krytyka sarmatyzmu (Boy w „Obrachunkach fredrowskich"), utajonego romantyka odnoszącego się z sympatią do sarmatyzmu (Kucharski), oświeceniowego moralistę (Chrzanowski), pisarza końca świata szlacheckiego (Jarosław Marek Rymkiewicz).

Przypadek Fredry poucza nas, jak względne są podziały literatury na prądy, okresy, epoki. Zdarzają się wyjątki — pisarze nie mieszczący się w żadnych granicach, żyjący jak gdyby nie w swoim czasie. A jeżeli piszą tak dobrze jak Fredro i w dodatku podobają się publiczności, to krytyka ich nie cierpi, a koledzy po piórze też za nimi nie przepadają. Fredro sprawił poważnym badaczom jeszcze jeden kłopot, pozostawiając w spuściźnie pośmiertnej teksty obsceniczne. Poważni badacze uznali je za pornografię i zamknęli pod klucz. Wydane po wielu latach, żółkną dziś w lichych sklepikach, pośród mydełek i szamponów. Pornografia też ma swój czas!

ZEMSTA

Cześnik Raptusiewicz — „nie młody" i „nie stary"; stan zdrowia: reumatyzm, podagra, kurcz żołądka (tylko po przepiciu). Ulubione powiedzenie: „mocium panie". Awanturnik z fantazją. Według Rejenta — „gadzina".

Rejent Milczek — doskonałe uzupełnienie pieniacza Cześnika. Jeden lubi włóczyć się po sądach, drugi regulować spory sąsiedzkie za pomocą broni palnej. Razem wzięci — tworzą najczystszy typ Polaka-Sarmaty.

Klara — synowica Cześnika. Dochody znaczne, uroda pewnie też. No i ten spryt kobiecy, z pewną dozą złośliwości (kazać gadule Papkinowi milczeć przez pół roku to jest jednak złośliwość!). Papkin komentuje to żądanie nadzwyczaj dowcipnie: kiedyś pannom wystarczał kanarek, dziś powiadają: „Jeśli nie chcesz mojej zguby, krrrokodyla daj mi luby."

Wacław — syn Rejenta. Kochanek nieco sentymentalny i z pozoru nieśmiały. Umie jednak użyć podstępu, by zdobyć zaufanie Podstoliny. Ma pewne grzeszki młodzieńcze na sumieniu (odchodzimy od typu nieskazitelnego amanta!).

Nie kochamy się?

„Wprzódy w morzu wyschnie woda, nim tu u nas będzie zgoda" — mówi Cześnik w II akcie. Na szczęście nie ma racji. Ma ją raczej Rejent, gdy powtarza (w zakończeniu III i IV aktu): „Niech się dzieje wola Nieba. Z nią się zawsze zgadzać trzeba." Najwidoczniej Niebo życzy sobie zgody, a nie „zemsty".

Podstolina — daleka krewna Klary. „Malowidło nieco stare." Trzykrotnie zamężna, przygotowuje się do czwartego małżeństwa — z Cześnikiem. Co nie przeszkadza jej kokietować młodego Wacława. Szalenie zaradna kobieta.

Papkin — tchórz, samochwał, fircyk, bawidamek, oszust. Najchętniej widzi siebie w roli „boskiego strzelca", „lwa Północy", nieustraszonego bohatera. Opowiada o swych „wyczynach" stylem górnolotnym i napuszonym. Cześnik wie o jego „dawnych sprawkach" i trzyma go w szachu. Mimo wszystko Papkin ma pewne cechy sympatyczne. Skłonni jesteśmy mu wybaczyć wszystkie krętactwa, gdy okazuje się, że na cały majątek Papkina składa się angielska gitara, szpada zwana Artemizą i kolekcja motyli (zastawiona!). No, ten zaradnością nie grzeszy.

Mur — mur graniczny też jest bohaterem komedii. Naprawia go Rejent, na co Cześnik „nie pozwala" i przy okazji wygłasza słynną groźbę: „Hej! Gerwazy! daj gwintówkę! Niechaj strącę tę makówkę!"

Zemsta jako Fredrowski *Pan Tadeusz*

Jest tu spór o zamek, szczęśliwy epilog („Kochajmy się!"), dwa zwaśnione rody, groźba procesu sądowego i krwawej rozprawy, Cześnik i Rejent przypominają cokolwiek Mickiewiczowską parę wiecznych antagonistów (Gerwazy—Protazy). Zarówno *Zemsta*, jak i *Pan Tadeusz* pokazują epokę zmierzchu kultury szlacheckiej. Oba utwory powstawały jednocześnie i publiczność mogła je poznać w tym samym 1834 roku.

Teatr Fredry

- od początku do końca — teatr komediowy
- związany z tradycją szlachecką, zanikającą w XIX w.
- często satyryczny, atakujący przeważnie mieszczańską etykę pieniądza
- różnorodny (komedia charakterów, komedia intrygi) — rozmaite odmiany komizmu językowego, stylizacje, parodie
- poetycki — choć rzecz jasna nie w duchu romantycznym; Fredrowski wiersz (*Zemsta*, *Śluby panieńskie*) doskonale brzmi na scenie
- teatr nieśmiertelnych postaci — typów komediowych (noszą zwykle „znaczące" nazwiska: Milczek, Raptusiewicz, Jowialski, Birbancki)

PAN JOWIALSKI

Józef Jowialski. „Siwy staruszek", „rumiany i żwawy". To on zamienia utwór Fredry w zwariowaną komedię, roziskrzoną staroświeckim trochę humorem. Kim naprawdę jest? Mądrym, przenikliwym starcem, który — jak bohaterowie Gombrowicza — mówi, by ukryć swe prawdziwe myśli, czy też nierozumnym, chociaż poczciwym gadułą, kolekcjonerem cudzych mądrości? W „teatrzyku Jowialskich" — wielki kanclerz koronny.
U ś m i e c h J o w i a l s k i e g o — jakże zagadkowy. Tak mało wiemy o Jowialskim! Dowód, że człowiek, który mówi bez przerwy, też może być tajemniczy!

Małgorzata Jowialska. Żona pana Józefa. Sympatyczna staruszka zachowująca się jak pensjonarka. Razem — tworzą wyjątkowo dobraną parę (komediową). W „teatrzyku Jowialskich" — pierwsza żona sułtana. Wymarzona rola dla wielkiej gwiazdy żegnającej się ze sceną.
Co widać przez o k u l a r y p a n i J o w i a l s k i e j? Być może więcej, niż skłonni bylibyśmy sądzić.

Jan Jowialski. Szambelan. Syn państwa Jowialskich, raczej nieudany. Przysłowia mu nie wychodzą, kariery też nie zrobił. W ogóle — z inteligencją u niego raczej marnie. W „teatrzyku Jowialskich" — wielki ochmistrz koronny i effendi wojny.
Poza łapaniem ptaków i zamykaniem ich do k l a t k i, pana Szambelana nic właściwie nie obchodzi. Ptaszki w klatce? Bardzo to wieloznaczne...

Barbara Jowialska. Pani Szambelanowa. W przeciwieństwie do reszty rodziny — raczej niesympatyczna, trochę jędzowata. Jej powód do dumy: „pierwszy mąż, śp. jenerał-major Tuz" (generał napoleoński). Ostatni mąż raczej się nie udał... W „teatrzyku Jowialskich" — druga żona sułtana.
K r z y ż y k z l i t e r a m i B. B. założyła synowi na szyję właśnie pani Szambelanowa. W finale sztuki zaginionym przed laty dzieckiem okazuje się Ludmir.

Ludmir. Sierota (przynajmniej do chwili, gdy wyjaśni się jego prawdziwe pochodzenie). Z Heleną — też uważającą się za sierotę — znajdzie łatwo wspólny język. Pisarz na wycieczce, poszukujący na polskiej wsi zagubionych przez miasto ideałów. W zwariowanym świecie Jowialskich radzi sobie doskonale, podając się za szewca Ignacego Kurka. W „teatrzyku Jowialskich" — sułtan turecki Ali Mustafa.
S ł o m i a n y k a p e l u s z, który założył Ludmir, dał początek komedii pomyłek. Ekscentrycznego pisarza wzięto za wieśniaka.

Helena Jowialska. Córka pana Jana (z pierwszego małżeństwa). „Sierota między krewnymi — całkiem obcymi." Panna trochę sentymentalna, ale bardzo rozsądna. Wie, że jeśli nie pojawi się lepszy konkurent, trzeba będzie iść za mąż za niekochanego Janusza.
W „teatrzyku Jowialskich" — trzecia żona sułtana.
R o m a n s e ukształtowały osobowość panny Heleny, jej sposób widzenia świata i język, jakim się posługuje.

Janusz. Kandydat do ręki panny Heleny. Mimowolny reżyser „teatrzyku Jowialskich" — to on wpadł na pomysł, by śpiącego Ludmira przenieść do domu państwa Jowialskich, zamienionego na czas maskarady w pałac tureckiego sułtana. W „teatrzyku" — wielki ochmistrz.
W i e ś — zdaniem Janusza jedyny tytuł do sławy i starań o rękę panny. Kto nie posiada chociaż jednej wsi, w ogóle się nie liczy!

Wiktor. Przyjaciel Ludmira, nie zawsze lojalny. On też przygotowuje swój teatrzyk — alegoryczny obraz przedstawiający Jowialskiego jako geniusza, jego żonę w towarzystwie bożka miłości, Szambelanową jako Złośliwość, Szambelana jako Głupotę. Według Ludmira w tym obrazie Wiktor przedstawiać powinien Szyderstwo.
O b r a z y Wiktora zilustrują w przyszłości powieść Ludmira, pisaną najprawdopodobniej w „duchu sterne'owskim". Może obaj odniosą sukces?

„Teatrzyk Jowialskich"
Bohaterowie też postanowili zabawić się w teatr i... zaczynają grać cudze role. Sam pomysł intrygi nie jest nowy. Zastosował go już Szekspir (*Poskromienie złośnicy*), a w teatrze polskim XVII w. Piotr Baryka (*Z chłopa król*). Zabawa pewnie by się udała, gdyby Ludmir naprawdę był chłopem, no i gdyby za wcześnie się nie obudził.

Opowieści pana Jowialskiego
Jowialski mówi przysłowiami (znajdziemy ich w komedii ok. 120), które czerpie ze zbioru Knapiusza *Adagia polonica* (Grzegorz Knapski, jezuita z przełomu XVI i XVII w.). Fredro wprowadza więc do swego utworu prawdziwy skarbiec mądrości staropolskiej. Są tu i przysłowia mało znane, a wielce zabawne:
    „Bywał Janek u dworu, wie, jak w piecu palą."
    „Gniewa się baba na targ, a targ o tym nie wie."
Jowialski opowiada także bajki (to już dzieło Fredry, który prócz komedii pisywał także poezje).
Najsławniejsze: o małpie w kąpieli, o Pawle i Gawle, o osiołku, który nie potrafił wybrać między owsem a sianem, zaliczane są do arcydzieł bajki polskiej.
Wreszcie — anegdotki i dykteryjki w rodzaju tej:
    „Kłódkę mąż żonie przywiózł na wiązanie *.
    — Kłódka? Co za myśl! na cóż to, kochanie?
    — Użyj jej, jak chcesz, w jakim bądź sposobie,
Byleś użyła, ja zawsze zarobię."

* w prezencie

„Tylko sny dawne zlatują się do mnie...''

ADAM ASNYK

1838–1897

- urodzony w Kaliszu, po okresie podróży zamieszkał na krótko we Lwowie, od 1870 r. aż do śmierci związany z Krakowem
- dzieło: cztery tomy poezji, ponadto dramaty i nowele — pisarz epoki przejściowej, w jego twórczości dostrzegamy próby uwolnienia się od tradycji romantycznej, jak również zapowiedzi symbolizmu i parnasizmu; liryka intelektualna Asnyka, bliska klasycyzmowi, jest odpowiednikiem akademizmu w malarstwie (opinia Zofii Mocarskiej-Tycowej)
- Asnyk nie był nigdy pozytywistą, choć w wierszach **Daremne żale** i **Do młodych** opowiadał się za próbą budowania życia na gruzach („trzeba z żywymi naprzód iść'' — to wcale nie musi znaczyć, że iść trzeba w towarzystwie redaktorów „Przeglądu Tygodniowego''), wspominał o potrzebie godzenia nowych idei z tradycją („nie depczcie przeszłości ołtarzy'')
- konsekwentnie potępiał lojalizm, wszelkie wysiłki zmierzające do ugody z zaborcą, w **Historycznej nowej szkole** wystąpił przeciwko krakowskim stańczykom i konserwatywnej interpretacji dziejów Polski (satyryczna uwaga: „Gdyż Kościuszko to był wariat, co buntował proletariat'')
- dwugłos o poezji: **Publiczność do poetów** (niechże poeci przestaną pisać o miłości, niech wyrzekną się ironii, niech będą skromni, zrozumiali, prości) i **Poeci do publiczności** (to epoka winna, że jesteśmy tacy smutni — epoka bez miłości, „wiek bez marzeń'', w którym pozostała nam już tylko nuda i rozpacz); w wierszu **XIX wiekowi** Asnyk mówi o „wieku bez jutra, wieku bez przyszłości'' — prawdziwy poeta czasów niepoetyckich
- prawdziwy poeta nawet w takich czasach pisać będzie o miłości: panny uwielbiały erotyki Asnyka — żarliwe, czasem sentymentalne, innym razem żartobliwe (**Jednego serca! Tak mało, tak mało..., Między nami nic nie było, Gdybym był młodszy...**)
- kobieta Asnyka: 16 lat (więc właściwie panienka?), róże we włosach (mogą być bławatki, stokrotki, powoje), anielska buzia, usteczka koralowe (a jakże!); bywa nieznośnie prozaiczna, potrafi na przykład zawieść poetę i zaślubić „worek ze złotem''; skoro tak, poeta będzie złośliwy i powie z okrucieństwem młodziutkiej mężatce: „śmiać się będziesz z dziecinnych marzeń, skoro troszeczkę utyjesz'' (**Przestroga**)
- ulubiony pejzaż: oczywiście Tatry (Asnyk był taternikiem!), opisywane wielokrotnie (m.in. **W Tatrach, Morskie Oko**); monumentalne piękno przyrody staje się okazją do refleksji filozoficznych, przywodzących na myśl mistyczne rewelacje Słowackiego — przyroda jawi się jako „skamieniała dawnych bogów epopeja''

Szczytowym osiągnięciem Asnyka, a także całej liryki okresu pozytywizmu, jest cykl 30 sonetów **Nad głębiami** (całość opublikowana w 1894 r.). Trudną formę sonetu poeta opanował już wcześniej po mistrzowsku. Po raz pierwszy cykl sonetowy stał się natomiast traktatem filozoficznym. Dzieło mówi o przemijaniu człowieka („to, co już przeszło, nie powraca więcej''), za jedyną formę nieśmiertelności uznając trwanie w ludzkiej pamięci. Śmierć — podobnie jak u Słowackiego — pokazana została jako „ciągłego postępu chorąży''. Dzieje są męczarnią, pracą ducha, postęp zaś złączony z ofiarą jednostek i narodów. Asnyk wypowiada ponadto myśl bardzo nowoczesną: naród zginąć może tylko z własnej ręki, godząc się na zniewolenie, „gdy nim owładnie rozpacz senna, głucha''.

„Płacz — gdy ci pieśń odjęto!"

MARIA KONOPNICKA

1842–1910

- urodzona w Suwałkach, z domu Wasiłowska, w wieku 20 lat została żoną Jarosława Konopnickiego — urodziła ośmioro dzieci! w latach 1878–1890 przebywała w Warszawie, później przeważnie za granicą; w 1903 r. otrzymała „dar narodu", posiadłość w Żarnowcu koło Krosna
- pisarka bardzo wszechstronna: liryki, poematy, dramaty, nowele, obrazki, publicystyka, krytyka literacka
- wobec problematyki społecznej — w **Obrazkach** (**Wolny najmita, Przed sądem, Jaś nie doczekał, Z szopką**) ukazała nędzę środowiska chłopskiego i robotniczego — w tonacji sentymentalnego współczucia, jedenastozgłoskowcem (!) — są to właściwie wierszowane nowele
- w stronę kultury ludowej — podobnie jak wcześniej Syrokomla i Lenartowicz nawiązywała chętnie do folkloru (**Na fujarce, Z łąk i pól**); ludowość poezji Konopnickiej „polega na wprowadzeniu tematów i ocen zjawisk leżących w kręgu chłopskiego doświadczenia i na dążeniu do wiernego przekazania doznań lirycznych bohatera" (słowa Aliny Brodzkiej, najwybitniejszej badaczki twórczości Konopnickiej)
- w stronę romantyzmu i symbolizmu — poemat **Imagina**, synteza fantastyki baśniowej i realizmu, alegoria polityczna, wizja rewolucji ludowej zawierająca krytykę szlachty i Kościoła
- wobec polityki germanizacyjnej prowadzonej przez władze w zaborze pruskim — protest przeciw represjom, jakie spotkały dzieci polskie we Wrześni, najsławniejszy wiersz poetki **Rota** („Nie rzucim ziemi, skąd nasz ród, nie damy pogrześć mowy..."), wykonywany z muzyką Feliksa Nowowiejskiego, pełnił funkcję nieoficjalnego hymnu narodowego

- nieudana próba stworzenia poematu epickiego: **Pan Balcer w Brazylii**, pisany przez 20 lat, wzorowany na *Panu Tadeuszu*, a także *Beniowskim* — pokazuje dzieje chłopów polskich, którzy z różnych powodów opuścili ojczyznę i na emigracji nie znaleźli dla siebie miejsca — część utworu jest reakcją na wypadki 1905 r. (nad pochodem walczących o swoje prawa nędzarzy powiewa czerwony sztandar)
- autorka licznych książek dla dzieci — zaproponowała nowy typ literatury dla najmłodszych („Nie przychodzę ani uczyć dzieci, ani też je bawić. Przychodzę śpiewać z nimi") — najbardziej znane utwory: **O Janku Wędrowniczku, O krasnoludkach i sierotce Marysi, Na jagody**
- nowele, obrazki i „studia" ➡ NOWELA **POZYTYWISTYCZNA**

 Poetka poczciwa, wzruszająca, rzewna i potwornie staroświecka? Może niezupełnie, skoro w jej dorobku znajdziemy i taki wiersz:

W muzeum
Kiedyż zobaczy Wilno w muzealnej sali,
Zamiast żubrów, ostatnich wypchanych Moskali?

„Czas poezji przeminął, myśmy zabici..."
(Leonard Sowiński)

ZABICI POECI

Pozytywiści stoczyli prawdziwą wojnę z poetami (największe nasilenie w latach 1867–1873). Szczególnie odznaczył się w niej najwybitniejszy krytyk okresu pozytywizmu, Piotr Chmielowski, udziału swego nie odmówili również Eliza Orzeszkowa i Henryk Sienkiewicz.
Poetów atakowano bezpardonowo, w sposób, który atakującym chluby nie przynosi. Oto kilka celniejszych epitetów wybranych z artykułów i recenzji:

- o poecie: „mucha, co chce wyssać z mózgów ludzkich zdrowy rozsądek"
- o poetach współczesnych: „szkodliwe owady", „poetyczne gęsi", „żałobliwie piszczące indyczęta"
- o klasycyzmie: „trup literacki"
- o *Genezis z Ducha* Słowackiego: „zboczenie umysłowe"
- o Norwidzie: „za mało miał do powiedzenia ogółowi; myśli jego były mętne i rozpierzchliwe", „skończył jako półtalent, nie napisawszy nic znakomitszego"
- O Asnyku: „stary nudziarz", „skwaśniały gderacz"

Pozytywistyczny dekalog dla poetów
1) nie pisać o miłości
2) nie pisać o sobie
3) nie stać na uboczu
4) nie smucić się
5) nie narzekać
6) kochać nauki ścisłe i przyrodnicze
7) żadnych kwiatów, księżyców, łez — zachwycać się lokomotywą i telegrafem
8) precz z romantycznym marzycielstwem
9) zejść na ziemię „pomiędzy pracujących"
10) mobilizować naród do działania

Zabici poeci

Leonard Sowiński, 1831–1887, zesłanie (6 lat), alkoholizm
Ludwik Brzozowski, 1833–1873, samobójstwo
Mikołaj Biernacki (Rodoć), 1836–1901, samobójstwo
Michał Bałucki*, 1837–1901, samobójstwo
Aleksander Michaux (Miron), 1839–1895, alkoholizm, choroba umysłowa
Władysław Szancer (Ordon), 1848–1914, 35 lat życia w obłędzie
Włodzimierz Stebelski, 1848–1891, alkoholizm, samobójstwo
Stanisław Grudziński, 1852–1884, gruźlica
Maria Bartusówna, 1854–1885, gruźlica
* Wiersze pisywał tylko w młodości, zdobył pewną popularność jako powieściopisarz bliski pozytywizmowi i autor komedii obyczajowych (**Grube ryby, Klub kawalerów**).

Ci, co uszli z życiem

Felicjan Faleński (1825–1910). Uważany za poetę zapomnianego. Pierwszy polski parnasista. Autor tomów **Melodie z domu niewoli, Świstki Sylena, Meandry**.
Włodzimierz Zagórski (1834–1902). Satyryk pisujący pod pseudonimem Chochlik. Uprawiał z powodzeniem poezję religijną.

Inspirowany wątkami biblijnymi poemat Zagórskiego **Król Salomon** (1887) składa się z trzech części. Pierwsza mówi o poszukiwaniu i błądzeniu, druga — o zwątpieniu i rozpaczy, tematem trzeciej jest ocalenie przez miłość. Utwór powstał już po okresie, gdy pod wpływem inwazji filozofii materialistycznej zaczęto mówić o schyłku chrześcijaństwa. Uprzedza metafizyczne pytania, które wkrótce zadawać będą sami pozytywiści. Cytaty z poematu włączył do *Lalki* Prus, któremu utwór został zadedykowany. Największe osiągnięcie poezji religijnej okresu pozytywizmu.

Wiktor Gomulicki (1848–1919). Poeta Warszawy. W zbiorze **Biały sztandar** krytycznie ocenił dążenia rewolucyjne 1905 r. Swoją młodość opisał w powieści **Wspomnienia niebieskiego mundurka**.

Obraz życia literackiego Warszawy drugiej połowy XIX w. stworzył w powieści **Ciury**. Warszawa jest miastem pięknym, kuszącym poetów, ale jednocześnie — „miastem kramarzy", miastem dorobkiewiczów, niszczącym ludzi pióra. Utwór Gomulickiego to typowa „powieść z kluczem", w której opisane zostały autentyczne wydarzenia, jednak bohaterowie nie występują pod własnymi nazwiskami. Za poszczególnymi postaciami kryją się m.in. Faleński, Sowiński, Miron.

POEZJA OKRESU POZYTYWIZMU

- fala interesujących debiutów poetyckich w latach 1861–1870 (Miron, Asnyk, Zagórski, Ordon, Gomulicki, Stebelski, Konopnicka, Bartusówna) — większość z wymienionych autorów nigdy nie rozwinęła swego talentu — dlaczego?
- czas poetów wszechstronnych — byli jednocześnie powieściopisarzami (Gomulicki, Sowiński), satyrykami (Stebelski, Zagórski), felietonistami (Miron, Ordon, Brzozowski), tłumaczami (prawie wszyscy) — współpracując z gazetami i czasopismami, po prostu zarabiali na życie
- poezja rozpaczy — artysta to człowiek skłócony z narodem i społeczeństwem, sztuka nie ocala, w bezdusznym świecie staje się przekleństwem (Stebelski) — częste motywy: samobójstwo (śmierć bez typowych akcesoriów romantycznych), poetyckie testamenty, odmienne niż *Testament mój* Słowackiego, pisane ze świadomością, że udziałem autora stanie się wieczne zapomnienie
- w poezji religijnej tradycyjnym motywem jest spór z Bogiem, w którym poeta występuje jako reprezentant narodu, pokrzywdzonych grup społecznych (Konopnicka, Miron, Gomulicki) albo zbuntowana jednostka (**Roman Zero** Stebelskiego) — nowy wątek to obrona wiary przed atakami zadufanego scjentyzmu (Gomulicki, Grudziński)
- w zakresie liryki pejzażu — nowe spojrzenie na Tatry (Asnyk) i stepy Ukrainy (m.in. Sowiński); znacznie częściej poezja tego okresu pokazuje miasto: przytułki, szpitale, szynki, dzielnice nędzy i ich mieszkańców — żebraków, prostytutki (Gomulicki, Stebelski).

- w poezji miłosnej — wielka różnorodność: od rokokowych wierszy Grudzińskiego poprzez erotyki Asnyka aż do mrocznego romantyzmu Ludwika Brzozowskiego; nową tonację wnoszą **Myśli przedślubne**, cykl sonetów Bartusówny — rodzi się poezja kobieca!

> „Zabłysną światła, szmery powioną dokoła,
> Na chórze głos organów zadźwięknie proroczy:
> Ostatnia łza paląca w głąb serca się stoczy,
> Gdzie jej już nikt wyszydzić, nikt dostrzec nie zdoła.''

- w Galicji (ważnym ośrodkiem jest Lwów) rozwija się satyra obyczajowa (Rodoć) i polityczna (Zagórski), piętnująca z jednej strony przywary polskiego społeczeństwa, z drugiej — tendencje ugodowe

> „Miałem sen straszny! okropny!
> Zbrodniczy! grzeszny! fatalny!
> Śniłem, że jestem Polakiem,
> Ja — Galilejczyk* lojalny!''
> * czyli mieszkaniec Galicji w zaborze austriackim

- tradycja — wbrew pozorom poeci tego okresu nie byli epigonami, nawet gdy odwoływali się do wzorów romantycznych (Heine i Musset najpopularniejsi); równie często zwracali się jednak do tradycji Oświecenia (listy i satyry Rodocia, bajki Aspisa), bliscy byli parnasizmowi czy wręcz modernizmowi
- przyswajanie poezji europejskiej — tłumaczenia Heinego (Asnyk, Gomulicki, Konopnicka, Miron), Musseta (Gomulicki, Miron, Ordon), Baudelaire'a (Gomulicki), francuskich parnasistów (Gomulicki, Miron, Zagórski) — romantykom nie mamy za złe uwielbienia dla Byrona i Scotta, późniejszym poetom z powodu sympatii dla Heinego i Musseta zarzuca się wtórność...

- łzy? marzycielstwo? romantyczny epigonizm? może nie było aż tak źle, skoro poeci potrafili zdobywać się na takie wiersze jak *Szynkownia* Ludwika Brzozowskiego, parafraza utworu francuskiego parnasisty

> „W brudnej szynkowni, gdzie słońca spojrzenie
> Tłumią much roje, dym i para zgniła,
> Pijak, którego rozpacz rozgrzeszyła,
> Zatapia w winie natrętne wspomnienie.''

- poeci „zmarnowani'', „nieszczęśliwi'', „przeklęci'' — także „bezdomni'', bo zabrakło dla nich miejsca w epoce, która kochała prozę i publicystykę; wzgardzeni, lekceważeni przez krytykę i historyków literatury, doczekali się jak dotąd niewielu obrońców (wśród nich — Juliusz Wiktor Gomulicki)

EDUKACJA POZYTYWISTYCZNA

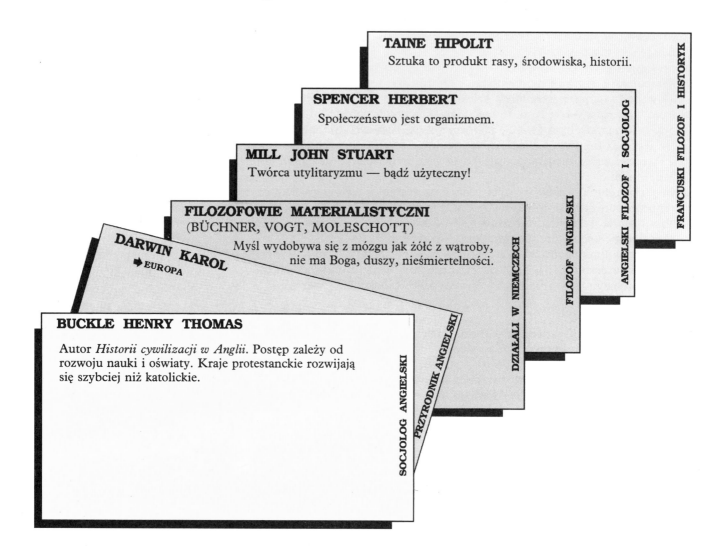

TAINE HIPOLIT
Sztuka to produkt rasy, środowiska, historii.
FRANCUSKI FILOZOF I HISTORYK

SPENCER HERBERT
Społeczeństwo jest organizmem.
ANGIELSKI FILOZOF I SOCJOLOG

MILL JOHN STUART
Twórca utylitaryzmu — bądź użyteczny!
FILOZOF ANGIELSKI

FILOZOFOWIE MATERIALISTYCZNI
(BÜCHNER, VOGT, MOLESCHOTT)
Myśl wydobywa się z mózgu jak żółć z wątroby, nie ma Boga, duszy, nieśmiertelności.
DZIAŁALI W NIEMCZECH

DARWIN KAROL
➡ EUROPA
PRZYRODNIK ANGIELSKI

BUCKLE HENRY THOMAS
Autor *Historii cywilizacji w Anglii*. Postęp zależy od rozwoju nauki i oświaty. Kraje protestanckie rozwijają się szybciej niż katolickie.
SOCJOLOG ANGIELSKI

PIOTR CHMIELOWSKI
(1848–1904)

Najwybitniejszy krytyk literacki polskiego pozytywizmu. Pracowity i solidny, opublikował niezliczoną ilość artykułów, recenzji, przyczynków. W 1881 r. wydał pierwszą syntezę współczesnej sobie literatury (**Zarys literatury polskiej z ostatnich lat szesnastu**), systematycznie dopełnianą i poprawianą. Opowiadał się za sztuką „prawdziwie użyteczną", świadomą swych obowiązków wobec społeczeństwa. „Sumienny registrator literatury ojczystej" (według określenia Wiktora Gomulickiego) czasem się mylił. Nie doceniał na przykład *Lalki*, a poezję okresu pozytywizmu wręcz zlekceważył.

JULIAN OCHOROWICZ
(1850–1917)

Publicysta, eseista, filozof, psycholog, wynalazca. Okazjonalnie — poeta, autor wierszowanego manifestu pozytywistycznego **Naprzód!** Erudyta, geniusz i dyletant w jednej osobie. Badał budowę ludzkiego mózgu, wiedzę tajemną starożytnego Egiptu, zagadki marzenia sennego i fantazji poetyckiej. Eksperymentował z hipnozą, pracował nad teorią mediumizmu (dziś interesuje się nią parapsychologia), układał program dla przyszłej polskiej szkoły. Prawdziwy entuzjasta i popularyzator nauki, niespokojny duch, pełen wciąż nowych pomysłów. Ceniony za granicą bardziej niż w Polsce, nie mógł zrobić wielkiej kariery w kraju pozbawionym laboratoriów, instytutów, akademii. Prus sportretował go w *Lalce* jako Ochockiego.

„Precz ze złudzeniami!"

ALEKSANDER ŚWIĘTOCHOWSKI

1849–1938

Najbardziej konsekwentny, choć z pewnością nie najwybitniejszy spośród polskich pozytywistów. Publicysta, dramaturg, nowelista, powieściopisarz, krytyk literacki, historyk, filozof, socjolog. Osobowość niezwykle skomplikowana, pełna paradoksów, człowiek trudny we współżyciu, samotny, choć otoczony gronem wyznawców.

Olbrzymi, liczący dziesiątki tomów dorobek Świętochowskiego jest dziś w całości zapomniany, choć ostatnio pisarz doczekał się znakomitej, obszernej monografii pióra Marii Brykalskiej.

- **Prozaik**. Początkowo tworzył nowele i obrazki typowe dla pozytywistów (**Damian Capenko, Chawa Rubin, Woły**). Z czasem zwrócił się w stronę noweli stanowiącej zapis obserwacji psychologicznych, dowodząc, że „śród przedmiotów wiedzy najciekawszym jest dla człowieka człowiek" (**On, Ona, Klub szachistów, Sam w sobie**). Stworzył wówczas najbardziej udane utwory. Późniejsze powieści (ostatnia, **Twinko**, ukazała się w r. 1936!) stanowią literacką osobliwość — są dziełem autora skutecznie opierającego się nowym tendencjom w prozie.
- **Dramaturg**. Raczej niefortunny. Pisał dramaty „do czytania" (**Aspazja, Aureli Wiszar,** cykl **Duchy**), których poza specjalistami nikt chyba nie zechce już czytać.
- **Publicysta**. Wyśmienity, obok Prusa najciekawszy felietonista epoki. Pisał właściwie o wszystkim. Zalecał: „pozostawić romantyzm poezji i nie czynić go regulatorem życia narodowego, zastąpić bajki nauką, zaniechać

męczeńskich i osłabiających nas ofiar". W kolejnych artykułach coraz częściej dawał wyraz swemu rozczarowaniu i rosnącemu osamotnieniu. Stawiał nie na społeczeństwo, lecz na ludzkość. Uważał, że skłócona ze zbiorowością, wybitna czy nawet genialna jednostka ma prawo przeciwstawić się opinii publicznej (czyli — powiedzieć: „liberum veto"). Wierzył, że raczej indywidualności niż tłumy zapewniają nieustanny postęp.

W 1876 r. opublikował esej **Dumania pesymisty** (wyd. książkowe 1877). Tekst pojawił się jakby nie w swoim czasie i negował poglądy przypisywane zazwyczaj autorowi. Świętochowski dokonał tu zamachu na wszystkie niemal pozytywistyczne dogmaty. Mówił o zwątpieniu, śmierci, względności ustaleń nauki, niewiedzy dręczącej ludzki umysł. Rozważania prowadziły do odkrycia nicości człowieka w obliczu wszechświata: „Mimo że niby znamy prawa obrotu ciał niebieskich i podziwiamy mądrość rozkładu ich dróg, ciągle spotykamy błąkające się w przestrzeni masy, których pochodzenia i kolei odgadnąć nie umiemy, a które złowrogim ruchem przesuwają się koło naszego gniazda. Jeden rzut tych strasznych cielsk, a stopimy się w cieple ich uderzenia na tak lekkie gazy, że one nawet nie utworzą obłoku na pamiątkę istnienia Ziemi."

Szkoła Główna

Wyższa uczelnia działająca w latach 1862–1869 w Warszawie. Obejmowała wydziały: filologiczny, medyczny, matematyczno-fizyczny i prawny. Wpłynęła na ożywienie życia umysłowego w zaborze rosyjskim. Studiowali w niej m.in. Prus, Chmielowski, Ochorowicz, Dygasiński, Świętochowski, Sienkiewicz. Z tego powodu nazywano czasem pozytywistów „pokoleniem Szkoły Głównej". Wśród wychowanków uczelni spotkamy też współpracowników „starej prasy" i przeciwników pozytywizmu (np. Wiktor Gomulicki).

„Stara" i „młoda" prasa

„Stara prasa"

Przeciwne pozytywizmowi gazety codzienne, czasopisma katolickie („Przegląd Katolicki"), kobiece („Bluszcz", „Tygodnik Mód i Powieści"), literackie („Biblioteka Warszawska", „Kłosy"). Najbardziej zasłużony tytuł: „Tygodnik Ilustrowany", w latach 1859–1886 redagowany przez Ludwika Jenikego. Aprobował wiele pozytywistycznych haseł, drukował zwykle dobrą literaturę, wyróżniał się staranną szatą graficzną.

Poszczególne tytuły zmieniały często właścicieli, co łączyło się przeważnie i ze zmianą orientacji pisma.

„Młoda prasa"

„Przegląd Tygodniowy", od r. 1866 redagowany przez Adama Wiślickiego. Wydrukował pierwsze manifesty pozytywizmu. Wydawany raczej marnie, bulwersował opinię publiczną stałym felietonem „Echa warszawskie" (pisywał go głównie Świętochowski). „Przegląd" wspierały dwa inne, bardziej umiarkowane pisma: „Niwa" i „Opiekun Domowy". Po 1881 rolę organu pozytywistów przejął tygodnik „Prawda", który redagował (przez 20 lat) Aleksander Świętochowski (pod pseudonimem Poseł Prawdy pisywał doskonałe felietony w cyklu „Liberum veto").

Pierwsze pozytywistyczne manifesty

Groch na ścianę (1867–1868). Artykuł Adama Wiślickiego, w żartobliwej formie wyśmiewał ówczesną wierszomanię, ograniczając krytykę do autorów drugorzędnych czy wręcz grafomanów. Zakazywał pisania wierszy „do róży, słowików, brzeziny, wikliny, fal promieniejących, promieni".

My i wy (1871). Artykuł Aleksandra Świętochowskiego. Odpowiedź na zarzuty stawiane pozytywistom przez „starą prasę". „Pragniemy pracy i nauki w społeczeństwie." „Lekceważymy wszystko to, cokolwiek zaraża niezdrowiem i martwotą." O przeciwnikach: „opiekunowie sentymentalnych powieści i zagważdżającej mózgi polityki". Celem młodych — pobudzenie społeczeństwa do „zrozumienia swego położenia i swoich żądań". Manifest był bezwzględny, nie dopuszczał możliwości kompromisu („między naszymi obozami popalone mosty, pozrywane groble").

Pleśń społeczna i literacka (1871). Artykuł Aleksandra Świętochowskiego skierowany przeciw poetom nie popierającym idei pozytywizmu. Literatura polska nie nadąża za przemianami społecznymi — uczyni to, jeśli zrzuci z siebie „pleśń" (pod tym pojęciem kryje się m.in. przywiązanie do tradycji, pesymizm, fałszywa poetyczność, brak wiary w postęp i naukę).

Praca u podstaw (1873). Deklaracja programowa pozytywizmu, napisana przez Leopolda Mikulskiego i Aleksandra Świętochowskiego. Postuluje „pracę organiczną", czyli przekształcenie społeczeństwa w organizm narodowy („jedno ciało, którego członki, choć kształtem różne, byłyby sobie pokrewne i wzajemnie pomocne"). Drogą do tego celu — „praca u podstaw" (szerzenie oświaty na wsi, zakładanie szkół i bibliotek, tworzenie instytucji samorządu lokalnego, gminnych kas pożyczkowych itd.).

Studenci Szkoły Głównej

Aleksander Świętochowski
„papież" polskiego pozytywizmu

Henryk Sienkiewicz
pozytywista tylko w młodości

Bolesław Prus
najwybitniejszy pisarz polskiego pozytywizmu

Piotr Chmielowski
kronikarz, ideolog, pozytywista do szpiku kości

Julian Ochorowicz
psycholog, wynalazca, marzyciel

NOWELA POZYTYWISTYCZNA

Nowele drukowano z reguły najpierw w czasopismach, a dopiero potem (często ze znacznym opóźnieniem) w wydaniach książkowych. W zamieszczonym niżej kalendarzu podajemy datę pierwodruku.

Nowela pełniła w drugiej połowie XIX w. funkcję reportażu interwencyjnego. Miała poruszyć czytelnika, apelować do jego sumienia, skłaniać do działania.

Redaktor czasopisma lub gazety to człowiek, którego obowiązkiem zawodowym (a przeważnie i nawykiem) jest skracanie cudzych tekstów. Przesadą byłoby twierdzić, że redaktorom zawdzięczamy narodziny krótkich form prozatorskich. Niewątpliwie przyczynili się oni jednak do rozwoju gatunków takich, jak nowela, opowiadanie, obrazek, studium, szkic.

1877 —	Sienkiewicz: *Szkice węglem*
1879 —	Sienkiewicz: *Janko Muzykant*
	Sienkiewicz: *Z pamiętnika poznańskiego nauczyciela*
1880 —	Prus: *Antek*
	Prus: *Katarynka*
	Prus: *Michałko*
	Prus: *Powracająca fala*
	Sienkiewicz: *Za chlebem*
1881 —	Sienkiewicz: *Latarnik*
1882 —	Orzeszkowa: *Dobra pani*
	Prus: *Kamizelka*
1885 —	Orzeszkowa: *Tadeusz*
1886 —	Orzeszkowa: *A...B...C...*
1890 —	Konopnicka: *Dym*
	Konopnicka: *Mendel Gdański*
	Konopnicka: *Nasza szkapa*
1904 —	Konopnicka: *Hanysek*

Nowela jest utworem zwartym, jednowątkowym, z ograniczoną liczbą bohaterów i wydarzeń. Typową nowelę kończy wyrazista pointa. Przykład — **Dym**.
Opowiadanie sytuuje się pomiędzy nowelą a powieścią. Decyduje jednak nie objętość, lecz cechy gatunkowe: swobodniejsza niż w noweli kompozycja, obecność kilku wątków. W praktyce nawet specjaliści mylą często nowelę z opowiadaniem. Przykład — **Powracająca fala**.

Obrazek uznać wypada za formę dziś wygasłą. Jest to literacki odpowiednik fotografii albo raczej fotoreportażu. Fabuła ma w nim mniejsze znaczenie, ważny jest opis. W XIX w. pisano również obrazki wierszowane. Przykład — **Tadeusz** (prozą, rzecz jasna).

Studium w jeszcze większym stopniu eliminuje fabułę, a nawet jednostkowego bohatera. To już właściwie artykuł publicystyczny, a nie beletrystyka.

W dzisiejszej prozie termin nie funkcjonuje. Przykład — **Hanysek**.

Szkic określić chyba najtrudniej. Obecnie szkicem jest przeważnie tekst niebeletrystyczny (np. z zakresu krytyki bądź historii literatury, filozofii, historii). Dziewiętnastowieczny szkic nowelistyczny to w zamyśle autora pierwszy rzut dzieła, jego zarys lub tylko fragment. Przykład — **Szkice węglem**.

Najważniejsze nowele pozytywistyczne o tematyce „społecznej" powstały praktycznie w okresie dziesięciolecia. Dla uznanych już pisarzy powieść była gatunkiem atrakcyjniejszym — gatunkiem, w którym Prus czy Sienkiewicz wypowiadali się najpełniej. A Orzeszkowa?

Przełomowe znaczenie ma dwutomowy zbiór **Melancholicy** (1896), najciekawszy w dorobku Orzeszkowej. Bohaterami poszczególnych utworów są ludzie przegrani, stojący w obliczu śmierci, rozmyślający o samobójstwie. Daremnie starają się przeniknąć tajemnicę bytu, nie dopomaga im w tym nauka („Oddaleni od nieba i nieśmiertelności spostrzegliśmy jednak, że wiedza nie podaje młota do rozbijania obręczy tajemnic, które ściskają nas i niepokoją"). Na szczególny podziw zasługują *Ogniwa*. Wprowadzone w noweli rozróżnienie czasu rzeczywistego i czasu „psychologicznego" (czasu ludzkiej świadomości) zdaje się zapowiadać odkrycia prozy XX w. Jest to może jedyny utwór Orzeszkowej godny pióra... Tomasza Manna.

Także w innych tomach nowelistycznych Orzeszkowej z tzw. „późnego" okresu (**Iskry, Przędze, Chwile**) motywem przewodnim staje się głęboki niepokój metafizyczny. Brakuje tu odpowiedzi na pytania egzystencjalne, brakuje pomysłu na życie. Bohaterowie nie znajdują satysfakcji ani w działaniu, ani w kontaktach z innymi. Więzy międzyludzkie wydają się pozorne, uczucia nietrwałe, życie ludzkie znikomością. Mimo że ostatnie nowele należą do najlepszych utworów Orzeszkowej, są ciągle mało znane — nawet historykom literatury. Ostatnio popularyzuje je wytrwale Grażyna Borkowska.

TEMATY

Dziecko

Ulubiony bohater noweli pozytywistycznej
— zwłaszcza dziecko biedne, zaniedbane,
opuszczone, osierocone. W **Dobrej pani**
dziecko jako obiekt filantropijnych zabiegów
pani Eweliny jest w gruncie rzeczy zabawką.
Wpuszczone na salony, a później stamtąd
wypędzone, ma o wiele mniej szans na
przystosowanie się do życia niż dzieci biedoty
nie znające nawet smaku cukierków.
Sympatyczne są i wdzięczne dzieci
w **A...B...C...** (lubią szkołę!). W **Tadeuszu**
próba spojrzenia na świat oczami dwuletniego
malca. W **Janku Muzykancie** i **Antku**
— problem utalentowanych dzieci wiejskich,
pozbawionych możliwości edukacji (u Prusa
— wezwanie „podajcie rękę pomocy temu
dziecku"). Dzieci pracujące od najmłodszych
lat, wyzyskiwane (**Hanysek**). W **Katarynce**
dziecko niewidome znajduje nieoczekiwanie
sprzymierzeńca w osobie starego samotnika

pana Tomasza (wyjątek!). W **Naszej szkapie**
dziecko jest już nie tylko bohaterem, ale
i narratorem noweli. Autorka respektuje przy
tym odrębność dziecięcego widzenia świata.
Tragedia rodziny warszawskiego nędzarza
kontrastuje silnie z atmosferą chłopięcych
zabaw. Kulminacyjna scena pogrzebu opisana
w tonacji niemal groteskowej.

Szkoła

Wiejska szkoła w **Antku** to właściwie parodia
edukacji. Stykając się z taką szkołą i takim
nauczycielem chłop musi dojść do wniosku, że
„nauka nie dla biedaków". Carska szkoła
i system rusyfikacji młodzieży były tematem
zakazanym przez rosyjską cenzurę. Dlatego
akcja **A...B...C...** i **Z pamiętnika
poznańskiego nauczyciela** rozgrywa się
w zaborze pruskim. Joanna Lipska
z *A...B...C...*, nauczycielka niosąca „kaganek
oświaty", prowadzi nielegalną szkołę dla
miejskiej biedoty, co kończy się interwencją
władzy. W noweli Sienkiewicza szkoła
przypomina koszary, odbiera uczniom radość
i zdrowie.

Miasto

Głównie Warszawa i głównie za sprawą Prusa.
W **Michałku** — obraz losu chłopa w mieście,
w **Katarynce** — życie kamienicy czynszowej,
którą zamieszkują przedstawiciele różnych
warstw społeczeństwa. Najbardziej
„warszawską" nowelą z tej grupy jest
Kamizelka, wzruszająca opowieść
o małżeńskiej miłości pokazana poprzez dzieje
niepozornego przedmiotu. Na uwagę zasługuje
tu pozycja narratora, bardzo typowa dla
pisarstwa Prusa (życzliwy ludziom obserwator).
U Konopnickiej w **Mendlu Gdańskim**
— środowisko rzemieślników warszawskich,
a także agresywny warszawski tłum.

Fabryka

Popierając rozwój przemysłu, pozytywiści nie
zapomnieli o sytuacji polskiego robotnika,
najczęściej źle opłacanego, narażonego na pracę

w najcięższych warunkach. **Dym** kreśli obraz idealnej rodziny robotniczej, dotkniętej prawdziwym dramatem. Tragiczny wypadek przerywa też życie Kazimierza Gosławskiego z **Powracającej fali**. Przyczyną jest tu praca ponad siły i bezduszność pracodawcy, niemieckiego kapitalisty Gotlieba Adlera. Podczas gdy jego przyjaciel i zarazem adwersarz pastor Böhme marzy o ochronce, szkole i szpitalu dla robotników, dla Adlera jedyną wartością jest zysk. Niemiecki fabrykant uważa Polaków za „społeczeństwo pozbawione najelementarniejszych przymiotów ekonomicznych" — z taką oceną Prus, zarzucający swoim rodakom brak zainteresowania dla przemysłu, handlu i rzemiosła, chyba by się zgodził.

Wieś

W **Szkicach węglem** wieś nazywa się Barania Głowa, demoniczny pisarz gminny — Zołzikiewicz. Ta pocieszna figura przejęła faktyczne rządy nad wsią. Zołzikiewicz czyta brukowe romanse, uwodzi dziewczyny i mężatki, bierze łapówki. Chłop nie znajduje pomocy ani na plebanii, ani we dworze, gdzie czytają już lepszą literaturę (Asnyk, Kraszewski). W epilogu — kompletna beznadziejność. Ciemnota wsi mazowieckiej w **Antku,** gdzie nauczyciel nie jest „czcicielem światła", a do chorego wzywa się znachorkę przypominającą czarownicę (sławna scena „leczenia" siostry Antka, wsadzonej do chlebowego pieca „na trzy zdrowaśki" — zakończona śmiercią dziecka). Dla nowel, których akcja rozgrywa się na wsi, charakterystyczne jest wykorzystanie elementów stylizacji gwarowej (**Szkice węglem, Tadeusz, Janko Muzykant, Antek**).

Żyd

Żyd spotykany przez ludzi niezamożnych był przeważnie handlarzem starzyzną, zachowującym się jak prawdziwy człowiek interesu (**Kamizelka, Nasza szkapa**), na wsi zaś — karczmarzem (**Szkice węglem**). Od stereotypowego ujęcia odbiega **Mendel Gdański** — tytułowa postać noweli to reprezentant prześladowanej mniejszości. W latach osiemdziesiątych antysemityzm był już poważnym problemem — hasła antysemickie głosił m.in. tygodnik „Rola", założony przez Jana Jeleńskiego.

Emigrant

Częścią polityki germanizacyjnej było skłanianie chłopów z Wielkopolski (zabór pruski) do szukania szczęścia za Oceanem. Bohaterowie **Za chlebem**, Wawrzon Toporek i jego córka Marysia, są ofiarami niemieckiej propagandy. W Ameryce nie znajdą upragnionej Ziemi Obiecanej, a pozbawieni pracy i środków do życia muszą zginąć. W pierwotnej wersji nowela kończyła się szczęśliwie, później — pragnąc, by utwór stanowił ostrzeżenie — autor zmienił zamiar. Przykład „usługowego" traktowania literatury? W **Latarniku** — emigrant o niezwykłej biografii, dawny powstaniec listopadowy, pada ofiarą literatury (konkretnie — *Pana Tadeusza*). Biografia Skawińskiego to jakby synteza losu polskich wygnańców.

„Bo i pode mną czasem rozpada się ziemia..."

ELIZA ORZESZKOWA

Urodzona 1841
**w Milkowszczyźnie koło Grodna (dziś — w granicach Białorusi, w okresie
międzywojennym miasto polskie), w rodzinie ziemiańskiej.**

rok życia

11 Eliza Pawłowska rozpoczyna naukę na warszawskiej pensji sióstr sakramentek (jej koleżanka
szkolna Marysia zasłynie w przyszłości jako Maria Konopnicka). Dzieckiem była
dziwacznym, co jej zdaniem zapowiadało powołanie pisarskie („Musi być naprawdę coś nadto
lub czegoś za mało w czaszce [...] pisarza czy artysty").

17 Po ukończeniu pensji bierze ślub z Piotrem Orzeszko i przenosi się do jego majątku
w Ludwinowie na Polesiu. Małżeństwo Orzeszków nie było dobrane.

22 Przewozi potajemnie Romualda Traugutta do Królestwa. Organizuje pomoc lekarską dla
walczących powstańców, ukrywa rannych.

24 Utrata Ludwinowa, zesłanie męża. Orzeszkowa wraca do Milkowszczyzny.

25 Zalicza listę obowiązkowych lektur pozytywisty (Spencer, Mill, Buckle). Debiutuje w prasie
Obrazkiem z lat głodowych.

26 Studiuje filozofów materialistycznych, m.in. Moleschotta („pod wpływem tego niemieckiego
mędrca czuję się coraz bardziej materialistką").
Pierwsza powieść: **Ostatnia miłość**.

Wczesna twórczość Orzeszkowej zawiera liczne przykłady tak zwanej **powieści tendencyjnej**. Jej narrator nie ukrywa, komu przyznaje rację. Rozwój fabuły odsłania akceptowany przez autora system wartości, powieść ilustruje przyjętą z góry tezę, stając się w gruncie
rzeczy narzędziem propagandy (w tym wypadku — pozytywistycznej). Postacie typowej
powieści tendencyjnej dzielą się na dwie grupy. Negatywni bohaterowie, przedmiot
autorskiej krytyki, ponoszą klęskę. Zwycięstwo (nieraz okupione wieloma cierpieniami)
przypaść powinno uczciwym, pracowitym, działającym zgodnie z duchem czasu.
Taki typ powieści reprezentują m.in. **Pan Graba, Maria, Pamiętnik Wacławy**. Ich
bohaterowie (przyrodnicy, uczeni, inżynierowie) mają zaufanie do rozumu, nauki
i nowoczesnej cywilizacji, której symbolami są lokomotywa i komin fabryczny. Kochają
się na ogół bardzo rozsądnie, unikając „występnych namiętności". Dużą wagę przywią-
zuje pisarka do „zajmowania się upośledzonymi grupami społeczeństwa" (miejska
biedota, wiejscy nędzarze).

28 Rozwodzi się z mężem. Przenosi się do Grodna, gdzie spędzi całe życie. Marzy, by pracować jako nauczycielka albo telegrafistka (!).

32 Powieść **Marta** — ważny głos w rozpoczynającej się właśnie dyskusji o emancypacji kobiet. Zgodnie z tradycją ziemiańsko-szlachecką miejsce kobiety widziano jedynie przy boku męża. Po 1863 r. walka kobiety o prawo do samodzielnego życia, do pracy i nauki nabierała szczególnej aktualności.

Tytułowa bohaterka poszukuje nie — jak w literaturze dotąd bywało — miłości, lecz posady. Brak kwalifikacji, ale i społeczne konwenanse uniemożliwiają jej pracę w zawodzie nauczycielki, tłumaczki, ekspedientki. Pozbawiona środków do życia, wyrzucona na margines społeczny, znajduje śmierć pod kołami. Powieść zyskała międzynarodowy rozgłos, stając się manifestem ruchu kobiecego.

37 Powieść **Meir Ezofowicz**, której akcja rozgrywa się na prowincji, w środowisku żydowskim. Kwestia żydowska została uznana przez pozytywistów za jeden z najważniejszych problemów społecznych. Właściwą drogę jej rozwiązania wskazuje zdaniem Orzeszkowej tytułowy bohater, Żyd, a jednocześnie polski patriota, opowiadający się za włączeniem mniejszości narodowych w pracę dla dobra całego społeczeństwa (tzw. asymilacja Żydów). Odrębności narodowej i religijnej Żydów broni stary rabin Todros, fanatyczny zwolennik tradycji i przeciwnik postępu. Meir przegrywa, traci ukochaną, zostaje wygnany, ale przecież — jak sugeruje autorka — głoszone przez niego idee zostaną w przyszłości podjęte przez młode pokolenie. Tematyka żydowska pojawia się jeszcze w kilku innych utworach oraz publicystyce Orzeszkowej i zawsze wiąże się z konsekwentnym potępieniem antysemityzmu.

38 Zakłada w Wilnie księgarnię polską.

39 Jeszcze raz studiuje Spencera, przy okazji zachwycając się jego rodakami („Anglicy, moim zdaniem, stanowią pierwszy szereg budujących nową fazę rozwoju ludzkości").

40 W opowiadaniu **Widma**, a następnie powieściach **Zygmunt Ławicz i jego koledzy** oraz **Sylwek Cmentarnik** (tzw. utwory grupy *Widm*) krytykuje rodzący się socjalizm, uważając go za twór obcy, rosyjski. Sama jest za ewolucją, a przeciw rewolucji; za traktowaniem społeczeństwa jako organizmu, a nie skupiska antagonistycznych sił.

41 Nowela **Dobra pani** ➡ NOWELA POZYTYWISTYCZNA.
Władze rosyjskie zamykają księgarnię, jej właścicielka objęta nadzorem policyjnym i zakazem opuszczania Grodna.

44 W „Ateneum" ukazują się **Dziurdziowie** (wydanie książkowe trzy lata później). Powieść — jedna z wybitniejszych w dorobku pisarki — przynosi ponury obraz wsi białoruskiej, zacofanej, tonącej w przesądach. Dziurdziowie są „ludźmi przebywającymi bardzo niskie stadium cywilizacyjnego rozwoju", co oczywiście nie usprawiedliwia ich straszliwej zbrodni — zabójstwa Pietrusi, żony kowala podejrzanej o czary. Do tekstu utworu pisarka wprowadziła całe zdania w języku białoruskim, pokazała też folklor kolejnej mniejszości narodowej dawnej Rzeczypospolitej.

45 „Obrazek wiejski" **Tadeusz** ➡ NOWELA POZYTYWISTYCZNA.
Nowela **A...B...C...** ➡ NOWELA POZYTYWISTYCZNA.

46 „Tygodnik Ilustrowany" rozpoczyna druk w odcinkach ➡ NAD NIEMNEM. Wydanie książkowe ukaże się w 1888 r.

47 | Powieść **Cham**. Wzajemne przeciwstawienie pary głównych bohaterów (małżeństwo Kobyckich) uzasadniać ma tezę o wyższości kultury wiejskiej (związanej z ziemią, domem i religią) nad zdemoralizowaną kulturą miejską. Tę pierwszą reprezentuje nadniemeński rybak, Paweł Kobycki, uosobienie dobroci i chrześcijańskiej miłości bliźniego. Tę drugą — dawna pokojówka Franka, kobieta z gruntu zła i zdeprawowana, ale przecież jakże nieszczęśliwa. Polemiczny w stosunku do wcześniejszych interpretacji artykuł Michała Głowińskiego pozwala nawet dostrzec w postaci Franki „panią Bovary nad brzegami Niemna".

53 Małżeństwo z adwokatem Stanisławem Nahorskim wieńczy trwający ponad dwadzieścia lat romans.

55 Tom opowiadań **Melancholicy** ➡ NOWELA POZYTYWISTYCZNA.

58 W artykule *Emigracja zdolności* atakuje Polaków szukających pracy za granicą. Wśród potępionych — Joseph Conrad („Ten pan, który po angielsku pisuje powieści poczytne i opłacające się wybornie, o mało mię ataku nerwowego nie nabawił. Czułam, czytając o nim, taką jakąś rzecz śliską i niesmaczną, podłażącą mi pod gardło"). W rewanżu Conrad nie dał się nigdy namówić do lektury *Nad Niemnem*. Historia literatury polskiej nie jest historią dobrych manier. Może to i dobrze?
W prywatnym liście uznaje chrześcijaństwo i polskość za „dwa najdroższe klejnoty".

60 Ocenia wysoko i popularyzuje twórczość Krasińskiego. Gotowa jest uznać siebie za „pokorną i malutką uczennicę" tego poety.

63 | Jedna z najciekawszych przygód literackich i życiowych Orzeszkowej: powieść **Ad astra**, napisana wspólnie z młodym przyrodnikiem Tadeuszem Garbowskim. Powieść w listach, powieść intelektualna, przeobrażająca się w esej, a w partiach końcowych — obszerny poemat prozą. Fabuła jest tu ledwie zaznaczona, na plan pierwszy wysuwa się polemika pary głównych bohaterów: Seweryny Zdrojowskiej i Tadeusza Rodowskiego. A że stoją za nimi sami autorzy, ich dyskusję traktować można jako spór pokoleniowy. Seweryna (Orzeszkowa) reprezentuje w nim polską prowincję, patriotyzm, wartości etyczne chrześcijaństwa (utożsamianego z „religią serca"), przywiązanie do ziemi rodzinnej i swojskiego pejzażu. Tadeusz (Garbowski) to przedstawiciel zmęczonej, dekadenckiej Europy, naukowiec, kosmopolita, neurotyk przeżywający rozterki duchowe pośród wspaniałych alpejskich krajobrazów.
Światopogląd późnego pozytywizmu został w *Ad astra* obroniony — chyba nie tylko dzięki temu, że wspólnik wycofał się ze współpracy i pisarka sama musiała skończyć powieść. Zawarła w niej m.in. bardzo interesujące (jak na pozytywistkę) rozważania o naturze symboli.

64 Kandyduje do Nagrody Nobla — bez powodzenia.

Wydarzenia 1905 r. przyjmuje z trwogą („Dokoła chaos jak przed początkiem świata i te płomienie straszliwe na niebie i ziemi, które Apokalipsa dla końca świata przepowiada"). Niepokoi ją zwłaszcza możliwość połączenia walki o niepodległość z rewolucją społeczną.

68 Stara się pomóc w założeniu Stowarzyszenia Etycznego Kobiet. Układa dla tej organizacji program — pozytywistyczny.

69 Dopiero teraz, po upływie bez mała półwiecza, Orzeszkowa mogła złożyć hołd powstańcom 1863 r., wydając tom nowel **Gloria victis**. Zakazany przez carską cenzurę temat istniał przecież w rozmowach Polaków. Dzieje powstańczych walk wytrzymały próbę czasu: „bladły niekiedy ich obrazy, lecz nie znikały nigdy". Charakterystyczny dla wszystkich utworów zbioru jest nastrój wzniosłości otaczający bohaterów. Największą popularność zdobyła *Hekuba* — historia pani Teresy (porównanej do mitologicznej Hekuby), zrozpaczonej matki, która utraciła w powstaniu synów i której córka uciekła z rosyjskim generałem. Na problem stosunków polsko-rosyjskich spojrzała Orzeszkowa bez nacjonalistycznego zacietrzewienia, oceniając bardzo powściągliwie ludzkie postawy.

Umiera 18 maja 1910 r. w Grodnie.

NAD NIEMNEM

Powieść Elizy Orzeszkowej — pierwsze wydanie (w trzech tomach) — ukazała się w Warszawie w 1888 r. Akcja utworu rozgrywa się w latach osiemdziesiątych XIX w., w okolicach Grodna (dziś ziemie te należą do Białorusi). Ważniejsze miejsca: dwór Korczyńskich (Korczyn), zaścianek Bohatyrowicze, Osowce (posiadłość Andrzejowej Korczyńskiej), Olszynka (własność Kirłów), las, w którym znajduje się powstańcza mogiła.

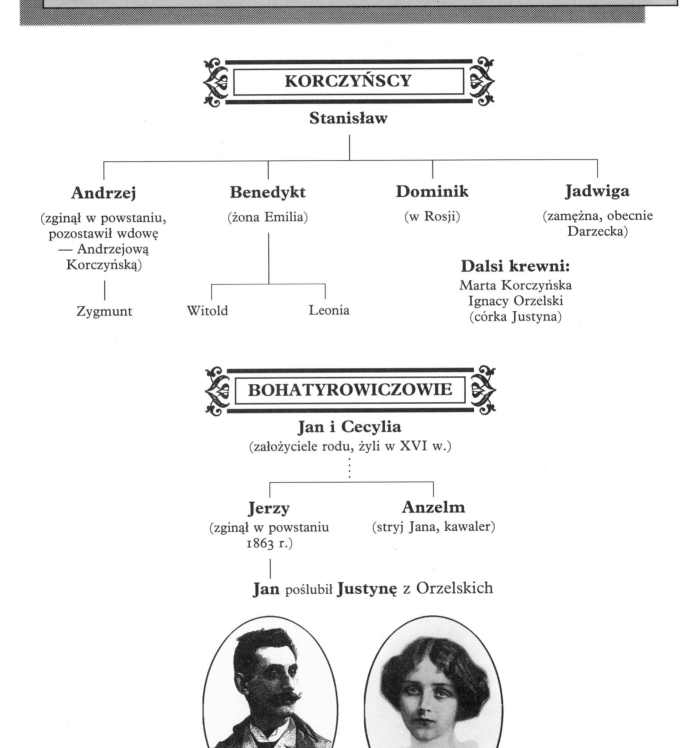

KORCZYŃSCY

Stanisław

Andrzej
(zginął w powstaniu, pozostawił wdowę — Andrzejową Korczyńską)

Benedykt
(żona Emilia)

Dominik
(w Rosji)

Jadwiga
(zamężna, obecnie Darzecka)

Zygmunt

Witold

Leonia

Dalsi krewni:
Marta Korczyńska
Ignacy Orzelski
(córka Justyna)

BOHATYROWICZOWIE

Jan i Cecylia
(założyciele rodu, żyli w XVI w.)

Jerzy
(zginął w powstaniu 1863 r.)

Anzelm
(stryj Jana, kawaler)

Jan poślubił **Justynę** z Orzelskich

Konflikt pokoleń?

W *Nad Niemnem* — raczej problematyczny, dotyczy głównie sporu Witolda z ojcem. W całej powieści młodzi nie stanowią przecież jednolitej grupy. Z jednej strony widzimy pozytywnych entuzjastów (Witold, Justyna, Jan Bohatyrowicz, Kirłówna), z drugiej — wcale pokaźną grupę młodych próżniaków (Leonia, Zygmunt, córki Darzeckich).
Wszystkie błędy pana Benedykta wynikają z upartego dążenia, by utrzymać właśnie tu, na kresach dawnej Rzeczypospolitej, ziemię w rękach polskich. Cel ten Witold z całego serca popiera. Gotowi wyrzec się rodzinnej posiadłości są Zygmunt i oczywiście Dominik, wrastający od lat w społeczeństwo rosyjskie. Salonowe lwy też nie mają zrozumienia dla patriotycznych wysiłków (zgodnie z obowiązującym ustawodawstwem po sprzedaży Korczyn musiałby przejść w ręce Rosjan).

Postacie

● **Ludzie salonu**: wielbiciele przestrzeni „zamkniętej", życie upływa im na wędrówkach między buduarem, salonem i jadalnią. Lubią przytulnie urządzone wnętrza, rozrywki, sztukę, rozkosze kulinarne. Nie przepadają natomiast za męczącymi spacerami, świeżym powietrzem i promieniami słońca. Ich właściwą porą dnia jest wieczór.

Emilia Korczyńska. Żona pana Benedykta. Kobieta, która odkryła, że choroba to doskonały pretekst, by nie wstawać z łóżka i czytać przez cały dzień romanse. Dosyć kosztowna małżonka.

Zygmunt Korczyński. Artysta-malarz z tych, co kochają Włochy, a pogardzają kresowym pejzażem. Czyta Musseta, więc pewnie romantyk. Ożenił się z Klotyldą, ale kocha się w Justynie — też jak romantyk.

Teofil Różyc. Próżniak, morfinista, hulaka. Mimo wszystko trochę w portfelu mu zostało. Zdaniem ludzi salonu — tak zwana dobra partia.

Bolesław Kirło. Też próżniak, a co gorsza plotkarz. W ogóle niesympatyczny typ, w przeciwieństwie do swojej wiecznie zapracowanej żony.

Ignacy Orzelski. Salonowy skrzypek i łakomczuch. Kiedyś lubił kobiety. Dziś bankrut. W salonie bywa pośmiewiskiem.

● **Ludzie kuchni**: czy można spędzić życie w kuchni? Skoro jest salon, musi być i kuchnia.

Marta Korczyńska. Ciotka Justyny. Nieszczęśliwa, zgorzkniała, chora. Kiedyś kochała Anzelma, ale obawiając się mezaliansu nie wyszła za mąż. Po powstaniu bratanie się z „ludem" (dokładnie — zaściankiem!) przestało być modne. Przykład zmarnowanego życia — mimo niewątpliwych zalet charakteru.

Kirłowa. W przeciwieństwie do męża rozsądna, uczciwa, pracowita. Ta dla odmiany marnuje się w małżeństwie.

● **Ludzie ziemi**: wielbiciele przestrzeni „otwartej", życie upływa im na pracy. Właściwie lubią pracować, kochają pola, lasy, łąki. W salonie trochę się nudzą. Ich porą dnia jest poranek, a także słoneczne południe.

Justyna Orzelska. Po nieudanym romansie z młodym Zygmuntem Korczyńskim znajduje — choć z pewnymi trudnościami — drogę wyjścia z salonu. Odrzuca zaloty Zygmunta i oświadczyny Różyca, by oddać rękę Janowi. Bardzo patriotyczny wybór, zgodny z pozytywistyczną hierarchią nakazującą cenić wyżej gospodarza niż artystę (o narkomanie nie wspominamy). Zgodny także z nakazem serca.

Benedykt Korczyński. Dziedzic Korczyna. Zachował jeszcze nieco przywar szlacheckich, w sumie jednak — prawdziwy bohater pozytywny. Nie sprzeda ziemi, pozostanie na gospodarstwie, a w dodatku pogodzi się z Bohatyrowiczami.

Witold Korczyński. Młodziutki entuzjasta. Uwielbia wszystko, co wiąże się z rolnictwem. Jeśli przychodzi do salonu, to tylko po to, by namawiać gości do lepszego gospodarowania.

Jan Bohatyrowicz. Dobry gospodarz, przystojny mężczyzna, no i śpiewa doskonale. Uwodzi Justynę z wdziękiem i perfekcją. W ogóle dziewczyny za nim przepadają — oprzeć potrafiłaby mu się chyba tylko panna Teresa.

Nad Niemnem, czyli prawie *Pan Tadeusz*

Podobieństwa: wiara, że sprzeczności da się pogodzić, wyrażająca się pojednaniem zwaśnionych stron w finale; związek z tradycją narodu — kult pamiątek przeszłości, pamięć o wielkich momentach dziejowych (w *Nad Niemnem* — powstanie styczniowe), epicki rytm opowieści, podkreślenie witalności przyrody, oddanie piękna polskiego pejzażu (natura w powieści jest pełna życia, bujna, harmonijna, granice rozwoju wyznacza ludzka praca — śmierć, umieranie, przekwitanie, więdnięcie są tu właściwie nieobecne!).
Różnice: u Orzeszkowej zdecydowanie silniej dochodzi do głosu myśl o równouprawnieniu stanów, ponadto — jej bohaterowie pracują! (Mickiewicz był jednak daleki od myśli, że o wartości człowieka decyduje praca — powszedni trud).

Nad Niemnem — arcydzieło dojrzałego pozytywizmu

Doskonalenie sztuki powieściowej pozwoliło Orzeszkowej odejść od wątpliwego pod względem artystycznym modelu powieści tendencyjnej. Dojrzała proza tej autorki wolna jest od uproszczeń i mielizn. Przeobrażają się także jej bohaterowie — potrafią już oceniać trzeźwo zdobycze nowoczesnej cywilizacji, dostrzegając sukcesy, ale i niebezpieczeństwa. Kiedyś ufali jedynie potędze rozumu, teraz skłonni są bronić również praw uczucia i wyobraźni. Ci pozytywni są gorącymi patriotami. Rezygnację z walki orężnej i skupienie się na pokojowej walce o przetrwanie traktują jako konieczność, a nie świadectwo lojalności wobec zaborcy.

„Spokojny przez całe życie obserwator zjawisk społecznych."

BOLESŁAW PRUS

Urodzony 1847
w Hrubieszowie, w niezamożnej rodzinie szlacheckiej — prawdziwe nazwisko:
Aleksander Głowacki.

rok życia

15 Uczy się (doskonale) najpierw w Lublinie, później w Siedlcach.

16 Podczas lekcji łaciny zbiera od kolegów egzemplarze *Eneidy* Wergiliusza i wrzuca do pieca ze słowami: „Teraz nie czas na *Eneidę*." Ucieka ze szkoły wprost do oddziału powstańczego. Ranny, dostaje się do niewoli. Wypadki 1863 r. spowodowały załamanie psychiczne brata pisarza, Leona Głowackiego.

17 Sądzony za udział w walce, zostaje skazany na utratę szlachectwa (!). Wraca do książek, w lubelskim gimnazjum spotyka Juliana Ochorowicza i Aleksandra Świętochowskiego.

19 Wstępuje na wydział matematyczno-fizyczny warszawskiej Szkoły Głównej. Studiów nie ukończy. Zmuszony zarabiać na życie, podejmuje różne dorywcze prace (guwerner, pomocnik fotografa, urzędnik, robotnik).

22 Oświadcza się po raz pierwszy swojej kuzynce Oktawii Trembińskiej. Niepowodzenie wcale go nie zraża („Kobieta nie może się usuwać nie wysłuchawszy mnie").

24 Powraca do Warszawy — tu mieszkać będzie do końca życia.

25 Drukuje pierwsze artykuły publicystyczne i popularnonaukowe, w następnym roku debiutuje jako humorysta. Teksty podpisuje pseudonimem Bolesław Prus (Prus to herb rodziny Głowackich) — „ze wstydu, że takie głupstwa piszę".

28 Bierze ślub z Oktawią Trembińską.
Na łamach „Kuriera Warszawskiego" publikuje pierwszą „Kronikę tygodniową" ➡ KRONIKI.

33 Dopiero teraz daje się poznać jako wyśmienity nowelista. W ciągu zaledwie trzech miesięcy ukazują się: **Powracająca fala, Katarynka, Antek, Michałko** ➡ NOWELA POZYTYWISTYCZNA, oraz krótka powieść **Anielka**, jeden z najlepszych portretów dziecka w naszej literaturze.

34 Krótka podróż do Wiednia. Poznaje Kraszewskiego i Władysława Mickiewicza (syna poety).

35 Zostaje redaktorem naczelnym „Nowin", dziennika pomyślanego jako ponadpartyjne „obserwatorium społeczne". Funkcję tę pełnić będzie do następnego roku.
Nowela **Kamizelka** ➡ NOWELA POZYTYWISTYCZNA.
Wakacje spędza pierwszy raz w Nałęczowie, na „wodnistej kuracji". Do uzdrowiska powracać będzie wielokrotnie na letni wypoczynek.

37 W końcu roku na łamach petersburskiego „Kraju" ukazuje się **Omyłka**, obrachunek pisarza z wydarzeniami 1863 r. Jest to tragiczna historia człowieka posądzonego niesłusznie o współpracę z Rosjanami, w rzeczywistości — gorącego patrioty.

39 Pierwsza z ważniejszych powieści Prusa, **Placówka**, podejmuje częsty w twórczości pozytywistów temat wiejski. Jej bohater, Józef Ślimak, toczy heroiczny bój w obronie najwyższej wartości — ziemi. Osamotniony, bezradny i ciemny, nie znajduje wsparcia w walce z niemieckimi kolonistami. Dopiero splot nieszczęść, jakie spadają na chłopa i jego rodzinę, powoduje, że wśród społeczności wiejskiej budzi się poczucie solidarności. Po stronie Ślimaka staje zarówno żydowski domokrążca, jak i wioskowy proboszcz. Koloniści zmuszeni są ustąpić. Zakończenie nie bardzo podobało się badaczom — na przykład Janina Kulczycka-Saloni nazwała je „zwycięstwem wbrew logice życia". Uznanie zyskało natomiast rzetelne ukazanie wiejskich realiów. *Placówka* jest też uważana za pierwszą polską powieść bliską naturalizmowi (los człowieka określa przyroda).

40 Prasa polska donosi o uniewinnieniu w Bernie kobiety posądzonej o kradzież lalki. Informacja zaintrygowała Prusa. Pierwszy odcinek nowej powieści — we wrześniu w „Kurierze Codziennym". Wydanie książkowe (w trzech tomach) w 1890 r. ➡ LALKA.

47 W wydaniu czterotomowym ukazują się ➡ EMANCYPANTKI. Pod pierwotnym tytułem *Emancypantka* powieść drukował wcześniej „Kurier Codzienny".

48 Wiosną wyjeżdża za granicę. Zwiedza Berlin, Drezno i Norymbergę. W Raperswilu spotyka się z Żeromskimi. Dopiero latem tego roku ujrzy Paryż, tak przekonywająco opisany w *Lalce*.

Tuż po powrocie drukuje w „Tygodniku Ilustrowanym" fragmenty nowej powieści **Faraon** (wydanie książkowe — 1897 r.). Jej akcja rozgrywa się w starożytnym Egipcie, w XI w. p.n.e., a głównym bohaterem jest młody faraon Ramzes XIII. Pragnie przeprowadzić reformy, wzmocnić władzę państwową i poprawić los poddanych. Spotyka się z oporem kapłanów, od dawna sprawujących władzę nad życiem religijnym i świeckim narodu. W rękach kapłanów prócz ogromnych bogactw znajduje się najpotężniejsza broń: nauka. W Egipcie odkrycia i wynalazki nie są bowiem własnością społeczeństwa, lecz stanowią sferę wiedzy tajemnej, dostępnej dla wybranych. Faraon ma do dyspozycji jedynie źle opłacaną armię, administracja państwowa uległa korupcji. Próba zamachu stanu, który odsunąłby kapłanów od władzy, a ich majątek oddał państwu, kończy się niepowodzeniem. Górę bierze nie siła militarna, lecz wiedza. Zaćmienie słońca, które kapłani potrafili przewidzieć, umożliwia manipulację zachowaniami tłumu. Faraon ginie, ale jego następca kapłan Herhor przystępuje do realizacji projektów Ramzesa.

Faraon jest bardzo niekonwencjonalną powieścią historyczną, świetnie umiejscowioną w realiach, co przyznawali nawet egiptolodzy. Nie znajdziemy natomiast w utworze cech romansu czy powieści awanturniczej. Dlatego — jak słusznie podkreśliła Janina Kulczycka-Saloni — *Faraon* nie jest w dorobku Prusa niespodzianką, lecz konsekwencją wcześniejszych poszukiwań pisarza, rozwinięciem wątków obecnych w prozie i publicystyce (np. myśl, że wiedza i moralność to dwie różne sfery, wizja społecznego organizmu itd.).

53 Wydaje **Najogólniejsze ideały życiowe**, najważniejszą ze swych teoretycznych prac, wykład programu głoszonego przez wiele lat w „Kronikach tygodniowych" ➡ KRONIKI.

58 Rewolucję 1905 r. uznaje za „chorobę społeczną". Krytycznie ocenia strajki i manifestacje patriotyczne („Frazes, frazes i zawsze frazes!").

62 Powieść **Dzieci**, podobnie jak *Wiry* Sienkiewicza, uznano za pamflet antyrewolucyjny. Istotnie, wydarzenia 1905 r. zostały tu przedstawione dosyć jednostronnie. Główny bohater, Kazimierz Świrski, liczy sobie zaledwie osiemnaście lat i w normalnych warunkach jego młodzieńcze marzenia o karierze wodza tak szybko by się nie spełniły. Podczas rewolucji — jak powiada autor — „świat wypadł z zawiasów". Rewolucyjny obłęd i związana z rewolucją demoralizacja stawiają Świrskiego i jego kolegów w sytuacji bez wyjścia. Kazimierz odbiera sobie życie, sądząc mylnie, że został wykryty i osaczony. W całej powieści śmierć jest na ogół niezbyt heroiczna, a niekiedy wręcz groteskowa.

W *Dzieciach* dwie postacie zyskały akceptację samego autora: panna Jadwiga i doktor Dębowski. Poglądy obydwojga przywodzą na myśl pozytywizm, rzecz jasna jego dwudziestowieczną wersję (ewolucja zamiast rewolucji, praca dla dobra społeczeństwa pojmowanego jako organizm, „użyteczność" jako kryterium oceny jednostki i narodu).

Powieść mało znana i niedoceniona, napisana po mistrzowsku. Portret psychologiczny głównej postaci wzbogacają — podobnie jak w *Lalce* i *Emancypantkach* — halucynacje i senne marzenia. Scena egzekucji na więziennym dziedzińcu nie ma sobie równych w całej polskiej prozie.

65 Pracuje nad powieścią **Przemiany**, której nie zdoła już ukończyć (ostatnie zdanie tego utworu rozpoczyna się słowami: „Człowiek wychodzi z grobu, u progu ciągle usuwają się pod nim stopnie"). Umiera 19 maja 1912 r. w Warszawie.

!!! Prus posługiwał się już aparatem fotograficznym, jeździł na rowerze, używał maszyny do pisania.

LALKA

„Kto «Lalkę» przeżył, wiele przeżył."

Akcja utworu rozgrywa się w ciągu niespełna dwóch lat (1878–1879). Choć *Lalka* uważana jest za najbardziej „warszawską" powieść w naszej literaturze, obszerne partie tekstu dotyczą także innych miejsc (Paryż, polska prowincja). Powieść wprowadza wiele różnorodnych wątków, m.in. romansowy (miłość Wokulskiego do Izabeli), fantastyczny (wynalazek Geista), sensacyjny (sprawa kradzieży lalki), historyczny (obraz rewolucji 1848 r.), obyczajowy (zwłaszcza obraz życia arysto-kracji), polityczny (rozważania Rzeckiego), „kupiecki" (dzieje sklepu, interesy Wokulskiego). Głównymi bohaterami *Lalki* są: Stanisław Wokulski, jego przyjaciel Ignacy Rzecki, na nieco dalszym planie znajduje się panna Izabela Łęcka.

Społeczeństwo

- **Arystokracja** (m.in. Łęccy, książę, marszałek, baronostwo Krzeszowscy, hrabia Liciński, baron Dalski). Zdaniem Prusa idealne społeczeństwo mieć powinno możliwie najmniej osób nie pracujących. Próżnowanie jest obowiązkiem szanującego się arystokraty. Książę uważa, że arystokracja może zajmować się rozwojem przemysłu, a nawet handlu. Panna Izabela przypisuje arystokracji zasługi innego rodzaju (opieka nad artystami, kult sztuki, pielęgnowanie dobrych obyczajów itd.). Arystokracja opisana w *Lalce* jest dość zróżnicowana pod względem majątkowym, choć zachowuje jeszcze coś w rodzaju stanowej solidarności.

- **Szlachta** (m.in. Wirski, stary Wokulski, nie wymienieni z nazwiska uczestnicy zebrania w sprawie spółki). Symbolem szlachetczyzny w starym stylu jest ojciec pana Stanisława — człowiek, któremu wciąż brakuje pieniędzy na kolejny proces. Przedstawicielem „wysadzonych z siodła" — rządca domu Wirski. Szlachta, która pozostała gospodarując na wsi, znajduje się w trudnym położeniu. W mieście też mało kto zrobił karierę.

- **Inteligencja** (Ochocki). Dopiero powstaje i na dobrą sprawę w kraju nie potrafi znaleźć dla siebie miejsca. Absolwent Szkoły Głównej, który marzy o epokowym wynalazku, musi szukać szczęścia w Paryżu.

- **Ludzie interesu** (Wokulski). Kiedyś nie wpuszczano ich na salony, lecz zgodnie z przepowiedniami paru bohaterów *Lalki*, wkrótce to salony i ich bywalcy szukać będą kontaktów z ludźmi takimi jak Wokulski. Prus pokazał, jak rośnie siła i autorytet pieniądza. Dowiódł równocześnie, że człowiek bogaty nie musi być ani aferzystą, ani prymitywnym groszorobem.

- **Niemcy** (Minclowie). Sympatyczna rodzinka, trochę zwariowana — jej horyzonty życiowe nie wykraczają nigdy poza sklep. Nowość w przedstawieniu stosunków polsko-niemieckich (m.in. postać Niemca, który koniecznie chce być Polakiem). Najważniejsza cecha charakteru narodowego — fantastyczna pracowitość.

- **Żydzi** (Szlangbaumowie, Szuman). Losy doktora Szumana, który na starość odkrywa w sobie miłość do pieniędzy, dają do myślenia. Stary Szlangbaum tłumaczy, że to, czego Polacy nie potrafią dokonać „wojną i gorączką serc", Żydzi zdobywają dzięki „mądrości i cierpliwości". Właśnie.

- **Najbiedniejsi**. Bardzo liczna i bardzo zróżnicowana wewnętrznie grupa. Biedują studenci (nihiliści!), furman Wysocki i jego brat dróżnik, upadłe dziewczyny, rzemieślnicy. Zwróćmy uwagę, że szanse awansu kogokolwiek z tej grupy są znikome. Uczciwa praca zapewnia co najwyżej wegetację.

Historia

- **Legenda napoleońska** żyje w *Lalce* głównie za sprawą Rzeckiego („Niesprawiedliwość dopóty będzie władać światem, dopóki nowy Napoleon nie urośnie"). W Napoleona wierzył ojciec pana Ignacego, a także młody Mincel. Przekonanie, że „bonapartyzm to potęga", jest w okresie, gdy rozgrywa się akcja powieści, wyraźnym anachronizmem. Świadczy, że pan Rzecki należy do rzeczywistości, której już nie ma.

- **Powstanie listopadowe** przywołane zostało w rozmowie Wokulskiego z prezesową. Stryj Wokulskiego był powstańcem, walczył pod Wawrem i Olszynką Grochowską.

- **Rewolucja węgierska 1848 r.** (Wiosna Ludów) opisana została najbardziej szczegółowo w pamiętniku Rzeckiego. Przeciwko Austriakom walczyło wówczas na Węgrzech ok. 2 tysięcy Polaków. Bił się także pan Ignacy i jego przyjaciel August Katz.

- **Powstanie styczniowe** — ze względu na cenzurę wzmianki na ten temat zostały zaszyfrowane. W powstaniu uczestniczył Wokulski, zesłany za udział w walce na Syberię.

Polityka

Główny bohater *Lalki*, Wokulski, jest właściwie człowiekiem apolitycznym — jak p o z y t y w i ś c i. Pod tym względem jego przeciwieństwem jest Rzecki, prawdziwy pasjonat polityki, uważny, choć dosyć naiwny czytelnik dzienników. Podobnie jak prezesowa, stryj Wokulskiego i August Katz, Rzecki należy — zarówno z racji wieku, jak i przekonań — do pokolenia r o m a n t y k ó w, schodzącego już ze sceny. W *Lalce* mówi się też o s o c j a l i s t a c h — należy do nich subiekt Klejn, później także Mraczewski. Rzecki jest przekonany, że socjaliści posiadają wspólne żony. Panu Ignacemu specjalnie to nie przeszkadza, jako że sam jest kawalerem... Do k o n s e r w a t y s t ó w zaliczyć by wypadało większość uczestników spółki, problemem staje się powoli a n t y s e m i t y z m — świadczą o tym losy Henryka Szlangbauma. Antysemitą jest w powieści subiekt Lisiecki; arystokracja Żydami pogardza, choć zmuszona jest prowadzić z nimi interesy.

Miłość

Oczywiście — znów romantyczna. Wszystko przez Wokulskiego — ten dobrze zapowiadający się naukowiec i geniusz operacji handlowych w najważniejszych momentach życia postępuje jak prawdziwy romantyk. W 1863 r. chwyta za broń, kilkanaście lat później zakocha się bez wzajemności, wreszcie próbuje popełnić samobójstwo. Słowem — pozytywista z romantyczną duszą.
W *Lalce* istnieją przecież także inne modele miłości. Pojawiają się ponadto u boku Wokulskiego dwie „nauczycielki sztuki uwodzenia". W pierwszej części powieści rolę tę spełnia pani Meliton.

Jej zdaniem „kobiety tak lubią być ściskane, że dla spotęgowania efektu trzeba je niekiedy przydeptać nogą". W drugiej części podobna rola przypada pani Wąsowskiej. Ciekawe przemyślenia na ten temat snuje nawet fryzjer, dowodzący, że „kobieta im starsza, tym droższa, zapewne dlatego i nikt nie ciągnie na sześćdziesięcioletnie, że już nie ma na nie ceny". Wokulski nie chce korzystać z tych lekcji i w sztuce uwodzenia popełnia błąd za błędem. A Łęcka? To po prostu kobieta, która nie kocha, ale chce być kochana (kto nie chce?). Flirt jakby rodem z rokoka preferuje kobieciarz Starski, mieszczański model miłości wprowadza Małgorzata — typ zalotnej wdowy nie pierwszej już młodości, perwersyjna wydaje się miłość starego barona Dalskiego do młodziutkiej Ewelinki (też perwersyjnej — troszeczkę...). Mimo wszystko wielka romantyczna miłość pozostaje na pierwszym planie. Jak mówi prezesowa: „Bywają wielkie zbrodnie na świecie, ale chyba największą jest zabić miłość."

Narracja

W *Lalce* występuje faktycznie dwóch narratorów — narrację odautorską wzbogaca, poszerza, a czasem wikła pamiętnik pana Ignacego. Rzecki nie tylko rozbudowuje perspektywę historyczną powieści (wypadki 1848 r.) czy na swój sposób interpretuje powieściowe epizody i wydarzenia polityczne. Stary subiekt kreśli również obraz rzeczywistości „alternatywnej" — opowiada o tym, co mogłoby się zdarzyć (Wokulski powinien był zerwać z arystokracją, utrzymać sklep i ożenić się z panią Stawską, a potem... chyba wywołać ogólnonarodowe powstanie).
W całej powieści obowiązuje ponadto zasada zmienności punktów widzenia — na przykład historię Wokulskiego poznajemy dzięki opowiadaniu radcy Węgrowicza, pamiętnikowi Rzeckiego i refleksjom samego Wokulskiego (technika „nawarstwiania" i „nawrotu motywów"). Spośród wszystkich polskich powieści napisanych w XIX w. ta jest z pewnością najbardziej... dwudziestowieczna!

Realia

➡ **W WARSZAWIE I NA KRESACH**

Prusologia

Po II wojnie światowej Prus stał się jednym z najczęściej omawianych i komentowanych polskich pisarzy. Największe zainteresowanie budziła rzecz jasna *Lalka* (pod tym względem — najpopularniejsza polska powieść). Podstawy „prusologii", czyli nauki o twórczości Prusa, stworzył Zygmunt Szweykowski, a do najwybitniejszych jej przedstawicieli zaliczają się dziś: Józef Bachórz, Stanisław Fita, Janina Kulczycka-Saloni, Henryk Markiewicz, Edward Pieścikowski, Krystyna Tokarzówna.

MÓWIĄ SPECJALIŚCI:

Gdzie jest Wokulski?

Piotr Chmielowski (1890):
Pojawił się jak meteor, zabłysnął i zniknął. Zarówno domniemana śmierć jego w ruinach zasławskich, jak i zupełne odsunięcie się od spraw społecznych nie może budzić głębszego współczucia.

Władysław Bogusławski (1891):
Wokulski to skwaśniały malkontent kończący tragiczną śmiercią zrozpaczonego.

Janina Kulczycka-Saloni (1946):
Dla Wokulskiego nie ma miejsca w Polsce. Opuszczają ją też wszyscy ludzie wartościowi; umierają ostatni romantycy, Ochocki wyjeżdża za granicę, by realizować swe marzenia; nie wiadomo, co się stało z Wokulskim.

Kazimierz Budzyk (1947):
Wokulski musiał zginąć „przywalony resztkami feudalizmu" i nie podsuwajmy innego, lepiej rzekomo domyślanego do końca epilogu powieści.

Henryk Markiewicz (1959):
Tyle poszlak przemawia za śmiercią samobójczą Wokulskiego, a jednak znaczące zamilknięcia i aluzje Ochockiego w scenie ostatniej dowodzą, że bohater mimo wszystko żyje.

Lew:
Jestem przekonany, że szczegółowe zbadanie tras ostatnich podróży Ochockiego, Wokulskiego i Łęckiej przynieść może zarys epilogu „Lalki". Ostatnia wzmianka o losach Izabeli pochodzi od Ochockiego, który towarzyszył jej podczas wyjazdu. Panna Łęcka wstępuje podobno do klasztoru, ale dlaczego udaje się w tym celu tak daleko?
Ochocki dotychczas trochę podziwiał, a trochę lekceważył swą kuzynkę. Teraz nazywa ją „dziwną kobietą". Na dwóch ostatnich stronach powieści gadatliwy Ochocki zamienia się w prawdziwego sfinksa. Wie znacznie więcej, niż wolno mu powiedzieć. Ostatnie i najkrótsze zdanie „Lalki" brzmi: „Ochocki milczał" (!!!).
Koleją wiedeńską można zajechać w różne miejsca: do klasztoru, ale i do Paryża. Więc cóż? Czyżby cała trójka miała spotkać się w pracowni Geista? Chyba tak, ale skład tej trójki nie jest jasny, bo do Paryża wybiera się też dziwnym zbiegiem okoliczności urocza pani Wąsowska...

MÓWI AUTOR:

Gdy los złamał w nim rycerza, obudził się uczony; gdy zrobił go wdowcem po starszej kobiecie, ocknął się (z powodu nieużycia sił fizycznych) kochanek, który stał się spekulantem. Gdy zginął kochanek i spekulant, ocknął się znowu uczony.

■ KARIERA WOKULSKIEGO
Urodził się w 1832 r., ok. 1860 był jeszcze subiektem (a właściwie i kelnerem) u Hopfera. Wkrótce porzucił to zajęcie, zamieszkał u pana Ignacego Rzeckiego i zaczął przygotowywać się do studiów w Szkole Głównej. Rozpoczętą obiecująco edukację przerwał wybuch powstania styczniowego. Wokulski został zesłany do Irkucka, gdzie jednak wiodło mu się nie najgorzej. Po siedmiu latach wrócił do Warszawy z niewielkim kapitalikiem (pochodzenie jego jest niejasne). Zapewne trudności w zdobyciu zajęcia, jak i brak jakichkolwiek perspektyw życiowych sprawiły, że poślubił starszą od siebie wdowę, właścicielkę sklepu, panią Minclową. Małżeństwo trwało pięć lat, w 1876 r. pani Wokulska zmarła — jak powiadano, w następstwie zażycia cudownego likworu przywracającego młodość.
W 1877 r. wybuchła wojna rosyjsko-turecka (zwana też „bułgarską"). Na dostawach dla wojska udało się Wokulskiemu zgromadzić ogromny, przynajmniej w skali polskiej, majątek. Po powrocie do Warszawy na początku 1878 r. otworzył nowy sklep i założył spółkę do handlu z Rosją. W 1879 r. wycofał się z interesów, sprzedał sklep i... słuch po nim zaginął.

■ LEKTURY WOKULSKIEGO

Co czyta Wokulski? W młodości — zapewne pochłania głównie dzieła z zakresu fizyki, matematyki, mechaniki. Nic nie wiadomo o lekturach pozycji propagujących filozofię pozytywizmu.

Kiedy przeczytał romantyków? Może właśnie wówczas, gdy zrodziła się miłość do nieczułej panny Izabeli? Ale najpewniej dużo, dużo wcześniej. Z Mickiewicza wybrał *Sonety* (zwane „odeskimi"), czytał również Słowackiego i Krasińskiego. To właśnie romantyczna trójca wieszczów zatruła poczciwą duszę kupca. Pogrążony w „letargu" sięga po najdziwniejsze książki, przypominając sobie dawne lektury, wertując albumy. Czyta też *Baśnie z tysiąca i jednej nocy*.

■ KUPIEC CZY SZLACHCIC?

Oczywiście — szlachcic (Wokulski ma odpowiednie dokumenty potwierdzające rodzinną genealogię). Z drugiej strony — kto to słyszał, by szlachcic imał się handlu, a nawet stawał we własnej osobie za ladą?

To nie urodzenie degraduje Wokulskiego w oczach towarzystwa bywalców salonowych. O niskiej pozycji bohatera przesądza p r a c a!

■ SPÓŁKA

Spółka do handlu z Cesarstwem, założona przez Wokulskiego przy udziale przedstawicieli polskiej arystokracji, podkopywała interesy fabrykantów, broniła natomiast

konsumentów. Celem spółki było sprowadzanie na rynek polski tanich i poszukiwanych towarów rosyjskich (m.in. sławne „perkaliki"). W tym czasie polski przemysł (znajdujący się zresztą przeważnie w rękach obcego kapitału) produkował znacznie drożej. Spółka przyniosła udziałowcom zysk większy od spodziewanego, co było możliwe dzięki operatywności i stosunkom Wokulskiego.

Po roku prowadzenie spółki przejął Henryk Szlangbaum, niektórzy wycofali z niej swe udziały po rezygnacji Wokulskiego.

■ SKLEP

Właściwie — dwa sklepy, ten stary, odziedziczony po Minclach, i nowy, ekskluzywny, dla wytwornej, choć niekoniecznie solidnej klienteli. Nowy sklep miał aż pięć okien wystawowych i zatrudniał siedmiu subiektów. Sprzedawano w nim „galanterię", czyli właściwie wszystko poza żywnością: rękawiczki, kapelusze, portfele, obuwie, ozdoby, pozytywki, zabawki. „Duszą" sklepu był właściwie Rzecki i po jego odejściu firma, przejęta przez Henryka Szlangbauma, znacznie podupadła.

Znawcy dawnej Warszawy uznali, że sklep Wokulskiego znajdował się na Krakowskim Przedmieściu pod numerem 7. Odkrycie to uświetniono wmurowaniem tablicy pamiątkowej.

■ ZIMNY JAK GŁAZ?

Wokulski pozytywny, dobry, życzliwy, wrażliwy? Wokulski skrzywdzony przez Izabelę i arystokratyczne potwory, a kochany niezmiennie przez całą resztę świata? T o n i e t a k!

Lalka nie jest wzruszającą czytanką dla dzieci. Jej bohater to jedna z najbardziej skomplikowanych w naszej literaturze postaci. W porównaniu z nim młodziutka panna Izabela (ma dopiero 25 lat!) jest przykładem pełnej naiwności prostoty.

Dobroczyńca Wokulski bywa potworem. Wspomaga upadłą dziewczynę, ale zaraz po tym akcie miłosierdzia nazywa ją wręcz „bydlęciem". Pomaga innym, a przecież czyni to niejednokrotnie powodowany wielkopańskim kaprysem albo przypadkiem, gdy dzięki zachowaniu panny Izy spływa na niego fala dobrego humoru. Inna rzecz, że Wokulski gardzi filantropią i podobnie jak Prus nie uważa jej za dobry sposób rozwiązywania problemu biedy i bezrobocia.

Nieszczęśliwa miłość? Pamiętajmy, że i Wokulski co najmniej dwukrotnie odtrącił zakochaną w nim kobietę (Kasia Hopferówna, pani Stawska). Być może zatem śliczna Bela dokona zemsty w imieniu całego niewieściego rodu — oczywiście pod warunkiem, że pan Wokulski na to pozwoli! W stosunkach z innymi ludźmi Wokulski jest zazwyczaj zimny, wyniosły, spięty. Jego humor jest jadowity (scena ze Starskim), manifestowanie własnej wiedzy i inteligencji wprost drażniące. A zatem — postać niejednoznaczna, nieobliczalna, wielowymiarowa i pełna zagadek.

EMANCYPANTKI

Akcja powieści rozgrywa się na początku lat siedemdziesiątych XIX w., głównie w Warszawie (w okolicach Krakowskiego Przedmieścia, znanych nam już z *Lalki*), częściowo na prowincji. Dzieło ukazało się pierwotnie w czterech tomach i podział taki uzasadnia kompozycja. W I tomie towarzyszymy najczęściej pani Latter, poznajemy jej kłopoty związane z prowadzeniem żeńskiej pensji oraz zdobywaniem pieniędzy, których wciąż brakuje. W tomie II najważniejszą bohaterką staje się Madzia Brzeska, po opuszczeniu Warszawy przebywająca u rodziców w Iksinowie. Akcja tomów III i IV znów przenosi się do Warszawy, sprawy pensji schodzą jednak na dalszy plan. Tematem końcowych partii powieści jest dojrzewanie intelektualne i uczuciowe Madzi, zakończone katastrofą i poszukiwaniem duchowego azylu w klasztorze szarytek.

Oceniamy Madzię Brzeską

— *Szare figlarne oczy, roześmiana śniada buzia, czarne włosy, rozchylone karminowe usta. Cudo!*
— *Owszem, owszem nie przeczę. Chociaż... Czy nie mogłaby być blondynką?*
— *W trzeciej klasie chciała być chłopcem, w piątej myślała o śmierci, w szóstej marzyła o klasztorze...*
— *No i doczekała się!*
— *Sympatyczna, życzliwa, współczująca, gotowa do pomocy.*
— *Uszczęśliwia świat na siłę. To bardzo męczące.*
— *Dobra, szlachetna, wrażliwa. Ta dziewczyna ma serce!*
— *Jednak bardzo naiwna i trochę głupiutka. Poza tym — histeryczka.*

— *Uważa się za niegodną Solskiego (to przecież milioner!), dlatego odrzuca jego oświadczyny.*
— *Akurat! Ona Solskiego po prostu nie kocha. Wolałaby Kazia Norskiego i pewnie ma rację. Lepszy ładny chłopiec niż taki brzydal.*
— *Po prostu da się lubić!*
— *To dlaczego cieszy się taką złą opinią?*
— *Szkoda, że w końcu trafia do klasztoru. Winne jej porażkom jest środowisko.*
— *Winna jest sama Madzia. Klasztor to odpowiednie miejsce dla ludzi takich jak ona.*

Galeria emancypantek

Pani **Karolina Latter**. Bardzo dzielna kobieta. Według słów panny Howard „pierwsza emancypantka". „Pracowała, rozkazywała, robiła majątek jak mężczyzna." Szkoda, że nie urodziła się mężczyzną, co ogromnie ułatwiłoby jej życie. Jako matka — fatalna (wychowała parę darmozjadów: Helenę i Kazimierza Norskich). To właśnie pani Latter przypomina nam, że pieniądze zawsze zarabia się zbyt wolno, a wydaje za szybko.

Panna **Felicja Malinowska.** W przeciwieństwie do pani Latter — blondynka (na tym przeciwieństwa się nie kończą). Stanowcza i energiczna, czasem bezwzględna. Uważa, że kobieta pracująca nie powinna rodzić dzieci. Ta chyba da sobie radę w życiu, choć liczba ludzi, których zdążyła do siebie zrazić, wydaje się niepokojąca.

Panna **Klara Howard.** Najznakomitsza nauczycielka na pensji pani Latter. Ma „włosy płowe jak woda wiślana podczas przyboru" (niestety nie potrafimy sobie tego wyobrazić ze względu na obecny stan Wisły). Żąda, by kobieta uczyła się łaciny, rzemiosła i jazdy konnej. Gardzi „zwierzęcym tłumem mężczyzn", ale w końcu pójdzie za mąż — pewnie by utwierdzić się w przekonaniu, że wszystkiemu winni są mężczyźni.

Panna **Ada Solska.** Bogata, ale niezbyt piękna. Dawna uczennica pani Latter. Kobieta-naukowiec (coś okropnego!). Kocha mikroskopy, grube książki, jakieś rośliny niepodobne wcale do róż. Poza tym — nieporadna i zakompleksiona (jedyna zakompleksiona milionerka w naszej literaturze). Wychodzi za mąż za Kazia. Aż strach pomyśleć, co będzie dalej.

Na prowincji

II tom *Emancypantek* przynosi obraz życia polskiej prowincji — jeden z najlepszych w naszej literaturze. Iksinów zdaniem badaczy nie ma swego odpowiednika w rzeczywistości, jest typowym polskim miasteczkiem, w którym despotyczną władzę sprawują panie i panny, tworzące tak zwaną „opinię publiczną". Należy do nich pani Eufemia (Femcia), typowa „fałszywa przyjaciółka", starzejąca się panna z dobrego domu, usiłująca rozpaczliwie złowić jakiegokolwiek męża. Wraz ze swą mamusią tworzy bardzo dobrany duet. W powieści Prusa czuje się już atmosferę „dulszczyzny" — nic więc dziwnego, że postacie takie jak para wędrownych artystów (Stella i Sataniello) czy „emancypantka" Madzia muszą szokować otoczenie.

Większość bohaterów II tomu to figury nakreślone piórem karykaturzysty. Wyjątkami są doktorostwo Brzescy (też nie do końca „pozytywni") i major. Istotna wydaje się „lekcja życia" udzielona córce przez doktora Brzeskiego: robak ziemny czyni więcej dla cywilizacji niż zdobywcy świata. A los owego robaka? „Sława żadna, zyski żadne, użyteczność — niezmierna." Kto jednak chciałby zostać robakiem? Panna Joanna by nie chciała.

Mądrość panny Joanny

Panna Joanna rozumuje następująco: „Pracować, słuchać innych, dogadzać wszystkim muszą tylko głupi mężczyźni i brzydkie kobiety. Ale mądry mężczyzna wyszukuje sobie ładnej kobiety i bawią się... Ładnie mieszkają, smacznie jedzą i piją, elegancko ubierają się, wieczorem idą na bal czy do teatru, a na lato wyjeżdżają za granicę, w góry albo nad morze..." Bardzo niemoralna panienka, chociaż może nie taka znów głupia?

Niezbyt wesoła powieść

Emancypantki, z pozoru powieść pogodna i pełna humoru, należą do najbardziej ponurych dzieł Prusa. Spotykamy tu prawdziwą kolekcję postaci, nad którymi unosi się widmo obłędu (Zdzisław Brzeski, Solski, panna Cecylia), melancholików (Ada Solska), samobójców (Cyndrowski).

Swoje życiowe doświadczenie Madzia musi przypłacić załamaniem psychicznym. Czasy są mroczne i „chorobliwe" pod każdym względem. Skąd w tej sytuacji czerpać nadzieję?

Wykład profesora Dębickiego

Wykład profesora Dębickiego, zbieżny z poglądami samego pisarza, był często atakowany przez krytyków jako część „obca", nie przystająca do materiału fabularnego. W XX w. inwazja fragmentów eseistycznych, rozbijających niejako kompozycję utworu, nie jest już niespodzianką. Także pod tym względem Prus okazał się prekursorem.

Podczas wykładu profesor poddaje krytyce najskrajniejsze (i najmodniejsze!) prądy umysłowe: ateizm i spirytyzm.

Materializm i ateizm reprezentuje w powieści Kazimierz Norski, przejściowo Ada Solska („skończona ateistka"), Zdzisław Brzeski, w pewnym okresie życia wiarę traci także Madzia. Ateizm jest zresztą problemem całej pozytywistycznej formacji, która „zamiast Boga i duszy postawiła pierwiastki chemiczne i siły". Opisany w powieści seans spirytystyczny jest mistyfikacją, jakkolwiek ocena spirytyzmu nie wydaje się jednoznacznie negatywna.

Broniąc idei Boga i duszy nieśmiertelnej profesor Dębicki postępuje zgoła inaczej niż spirytyści, używa też innych argumentów niż autorzy katoliccy.

Posługuje się dowodami ze świata nauki, korzysta z osiągnięć współczesnego mu przyrodoznawstwa i nauk ścisłych. Wprowadzając teorię czwartego wymiaru dowodzi, że właśnie w owym niedostępnym dla nas wymiarze istnieć mogą byty niematerialne („duchy"). Twierdząc, że wszechświat nie zna próżni, powołuje się na teorię, zgodnie z którą przestrzenie między planetami (i między atomami) wypełnia kosmiczny eter. Eter to uniwersalna pamięć wszechświata. W eterze zapisuje się „każdy kamień, roślina i zwierzę, każdy ruch, dźwięk, uśmiech, łza, myśl, uczucie i pragnienie". Eter jest właściwie rajem. Nauka mówi nam, że jesteśmy nieśmiertelni!

KRONIKI

„Ile razy siadam do pisania kroniki,
cichy mój pokój napełniają blade widma redaktorów i wydawców.”

„Kroniki tygodniowe”
Odpowiednik dzisiejszego felietonu.
Warto jednak zaznaczyć, że felietony
Prusa są stosunkowo długie, rozbudowa-
ne, pogłębione, miejscami zamieniają się
w poważny artykuł publicystyczny, esej,
reportaż albo recenzję teatralną czy literacką. Z upływem lat kroniki stawały się
coraz bardziej refleksyjne. Drukowane
były (z przerwami) w następujących pismach:
„Kurier Warszawski” 1875—1887
„Nowiny” 1882—1883
„Kurier Codzienny” 1887—1901
„Goniec Poranny i Wieczorny”
1904—1905
„Tygodnik Ilustrowany” 1905—1911
Kroniki zebrał i wydał dopiero po wojnie
Zygmunt Szweykowski. Monumentalna
edycja opatrzona doskonałymi przypisa-
mi obejmuje aż 20 tomów!

Edukacja narodu
Prus cenił nade wszystko działania
„pozytywne”, społecznie użyteczne,
przynoszące narodowi wymierne korzyści.
O Polakach wypowiadał się nieraz sceptycznie,
zarzucając im przesadny i często nierozsądny
kult bohaterstwa, przywiązanie do obchodów
i manifestacji, uwielbienie zewnętrznych
symboli (manifestacje, obchody, jubileusze).
Głosił z odwagą poglądy niepopularne — np.
był przeciwko odkupieniu z rąk prywatnych
Bitwy pod Grunwaldem Matejki i budowie
pomnika Mickiewicza. Uważał bowiem, że
pieniądze zebrane ze składek społecznych
można obrócić na cele bardziej „użyteczne”.
Spośród wszystkich narodów cenił najwyżej
Anglików — za gospodarność, rozsądek,
trzeźwą ocenę sytuacji. Anglików stawiał
Polakom za wzór, choć, jak wiadomo, nigdy
w Anglii nie był (może właśnie dlatego?).
Był zdania, że Polacy winni liczyć przede
wszystkim na własne siły. O Europie myślał
sceptycznie. „Gdyby nas nawet setkami
tysięcy topiono, wbijano na pale, obdzierano

ze skóry, pieczono na wolnym ogniu
— w całej »sympatycznej« Europie nikt palcem
nie ruszy, nikt nie otrząśnie popiołu
z cygara.”
Prorocze słowa, które każdy Polak powinien
znać.

Organizowanie społeczeństwa
Dla Prusa społeczeństwo jest zawsze
o r g a n i z m e m, a nie luźnym skupiskiem
jednostek. Zdrowie organizmu zależy od
kondycji poszczególnych jego części,
od zdolności ich współdziałania. Jako
felietonista pisarz popierał rozmaite inicjatywy
społeczne: tanie kuchnie, szkoły, ochronki,
sierocińce, kasy pożyczkowe dla
rzemieślników. Opowiadał się za rozwojem
handlu, rzemiosła, nauki i oświaty.
Występował w obronie nieślubnych dzieci.
Był zdania, że biednym i pokrzywdzonym
należy się ze strony społeczeństwa tolerancja
i pomoc.
Surowo potępiał przejawy antysemityzmu,
podobnie jak Orzeszkowa był za asymilacją
Żydów. O emancypacji kobiet mówił
z umiarem, dowodząc, że przeznaczeniem
i obowiązkiem kobiety jest małżeństwo
i macierzyństwo. W sporze o znaczenie
filantropii (czyli dobroczynności) podkreślał,
że najlepszym rozwiązaniem byłoby stworzenie
miejsc pracy dla potrzebujących, a nie
darmowe zapomogi.

Literatura i malarstwo
Jako dziennikarz, bywał wszędzie: na
odczytach, wystawach zarówno malarskich, jak
i rolniczych, przedstawieniach teatralnych,
koncertach. Mnóstwo czytał i wiele książek
recenzował, nie ograniczając się przy tym do
literatury pięknej. Słowackiego nie doceniał,
z zachwytem pisał o Mickiewiczu. Był
pionierem tzw. metody „statystycznej”
w badaniach literackich, gdy pracowicie liczył
części mowy i analizował słownictwo
wykorzystane w *Farysie*. Do naturalizmu
odniósł się z sympatią (pochwała Zapolskiej),
choć nie bez zastrzeżeń. Z modernistów
podobał mu się — o dziwo! — Przybyszewski,

a na *Weselu* Wyspiańskiego nie zostawił suchej nitki. Jako czytelnik bywał nieobliczalny. Wśród malarzy szanował Malczewskiego i Aleksandra Gierymskiego. Matejko był dla niego „zbyt gwałtowny", impresjonistów nie rozumiał, malarstwo historyczne traktował z nieufnością.

Etyka

Nie jest prawdą, że kroniki mówią wyłącznie o drobiazgach. Prus znalazł bowiem miejsce (i okazję), by w felietonach wyłożyć własny program. Filozofię dekadentyzmu uznał za największe społeczne zagrożenie. Z niepokojem obserwował rosnącą falę samobójstw i coraz częściej występującą wśród młodzieży postawę apatii, zniechęcenia do życia, nihilizmu. Odpowiedzialność za ten stan rzeczy przypisał popularności filozofii niemieckiej, zwłaszcza lekturze dzieł Nietzschego. Głoszone przez tego filozofa poglądy nazwał „etyką złodziejów i rzezimieszków". Sam bronił zasad etyki chrześcijańskiej, czemu dawał też wielokrotnie wyraz w swoich utworach literackich (postulat „miłości nieprzyjaciół" i czynienia dobra każdemu człowiekowi).

Polemiki Prusa

Wspomnijmy tylko o dwóch:
1. Prus bardzo wcześnie dostrzegł, że „oświatą nie wpływa na moralność" — wiara, że rozwój cywilizacyjny i wysoki poziom świadomości etycznej idą w parze, to jedna z pozytywistycznych iluzji. Zdaniem Prusa „łotr będzie łotrem, choćby skończył dwa fakultety".
2. Obrona Juliana Ochorowicza, który prowadził w Warszawie (w latach 1893–1894 i 1898) eksperymenty z udziałem włoskiego medium Eusapii Palladino. Ochorowicz badał niezwykłe zjawiska z pozycji naukowca, a nie wyznawcy

Ile zarabiał Prus?
Kroniki nie przynosiły pisarzowi wielkich dochodów. 40 felietonów rocznie dawało około 500–600 rubli. „Jeżeli zwrócimy uwagę, że samo życie i mieszkanie kosztowało mnie około 900 rubli, że ubrania również nie miałem za darmo [...], to pytam się, jakim sposobem można pokryć powyższe wydatki, choćby sześciomaset rublami dochodu za felietony? Muszę dodać, że życie moje było i jest bardzo skromne: nie znam ani kart, ani win i koniaków, ani stosunków teatralnych, słowem, nic z tego, co powiększa rozchody." Jak widzimy, nawet największy felietonista tamtej epoki skarżył się na budżetowy deficyt.

spirytyzmu. Część warszawskiej prasy i niektóre środowiska (np. lekarze) odniosły się sceptycznie i do badań, i do osoby uczonego.

Humor kronikarza

Zdaniem Prusa humor polega na „sumiennym oglądaniu rzeczy co najmniej z dwu stron". Humorystą nie może więc być fanatyk, człowiek niezdolny do obserwacji. Wybierzmy z kronik dwa przykłady niezwykłego poczucia humoru autora:
„Raz tylko stałem się przyczyną »upadku kobiety«, dzięki złym mostkom w Warszawie."
„W *Dziadach* kobiety posiadają jakieś nadziemskie rysy, w *Weselu* każda ma ochotę i kwalifikuje się... do stodoły."

> Na marginesie doświadczeń kronikarza powstały **Najogólniejsze ideały życiowe**, prawdziwy traktat publicystyczny, bodaj ostatni manifest polskiego pozytywizmu schodzącego już właściwie ze sceny. Prus występuje tu w obronie świata wartości, który tworzą „doskonałość", „szczęście", „użyteczność". Uznaje potrzebę zachowania równowagi między „uczuciem", „myślą" i „wolą". Próbuje godzić dążenia nauki z etycznymi ideałami chrześcijaństwa. Dostrzega słabości polskiego społeczeństwa: brak solidarności, niechęć do działania na rzecz ogółu, obojętność wobec akcji „społecznie użytecznych".

Dzięki autorom takim jak Prus, Świętochowski, a w okresie międzywojennym Słonimski, trudno dziś wyobrazić sobie pismo literackie bez stałego felietonu.

„Ku pokrzepieniu serc..."

HENRYK SIENKIEWICZ

Urodzony 1846
w Woli Okrzejskiej na Podlasiu, w rodzinie szlacheckiej.

rok życia

20   Po ukończeniu gimnazjum rozpoczyna studia w warszawskiej Szkole Głównej — najpierw na wydziale medycznym, później — filologicznym. Uczniem był raczej marnym, choć pisał świetne wypracowania. Matka przyszłego pisarza nie mogła przeboleć, że syn nie zostanie lekarzem. Przewidywała, że Sienkiewicz napisze jedynie „kilkanaście arkuszy zabazgranych uczonymi rozprawami, których nikt czytać nie zechce, a stanowisko jego w świecie pozostanie zawsze na stopniu tak niskim, że mu ani sławy, ani szczęścia dobrego bytu nie zapewni".

23   Jak na młodego pozytywistę przystało, rozpoczyna współpracę z „Przeglądem Tygodniowym".

26   Zrywa z „Przeglądem Tygodniowym" i publikuje w konserwatywnej „Niwie". Felietony podpisuje pseudonimem Litwos.
      Narodziny prozaika: pierwsze nowele (**Humoreski z teki Worszyłły**).

28   Pierwsze narzeczeństwo, zerwane przez Marię Kellerównę. On został później sławnym pisarzem, ona — starą panną.

30   Podróż do Ameryki.

Jak podróżował Sienkiewicz?
Warszawa — Calais: pociąg
(przez Berlin, Kolonię, Brukselę)
Calais — Dover: statek
Dover — Liverpool: pociąg
(przez Londyn)
Liverpool — Nowy Jork: parowiec „Germanika"
Nowy Jork — San Francisco: pociąg („kolej dwóch oceanów")
(po drodze — zwiedzanie licznych miast amerykańskich)
Góry Santa Ana: koń

Podróż trwała trzy lata.

Literackim, a właściwie dziennikarskim zapisem wędrówek są **Listy z podróży do Ameryki**. Ukazywały się w latach 1876–1878 na łamach „Gazety Polskiej" pod pseudonimem Litwos (wyd. książkowe 1880). Stanowią połączenie różnych gatunków dziennikarskich (korespondencja, felieton, reportaż, artykuł). Sienkiewicz przyglądał się Ameryce oczami sceptyka. Cywilizację amerykańską określił jako „nie wytwarzającą nic więcej prócz pieniędzy", uznając ją mimo wszystko za „cywilizację przyszłości". Zajął się tragicznym losem Indian, opisał funkcjonowanie demokracji amerykańskiej, zdał sprawozdanie z polowania na antylopy i bawoły, żartobliwie ocenił postępy emancypacji kobiet w USA. Informował szeroko o sytuacji polskich emigrantów, pokazując z jednej strony narastający proces amerykanizacji, z drugiej — rolę polskich księży w utrzymaniu polskości. W *Listach* znalazła się też pierwsza wersja opowieści o pechowym latarniku (czyta on tu jeszcze powieść *Murdelio* Zygmunta Kaczkowskiego — polskiego pisarza okresu romantyzmu) oraz recenzje z występów Heleny Modrzejewskiej odnoszącej sukcesy na scenach amerykańskich.

31 Szkice węglem ➡ NOWELA POZYTYWISTYCZNA.

33 **Janko Muzykant, Z pamiętnika poznańskiego nauczyciela** ➡ NOWELA POZYTYWISTYCZNA.

34 **Za chlebem** ➡ NOWELA POZYTYWISTYCZNA.

35 Pierwsze małżeństwo (z Marią Szetkiewiczówną). Trwało bardzo krótko. Po czterech latach Sienkiewicz owdowiał. **Latarnik** ➡ NOWELA POZYTYWISTYCZNA.

37 Konserwatywny dziennik „Słowo" rozpoczyna druk w odcinkach powieści **Ogniem i mieczem**. Wydanie książkowe w roku następnym ➡ TRYLOGIA.

38 W „Słowie" — pierwsze odcinki **Potopu**. Wydanie książkowe ukaże się w 1886 roku ➡ TRYLOGIA.

40 Podróż do Konstantynopola, Aten, Neapolu i Rzymu.

41 „Słowo" publikuje fragmenty **Pana Wołodyjowskiego**. Wydanie książkowe — za rok ➡ TRYLOGIA.

42 Podróż do Hiszpanii.

44 Wyprawa do Afryki (Egipt, wyspa Zanzibar). Niezupełnie udana. Pisarz zabił dwa hipopotamy, zachorował na febrę, zdążył jednak napisać **Listy z Afryki**.

45 Powieść **Bez dogmatu** ➡ POWIEŚCI WSPÓŁCZESNE SIENKIEWICZA.

47 Drugie małżeństwo — z Marią Wołodkowiczówną (właściwie Romanowską). Ta śliczna dziewiętnastoletnia panienka najpierw uwiodła pisarza, potem oskarżyła go o impotencję, a dwa tygodnie po ślubie uciekła do mamy (przybranej). Podobno zawiniła teściowa. Boy-Żeleński zanotował, że Sienkiewicz stawał przed ołtarzem z głupią miną. Rozwód za trzy lata.

49 Powieść **Rodzina Połanieckich** ➡ POWIEŚCI WSPÓŁCZESNE SIENKIEWICZA. Zdaniem dociekliwych zawiera pewne wątki autobiograficzne, m.in. satyryczne portrety małżonki i teściowej pisarza.

50 **Quo vadis**, najpopularniejsza poza Polską (tłumaczenia na 50 języków!) powieść Sienkiewicza. Przyniosła autorowi Nagrodę Nobla. Prawdziwym bohaterem utworu jest Petroniusz, duchowy arystokrata, „arbiter elegancji", zwolennik filozofii epikurejskiej, rzymski dekadent, wybitna indywidualność pozbawiona jednak „zmysłu moralnego". Wątek romansowy to dzieje miłości Winicjusza (siostrzeniec Petroniusza) i cesarskiej zakładniczki, Ligii. Gdy rozpoczyna się akcja powieści, Ligia jest już chrześcijanką, pod jej wpływem Winicjusz doświadczy duchowej przemiany i także przyjmie chrzest. Tło historyczne powieści tworzą dworskie intrygi, wywołany przez Nerona pożar Rzymu i prześladowania chrześcijan. Hasło: „chrześcijanie dla lwów", podchwytuje tłum. Władza organizuje igrzyska, podczas których więźniowie stają na arenie, by walczyć z dzikimi zwierzętami i ginąć męczeńską śmiercią. W finale — „ostatni Rzymianin" Petroniusz popełnia samobójstwo. Giną też inni bohaterowie. Opuszczający miasto apostoł św. Piotr spotyka Chrystusa (wtedy właśnie zadaje Mu pytanie: „Quo vadis?" — „Dokąd idziesz?"). Dowiedziawszy się, że podąża On do Rzymu, by złożyć raz jeszcze ofiarę krzyża, zawraca i oddaje życie w obronie wiary. Winicjusza i Ligię autor zdecydował się ocalić.

Dramaturgię utworu budują nie tylko zewnętrzne wydarzenia, ale również prorocze znaki i przepowiednie zwiastujące katastrofę (deszcz gwiazd, krwawy zachód słońca). Zdaniem Juliana Krzyżanowskiego *Quo vadis* jest powieścią politycznych aluzji. Ligia przywędrowała z kraju dawnych Słowian, a jej sługa Ursus zwyciężający na arenie teutońskiego tura symbolizuje Polskę chrześcijańską opierającą się naporowi żywiołu germańskiego.

54 Z okazji jubileuszu otrzymuje dar narodu — pałacyk w Oblęgorku na Kielecczyźnie.

Temat „krzyżacki" podejmowano już wcześniej w literaturze polskiej (m.in. Mickiewicz i Kraszewski). Jednak to właśnie **Krzyżacy** Sienkiewicza uformowały w świadomości Polaków obraz średniowiecza — barwny, wypełniony opisami pojedynków, bitew, obyczajów rycerskich. Sprawnie opowiedziana akcja, w której nie brak epizodów tragicznych (okaleczenie Juranda ze Spychowa, porwanie jego córki Danusi przez ludzi Zakonu), kończy się wielkim zwycięstwem pod Grunwaldem. Jest to triumf polskiego oręża, ale również zwycięstwo wartości moralnych. Typ idealnego chrześcijańskiego rycerza uosabia Jurand przebaczający swemu prześladowcy, Zygfrydowi von Loewe. O budowie niebanalnego wątku miłosnego zdecydowała obecność dwu całkiem odmiennych typów postaci kobiecych: delikatnej, dziecięcej Danusi i tryskającej energią Jagienki.

W przeciwieństwie do Trylogii powieść nie wywołała gorących sporów o historyczne realia. Oparł ją zresztą Sienkiewicz na dostępnych źródłach (Długosz) oraz studium *Jadwiga i Jagiełło* Karola Szajnochy (1818–1868), „ojca" polskiej eseistyki historycznej. Tworząc język dla swych bohaterów, posłużył się elementami gwary podhalańskiej, zachowującej wiele archaizmów. *Krzyżacy* to kolejny utwór z cyklu „antygermańskiego", do którego należą m.in. *Za chlebem* i *Z pamiętnika poznańskiego nauczyciela*.

57 W ankiecie rozpisanej przez „Kurier Teatralny" oskarża młodą (modernistyczną) literaturę o „ruję i porubstwo" („szkodliwa etycznie, niezgodna z prawdą i naturą rzeczy, bezwartościowa"). Konserwatywna krytyka przyjęła z radością wystąpienie pisarza piętnującego „nadużycia piszących erotomanów". W obronie polskich modernistów wystąpili Stanisław Brzozowski i Wacław Nałkowski, dając początek „kampanii antysienkiewiczowskiej".

58 Trzeci ślub — z Marią Babską. Czterdziestoletnia panna młoda czekała na to małżeństwo aż szesnaście lat (zakochała się w Sienkiewiczu w 1888 roku!).

59 Nagroda Nobla — po raz pierwszy dla polskiego pisarza!

64 Powieść **Wiry** ➡ **POWIEŚCI WSPÓŁCZESNE SIENKIEWICZA.**

65 Powieść **W pustyni i w puszczy**. Przygody Stasia i Nel, niezwykłe opisy afrykańskiej przyrody, wierny służący Kali ze swą bardzo wygodną „etyką" — to wszystko zapewniło książce trwałe miejsce w kanonie dziecięcych lektur.

70 Po wybuchu wojny udaje się do Szwajcarii, gdzie organizuje Komitet Pomocy Ofiarom Wojny (z udziałem Ignacego Paderewskiego). Umiera w Vevey, 15 listopada 1916 roku. Prochy jego sprowadzono do Polski i złożono w katedrze Św. Jana w Warszawie.

TRYLOGIA

Historia w Trylogii

● **Ogniem i mieczem**. Akcja (lata 1647–1654) toczy się w okresie powstania Chmielnickiego na Ukrainie i ogarnia wydarzenia takie, jak porażki oddziałów polskich pod Żółtymi Wodami i Korsuniem, upadek Baru, haniebna klęska pod Piławcami, elekcja króla Jana Kazimierza, obrona Zbaraża, ugoda zborowska i jedno tylko zwycięstwo polskie: pod Beresteczkiem. A przecież czytelnik ma wrażenie, że były to lata triumfu polskiego oręża!

● **Potop**. Akcja (lata 1655–1657) rozgrywa się w okresie wojen szwedzkich (tzw. „potop" szwedzki), w różnych miejscach Rzeczypospolitej Obojga Narodów. Pośród wydarzeń: kapitulacja pod Ujściem, zdrada Radziwiłłów (ugoda kiejdańska), obrona Częstochowy, zdobycie Tykocina, bitwa o Warszawę. Obrazami tej wojny można było naprawdę „krzepić serca" Polaków — jej słuszność nie budziła nigdy dyskusji.

● **Pan Wołodyjowski**. Akcja (lata 1668–1672) w okresie wojen z Turcją. Z ważniejszych wydarzeń: elekcja Michała Korybuta Wiśniowieckiego, obrona Kamieńca Podolskiego, a w epilogu zwycięstwo Sobieskiego pod Chocimiem. Najbardziej „pokojowe" ogniwo Trylogii, chyba też — najsłabsze.

Postacie Trylogii

Na plan pierwszy wysuwa się typ idealnego rycerza, patrioty, obrońcy wiary, szlachetnego, wspaniałomyślnego, moralnie nieskazitelnego (Skrzetuski, Wołodyjowski). Od stereotypowego wizerunku odbiega postać Andrzeja Kmicica — hulaki i lekkomyślnego rębajły, któremu wojna ze Szwedami daje okazję naprawienia błędów przeszłości i moralnej rehabilitacji. Rycerzom towarzyszą damy, z których najciekawsza jest niewątpliwie Baśka „Hajduczek", władająca szablą nieco gorzej niż pan Michał Wołodyjowski, ale wśród pań uprawiających szermierkę absolutnie bezkonkurencyjna.

W każdej z powieści tworzących Trylogię występuje inny wódz — książę Jeremi Wiśniowiecki w *Ogniem i mieczem*, Stefan Czarniecki w *Potopie*, hetman Sobieski w *Panu Wołodyjowskim*. Wodzowie też są rzecz jasna idealni.

Przez wszystkie ogniwa Trylogii przewijają się właściwie tylko dwie pierwszoplanowe postacie: Wołodyjowski, który jednak ginie podczas oblężenia Kamieńca, i pan Onufry Zagłoba — niezniszczalny polski szlachcic, jowialny obżartuch, którego ulubioną bronią jest raczej fortel niż szabla. Postać Zagłoby uznają badacze za osobliwą syntezę różnych bohaterów literackich (m.in. Odyseusz, Falstaff z dramatów Szekspira *Henryk IV* i *Wesołe kumoszki z Windsoru*, Papkin z *Zemsty* Fredry). W co najmniej równym stopniu zawdzięcza ona swe narodziny *Pamiętnikom* Paska. Zagłoba jest przecież typem polskiego Sarmaty, nieco tylko wyidealizowanym.

Spór o Trylogię

● **Pozytywiści** (Bolesław Prus, Piotr Chmielowski, Aleksander Świętochowski) uważali początkowo powieść historyczną za gatunek anachroniczny, pozbawiony perspektyw rozwoju. Najważniejszy głos: artykuł Bolesława Prusa **„Ogniem i mieczem" Henryka Sienkiewicza** (1884). Autor zarzucił Sienkiewiczowi zlekceważenie „tła społecznego" powstania kozackiego, pomieszanie realizmu i baśni, odstępstwa od prawdy historycznej (m.in. w ujęciu postaci księcia Jeremiego Wiśniowieckiego i Bohdana Chmielnickiego). Dowcipnie ocenił poszczególnych bohaterów Trylogii: Wołodyjowskiego („śmiertelnie kąsająca osa"), Zagłobę („Sfinks ze łbem wieprza"), Podbipiętę („gilotyna w ludzkiej postaci"), Skrzetuskiego („Jezus Chrystus w roli oficera jazdy").

● **Stanisław Brzozowski** kilkakrotnie pisał o Trylogii przy okazji toczonej przez autorów młodego pokolenia kampanii antysienkiewiczowskiej. W pisarstwie Sienkiewicza dopatrywał się ucieczki bądź próby ominięcia wielkich problemów epoki. Trylogię uznał za zwrot ku literaturze rozrywkowej, a jednocześnie ukłon pod adresem tradycji ziemiańsko-szlacheckiej: „Dodała ona otuchy, była pokrzepieniem, lecz komu?" Zdaniem Brzozowskiego Sienkiewicz „ilekroć dotknie historii, tworzy karykaturę".

● **Witold Gombrowicz** w artykule **Sienkiewicz** (1953) podsumował swoje wrażenia z lektury Trylogii następująco: „Mówimy: to dosyć kiepskie, i czytamy dalej. Powiadamy: ależ to taniocha — i nie możemy się oderwać." Nazwał Sienkiewicza „pierwszorzędnym pisarzem drugorzędnym", uznając go za autora ukochanego przez Polaków miłością trochę wstydliwą i mocno dwuznaczną.

OGNIEM i MIECZEM

NAJPIERW BILIŚMY TATARÓW
I KOZAKÓW CHMIELNICKIEGO

ZAŚ PAN JAN SKRZETUSKI POJĄŁ
PANNĘ HELENĘ KURCEWICZÓWNĘ

W CZYM PRZESZKADZAŁ MU BOHUN

PAN LONGINUS PODGIPIĘTA DZIELNIE
ŚCINAŁ GŁOWY, LECZ W KOŃCU
POLEGŁ ŚMIERCIĄ MĘCZEŃSKĄ

POTOP

POTEM BILIŚMY SZWEDA

ZAŚ PAN ANDRZEJ KMICIC POJĄŁ
PANNĘ OLEŃKĘ BILLEWICZÓWNĘ

W CZYM PRZESZKADZAŁ MU
ZDRAJCA -
KSIĄŻĘ BOGUSŁAW RADZIWIŁŁ

PAN KMICIC WYSADZIŁ W POWIETRZE
SZWEDZKĄ KOLUBRYNĘ

Pan WOŁODYJOWSKI

A NA KOŃCU -
BILIŚMY TURKA

ZAŚ PAN MICHAŁ WOŁODYJOWSKI
POJĄŁ PANNĘ BARBARĘ
JEZIORKOWSKĄ

W CZYM PRZESZKADZAŁ MU
AZJA TUHAJ-BEJOWICZ,
KTÓREGO NAWLEKLIŚMY
NA PAL

JEDNAK PAN MICHAŁ WYSADZIŁ
KAMIENIEC W POWIETRZE
(I SIEBIE TEŻ).

BEZ DOGMATU
(1891)

Najwybitniejsza współczesna powieść Sienkiewicza, „romans psychologiczny" napisany w formie pamiętnika głównego bohatera; obejmuje lata 1883–1884; akcja rozgrywa się w Płoszowie, Warszawie, we Włoszech.

- **portret polskiego dekadenta**: Leon Płoszowski, 35 lat, sceptyk, kosmopolita, pesymista, człowiek utalentowany, ale niezbyt pracowity („geniusz bez teki"), pozbawiony energii i zdolności działania, typ hamletyczny (dramat Szekspira to jego ulubiona lektura), żyje pomiędzy Paryżem, Wiedniem a Włochami, za Polską nie tęskni („nierad jeżdżę do kraju")
- zdaniem Płoszowskiego **pesymizm dotyczy całej cywilizacji europejskiej**, jest prawdziwą „chorobą wieku" — największe zagrożenie: nuda, brak sił twórczych; wyrafinowanym i wrażliwym, ale apatycznym jednostkom pozostaje kolekcjonerstwo, zbieranie pięknych przedmiotów i... doświadczeń
- **doświadczyć wszystkiego** — gdyby Płoszowski poślubił Anielkę, wybierając najprostszą drogę do szczęścia, pewne doznania nie stałyby się nigdy jego udziałem — bohater Sienkiewicza podąża jednak „krzywymi drogami", na których znajduje cierpienie, rozpacz, wreszcie samobójczą śmierć
- postawa życiowa Płoszowskiego: **brak dogmatu**, życie bez żadnych obowiązków społecznych czy narodowych, skrajny indywidualizm, który ogranicza jedynie Anielka P. (później Kromicka) — „śliczny długorzęsy dogmacik"
- **romans, ale niebanalny** — Płoszowski w wyjątkowo głupi sposób traci narzeczoną, sam wpycha ją w ramiona Kromickiego, obrzydliwego (a co gorsza nieudolnego!) spekulanta o spróchniałych zębach, a potem... potem żałuje i próbuje uwieść mężatkę (bez powodzenia) — ach, te niezłomne Sienkiewiczowskie panny...
- miłość w *Bez dogmatu* — **pojedynek kobiety i mężczyzny**, między którymi trwa od dawna uczucie, ale których rozdziela skutecznie dogmat; wyrafinowanemu intelektualizmowi Płoszowskiego Anielka przeciwstawia „katechizmową prostotę duszy"
- **styl miłości** — niewątpliwie romantyczny; poezja, muzyka i światło księżyca sprzyjają nocnym wyznaniom w ogrodzie, są też łzy i marzenia o związku dusz — kokietowanie mężatki mieści się w tej konwencji — dyskusja o rozwodach już nie, podobnie jak pomysł odkupienia żony, na co bankrut Kromicki przystałby pewnie z ochotą
- myśl godna zapamiętania: **„Mogłem stać się Twoim szczęściem, a stałem się nieszczęściem"**, zwraca się tymi słowami do Anielki Płoszowski — niestety, w miłości często tak właśnie bywa
- **program pozytywny**: reprezentują go niewątpliwie bracia Chwastowscy, lekarz i księgarz, obaj społecznicy, członkowie stowarzyszeń, ludzie bardzo pożyteczni, programowo nie interesujący się kobietami — czytelnik może ich nie zauważyć, więc na wszelki wypadek informujemy, że są!

„Bez dogmatu" jest właściwie wyjątkiem, jedynym dowodem, że Sienkiewicz był w stanie napisać interesującą powieść współczesną, osadzoną w polskich realiach. Następne próby w tym kierunku nie będą równie udane. Klęski pisarzy pierwszoplanowych są jednak interesujące i jakby szlachetniejsze niż niepowodzenia zwykłych literatów. A poza tym — zauważalne. Bo kto pamiętałby dziś o „Rodzinie Połanieckich" albo „Wirach", gdyby nie napisał ich Sienkiewicz?

RODZINA POŁANIECKICH
(1895)

- **obraz życia polskiego ziemiaństwa**
  — tym razem jest to nie tylko ziemiaństwo
  podupadłe, zamknięte w salonach (Pławicki),
  lecz także ludzie interesu, tacy jak Stanisław
  Połaniecki (spekulacje, hipoteki, operacje
  zbożowe to jego żywioł), którzy dorobiwszy się
  majątku, wracają do „szlacheckiego gniazda";
  jednym słowem — jak mawiała niegdyś
  lewicowa krytyka — sojusz odrażającego
  ziemiaństwa z ohydną burżuazją
- **obraz życia polskiej rodziny**
  — symbolem powrotu do tradycji jest
  odkupienie Krzemienia; ślub Połanieckiego
  z Marynią dokładnie w połowie utworu
  (niekonwencjonalne rozwiązanie!),
  narodziny syna — pod koniec
- **powieść o miłości** — nie pozbawionej
  komplikacji, trudnej, nieromantycznej
  (miłość Maryni i Stanisława) — jej
  przeciwieństwem nieszczęśliwa miłość
  pisarza Zawiłowskiego do Linety,
  zakończona zerwaniem i próbą samobójczą
- powieść wzbudziła liczne kontrowersje:
  konserwatywna krytyka okrzyknęła utwór
  arcydziełem, autora zaś — geniuszem
  („z bezwiedną intuicją geniusza odbija
  w cudownym zwierciadle swej sztuki
  duchowe oblicze epoki"); Stanisław
  Brzozowski podsumował system wartości
  obecny w *Rodzinie Połanieckich* następująco:
  „pewna kobieta", „ziemia", „służba boża",

„perkaliki" (małżeństwo, majątek, religia,
pieniądz) — chyba tylko polemiki zapewniły
powieści miejsce w literaturze, jest to
bowiem książka beznadziejnie nudna
(chociaż i te nudziarstwa mają swój wdzięk!)

WIRY
(1910)

- **powieść o rewolucji 1905 r.** — jej akcja
  rozgrywa się na prowincji, w majątku
  Krzyckiego, a następnie w Warszawie;
  krytyczna wobec rewolucji, ocenianej jako
  „bomby, dynamit i propaganda strajków"
- **powieść antysocjalistyczna** — socjalizm
  uznany za „złudzenie ludzkości w gonitwie za
  szczęściem" — prorocze ostrzeżenie przed
  socjalistycznym terrorem: „wasze państwo
  socjalistyczne, jeśli je kiedykolwiek założycie,
  będzie takim poddaniem osobistości ludzkiej
  urządzeniom społecznym, takim wtłoczeniem
  człowieka w tryby i koła powszechnego
  mechanizmu, taką kontrolą i taką niewolą, że
  nawet dzisiejsze państwo pruskie jest
  w porównaniu świątynią wolności"
- **powieść polityczna** — w zasadzie bez
  pozytywnego programu; idee najbliższe

poglądom autora wypowiada Groński;
Sienkiewicz był konserwatystą, opowiadając
się za utrzymaniem istniejącego porządku
społecznego, potępiał jednak lojalizm wobec
zaborców („Polak, który na dnie duszy nie nosi
ideału niepodległości, jest poniekąd odstępcą")
- **romans**: historia miłości Władysława
  Krzyckiego do „Angielki" Agnès Anney
  — miss Anney okazuje się wieśniaczką
  uwiedzioną niegdyś przez bohatera,
  małżeństwa nie będzie
- **seks**: w tej powieści mówi się już o seksie!
  bardzo nieśmiało, ale trafnie
- w okresie istnienia PRL powieść była
  przemilczana i prawie niedostępna, budziła
  dosyć sprzeczne odczucia — zdaniem Juliana
  Krzyżanowskiego *Wiry* to „nieudolny pamflet
  przeciwko wrzeniu rewolucyjnemu"

W WARSZAWIE

Miasto

W latach młodości Mickiewicza Warszawa była twierdzą klasyków, romantyzm — głównie ruchem prowincji. Po roku 1830 najważniejsze dzieła literatury polskiej powstawały na emigracji. Utracony prymat przywrócili Warszawie dopiero pozytywiści. A w okresie ekspansji Młodej Polski niewiele się zmieniło. Cyganeria krakowska była może barwniejsza, jednak warszawskie wydawnictwa i czasopisma, a także warszawscy pisarze odegrali w ruchu modernistycznym równie istotną rolę. Gdy startował ,,Przegląd Tygodniowy'', Warszawa liczyła około 250 tysięcy mieszkańców, u schyłku wieku — już ponad pół miliona.

Moda

Panie musiały nosić rękawiczki i parasolki, źle widziane były zbyt jaskrawe kolory (zwłaszcza zielony) i chodzenie bez nakrycia głowy. Rozpuszczone włosy traktowano jako nieobyczajność! Falbanka z powieści Weyssenhoffa *Żywot i myśli Zygmunta Podfilipskiego* wywołała z tego powodu skandal!

Panowie w tużurkach i cylindrach na głowie. Jeśli chcieli być eleganccy, ubierali się w bardzo szerokie spodnie. Wolno było nosić binokle, okularów zakładać nie wypadało. W epoce pozytywizmu obowiązywały brody! Wyjątkiem byli aktorzy, kelnerzy i... księża — ci mogli pokazywać się bez zarostu.

Parki, ulice, dworce

Z punktu widzenia literatury polskiej najważniejszy jest Ogród Saski — z fontanną i orkiestrą wojskową przygrywającą w niedzielę i święta (do Ogrodu Saskiego prowadzą swoich bohaterów m.in. Prus i Zapolska, a później Gojawiczyńska). Wytworne towarzystwo chodzi, a raczej jeździ po Łazienkach (konno lub powozami). Jeśli jest się Izabelą Łęcką, wypada karmić łabędzie pierniczkami. Ogród Botaniczny służy nie tylko zakochanym. 3 maja odbywają się tam zakazane przez władze manifestacje patriotyczne. Jest jeszcze ślizgawka w słynnej Dolinie Szwajcarskiej, wyścigi konne na Polach Mokotowskich. Drobne nieporozumienia załatwiamy w Lasku Bielańskim, gdzie odbywają się pojedynki (tu Wokulski strzelał się z baronem Krzeszowskim).

Na pustym jeszcze placu Ujazdowskim ma swoją siedzibę lunapark, a w święta bawić się mogą wszyscy, bez względu na urodzenie. Życie Warszawy skupia się w okolicach dzisiejszego Starego Miasta. Do dobrego tonu należy przejazd Alejami Ujazdowskimi (Prus, Weyssenhoff). Na Powiśle zaglądać nie wypada, chyba że... tam się mieszka. Jest to jednak królestwo piaskarzy, gałganiarzy i ulicznych dziewczyn — też opisywane dość często w literaturze (Prus, Żeromski, Berent). Złą sławą cieszy się przedmieście wolskie. Minie jeszcze wiele lat, nim za sprawą **Poli Gojawiczyńskiej** (1896–1963) jedną z najpopularniejszych warszawskich ulic staną się niepozorne Nowolipki. **Dziewczęta z Nowolipek** (1935) i **Rajska jabłoń** (1937) są do dziś pozycją obowiązkową w wielu panieńskich bibliotekach.

Dworce — tylko cztery. Wiedeński (na rogu Marszałkowskiej i Alej, czyli w pobliżu

dzisiejszego Centralnego), Nadwiślański (dziś
— Warszawa Gdańska), Petersburski
(Warszawa Wileńska), Terespolski
(Wschodni).

Jedzenie

Warszawa nie głodowała. Tanie było
pieczywo, mięso, warzywa, drogie natomiast
ryby. Gotowano dobrze, a kwalifikacje
kulinarne pomagała podnosić najsłynniejsza
polska książka kucharska autorstwa Lucyny
Ćwierczakiewiczowej (pierwsze wydanie
w 1860 r.). Wychodziła z mody fajka,
zażywanie tabaki prawie zanikło,
popularne stały się natomiast papierosy.
Jeśli sięgała po nie dama, uważano ją
za emancypantkę.
Potrawy i obyczaje wigilijne — bez
większych zmian. Nowością była natomiast
urządzana przez liczne redakcje gazet
i czasopism „dziennikarska rybka''
— obyczaj, który utrzymał się do dnia
dzisiejszego. Świętom wielkanocnym prócz
szynki i pisanek towarzyszyły baby
i mazurki, indyk i prosię pieczone w całości.
Przed kościołami odbywała się kwesta
dobroczynna. W *Lalce* kwestują jeszcze
dobrze urodzone panie, później zastąpione
na życzenie kurii przez księży i zakonnice.
Podobno damy rozmawiały zbyt głośno
i jadły cukierki...

Sklepy i cukiernie

Najbardziej wytworne sklepy, na przykład
galanteryjne i jubilerskie, mieściły się na
szlaku Nowy Świat—Krakowskie

Przedmieście i na Marszałkowskiej (od Alej
do Ogrodu Saskiego). Centrum handlu
hurtowego znajdowało się na zamieszkanych
głównie przez ludność żydowską Nalewkach
i Franciszkańskiej. Sklepy musiały posiadać
szyldy dwujęzyczne lub rosyjskie. Nowością
były pojawiające się już wówczas zakłady
fotograficzne. W księgarniach nie tylko
kupowano książki, ale i abonowano
czasopisma. Do najsłynniejszych księgarni
(i jednocześnie wydawnictw) należała firma
Gebethnera i Wolffa.
Warszawa nie znała kawiarni. Ich rolę
spełniały w drugiej połowie XIX w.
cukiernie, gdzie można było zresztą napić
się kawy i zjeść porcję lodów. Tutaj czytało
się czasopisma — za darmo, oczywiście.
Grano w bilard, dyskutowano. Swoje
ulubione cukiernie mieli pisarze
i dziennikarze. Kto nie jadał w słynnej
restauracji Hotelu Europejskiego (tutaj
odbywała się uroczystość poświęcenia sklepu
Wokulskiego!), mógł chodzić do sklepów
korzennych, gdzie również wydawano posiłki
i trunki. Chłopcom sklepowym (takim jak
młody pan Stanisław) nie dawało się
napiwku, co też stanowiło zachętę dla mniej
zasobnej klienteli.

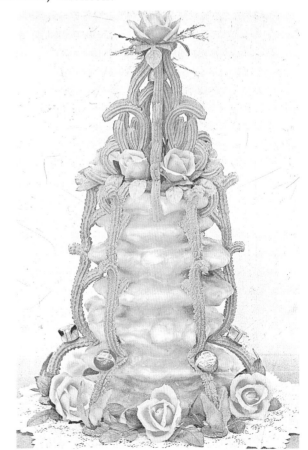

Warszawa niepokorna

W *Lalce* nie ma właściwie Rosjan. Bohaterowie idący warszawską ulicą jakoś nie natrafiają na widoczne wszędzie ślady rusyfikacji. Czytając powieść Prusa, nie mamy wrażenia, że znajdujemy się w mieście okupowanym. Taki zabieg wydaje się świadomym zamierzeniem pisarza. Podobnie jak inni warszawiacy obecność zaborcy po prostu bojkotował. Bojkot rosyjskiej kultury, języka, instytucji to jedna z form walki. Rozwijały ją często legalnie działające organizacje takie jak Warszawskie Towarzystwo Dobroczynności. Tajne nauczanie zaczynało się od ochronek, trwało na prywatnych pensjach, a kończyło na założonym w 1885 roku Uniwersytecie Latającym. W drugiej połowie XIX wieku zapewniło znacznej części społeczeństwa warszawskiego edukację w zakresie ojczystej literatury, języka i historii.

Kronikarze dawnej Warszawy

Oczywiście — nade wszystko Prus (*Kroniki*, *Lalka*, *Emancypantki*). Dalej — Sienkiewicz, Gomulicki, Weyssenhoff, Berent, Żeromski i wielu innych. Dawną Warszawę pięknie opisali również autorzy mniej znani: Ignacy Baliński (ojciec poety Stanisława) w książce *Wspomnienia o dawnej Warszawie* (1946) i Jadwiga Waydel-Dmochowska w dwóch autobiograficznych tomach: *Dawna Warszawa* (1958) i *Jeszcze o dawnej Warszawie* (1960).

NA KRESACH

Kresy

W drugiej połowie XIX w. zaznaczają coraz wyraźniej swoją odrębność. Kresy to nie tylko przestrzeń geograficzna, ale również osobliwa przestrzeń kulturowa, w której wpływy polskie mieszają się z litewskimi, ukraińskimi, białoruskimi. W omawianym okresie największym problemem jest jednak obrona polskiej obecności i stanu posiadania na kresach dawnej Rzeczypospolitej Obojga Narodów.

Dworek

Twierdzą polskości jest rodzinny dworek szlachecki, broniący „wiary i ziemi". Dworek jest konserwatywny, niełatwo ulega nowinkom, przechowuje chętnie dawne obyczaje. Nie przejmuje się zbytnio losami Europy i postępami cywilizacji. Głęboką religijność godzi często z wiarą w czary i gusła (odnosi się to rzecz jasna raczej do służby niż gospodarzy dworku).

Moda

Wszystko tu inaczej niż w Warszawie, choć i kresowe dworki odwiedzają nieraz eleganccy panowie i wytworne damy. Ci, którzy muszą pracować, noszą (np. w powieściach Rodziewiczówny) strój „na pół chłopski, na pół szlachecki". Moda ułatwia zbliżenie. Mezalianse są możliwe, a rumiane złotowłose dziewczyny cenione nawet jako kandydatki do małżeństwa.

Jedzenie

Kresowy dworek mieści się w „pierwotnym raju", pośród natury bujnej i dostarczającej człowiekowi niezmiernych bogactw. Oczywiście jada się tu potrawy mniej wyrafinowane, związane z tradycją regionu (najsławniejsza — kuchnia litewska). Na Żmudzi podczas wieczerzy wigilijnej pojawia się szczupak, sławna „kutia" i ser jabłeczny. Pali się jeszcze fajki, a nie papierosy.

Rozrywki

Doprawdy, jest ich niewiele. Dla panów — polowanie, dla pań — zbieranie grzybów i jagód. Kresy lubią legendy i pieśni, cenią gawędziarzy i pieśniarzy. Rozrywką wyłącznie dla mężczyzn (niekoniecznie kresową) jest podglądanie w sobotnie wieczory dziewczyn kąpiących się w jeziorze.

Kresowi pisarze

Na kresach, w okolicach Grodna, rozgrywa się akcja wielu utworów Elizy Orzeszkowej, w tym najlepszej powieści tej pisarki *Nad Niemnem*. U schyłku wieku Orzeszkowa znalazła (przynajmniej pod względem poczytności) groźną konkurentkę w osobie **Marii (Maryli) Rodziewiczówny** (1863–1944), także pochodzącej z Grodzieńszczyzny. Ziemianka i pisarka, autorka bestsellerów, takich jak **Wrzos** (1903) i **Lato leśnych ludzi** (1920), doczekała się w okresie międzywojennym wydania swoich pism w 36 tomach!

Z perspektywy dzisiejszej najwybitniejszym utworem Rodziewiczówny jest **Dewajtis** (1889). Dla głównego bohatera powieści, Marka Czertwana, liczy się w życiu tylko ziemia. Broniąc swojego stanu posiadania poświęca nawet miłość. Idealny gospodarz, pracowity i przedsiębiorczy, odnosi w końcu pełny sukces. Przejmuje rodzinny majątek, żeni się z „królewną z bajki", cudem odnalezioną w Ameryce dziedziczką bogatego folwarku, a przyrodniego brata, hulakę i lenia, posyła wreszcie do pracy. W powieści, której akcja rozgrywa się na Żmudzi, szczególną rolę odgrywa litewski folklor. Symbolem przeszłości, otoczonym szczególną czcią, jest wiekowy dąb Dewajtis.

Z rodziny ziemiańskiej osiadłej na Żmudzi pochodził też **Józef Weyssenhoff** (1860–1932), prozaik, poeta, publicysta, jeden z najznakomitszych pisarzy polskiej prawicy. Debiutował błyskotliwie — powieścią **Żywot i myśli Zygmunta Podfilipskiego** (1898). W prozie dziewiętnastowiecznej za narratorem krył się zwykle autor. U Weyssenhoffa narratorem powieści był Jacek Ligęza, postać fikcyjna. Co ważniejsze, relacje między autorem, bohaterem tytułowym a narratorem wydawały się dosyć powikłane, wymowa zaś powieści niejednoznaczna. Błyskotliwa krytyka salonów, ironia, humor, wreszcie świetne osadzenie w realiach (Lublin, Warszawa) zapewniły *Żywotowi* uznanie i popularność. Natomiast najciekawszym utworem Weyssenhoffa związanym z tematyką kresową jest powieść **Soból i panna** (1911). Romans chłopki Warszulki i panicza Michała Rajeckiego kończy się źle, ale do tragedii ani uwiedzenia nie dochodzi. Panna idzie za mąż, jej szlachetnie urodzony adorator znajduje pociechę w sztuce myśliwskiej. Powieść urocza, świetnie napisana, niekiedy — zaskakująca (np. scena, w której ksiądz udziela swemu rozmówcy wykładu nauki Freuda).

„I potknęło się o kamień
to Szczęście polskie,
Ojczyzna nasza."

STEFAN ŻEROMSKI

Urodzony 1864
w Strawczynie koło Kielc, w niezamożnej rodzinie szlacheckiej. Pradziad Stefana
walczył w powstaniu kościuszkowskim, stryj w powstaniu listopadowym, ojciec wspierał
powstanie styczniowe.

rok życia

10 Rozpoczyna naukę w gimnazjum kieleckim. Doświadczenia z lat szkolnych wykorzysta podczas pisania *Syzyfowych prac*.

18 Pierwsze wiersze i dramaty. Debiutuje na łamach prasy i... ma kłopoty z matematyką (poprawka!). Zaczyna prowadzić dziennik.

> Młodzieńcze **Dzienniki** pisane w latach 1882–1891 zaliczamy dziś do najwybitniejszych osiągnięć Żeromskiego. Stanowią bezcenny dokument dla badaczy i czytelników. Informują o lekturach (m.in. poeci romantyczni, Kraszewski, Sienkiewicz, Prus, opracowania historyczne i pamiętniki), planach pisarskich, flirtach, romansach. Dzięki systematycznym zapisom autora wiemy, skąd czerpał on pomysły do swych późniejszych utworów, jak pracował nad sobą, w jak ciężkich warunkach dojrzewał jego talent.
> W *Dziennikach* obowiązuje zasada bezwzględnej szczerości (także w sprawach erotycznych), trudno się zatem dziwić, że nie mogły one ujrzeć światła dziennego za życia Żeromskiego. Opublikowane zostały dopiero po II wojnie światowej.

22 Jesienią rozpoczyna studia w Warszawie (weterynaria). Pasjonuje się anatomią i fizjologią.

23 W literaturze — same niepowodzenia. Pozytywiści (Świętochowski i Wiślicki) nieprzychylnie oceniają zgłoszone do druku utwory. Fatalna sytuacja materialna. Głoduje nieraz po trzy dni, wyprzedaje książki.

24 Dorabia korepetycjami, głoduje, chudnie.

25 Pierwsze sukcesy literackie — m.in. współpraca z „Głosem". Poznaje redaktora tego pisma, Józefa Karola Potockiego (Bohusza), wspomni o nim w *Ludziach bezdomnych* i w *Przedwiośniu*.

26 Podczas pobytu w Nałęczowie, gdzie pracuje jako korepetytor, poznaje swą przyszłą żonę, Oktawię Rodkiewiczową. Opiekunem córeczki pani Oktawii (wówczas już owdowiałej) był Bolesław Prus. Ślub odbędzie się dwa lata później, a Prus wystąpi na nim w roli świadka.

28 Podróżuje do Wiednia i Zurychu, gdzie spotyka prawdopodobnie Edwarda Abramowskiego — myśliciela, którego poglądy (rewolucja moralna, etyka solidarności i braterstwa, zastąpienie kapitalizmu ustrojem opartym na współpracy wszystkich ze wszystkimi) staną się wkrótce bliskie Żeromskiemu. Zwiedza Pragę i Monachium. Zostaje bibliotekarzem w Raperswilu (Szwajcaria), w tamtejszym Muzeum Narodowym Polskim.

31 Pierwsze książki: **Opowiadania** (tom zawiera m.in. *Doktora Piotra*, *Zmierzch* i *Siłaczkę*) i dwa miesiące później **Rozdzióbią nas kruki, wrony...**, zbiór podpisany pseudonimem Maurycy Zych. W swej nowelistyce pisarz nawiązuje do pozytywizmu i naturalizmu. Ukazuje przerażający los biedoty wiejskiej (*Zapomnienie*, *Zmierzch*), sytuację niedawnych ziemian „wysadzonych z siodła" (*Doktor Piotr*), klęski bądź podejrzane kariery bohaterów „pozytywnych" (*Siłaczka*, Bijakowski z *Doktora Piotra*). Chłop Żeromskiego jest przeważnie ciemny, okrutny, zezwierzęcony. Pisarz wskazuje jednak, że chłop okradający zabitego powstańca (*Rozdzióbią nas kruki, wrony...*) dokonuje zemsty „za tylowieczne niewolnictwo, za szerzenie ciemnoty, za wyzysk, za hańbę i cierpienie ludu". Do tematyki powstania 1863 r. powróci jeszcze m.in. w *Echach leśnych*, ukazując tragedię Polaka wcielonego do armii rosyjskiej.

Od autorów nowel pozytywistycznych różni Żeromskiego najczarniejszy pesymizm, a także skłonność do kreślenia obrazów wyjątkowego okrucieństwa (zbezczeszczenie zwłok powstańca w *Rozdzióbią nas kruki, wrony...*, katowanie chłopa w *Zapomnieniu*, scena egzekucji z *Ech leśnych*). Kontynuując gatunki takie jak nowela (*Echa leśne*), obrazek (*Zmierzch*), opowiadanie (*Doktor Piotr*), przesyca je pierwiastkiem lirycznym. Na pograniczu noweli i poematu prozą sytuują się patriotyczne utwory o charakterze elegijnym, np. *Nokturn* i *Sen o szpadzie*.

32 Protestując przeciw stosunkom panującym w Muzeum, opuszcza Raperswil i powraca do kraju.

33 We Lwowie, pod pseudonimem Maurycy Zych, wydaje ➡ SYZYFOWE PRACE. Powieść wchodzi natychmiast do kanonu lektur patriotycznych, zakazanych w zaborze rosyjskim.

35 Staje się coraz bardziej popularny. Jest zapraszany do współpracy z pismami, wygłasza odczyty. Nadal trapią go choroby i niedostatek.

Sytuację materialną poprawia nieco honorarium za **Ludzi bezdomnych**. Powieść przyjęta bardzo dobrze, stała się nawet bestsellerem — dla jednych była programem działania, dla innych wyciskaczem łez. Dzisiejszy czytelnik ma powody, by uznać ją za przykład bardzo szlachetnego nudziarstwa. Doktor Tomasz Judym, typowy bohater Żeromskiego (społecznik, inteligent, wrażliwy na krzywdę ludzką), podejmuje beznadziejną walkę w obronie najuboższych. W Warszawie daremnie stara się skłonić do działania swych kolegów lekarzy, którym wcale nie przeszkadza, że „lekarz dzisiejszy — to lekarz ludzi bogatych". Zostawszy lekarzem sanatoryjnym w Cisach, domaga się oczyszczenia rzeki z trującego szlamu, powodującego epidemię. Któż jednak w czasach Judyma chciał zajmować się ekologią? Doznawszy kolejnych klęsk, odrzuca miłość nauczycielki, Joasi Podborskiej, argumentując swój wybór następująco: „Nie mogę mieć ani ojca, ani matki, ani żony, ani jednej rzeczy, którą bym przycisnął do serca z miłością, dopóki z oblicza ziemi nie znikną te podłe zmory." Joasi ani czytelniczek spragnionych szczęśliwego zakończenia Judym nie przekonał.

Przeładowana publicystyką i dość naiwna, powieść Żeromskiego zachowuje wartość z uwagi na reportażowe niemal fragmenty pokazujące dzielnice nędzy w Warszawie i Paryżu, liryczne opisy przyrody, ekspresjonistyczny obraz kopalni, a także znakomitą postać drugoplanową — inżyniera Korzeckiego. Nękany niepokojem egzystencjalnym, stwierdza, że „głos wewnętrzny" nie zabrania mu popełnić samobójstwa. Należy on do najbardziej zagadkowych bohaterów pisarza. Zdaniem Artura Hutnikiewicza „świat Żeromskiego jest pełen sił demonicznych, które rządzą ludźmi na złe i dobre". *Ludzie bezdomni* stanowią zwrot ku swobodnej, urozmaiconej kompozycji (pamiętnik Joasi). W powieści znajdujemy ślady naturalizmu, impresjonizmu, symbolizmu (sławny symbol „rozdartej sosny").

38 „Tygodnik Ilustrowany" rozpoczyna druk powieści ➡ POPIOŁY. Wydanie książkowe całości w 1904 r.

41 W Zakopanem poznaje Józefa Piłsudskiego. Zbliża się do PPS. Włącza się do życia publicznego, przemawia na wiecach, organizuje pomoc dla strajkujących. W Nałęczowie zakłada Uniwersytet Ludowy.

44 **Dzieje grzechu.** Historia krótkiego i tragicznego życia Ewy Pobratyńskiej zdobywa dwuznaczny rozgłos, głównie z uwagi na „śmiałe" sceny erotyczne. Zwolennikiem utworu był Stanisław Brzozowski, nisko ocenili powieść Reymont i Orzeszkowa. Krytyka katolicka uznała *Dzieje grzechu* za pornografię.

45 Zainteresowania pisarza przesuwają się w stronę teatru. Drukuje (pod pseudonimem Józef Katerla) dramat **Róża**. Pracuje nad **Sułkowskim**.

47 Antoni Bednarczyk przenosi na ekran *Dzieje grzechu*. Zdaniem krytyki film jest „pornografią pozbawioną najskromniejszych osłonek".

48 **Uroda życia.** Powieść podejmująca wątek zarysowany w *Echach leśnych*. Jej bohater, Piotr Rozłucki, zmuszony jest wybierać między obowiązkiem wobec ojczyzny a miłością do Rosjanki.

Pod koniec roku 1912 ukazuje się **Wierna rzeka**, uważana za najlepszą polską powieść o powstaniu styczniowym. Niewątpliwym sukcesem Żeromskiego było pokazanie różnych postaw społeczeństwa polskiego wobec powstania (bohaterstwo i tchórzostwo, ofiarność i demoralizacja), a także motywów przystąpienia do walki. Jedni podjęli ją „przez błędny rachunek — inni porwani przez wielki sen wolności [...] jeszcze inni z rozkazu, dla mody, idąc w stadzie — inni z tchórzostwa przed opinią".
Wierna rzeka to również powieść o miłości — nieszczęśliwej, namiętnej, beznadziejnej. Jak zazwyczaj u Żeromskiego, bohaterowie mdleją i szaleją z rozkoszy. Motyw zranionego uczucia (sprawczyni — matka zakochanego chłopca — przypomina okrutne arystokratki Norwida!) tylko do pewnego stopnia mieści się w konwencji melodramatu. Postać Salomei Brynickiej, kobiety świadomej własnych pragnień i ryzyka, jakie niesie miłość, zdobywającej, a nie ulegającej mężczyźnie, to w literaturze polskiej tamtej epoki prawdziwa rewelacja.

Część krytyki uznała *Urodę życia* i *Wierną rzekę* za największe osiągnięcia pisarza. W przededniu I wojny światowej Żeromski jest najpopularniejszym polskim autorem, wywierającym olbrzymi wpływ zwłaszcza na młode pokolenie.
Rozstanie z pierwszą żoną. Nową towarzyszką życia pisarza została młodziutka malarka Anna Zawadzka.

50 Po wybuchu I wojny światowej wstępuje do Legionów Piłsudskiego. Nie popiera jednak Austrii ani Niemiec. Przebywa w Zakopanem i wspólnie z Janem Kasprowiczem zakłada tajną organizację niepodległościową.

52 Mimo trwającej wojny ukazują się dwa pierwsze tomy **Walki z szatanem** (*Nawracanie Judasza, Zamieć*). Tom trzeci, *Charitas* — po wojnie.

56 Po przeprowadzce do Warszawy zostaje pierwszym prezesem Związku Zawodowego Literatów Polskich. Wspiera czynnie akcję plebiscytową na Mazurach. Opowiada się niezmiennie za „Polską piastowską", obejmującą także Śląsk i Pomorze.

Trwa wojna polsko-bolszewicka. Latem rusza na front, skąd przywozi reportaż **Na probostwie w Wyszkowie**. Żeromski gościł na plebanii, którą parę dni wcześniej opuścili sowieccy komisarze: Dzierżyński, Marchlewski i Kon, przygotowujący się do przejęcia władzy w Polsce. Żeromski uznaje ich za zdrajców, Armię Czerwoną za „dzicz sołdacką" siejącą spustoszenie. Jednocześnie wskazuje, że „batog bolszewicki" ściągnęło „lenistwo ducha Polski". Atakuje partyjne swary, karierowiczostwo, nierówności społeczne. Z uznaniem wyraża się o postawie biedoty, która wybrała mimo wszystko Polskę.

Zakazany w PRL, reportaż miał kilkanaście wydań w oficynach niezależnych, stając się zapewne ostatnim bestsellerem Żeromskiego.

---

58 **Wiatr od morza**, zbeletryzowana historia walki o polskość Pomorza. Książka entuzjastycznie przyjęta w kraju, za granicą oceniona jako „antyniemiecka", prawdopodobnie zamknęła pisarzowi drogę do Nagrody Nobla (otrzymał ją w 1924 r. Reymont).

---

60 Komedia **Uciekła mi przepióreczka**, największy sukces teatralny w karierze pisarza. Bohater — przypominający do złudzenia doktora Judyma — także wyrzeka się miłości, choć tym razem chodzi o uczucie do mężatki. Na mało atrakcyjną akcję dramatu składają się wysiłki docenta Przełęckiego, który pragnie zamienić zrujnowany zamek w siedzibę kursu dla nauczycieli wiejskich. Zamierzenie kończy się sukcesem, bohater „rozpala pochodnię nowego życia", ale odrzucając miłość Smugoniowej rezygnuje ze szczęścia osobistego.

Ukazuje się **Przedwiośnie** ➡ WOBEC MIĘDZYWOJNIA. Żeromski staje się najbardziej kontrowersyjnym polskim pisarzem.

61 Zaszczyty, nagrody, ordery i... gorące dyskusje. Kontrowersjom nie położyła kresu nawet śmierć pisarza (20 listopada 1925 r.). Pragnąc ożenić się po raz drugi, Żeromski przeszedł potajemnie na kalwinizm. Duchowieństwo katolickie zbojkotowało pogrzeb, władze państwowe tylko częściowo stanęły na wysokości zadania.

 Czytany i podziwiany jeszcze w latach sześćdziesiątych (po raz ostatni odwoływali się wówczas do jego twórczości również pisarze), dziś jest głównie autorem lektur obowiązkowych. Żeromskiego lubią natomiast publicyści, rozprawiający chętnie o Judymach i Siłaczkach. Stanowi też przedmiot zainteresowania reżyserów i scenarzystów.

Patetyczna proza Żeromskiego wydawać się dziś musi bardziej staroświecka niż utwory Prusa czy Sienkiewicza. Literatura XX wieku poszła w innym kierunku, zwracając się w stronę groteski, ironicznego grymasu, karykatury, skrótu. Posądzenie kogoś o „żeromszczyznę" do komplementów nie należy.

SYZYFOWE PRACE
Interpretacja tradycyjna

Akcja utworu rozgrywa się prawdopodobnie w latach osiemdziesiątych XIX w., w zaborze rosyjskim, na prowincji. Zarówno w wiejskiej szkółce w Owczarach, jak i w gimnazjum w Klerykowie (zdaniem badaczy tak nazywa autor Kielce) toczy się walka o polskość. Uczestniczy w niej główny bohater, Marcin Borowicz, a także jego gimnazjalni koledzy: Bernard Sieger (Zygier) i pochodzący z chłopskiej rodziny Andrzej Radek. Wysiłki zmierzające do rusyfikacji młodzieży i całego narodu są zaiste „syzyfową pracą", która nie może przynieść oczekiwanych efektów.

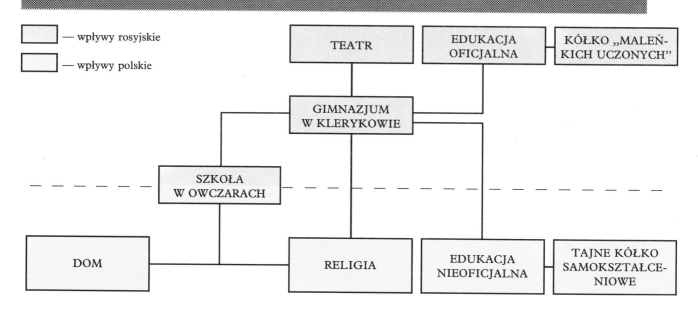

- — wpływy rosyjskie
- — wpływy polskie

Walka o polskość

Toczy się wszędzie. Jest jednocześnie walką o dusze młodego pokolenia i walką o zachowanie tożsamości narodu. Główne „pola bitwy" to:
- szkoła — językiem wykładowym jest rosyjski, nie wolno używać na terenie szkoły polskiego, nauczyciele walczą z „polonizmami", język polski jest przedmiotem nieobowiązkowym („piąte koło u wozu, rzecz w istocie niepotrzebna");
- kościół — śpiewa się tu jeszcze po polsku, choć władze nawet tego zabraniają; mile widziane przechodzenie na prawosławie (nauczyciel Majewski); delikatny problem pozytywizmu i materializmu (lektury Buckle'a) jako ideologii oddalających od polskości;
- dom — w domach mówi się po polsku, choć zaborca ma nadzieję, że uda się zmienić istniejący stan rzeczy; pani Borowiczowa (matka Marcina) nie zna rosyjskiego, próbuje zatem rozmawiać ze zruszczonym nauczycielem (Polakiem!) po francusku; przeciw rusyfikacji protestują też chłopi, zarówno dworek szlachecki, jak i chłopska chata okazują się twierdzą nie do zdobycia;
- biblioteka — nawet na lekcjach polskiego (nieobowiązkowych) nie omawia się literatury polskiej! — braki wyrównuje edukacja nieoficjalna, przebiegająca w tajnym kółku samokształceniowym; zakazane lektury: Mickiewicz (*Reduta Ordona* recytowana przez Zygiera podczas lekcji, *Dziady, Pan Tadeusz, Księgi narodu i pielgrzymstwa polskiego*), Krasiński, Mochnacki (*Powstanie narodu polskiego*), Romanowski (to jego wiersz wpisała Ania-Biruta koleżance do sztambucha).

Program gimnazjum rosyjskiego
j. rosyjski
j. niemiecki
j. francuski
łacina
greka
matematyka
fizyka
mechanika
chemia
geografia
mineralogia
botanika
zoologia
geologia
historia powszechna
historia Rosji
j. polski
kaligrafia
rysunek
religia
Wszystkie przedmioty wykładane w języku rosyjskim.

Tradycja powstańcza

Dotyczy głównie powstania styczniowego 1863 r., w którym brał udział ojciec Marcina. Interesujące, że w *Syzyfowych pracach* pamięć o powstaniu podtrzymują głównie chłopi (opowiadanie Szymona Nogi) i młodzież. Karykaturalne w zamyśle postacie radców Somonowicza i Grzebickiego reprezentują silną mimo wszystko tendencję lojalistyczną. Ci stuletni chyba panowie zapamiętali najlepiej z minionej historii marsz koronacyjny z 1829 r. (aluzja do *Kordiana* Słowackiego).

SYZYFOWE PRACE
Interpretacja mniej konwencjonalna

 Oczywiście, rusyfikacja to ważny problem, ale *Syzyfowe prace* są utworem zrozumiałym i wstrząsającym nawet dla czytelnika, który bardzo mało wie na temat polskiej historii. Znajdzie on w książce wyśmienitą powieść o szkole, dalej — powieść o „budowaniu osobowości" (tzw. Bildungsroman), o problemach wieku młodzieńczego (pierwsza miłość, pierwsza przyjaźń, kryzys religijny). Może ją również odczytać jako powieść wielkich dylematów kultury europejskiej.

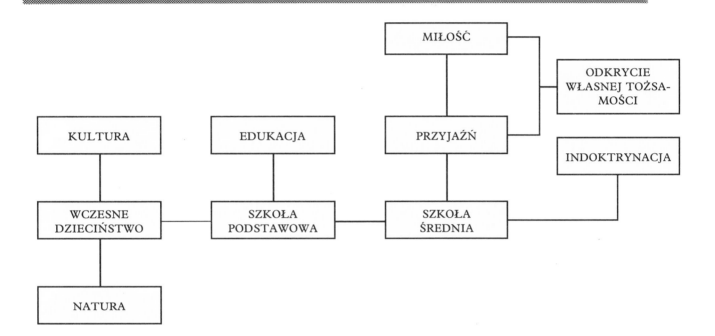

Powieść o szkole
Rewelacyjna, bliska utworom Tomasza Manna, Roberta Musila, Witolda Gombrowicza. Prekursorska, pokazująca gimnazjum klasyczne jako koszary, edukację jako najbardziej wynaturzoną postać indoktrynacji. Szkoła ta jest częścią systemu opartego na ślepym posłuszeństwie nauczyciela-funkcjonariusza państwowego. Zarówno od pedagogów, jak i uczniów władza oczekuje przede wszystkim pełnej dyspozycyjności, a dopiero w dalszej kolejności wiedzy.

Powieść o dzieciństwie i okresie dojrzewania
Syzyfowe prace przełamują stereotypowe widzenie dzieciństwa jako sielanki, a dziecka jako istoty anielskiej. U Żeromskiego dziecko bywa okrutne, zarówno wobec swych kolegów, jak i dorosłych. Szkoła, w której stawia się stopnie, wymaga odrabiania lekcji (ale czy można inaczej?), stosuje kary cielesne, praktykuje donosicielstwo i lizusostwo, odbiera dziecku radość życia. Gwoli sprawiedliwości pamiętajmy jednak, że edukacja jest zawsze jakąś formą gwałtu, wyrwaniem człowieka naturze (wśród zajęcy, lisów, pośród leśnego pejzażu Marcinek czuł się doskonale!) i rzuceniem go w świat kultury, przywróceniem społeczeństwu.

Powieść o miłości
Chociaż miłość zajmuje w *Syzyfowych pracach* niewiele miejsca, poświęcone jej stronice wolno zaliczyć do najbardziej udanych w całym dorobku Żeromskiego. Jest wiosna, kwitną bzy, zbliża się egzamin maturalny. Ona jest blondynką — niebieskooką, naturalnie. On, Marcinek, zakochał się w niej bardzo dawno, bo już przy końcu zimy. Siadali na przeciwległych ławkach, uczyli się, obserwowali wzajemnie, nie zamieniając ze sobą ani słowa.
Potem on zdał maturę, a ona, panna Anna Stogowska, zwana Birutą, wyjechała z ojcem w głąb kraju, którego mieszkańcy nazywają Ankę Aniutką. Nie zobaczyli się więcej.
I tak się to skończyło.

POPIOŁY

Akcja powieści rozgrywa się w latach 1797–1812 w kraju (ziemia sandomierska, Kraków, Tatry, Góry Świętokrzyskie, Pomorze, Warszawa) i za granicą (Włochy, Hiszpania, Alpy). Głównym bohaterem jest Rafał Olbromski, choć w pierwszym tomie postacią równie ważną wydaje się książę Gintułt, a w tomie trzecim Krzysztof Cedro.

Polskie sprawy

Popioły prezentują bohaterów wywodzących się z różnych środowisk, opisują także rozmaite tradycje:

- szlachecka — w co najmniej dwóch odmianach: postawę patriotyczną reprezentuje Nardzewski, typowo sarmackie myślenie Chłuka
- magnacka, „pańska" — książę Gintułt (troskę o los ojczyzny łączy z przywiązaniem do „rasy", niechętny ruchom ludowym)
- postępowa, o rodowodzie oświeceniowym — Piotr Olbromski (sprawa niepodległości uzależniona od rozwiązania kwestii chłopskiej)
- romantyczna — większość żołnierzy napoleońskich, w tym Cedro i Rafał — nadzieją czyn zbrojny
- „pozytywistyczna", „organicznikowska" — poglądy apolitycznego Trepki, który wierzy, że troszczyć się należy przede wszystkim o „pole należycie zaorane" — „pracować, żyć, myśleć"

Legenda napoleońska i szyderstwo

Jeśli nawet *Popioły* podtrzymują legendę napoleońską, stworzoną głównie przez wielkich poetów romantycznych, to czynią to jednak inaczej, bardziej wstrzemięźliwie. Napoleon pojawia się w powieści jako postać epizodyczna, przyglądamy się natomiast dokładniej jego żołnierzom, oficerom i generałom. Stworzony przez Żeromskiego obraz wojny wydaje się antyromantyczny. Wojna niesie głód, choroby, epidemie, okrucieństwo, mordy jeńców, rabunek i gwałty na ludności cywilnej. Bohaterskie kampanie okazują się w rzeczywistości rodzajem wojny totalnej — jak mówi cyniczny Wyganowski, „gwałcenie masowe przyspiesza kapitulację daleko bardziej skutecznie niż bombardowanie działobitniami". W tych warunkach romantyczny ułan staje się często zbrodniarzem wojennym.

Napoleon z *Popiołów* jest również nielojalnym sojusznikiem, pełnym pychy uzurpatorem. Jego dowódcy wydają polskich jeńców Austriakom pod Miglioretto. Nie przybliża legionistów do Polski ani krwawa wojna na San Domingo, ani nawet rzeź w Hiszpanii. Rabunek dzieł sztuki we Włoszech, przeciwko któremu stara się zaprotestować książę Gintułt, też budzi określone, złe skojarzenia — tak postępować będą najeźdźcy w wieku XX, zwłaszcza Niemcy i Rosjanie.

A jednak — mimo wszystko — „niech żyje cesarz!". Ze wszystkimi swoimi wadami Napoleon daje przecież Polakom jakąś szansę. Polski czyn zbrojny przypomina zaborcom, że „Jeszcze Polska nie zginęła", zamyka drogę zarówno lojalizmowi, jak i nastrojom beznadziejności.

Bohater

Rafał Olbromski — czyli nowe wcielenie Kmicica. Bujny temperament, odwaga, zuchwałość, a przy tym lekkomyślność, ryzykanctwo, chęć popisania się przed innymi (zwłaszcza paniami i pannami), gorące serce i głowa stanowczo nie do książek. Gdyby nie wybuchła wojna, zmarnotrawiłby czas na polowaniach, balach i romansach. Miłość — jak na modernistę przystało — opisana jest jako szalona namiętność. Sąsiaduje ze śmiercią (romans z Heleną). Nowością są akcenty sadomasochistyczne (miłość Elżbiety) i scena gwałtu na Helenie, przyprawiająca czytelników, a zwłaszcza czytelniczki o zawrót głowy.

Kompozycja

Na początku naszego stulecia *Popioły* były dziełem prawdziwie nowatorskim, wręcz rewolucyjnym. Czytelnik był przyzwyczajony do tego, że powieść — a zwłaszcza powieść historyczna — przynosi pełny i zgodny z chronologią obraz wydarzeń. Dlatego pozytywistyczni krytycy zarzucali *Lalce...* wadliwą kompozycję!

Popioły ukazały się w czasach bardziej przychylnych dla artystycznych nowatorów, zaskoczyły jednak luźną, programowo nieporządną i niespójną kompozycją. Autor pokazywał jedynie wybrane epizody z życia bohaterów. Nie dbał o zachowanie związku między kolejnymi rozdziałami. Książę Gintułt, a nawet dwukrotnie Rafał Olbromski „znikali” po prostu z powieści. Płynność akcji rozbijały długie monologi postaci drugoplanowych, przedstawiające zresztą wydarzenia wielkiej rangi (wspomnienia Ojrzyńskiego i Piotra Olbromskiego).

Język
Pozytywiści lubili Żeromskiego, a nawet potrafili się Żeromskim zachwycać. Orzeszkowa — mając na myśli *Popioły* — zdumiewała się „bajecznym bogactwem języka”. Istotnie, pod tym względem powieść stanowiła największe chyba osiągnięcie pisarza, który korzystał swobodnie z najróżniejszych odmian polszczyzny (język żołnierski, język naukowy, język poetycki w opisach pejzażu i scenach miłosnych, gwara góralska itd.).

Nowy model powieści historycznej
1) Troska o autentyzm — wykorzystanie rozległych materiałów źródłowych. Szczegółowe daty, opisy bitew, nazwiska dowódców, nazwy formacji, uzbrojenie, wygląd zewnętrzny żołnierzy itd. — wszystko to jest w *Popiołach* zgodne z prawdą historyczną.
2) Mieszanie prawdy i fikcji — jak zwykle w powieści historycznej, autentyczni bohaterowie (Napoleon, Dąbrowski, Sułkowski, książę Poniatowski, Zajączek i in.) są postaciami drugoplanowymi.
3) Tło obyczajowe — jakkolwiek na czoło wysuwają się niezrównane sceny batalistyczne, *Popioły* zawierają niemało epizodów ukazujących życie Polaków na przełomie XVIII i XIX w. (edukacja na prowincji i w Krakowie, polowania, kulig, rytuał inicjacji masońskiej, życie arystokratycznego dworu).
4) Nowatorstwo — elementy tradycyjnej powieści historycznej tworzą zaledwie fundament dla bez porównania ważniejszej konstrukcji. *Popioły* są bowiem również powieścią współczesną. Świat psychiczny bohaterów, ich zachowania, przemyślenia, nękające ich dylematy dotyczą Polaków początku XX wieku. *Popioły* są zatem głosem w dyskusji wokół romantyzmu, podkreślają rolę „czynu”, dokonują obrachunku z żywymi jeszcze tradycjami myślenia.

Ciąg dalszy „Popiołów”
Choć wydawać się to może niewiarygodne, *Popioły* kończyć się miały... *Wierną rzeką*! Oceniając powieść warto pamiętać, że stanowi ona pierwszy człon wielkiego cyklu, którego Żeromski nie zdołał napisać. Ciąg dalszy *Popiołów*, *Wszystko i nic*, zachował się w postaci fragmentarycznej. Głównych bohaterów utworu, Rafała i Krzysztofa, spotykamy jeszcze w dramacie *Turoń*. Obaj giną podczas tragicznych wypadków rzezi galicyjskiej 1846 roku. Kilkanaście lat później w powstaniu styczniowym poniesie śmierć syn Rafała, Hubert (ten epizod znamy z *Wiernej rzeki*).

„Od ziemi zaczynam..."

WŁADYSŁAW STANISŁAW REYMONT

Urodzony 1867
we wsi Kobiele Wielkie pod Radomskiem, syn organisty — naprawdę nazywał się Stanisław Władysław Rejment.

rok życia

13   Nie chce być organistą, więc może zostanie krawcem? Szyje w Warszawie, na Miodowej.

17   Czeladnik krawiecki. Aktor wędrownego teatru — niezbyt fortunny. Zapełnia zeszyty wierszami (bardzo niedobrymi).

21   Nadal bez zawodu, majątku, widoków na karierę („Zaprzepaściłem przyszłość swoją"). Zostaje robotnikiem na kolei.

22   Pracuje na kolei. Nieszczęśliwie zakochany, usiłuje popełnić samobójstwo.

23   Wreszcie szansa sukcesu. Spirytyści odkrywają, że jest doskonałym „medium", czyli pośrednikiem w kontaktach z duchami. Media zarabiały doskonale.

26   Przenosi się do Warszawy. Ma dziurawe buty, trzy ruble w kieszeni i walizkę rękopisów.

27   Podróż do Paryża i Londynu (przy okazji — Belgia i Niemcy). Nawiązuje kontakt z międzynarodowym Towarzystwem Teozoficznym. W następnym roku zobaczy Włochy, później Szwajcarię. Lubił podróżować i pisać za granicą.

29   Powieść **Komediantka**, której bohaterką jest Janka Orłowska — młoda dziewczyna próbująca szczęścia w zawodzie aktorki. Nie podbije Warszawy swoim talentem, grywać będzie jedynie w drugorzędnych trupach wędrownych. Nie zazna też szczęścia w miłości. Powieść kończy się próbą samobójczą — nieudaną. Kontynuacją *Komediantki* są późniejsze o rok **Fermenty**. Powracamy tu znów na prowincję. Zmuszona okolicznościami, Janka wychodzi za mąż bez miłości, rezygnując z dziewczęcych marzeń („dawna Janka umarła"). Obie powieści przynoszą interesujący portret psychologiczny głównej bohaterki. *Fermenty* zasługują na uwagę jako obraz beznadziejności życia na polskiej prowincji.

32 By napisać **Ziemię obiecaną**, Reymont, niczym wzorowy naturalista, przeprowadził się na kilka miesięcy do Łodzi — miasta okrutnego i wręcz odrażającego („Błoto tutejsze, wiosna tutejsza, ludzie tutejsi — niech pioruny spalą!"). Kapitalistyczna Łódź, stolica przemysłu tkackiego, jest dla jednych prawdziwą „ziemią obiecaną" (kapitaliści, głównie niemieccy i żydowscy), dla innych — prawdziwym piekłem (rodząca się klasa robotnicza). Powieść śledzi błyskawiczne kariery, bankructwa, oszustwa i intrygi trójki głównych bohaterów (Polak Karol Borowiecki, Niemiec Maks Baum, Żyd Moryc Welt), ukazuje rozmaite środowiska i postacie — od milionerów do biedaków. Zdaniem autora wielkie miasto i nowoczesna cywilizacja przemysłowa przyczyniają się do zachwiania hierarchii wartości, demoralizują i poniżają jednostkę. W finale Borowiecki stwierdza, że za zdobycie majątku zapłacić musiał bankructwem ideałów, postanawia teraz pracować dla szczęścia innych. *Ziemia obiecana* nie jest arcydziełem, wielką popularność zapewniła jej dopiero znakomita adaptacja filmowa dokonana przez Andrzeja Wajdę.

33 Ranny w wypadku kolejowym pod Warszawą. Kuracja potrwa kilka lat. Wysokie odszkodowanie zapewni natomiast pisarzowi poprawę sytuacji materialnej.

35 „Tygodnik Ilustrowany" rozpoczyna druk powieści ➡ CHŁOPI. W wydaniu książkowym dwa pierwsze tomy trafią na rynek w 1904, tom trzeci w 1906, a tom czwarty w 1909 roku.
Żeni się z Aurelią z Szacznajdrów Szabłowską. Na weselu obecni m.in. Wyspiański, Przerwa Tetmajer, Rydel, Miriam. Szkoda, że Wyspiański napisał wcześniej swój dramat. Podróż poślubna do Bretanii.

42 *Chłopi* ugruntowują sławę autora, który staje się postacią cenioną w środowisku literackim. „Jak glob ziemski na Atlasie opiera się teraz na Panu powieściopisarstwo polskie" — pisze do Reymonta Orzeszkowa. Otrzymuje nagrodę Lewentala, na Nobla przyjdzie jeszcze parę lat poczekać.

44 Powieść **Wampir**, w której Reymont pokazuje się nam jako prawdziwy modernista (wątki teozoficzne, satanizm, „kobieta fatalna").

45 Niemiecki przekład *Chłopów* dokonany przez Jana Kaczkowskiego otwiera drogę do europejskiej kariery powieści.

46 Ukazuje się *Ostatni Sejm Rzeczypospolitej*, część pierwsza trylogii **Rok 1794** (dalsze tomy: *Nil desperandum, Insurekcja;* całość w 1918 r.). Reymont zachwycał się *Ogniem i mieczem* Sienkiewicza, do podjęcia tematu historycznego skłonić mógł również pisarza przykład *Popiołów*. W każdym razie marzył o napisaniu dzieła obejmującego nie tylko powstanie kościuszkowskie, ale także przełomowe wydarzenia polskiego XIX w.: kampanię napoleońską i oba powstania, listopadowe i styczniowe. Pracę nad nową powieścią poprzedziły gruntowne studia, Reymont bowiem chciał stworzyć możliwie najwierniejszy obraz przeszłości („dać epokę naprawdę"). W rezultacie powstał — według określenia Henryka Markiewicza — „zbeletryzowany reportaż dziejowy". Fikcja fabularna, losy głównego bohatera Sewera Zaręby są jedynie pretekstem do pokazania wydarzeń takich, jak bitwa pod Racławicami i klęska maciejowicka. Od innych powieści historycznych różni *Rok 1794* dążenie do podkreślenia dziejowej roli chłopstwa i proletariatu miejskiego. Trylogia miała przesłonić *Chłopów*, a pewnie i dzieło Sienkiewicza, nie odniosła jednak spodziewanego sukcesu.

52 Po Norwidzie i Sienkiewiczu także Reymont płynie do Ameryki (w roli kuriera dyplomatycznego). Za rok — powtórka podróży za ocean (odczyty, spotkania, wiece). W pisaniu — bez sukcesów.

57 Powieść **Bunt** — alegoryczna bajka wymierzona przeciw ideologii rewolucyjnej. Nagroda Nobla (za *Chłopów*) — kandydował do niej już od kilku lat. Ciężko chory, wyróżnienia nie mógł odebrać osobiście.

58 Zbiera spóźnione laury i hołdy. W sierpniu uczestniczy jeszcze w dożynkach odbywających się w Wierzchosławicach. Umiera 5 grudnia 1925 roku.

Niezwykłe życie i równie niezwykła kariera. Mało znamy noblistów, których biografia kryłaby tak wiele „białych plam". Tajemnicze podróże, zagadkowe romanse, udział w jakichś nie znanych bliżej przedsięwzięciach. Reymont był genialnym mistyfikatorem i nie wszystkie fakty ze swego bogatego życiorysu zdecydował się ujawnić.

CHŁOPI

Akcja powieści rozgrywa się u schyłku XIX w. w istniejącej do dziś wsi Lipce (obecnie Lipce Reymontowskie) w Skierniewickiem i obejmuje cały „chłopski rok" (dokładnie 10 miesięcy). Podział na cztery tomy odpowiada podziałowi na cztery pory roku.

Epos

Kolejny w naszej literaturze — po *Panu Tadeuszu* i *Nad Niemnem*. Tym razem jest to jednak epopeja chłopska, jednocześnie pierwsza w literaturze polskiej wielka powieść praktycznie bez udziału szlachty (wyjątkiem — „schłopiony" Rocho), o dziedzicu się mówi, ale w ogóle go nie poznajemy. Tak jak w utworze Orzeszkowej, w *Chłopach* żyje jeszcze tradycja powstania styczniowego (losy Kuby). Reymont heroizuje codzienny trud, ukazuje wieś w przełomowym momencie, gdy na sytuację jej mieszkańców zaczynają wpływać zjawiska takie, jak emigracja zarobkowa czy kolonizacja niemiecka. Do konwencji eposu nawiązuje w opisach śmierci trójki bohaterów (Kuba, Boryna, Agata).

Chłopi w *Chłopach*

Kultura chłopska jest kulturą „zamkniętą", wszystko, co przekracza granice powiatu, wydaje się równie nieprawdziwe jak baśnie i legendy. Obrzędów, rytuałów, wzorów zachowań przestrzega cała wieś, ale społeczność gromady nie jest wcale jednolita. Obok chłopów najbogatszych (Boryna) i średniozamożnych (np. rodzina Jagusi) spotykamy w Lipcach biedotę wiejską, komorników i wyrobników, pozbawionych nie tylko ziemi, ale i własnej chaty (Agata, Kuba). Tradycję kulturalną wsi wyrażają zarówno świąteczne ceremonie, jak i powszednia mądrość — na przykład przysłowia. Ludowy humor widać w pieśniach i przyśpiewkach (np. historia „stworzenia" przez chłopa wołu).

Z chłopskiego myślenia wywodzą się lapidarne charakterystyki bohaterów: „smok nie chłop" (Antek), „skrzat jeszcze" (Józia), „ćma abo mruk" (Hanka), „spaśna kiej ta lepa" (Jagna).

Religijność

Trudno przeoczyć, że pierwsze zdanie powieści brzmi: „Niech będzie pochwalony Jezus Chrystus", a ostatnie: „Ostańcie z Bogiem, ludzie kochane." Uczucia religijne odzywają się najsilniej w przypadku biedaków (Kuba, Agata), jednak z punktu widzenia całej gromady za wszystkimi pracami, zwyczajami, obrzędami kryje się motywacja religijna. „Po bożemu" — znaczy tu „dobrze", ale i „zwyczajnie". Uduchowiona, często poddana „uczłowieczeniu" przyroda także zachowuje związek z niebem. Wiosna jest więc „Bożą wysłanniczką, łaski i miłosierdzie czyniącą", wiosenne słońce — „świętym okiem miłosierdzia". Na koniec zimy patrzy chłop niby na religijny cud, a nie zwykłe prawo natury.

Miłość

Oczywiście — zgodnie z konwencją młodopolską — dzika namiętność, popychająca ludzi ku sobie, rujnująca życie, fatalna, czasem kojarząca się ze śmiercią. Sceny erotyczne, jak na owe czasy dość śmiałe, zwykle Reymontowi wybaczano (Wyspiański podobno nie wybaczał). Z drugiej strony, można odnieść wrażenie, że w całych Lipcach tylko Jaguś jest kobietą z temperamentem. Może dlatego, że pije ciągle herbatę?

Język

Powieść napisana została językiem literackim, charakterystycznym dla okresu Młodej Polski, wykorzystującym elementy gwary w zakresie słownictwa (np. „któren" zamiast „który", „kiej" zamiast „jako", „ino" zamiast „tylko"), składni (np. „Że to i późno już było, karczma opustoszała rychło"), w mniejszym stopniu — wymowy (bohaterowie Reymonta nie „mazurzą", choć tę właśnie cechę dialektalną

spotykamy w prawdziwych Lipcach po dziś dzień). Stylizacji podlegają zarówno dialogi, jak i język narratora — gawędziarski, pozornie niedbały, z licznymi powtórzeniami słów i konstrukcji składniowych.

Młodopolska chłopomania

Nigdy dotąd w historii literatury polskiej nie pisano tyle o chłopach, nie interesowano się na taką skalę kulturą ludową (m.in. Wyspiański, Żeromski, Reymont, Kasprowicz, Tetmajer). Dotąd chłop był przeważnie godnym współczucia biedakiem, teraz — głównie za sprawą Reymonta i Wyspiańskiego — dojrzano w nim prawdziwą potęgę. Spośród twórców podejmujących temat ludowy na wzmiankę zasługuje ponadto **Władysław Orkan** (1875–1930), utalentowany poeta, autor powieści **Komornicy** i **W Roztokach**. W przeciwieństwie do Reymonta, opisującego Polskę środkową, pokazywał wieś podhalańską, skupiając uwagę na losach chłopskiej biedoty. W drugiej z wymienionych powieści występuje postać ludowego reformatora, Franka Rakoczego, porównywana niekiedy z bohaterem *Ludzi bezdomnych*, doktorem Judymem.

Chłopska anatomia

twarz	— gembusia
oczy	— ślepia
żebra	— ziobra
wnętrzności	— wątpia
nogi	— kulasy

Pora roku	Krajobrazy	Prace
JESIEŃ	Jesień jest „rodzoną matką zimy", porą powolnego zamierania natury, pracowitym okresem dla ludzi. Opisy: zachód jesienny, wieczór na wsi, bór jesienią, ulewa.	Kopanie ziemniaków. „Miądlenie" lnu. Zbieranie kapusty.
ZIMA	Pora konania, cierpienia, życie wygasa, naturę obejmują we władanie groźne żywioły: wichura, zamieć. Z opisów: las zimowy, kończące zimę roztopy.	Doglądanie ziemniaków w kopcach. Dla mężczyzn — młócka zboża, dla kobiet — przędzenie wełny, tkanie płótna.
WIOSNA	„Jasna pani w słonecznym obleczeniu" przychodzi jak zwykle trochę za późno. Dla najbiedniejszych oznacza głód (przednówek!). Opisy: wiosenna wichura, powrót ptaków.	Wiosenne podorywki, siewy, orka, sianokosy. Dla kobiet — pełne ręce roboty podczas przygotowań do świąt.
LATO	Pora dojrzewania i owocowania, zbierania plonów, ale także okres panowania niszczących żywiołów: przyrodę spala susza. Z opisów: las pełen zwierząt, letnia ulewa.	Rytm wszystkich prac wyznaczają przygotowania do żniw i żniwa.

Obrzędy, rozrywki	Zdarzenia
Sąd i jarmark w Tymowie, niedziela w kościele i karczmie. Obrzęd zaręczyn. Chłopskie Zaduszki (z rzucaniem chleba na groby). Wiejskie wesele — z górą jedzenia, przyśpiewkami i muzyką — tańczy się „drygliwe" krakowiaki, „posuwiste" mazury, „zawrotne" obertasy.	Stara Agata opuszcza wieś. Najbogatszy gospodarz w Lipcach, Boryna, posyła swaty do najładniejszej panny we wsi, Jagny. Kłopot w tym, że Jagna, czyli Jaguś, podoba się także synowi Boryny, Antoniemu (nie bez wzajemności). W następstwie konfliktu ojciec wypędza syna z gospodarstwa. Na weselu Boryny Antek i jego żona Hanka są nieobecni.
Boże Narodzenie to w Lipcach Gody (Godne Święta) — obchodzone uroczyście, z wieczerzą wigilijną, pasterką i świąteczną ucztą. „Prząśliwa wieczornica" — tylko dla kobiet, które lubią poplotkować przy pracy.	Antek i Hanka żyją w nędzy, ale i Boryna szczęścia w małżeństwie nie znalazł. Trwa romans Antka i Jagusi, coraz trudniej ukryć go przed otoczeniem. Spór wsi z dworem o sprzedaż lasu kończy się wielką bitwą, podczas której Antek staje w obronie ojca — tak skutecznie, że policja aresztuje go pod zarzutem zabójstwa.
Przedświąteczne świniobicie. Święta Wielkiej Nocy z wypiekami, pisankami, chowaniem żuru i grzebaniem śledzia (pamiątki wielkopostne), dyngus, „kogutek". Poświęcanie pól. Strojenie ołtarzyków na Boże Ciało.	Powracająca Agata zastaje wieś wyludnioną — mężczyźni w więzieniu, Boryna choruje. Do chaty powróciła Hanka, przejmując rolę gospodyni. W życiu erotycznym Jagusi pojawiają się dwaj nowi mężczyźni: ordynarny wójt i subtelny pan Jaś. Do wsi przybywają bardzo źle przyjęci koloniści niemieccy. Śmierć Boryny.
Noc Świętojańska (Sobótki). Niedziela odpustowa.	Pogrzeb Boryny. Jaguś wygnana z chałupy. Antek powraca do domu i... nadal interesuje się Jagną. Śmierć starej Agaty. Mieszkańcy Lipiec postanawiają wypędzić niemoralną Jaguś ze wsi, Antek — teraz pierwszy gospodarz we wsi — nie staje w jej obronie.

„Wziąć na barki swe dziejowe brzemię — odnowy ducha polskiego.”

WACŁAW BERENT

1873–1940

- związany z Warszawą, studiował w Niemczech (ichtiologię!)
- prozaik, eseista, tłumacz (m.in. przekład *Tako rzecze Zaratustra* Nietzschego z 1905 r.)
- jeden z najtrudniejszych polskich pisarzy, twórca powieści erudycyjnej, nasyconej aluzjami kulturowymi, wyśmienity stylista, autor zapowiadający poszukiwania prozy XX w.
- książki wydawał rzadko, nad każdą pracował jak Flaubert, dbając o najdrobniejszy szczegół dzieła

Wobec pozytywizmu

- jeszcze jeden przeciwnik pozytywizmu — ani konserwatysta, ani socjalista, ani naturalista
- krytykę pozytywizmu zawarł w powieści **Fachowiec** (1895) — jest to historia młodego chłopca, Kazimierza Zaliwskiego, który pod wpływem haseł pozytywistycznych rezygnuje ze studiów, by podjąć pracę w fabryce jako ślusarz
- ideały pozytywistyczne: piękno kominów fabrycznych, telegrafu, fabryka jako „najlepsza politechnika, najszczytniejszy uniwersytet”, bohaterem pozytywnym — „cichy pracownik”
- rzeczywistość: obcy kapitał (angielski, francuski, niemiecki), wyzysk, nędza — izolacja społeczna bohatera (ani robotnik, ani inteligent), katastrofa w życiu osobistym

Wobec modernizmu

Akcja **Próchna** (1903) rozgrywa się w dużym, ale trudnym do zidentyfikowania mieście niemieckim, w kręgu międzynarodowej cyganerii artystycznej. Bohaterowie powieści zostali dobrani w ten sposób, że reprezentują poszczególne dziedziny sztuki: Władysław Borowski (teatr), Pawluk (malarstwo), Hertenstein (muzyka), Müller (literatura), Hilda (śpiew). Twórcy i adepci poruszają się w sztucznej przestrzeni, prowadząc gorączkowe życie, manifestując dekadenckie nastroje. Zaglądają do kawiarni, przekonani, że „w kawiarni robi się dziś kultura”, ale nie gardzą też drugorzędnym kabaretem, gdzie występuje najprawdziwsza „kobieta fatalna”. Sięgają po ulubione przez modernistów narkotyki: czarną kawę, koniak („napój mistyczny”), piją szampana i absynt, w oparach opiumowego dymu przeklinają „psie, podłe, sobacze życie”. W *Próchnie* sztuka powstaje na marginesie społeczeństwa. Najbliżej rzeczywistości znajdują się postacie takie, jak dziennikarz Jelsky i lekarz Kunicki (w intencjach — pozytywny „człowiek pożyteczny”, w efekcie — także dekadent). W powieści zgrupowane zostały niemal wszystkie młodopolskie fascynacje: hasło „sztuka dla sztuki”, nietzscheanizm, kult Orientu, zainteresowanie buddyzmem i teozofią, obsesja śmierci i otchłani. Jednocześnie utwór stanowi — według oceny Stanisława Brzozowskiego — „wotum nieufności rzucone nowoczesnej kulturze”. Zdemaskowana została dwuznaczność postawy artysty gardzącego mieszczańskim społeczeństwem, a przecież oczekującego ze strony publiczności uznania, niekiedy marzącego wręcz o sprawowaniu władzy nad masami ludzkimi (mit artysty — „czarnego kapłana”). Mimo wszystko *Próchno* jest raczej diagnozą niż krytyką. Zdaniem autora błądzą tylko ci, którzy szukają, a „próchno staje się wszak z czasem płodną mierzwą”. W rozwoju kultury europejskiej także modernistyczny bunt ma swoje miejsce.

Nowatorstwo utworu polega na zastosowaniu „polifonicznej” techniki punktów widzenia. Wydarzenia oglądamy więc z pozycji coraz to innego bohatera (Borowski, Jelsky, Müller, Hertenstein). Niektóre partie (zwłaszcza monologi) przypominają esej lub poemat prozą. *Próchno* jest na dobrą sprawę powieścią bez tradycyjnie rozumianej akcji (zgodnie ze słowami autora akcja została „wyrzucona poza nawias powieści”).

Wobec rewolucji 1905 r.

Druga z wielkich powieści Berenta, **Ozimina** (1911), ma wyraźnie zlokalizowane miejsce i czas akcji — rozgrywa się ona w Warszawie, w ciągu kilkunastu godzin, w lutym 1904 r. (wybuch wojny rosyjsko-japońskiej). W salonie baronostwa Niemanów spotykają się ludzie nauki, sztuki, polityki, jest oficer rosyjski, arystokrata, ksiądz, są także spiskowcy, którzy w finale staną na czele manifestacji ulicznej. Poprzez losy rodu Komierowskich autor ogarnia najważniejsze wydarzenia XIX w. (powstanie listopadowe, rewolucja węgierska, powstanie styczniowe, martyrologia syberyjska). Z bohaterską przeszłością kontrastuje zatruta cynizmem i obłudą teraźniejszość, wypełniona nudą, dekadencją (Woyda), interesami (Nieman), duchowym zbłąkaniem (Nina).
Oziminę nazwano warszawskim *Weselem*, choć przypomina bardziej sabat czarownic. Podobnie jak Brzozowski i Wyspiański dokonał Berent obrachunku z romantyzmem (cytaty i aluzje do *Anhellego*, *Lilli Wenedy*, Krasińskiego, Mickiewicza) i ideą „walki o wolność naszą i waszą" (rozmyślania profesora z Krakowa). Epilog powieści koresponduje z główną tezą *Nocy listopadowej* (grecki mit o Demeter). Metaforyczna „ozimina" symbolizuje zasiew, obumieranie i wzrastanie ziarna, mówi o kolejnych etapach w rozwoju historii i kultury narodu. *Ozimina* zapowiada wybuch rewolucji, którą pisarz wywodził po części z tradycji powstańczych i oceniał bardziej sprawiedliwie niż przedstawiciele najstarszego pokolenia pisarzy (Prus, Sienkiewicz).

Pożegnanie powieści

- ostatnia powieść Berenta to **Żywe kamienie** (1918) — nietypowa powieść historyczna, nie pokazuje wielkich bitew ani konkretnych wypadków dziejowych, zawiera aluzje do współczesności
- obraz średniowiecza wędrownych poetów („dusze tułacze") — powieść z pogranicza legendy, przypowieści i poematu prozą, osobliwa wizja gotyku
- kultura jako poszukiwanie, wieczna wędrówka (ale także zabawa i źródło radości życia) — przeciwstawiona zniechęceniu, marazmowi, „chorobie duszy"

Powitanie eseju

- „opowieści biograficzne": **Nurt** (1934), **Diogenes w kontuszu** (1937), **Zmierzch wodzów** (1939) — utwory bliskie formule eseju historycznego, wykorzystujące szeroko cytaty, dokumenty, listy
- epoka: koniec XVIII i początek XIX w.
- bohaterowie: poeta Franciszek Karpiński, Julian Ursyn Niemcewicz, oświeceniowy publicysta Franciszek Salezy Jezierski, Kościuszko i książę Józef Poniatowski (oceniani z dystansu), a przede wszystkim generał Jan Henryk Dąbrowski (potraktowany jako wybitny polityk)
- temat: narodziny nowoczesnego narodu, formowanie się polskiej inteligencji u schyłku XVIII w., podkreślenie znaczenia zarówno czynu zbrojnego, jak i pracy umysłowej w warunkach niewoli
- współczesność: Berent był katastrofistą, swoim dziełem wskazywał Polakom drogi przetrwania, w „opowieściach biograficznych" zawarł krytykę „charakteru narodowego" Polaków (bardzo „sarmackiego")

Język i styl

- proza olśniewających metafor, porównań, cytatów, aluzji kulturowych — często: ekspresjonistyczna (równoważniki zdań, zdania zakończone wielokropkami albo wykrzyknikami)
- w *Fachowcu* — liczne germanizmy (urzekająca terminologia „rzemieślnicza": „śrubsztak", „bormaszyna", „sztamajza" — urocze!)
- w *Próchnie* — odwołania m.in. do Huysmansa, Nietzschego, Baudelaire'a, Słowackiego; terminologia teozoficzna, pojęcia filozofii Wschodu (nirwana!)
- w *Oziminie* — opis „bestiarium" ludzkiego (salon jako galeria rzeźb — Lena „jak łabędź nastroszony", śpiewak „lekką nóżką kozła przed się występuje")
- w *Żywych kamieniach* — archaizacja, której celem nie jest rekonstrukcja czy naśladowanie języka średniowiecza, lecz stworzenie „jednorazowego" języka na potrzeby powieści (to samo można powiedzieć o wszystkich utworach Berenta, nie wyłączając „opowieści biograficznych" — każdy wprowadza nas w inny świat językowy)

POEZJA MŁODEJ POLSKI

Zamyślenia i tęsknice

Poezja Młodej Polski jest smutna, pełna niepokoju, czasem rozpaczliwa. Mówi o spotkaniu z nicością („odmęt", „otchłań" Tetmajera, „mrok nicości" Kasprowicza, „przepaść", „czarna toń" Komornickiej). Jak dowiodła Maria Podraza-Kwiatkowska, w liryce młodopolskiej najczęściej człowiek poszukuje „otchłani", u Leśmiana otchłań „zbliża się do człowieka, otacza go". U Staffa i Orkana odpowiednikiem nastrojów poety jest martwy pejzaż, pustynia, świat spustoszony. A jeśli już nie apokalipsa, to przynajmniej jesień — deszcz, mgła, zapowiedź nadchodzącego nieszczęścia (**Anioł Pański** Tetmajera, **Deszcz jesienny** Staffa). Rozpacz niekiedy uzasadniona, czasem — tęsknota do nie-wiadomo-czego (każdemu to się może zdarzyć).

Ucieczki

Skoro świat jest nie do wytrzymania, trzeba uciec — sposoby wypróbowali już romantycy (ucieczka w sztukę, pejzaż, miłość, marzycielstwo). Czasem sięga się po narkotyki (Lange w **Balladach pijackich** wymienił ich pięć: absynt, kawa, poncz, szampan, haszysz). Wiarę w boskie pochodzenie sztuki podtrzymuje m.in. Tetmajer („choć życie nasze splunięcia niewarte: evviva l'arte"). A zatem — niech żyje sztuka, bo piękna jest „czarodziejska godzina tworzenia". Przy okazji — precz z filistrem i jego mieszczańskimi upodobaniami.

Pejzaże

Nowością jest nie tyle odkrycie nowych krajobrazów, co obecność w nich patrzącego: za przywoływanymi obrazami kryją się emocje, nastroje, wzruszenia. Oczywiście Tatry najmodniejsze. W liryce Tetmajera — srebrzyste, złote i zielone. Wzbudzają „tęsknice" i „niewysłowiony żal" (**Z Tatr**). Na uwagę zasługuje odkrycie urody pejzażu nocnego (baśniowa sceneria w świetnym wierszu **Melodia mgieł nocnych**). Nie licząc obrazów przyrody alpejskiej w liryce Rolicz-Liedera, spośród krajobrazów europejskich na czoło wysuwają się Włochy (Wenecja Langego, Rzym Tetmajera, w którym dominują jednak dzieła sztuki). Modny jest Orient (Miciński, Staff, Lange), zwłaszcza kultura indyjska („do Indusów powinniśmy się zwracać po światło") — głównie za sprawą Schopenhauera i jego interpretacji buddyzmu.

Miłość

Wszyscy piszą wiersze miłosne, ale styl narzuca zakochanym liryka Tetmajera: „upojenie zmysłów", „pieszczota nieludzka", „słodkie dreszcze" pozwalają przypuszczać, że rozstaliśmy się z romantyczną powściągliwością. Najśmielszy liryk tamtej epoki to **Lubię, kiedy kobieta...**, opisujący dość dokładnie miłosną ekstazę. Co prawda kobieta Tetmajera wstydzi się jeszcze „przyznać, że czuje rozkosz", ale partnerowi wcale to nie przeszkadza. Wręcz przeciwnie, uwielbia dziewczęcą niewinność (**Virgini intactae**). Poza tym — nie ma wielkich wymagań, zgadza się nawet, by jego dama serca pisała „kocham" przez samo „ha".

1894	— Tetmajer: *Poezje*. Seria II
1898	— Tetmajer: *Poezje*. Seria III
1901	— Staff: *Sny o potędze*
1902	— Kasprowicz: *Ginącemu światu*
1902	— Miciński: *W mroku gwiazd*
1906	— Kasprowicz: *O bohaterskim koniu i walącym się domu*
1906	— Lange: *Rozmyślania*
1908	— Staff: *Gałąź kwitnąca*
1910	— Staff: *Uśmiechy godzin*
1912	— Leśmian: *Sad rozstajny*
1916	— Kasprowicz: *Księga ubogich*
1920	— Leśmian: *Łąka*

Temat miłości małżeńskiej też popularny — cóż, moderniści żenili się znacznie chętniej niż romantycy. W cyklu **Dla rymu** Tetmajer obiecuje przyszłej żonie nie szał rozkoszy, lecz spacer, bardzo pięknie opisywany:

„Pójdziemy cisi, zamyśleni,
wśród złotych przymgleń i promieni,
pójdziemy wolno alejami,
pomiędzy drzewa, cisi, sami."

Kwiaty

Oprócz kamieni szlachetnych, gwiazd, drzew w poezji młodopolskiej najważniejsze są kwiaty. Czasem wytworne (hiacynty, orchidee, kwiat pomarańczy), a czasem zwykłe, polne (jaskry, powoje, bławatki, maki zwykle porównywane do dziewczęcych ust). Dużym wzięciem cieszą się kwiaty jabłoni, a nawet gruszy. Kasprowicz opiewa „stary, oślepły" słonecznik. Jeśli róża, to konieczne czarna (Tetmajer) albo biała (Staff), lub róża, która nigdy nie kwitnie (Leśmian). Kwiatowe symbole należą do najpopularniejszych w poezji tego okresu.

Język

Daleki od potocznego, wyszukany, udziwniony, pełen słów rzadkich, obcych, tajemniczych. Sztuczny, czasem patetyczny. Chętnie stosowana archaizacja i stylizacja gwarowa. W zakresie wersyfikacji — wiersz wolny i toniczny (ze stałą liczbą akcentów w wersie), wyszukane rymy, oryginalna budowa strofy.

Gatunki

Zawrotna kariera sonetu (Tetmajer, Kasprowicz, Lange, Zawistowska, Staff) — najładniej zachwycał się sonetem Tetmajer („mały kościół, w którym jednak może olbrzymi Bóg się zmieścić"). Poemat prozą (Miciński, Kasprowicz, Rolicz-Lieder), hymn (Kasprowicz, Tetmajer), ballada (Leśmian) i mnóstwo utworów lirycznych bez wyraźnej przynależności gatunkowej. Bardzo popularne jest łączenie wierszy w dłuższe cykle.

„Chleba mi kromka wystarczy
I jabłko, i dźwięk mojej pieśni."

JAN KASPROWICZ
1860–1926

● poeta pochodzenia chłopskiego, rodem z ziemi kujawskiej, związany ze Lwowem, pod koniec życia zamieszkał w Poroninie

● w jego wczesnej twórczości dominuje temat ludowy: obrazki i gawędy, cykl sonetowy **Z chałupy**, opisujący „nędzne chłopskie chaty", głód, choroby, nierówności społeczne, wyzysk i poniżenie chłopa — brak tonacji sentymentalnego współczucia, w przeciwieństwie do Konopnickiej Kasprowicz wybiera ironię i gniew — do poezji ludowej powraca w swoich ostatnich tomach (**Księga ubogich**)

W 1922 r. ukazały się pod wspólnym tytułem **Hymny** utwory wydane wcześniej (m.in. w tomie *Ginącemu światu*). Wyrastają z bardzo różnych tradycji (misteria średniowieczne, romantyczne wizjonerstwo, nawet — poezja okresu pozytywizmu). W najsławniejszym z hymnów, *Święty Boże, Święty Mocny*, pojawia się apokaliptyczny obraz ginącej ziemi, poddanej władzy szatana i śmierci. Poemat jest prośbą i wezwaniem do Boga siedzącego „na niedostępnym tronie", „pomiędzy gwiazdami". Katastrofę przepowiada także *Dies irae*. W *Mojej pieśni wieczornej* odzywają się akcenty mistyczne, wątki biblijne rozwijają *Salome* i *Judasz*. Zdaniem Jana Józefa Lipskiego *Hymny* należą do najwcześniejszych przejawów ekspresjonizmu europejskiego, są ponadto wyrazem nastrojów katastroficznych, tak częstych w późniejszym okresie.

Książką Kasprowicza budzącą dziś największe zainteresowanie jest tom prozy poetyckiej **O bohaterskim koniu i walącym się domu**. Skierowany przeciw kulturze mieszczańskiej i jej wynaturzeniom, niekiedy tendencyjny (*Modlitwa episjera*), innym razem impresjonistyczny (*Portal katedry*) albo symbolistyczny (*O walącym się domu*), zapowiada już poezję XX w. Autor posługuje się satyrą, ironią, groteską, absurdem, łączy przypadkowe obrazy, zdobywa się na dystans wobec siebie i opisywanego świata („Życie wesołą jest komedią, którą trzeba odegrać do końca z humorem i przytomnością umysłu, wyzyskując każdą godzinę i żadnym, byle zdrowym, nie gardząc owocem").

KAZIMIERZ PRZERWA TETMAJER
1865–1940

● poeta, prozaik, dramaturg — pochodził z Podhala, związany z Krakowem, a w okresie międzywojennym z Warszawą

● w ośmiu „seriach" (tomach) poezji wyraził najpełniej dekadenckie nastroje panujące na przełomie XIX i XX w. (m.in. **Hymn do nirwany, Nie wierzę w nic, Koniec wieku XIX**)

● erotykami budził podziw i zgorszenie — na początku naszego stulecia najpopularniejszy polski poeta, umarł niemal zapomniany

● jako prozaik zdobył rozgłos cyklem gawęd góralskich **Na skalnym Podhalu** (1903–1910) — pełne humoru i ludowej mądrości, opowiadają przygody gazdów i zbójników; stylizacji gwarowej (bardzo konsekwentnej) podlegają tu głównie dialogi; dialekt podhalański oddany tak starannie, że wydania gawęd opatrywać trzeba objaśnieniami i słowniczkiem

ANTONI LANGE (1863?–1929). Całe życie związany z Warszawą, popularyzator poezji francuskiej, wybitny erudyta i tłumacz. Symbolista i parnasista, poeta elitarny, nie zyskał nigdy wielkiej popularności. Tak jak Tetmajer umarł w biedzie i zapomnieniu.

➡ TADEUSZ MICIŃSKI
➡ BOLESŁAW LEŚMIAN
➡ LEOPOLD STAFF

WACŁAW ROLICZ-LIEDER (1866–1912). Z wykształcenia orientalista. Niedoceniony eksperymentator, wykraczający często poza poetykę młodopolską.

Interesującym zjawiskiem jest pojawienie się licznej grupy piszących pań, z których najwyżej cenimy dziś **Kazimierę Zawistowską**, poetkę miłości i śmierci. Baśniowe pejzaże i subtelny liryzm cechują wiersze **Bronisławy Ostrowskiej**, coraz częściej uwagę badaczy przyciąga poezja i publicystyka **Marii Komornickiej**.

„Wieczna jest ciemność, wiecznym jest błąd..."

TADEUSZ MICIŃSKI

1873–1918

● niemal całe życie podróżował (Niemcy, Hiszpania, Bułgaria, Rosja), zginął podczas rewolucji bolszewickiej na Białorusi

● najbardziej wszechstronny pisarz Młodej Polski — z powodzeniem uprawiał poezję, prozę, dramat

● za życia nie zawsze doceniany, dziś wywołuje wielkie zainteresowanie wśród badaczy, powoli docierają do czytelnika kolejne tomy pism zebranych, dramaty Micińskiego zaczynają trafiać na scenę

Liryki

● poezja Micińskiego wykracza często poza konwencję modernistyczną — znajdujemy w niej przejawy ekspresjonizmu i surrealizmu, słowem — poezja prekursorska, przy tym niezwykle hermetyczna

● satanizm: w poezji Micińskiego szatan zajął miejsce Boga, podczas obrzędu czarnej mszy kapłani dzielą czarną hostię, zamiast Jeruzalem Niebiańskiej — Jeruzalem Piekielna, biblijna Księga Życia zmienia się w Księgę Unicestwienia (**Czarne Xięstwo**) — Lucyfer jest najważniejszą postacią w całej twórczości Micińskiego, jest nawet osobliwym „cieniem" Chrystusa („Chrystusem przemienionym")

● synkretyzm religijny i filozoficzny: odwołanie do rozmaitych tradycji (Biblia, apokryfy, mistyka chrześcijańska, głównie „heretycka", religie Wschodu, tradycja hermetyczna, Kabała, polska filozofia i poezja romantyczna z *Królem-Duchem* Słowackiego na czele)

● gnoza: Miciński jest najwybitniejszym w naszej literaturze przedstawicielem gnozy (zgodnie z definicją Jerzego Prokopiuka pod tym pojęciem rozumiemy „poznanie, wiedzę inicjacyjną, oświecenie czy wtajemniczenie dające człowiekowi poznanie bóstwa lub świata duchowego" — gnoza towarzyszyła wielu nurtom kultury europejskiej we wszystkich epokach)

Jedyny zbiór wierszy Micińskiego to obszerny tom liryków zatytułowany w **Mroku gwiazd** (1902). Bohaterami zawartych tam utworów są m.in. Lucyfer, Kain, korsarz, wiking, samobójca. Każdy z nich mógłby powiedzieć o sobie: „Bóg mnie przeklął, ja przekląłem Boga." Według poety odtrącony i wyklęty jest każdy człowiek — rzucony nie z własnej woli na ziemię, oddzielony zasłoną Tajemnicy od swego przeznaczenia. Bunt, rozpacz, strach, cierpienie wypowiedziane zostały w formie nadzwyczaj kunsztownej, za pomocą niezwykłych obrazów („na Golgoty krzyżu zawisnął skrwawiony kruk"), metafor („trujący blady kwiat nadziei"), słów rzadkich i wyszukanych („pył aerolitów"), niebanalnych porównań („drzewa jak rafy koralowe"). Pejzaże Micińskiego są często egzotyczne (Orient splata się tu z antykiem), nierealne jak obrazy oglądane w snach. Tradycyjne kwiaty romantyzmu zastępują orchidee, nenufary, hiacynty — są to nieraz kwiaty umierające, więdnące czy wręcz zgniłe. Poeta różnicuje graficzny zapis tekstu, lubi posługiwać się wierszem nieregularnym, w tym także sześcio- i siedmiozgłoskowcem.

Poematy

Poemat prozą. Gatunek dobrze znany romantykom (*Księgi narodu i pielgrzymstwa polskiego* Mickiewicza, *Anhelli* i *Genezis z Ducha* Słowackiego), w okresie modernizmu ogromnie popularny, uprawiany m.in. przez Kasprowicza, Tetmajera, Przybyszewskiego, Żeromskiego. W literaturze europejskiej najbardziej znane poematy prozą stworzyli w XIX w.: Baudelaire (*Paryski spleen*), Rimbaud (*Iluminacje*), Aloysius Bertrand (*Nocny Kaspar*), Lautréamont (*Pieśni Maldorora*). Miciński napisał kilkanaście poematów prozą, większość z nich to utwory wizjonerskie (**Panteista, Pieśń triumfującej miłości**), fragmentaryczne zapisy snów, halucynacji, impresji. W stylistyce nawiązują często do prozy biblijnej, niekiedy przypominają nowelę fantastyczną (**Dolina mroku**).

W 1907 r. powstał poemat **Niedokonany** (wydany dopiero w 1931 r.), najważniejszy w dorobku autora. Jego bohaterem (i jednocześnie narratorem) jest „Pan konających", „Archanioł pychy", „Zatraciciel" — Lucyfer, w osobie którego walczą dwie siły: twórcza i niszczycielska. Szatan to bóg błędu, niedoskonałości, kreator świata jak ze snu. Tragizm Lucyfera polega na niemożności doprowadzenia któregokolwiek ze swych dzieł do końca. Jest on „niedokonany" w podwójnym znaczeniu: po pierwsze, jako anioł, brat czy nawet syn Boga, odrzucający własne anielstwo; po drugie, „niedokonany" jako demon, który nie potrafi wyzbyć się myśli o Bogu.

W nauce chrześcijańskiej Lucyfer kierowany pychą wstępuje na drogę zła. U Micińskiego — pragnie tylko kroczyć własną drogą, zmierzając ku temu, co sam uważa za dobro. W niezwykłej scenerii opisanej w poemacie, na pustyni, kuszony Chrystus milczy, przemawia jedynie szatan. Utwór dopuszcza wiele możliwości — zarówno wersję, że Chrystus jest człowiekiem, a nie Bogiem, jak i ewentualność, że Lucyfer i Syn Boży to jedna i ta sama osoba.

Powieści

- typ powieści „inicjacyjnej", której tematem jest wtajemniczenie bohatera, dostarczenie młodemu adeptowi wiedzy pozwalającej odsłonić zagadkę bytu — otrzymanie wiedzy łączy się zwykle z duchową przemianą postaci
- najbardziej znane powieści Micińskiego: **Nietota. Księga tajemna Tatr** (1910), „powieść z kluczem" (opisani — m.in. Stanisław Witkiewicz, filozof Wincenty Lutosławski i sam autor), powieść fantastyczna i symboliczna; tytułowa „nietota" symbolizuje słabość narodu; **Xiądz Faust** (1913) zawiera elementy powieści politycznej (losy więźnia)
- na drodze do powieści współczesnej: dystans narratora wobec tworzywa powieściowego, narracja jako gra, parodia rozmaitych typów prozy, łączenie różnych rodzajów literackich (w *Nietocie* — wiersze i fragmenty dramatyczne, w *Xiędzu Fauście* — poematy prozą o charakterze przypowieści filozoficznych)

Dramaty

- dramat monumentalny, wykazujący liczne podobieństwa z dramatem romantycznym — swobodna kompozycja, fantastyka, sny, wizje, halucynacje — autor nie liczy się z możliwościami teatru (objętość utworu!), dowolność w traktowaniu autentycznych zdarzeń (celem wizja, a nie rekonstrukcja)
- tematy bardzo różnorodne: **Kniaź Patiomkin** (1906), utwór współczesny; **W mrokach złotego pałacu, czyli Bazylissa Teofanu** (1909), tragedia historyczna z akcją w średniowiecznym Bizancjum; **Termopile polskie** (1914), dramat symboliczny związany z osobą księcia Józefa Poniatowskiego
- myślenie o historii: w *Kniaziu Patiomkinie* próba oceny rewolucji 1905 r. (tematem utworu jest bunt marynarzy rosyjskich z pancernika „Potiomkin", wydarzenie uwiecznione także w sławnym filmie Eisensteina) — niejednoznaczna, rewolucja jako „ciemny zasiew przyszłości"; w *Termopilach* proroctwo — „narodzić się musi Nowy Bóg, który nie dopuści tych zbrodni"

„Nikt tak nigdy nie patrzał..."

BOLESŁAW LEŚMIAN

1877(?)–1937

- prawdziwe nazwisko: Lesman, urodzony w Warszawie, uczył się i studiował (prawo) w Kijowie — związany kolejno z Warszawą, Hrubieszowem (4 lata jako notariusz), Zamościem, pod koniec życia znów w Warszawie
- poeta, dramaturg, tłumacz, eseista (początkowo pisał także wiersze po rosyjsku)
- był towarzyski, dowcipny, skromny, lubił gotować — w międzywojniu niedoceniany, choć miał też swoich wielbicieli (Tuwim składał Leśmianowi hołd, całując go w rękę)
- wczesna twórczość Leśmiana: krąg „Chimery" — inspiracje: Nietzsche i Bergson, baśnie ludowe, poezja symbolistów — bohaterami utworów niewidzialne dziewczyny, czarownice, „króle, damy i pazie", „oddaleńcy" poszukujący Tajemnicy, czciciele „nieznanego Boga" — tom wierszy **Sad rozstajny** (1912)

Swą pozycję w literaturze polskiej ugruntował obszernym zbiorem poezji **Łąka** (1920). Zawiera on m.in. sławne cykle: *W malinowym chruśniaku* i *Ballady*. Pierwszy z wymienionych przełamuje młodopolską konwencję pisania o miłości. Leśmian kreśli obrazy niemal sielankowe, prowadzi swoją ukochaną do Arkadii, gdzie rosną tajemnicze lasy i ogrody, w których pojawiają się nierealne zwierzęta. Tworzy lirykę bardzo delikatną, a przy tym urzekająco piękną („Sama ścielesz swe łóżko według swych zamiarów, by szczęściu i pieszczotom było w nim wygodnie"). *Ballady* (m.in. *Ballada dziadowska, Dusiołek, Świdryga i Midryga*) bliskie są ludowej wizji świata, przy czym korzysta Leśmian z folkloru różnych narodów. Utwory te stanowią kompletne zaprzeczenie ballad romantycznych, zarówno w sferze języka poetyckiego, jak i metafizyce śmierci.

Tytułowy poemat zbioru, *Łąka*, wprowadza częste u autora zakłócenie hierarchii bytów. Zaciera się granica między roślinami, zwierzętami, martwymi przedmiotami a ludźmi („ludzie-mgły, ludzie-jaskry i ludzie-jabłonie"). Obiektem miłości narratora jest tu... łąka. Najprawdziwsza, „z rosą i błonią", ziołami i kwiatami.

- w okresie następnych kilkunastu lat Leśmian tworzył na marginesie, nie wiążąc się z żadnymi grupami poetyckimi, pozostając w cieniu najpopularniejszych; łaskawsze czasy nastały dopiero w połowie lat trzydziestych

---

Ostatnim wydanym za życia Leśmiana tomem był **Napój cienisty** (1936). Przynosił kilka znakomitych, przedrukowywanych później w wielu antologiach wierszy, m.in. **Dziewczyna, Znikomek, Srebroń**. Prawdziwą perłą liryki polskiej jest **Urszula Kochanowska** — niezwykła kontynuacja *Trenów* Kochanowskiego, jakże różna od pierwowzoru! *Napój cienisty* powtarza, a niekiedy pogłębia tradycyjne tematy Leśmiana. Świadczy, że autor pozostał do końca niewrażliwy na zmiany zachodzące w polskiej poezji międzywojennej.

Pośmiertnie ukazał się jeszcze zbiór **Dziejba leśna** (1938), a całkiem niedawno odkryto Leśmiana-dramaturga.

- dramat poetycki **Zdziczenie obyczajów pośmiertnych**, dwa dramaty „mimiczne", bez słów: **Pierrot i Kolombina** oraz **Skrzypek Opętany** — akcja pierwszego rozgrywa się w czasie, „gdy słów nie było, a wszyscy się nawzajem rozumieli", drugiego — „w owych intermediach istnienia, gdy słów nie bywa, a wszyscy się nawzajem rozumieją"

Pejzaże

Z pozoru w większości swoich utworów Leśmian nie
wykracza poza pejzaż wiejski, swojski, tyle razy już
opisywany przez poetów i prozaików. Wszystko jest tu
bardzo pospolite — z kwiatów bratki, jaskry, maki,
z roślin nawet „kosmate łopuchy i pokrzywy", spośród
zwierząt: wiewiórki, myszy, szczury(!). Poeta uwielbia
owady — świerszcze, żuki, bąki, pszczoły, motyle.
Prostota i swojskość to oczywiście pozory. Leśmian nie
opisuje bowiem konkretnych pejzaży, a z elementów
znanej nam rzeczywistości jego wyobraźnia
wyczarowuje niezwykłe światy. Oto banalny niemal
wiatrak „poskrzypuje drewnianą w tańcu krynoliną",
zaś „na śmietniku skrzy się drogocennie potłuczonych
resztka okularów".
Poetycką wizję Leśmiana przenika paradoks:
przeciwieństwa nie tyle zmagają się ze sobą, co
w sposób konieczny uzupełniają się wzajemnie.
Pełnia, „nadmiar", zamienia się niepostrzeżenie
w pustkę, próżnię, „bezbyt". Nie jest to jednak
młodopolska otchłań Tajemnicy, nie porusza, nie
przeraża. Bohaterowie Leśmiana czują się w niej
„jak u siebie w domu". I nie może być inaczej,
skoro kategorie „wielkości" i „znikomości" też
zostały zakwestionowane. W wierszu **Dwoje
ludzieńków** znika nie to, co najmniejsze
(„ludzieńki"), lecz to, co najpotężniejsze: miłość,
Bóg, świat. Podobnie patrzeć powinniśmy na
pojęcia piękna i brzydoty. W **Balladzie
dziadowskiej** kusząca rusałka jest „pokuśnicą
obrzydłą", jej ofiarą pada zaś nie młodzieniec
piękny i młody, lecz stary żebrak z drewnianą kulą.
Dopełnieniem miłości jest śmierć, opisywana
w konwencji mało przypominającej barokową czy
młodopolską. Jaka to konwencja? Chyba
— surrealistyczna (**Wiśnia, Świdryga i Midryga,
Piła**).

„Filozofia"

Dzieło poetyckie różni się zasadniczo od traktatu
filozoficznego. Mimo wszystko Leśmian jest
jednym z najbardziej „filozoficznych" polskich
poetów. Oryginalna (choć czerpiąca inspiracje
z filozofii Bergsona i mądrości Wschodu)
metafizyka Leśmiana ukazuje niezliczone
metamorfozy bytu zawieszonego między istnieniem
a nicością. Świat poetycki autora *Łąki* zaludniają
postaci nierealne, baśniowe: dusiołki, znikomki,
rusałki, upiory — istoty żyjące na granicy między
światem i zaświatami.
W filozoficznych refleksjach Leśmiana najważniejsza
jest jednostka ludzka. „Człowiek statystyczny" to jego
zdaniem pojęcie urojone, liczy się nade wszystko
twórcza indywidualność, a nie tłum, społeczeństwo czy
naród. Antagonizm między jednostką a zbiorowością
zaznacza się nawet w odmiennym sposobie
przeżywania czasu — tylko jednostka potrafi zamienić
chwilę w wieczność.

Język

W swej teorii języka poetyckiego Leśmian
przeciwstawia mowę „codzienną" — językowi
indywidualnemu („słowo wyzwolone"). Poeta
poszukuje tego, co pierwotne, głosi ideę jedności
człowieka i natury. Słowo poetyckie nie tyle opisuje
świat zewnętrzny czy wrażenia, lecz p o z n a j e,
zgłębia zagadkę bytu.
Zwłaszcza w swych późniejszych zbiorach Leśmian
zrywa z młodopolskim symbolizmem, zbliża się
natomiast do symbolistów rosyjskich. Zamiast pojęć
posługuje się obrazami ilustrującymi płynność form
(egzystencja jest wiecznym „stawaniem się").
Troska o stronę dźwiękową wiersza wynika
u Leśmiana z wiary, że poezja oddaje w ten sposób
pierwotny rytm istnienia.

TEATR MŁODEJ POLSKI

Teatr Miejski w Krakowie

Ożywienie życia teatralnego w Krakowie następuje już w latach siedemdziesiątych XIX w. (okres dyrekcji Stanisława Koźmiana, inscenizacje sztuk Szekspira, występy Modrzejewskiej, premiery komedii Bałuckiego).

Dla Teatru Miejskiego okres świetności rozpoczyna się w 1893 r., gdy dyrektorem zostaje Tadeusz Pawlikowski (jego następcami będą znani aktorzy: Józef Pawlikowski i Ludwik Solski). Tutaj zagrano po raz pierwszy *Kordiana* (1899), całość *Dziadów* (1901), *Nie-Boską komedię* (1902). Tutaj odbywały się premiery najnowszych sztuk Kisielewskiego, Przybyszewskiego, Zapolskiej (*Moralność pani Dulskiej*), Wyspiańskiego (m.in. *Wesele* i *Wyzwolenie*). Pracowano bardzo szybko: czasem już w miesiąc po dostarczeniu tekstu przez autora teatr był gotowy do premiery! Na scenie występowali świetni aktorzy: Wanda Siemaszkowa, Stanisława Wysocka, Ludwik Solski, Karol Adwentowicz.

Dramaturgia młodopolska

- dramat naturalistyczny — Zapolska (dramat ważnych, często wstydliwie ukrywanych problemów społecznych, rozgrywający się w konkretnym środowisku)
- młodopolski dramat obyczajowy — Kisielewski (programowo antymieszczański, dokonujący obrachunków także z młodopolskim mitem artysty)
- dramat psychologiczny — Przybyszewski, Rittner (pokazujący życie wewnętrzne jednostki, czasem odwołujący się do symbolizmu „dramat nastrojów")
- dramat poetycki — Wyspiański, Miciński (rzadko współczesny, akcja przeważnie umiejscowiona w przeszłości albo w odrealnionej scenerii, bogactwo symboli, poetycki język)
- dramat historyczny — Rostworowski (pełen odniesień do współczesności, opozycyjny zarówno wobec dramatu romantycznego, jak i tradycji klasycyzmu)

Typowa komedia młodopolska ma znaczenie drugorzędne, uprawiał ją (nie bez sukcesu) **Włodzimierz Perzyński**.

Przytoczony wyżej podział jest umowny — większość dramatów okresu Młodej Polski stanowi mieszaninę różnych gatunków teatralnych i stylów (naturalizm, symbolizm, impresjonizm, ekspresjonizm).

1898 — Wyspiański: *Warszawianka*
1899 — Kisielewski: *Karykatury*
           Kisielewski: *W sieci*
1901 — Wyspiański: *Wesele*
1903 — Przybyszewski: *Śnieg*
           Wyspiański: *Wyzwolenie*
1906 — Zapolska: *Moralność pani Dulskiej*
1908 — Wyspiański: *Noc listopadowa*
1909 — Miciński: *W mrokach złotego pałacu, czyli Bazylissa Teofanu*
1910 — Rittner: *Głupi Jakub*
1913 — Rostworowski: *Judasz z Kariothu*
1916 — Rittner: *Wilki w nocy*
Podajemy datę premiery, przy Micińskim — datę wydania książkowego.

Pisarze

Tadeusz Rittner (1873–1921). Pisarz dwujęzyczny (polsko-niemiecki). Mistrz scenicznego nastroju i analizy psychologicznej. Nie gardził sensacyjną fabułą (**W małym domku, Wilki w nocy**). Swoje utwory nazywał czasem „komediami", choć tak wiele w nich tragizmu (**Głupi Jakub**). Satyryczne obrazy środowiska ziemiańskiego i mieszczańskiego kreślił w poetyce bliższej Dostojewskiemu niż naturalistom. Był również utalentowanym i niesłusznie zapomnianym powieściopisarzem (**Drzwi zamknięte, Most**).

Jan August Kisielewski (1876–1918). Autor dramatów **Karykatury** i **W sieci**. Ani bohater pierwszego (Relski), ani bohaterka drugiego utworu („szalona Julka") nie są w stanie doprowadzić swojego buntu do końca. Oboje są więźniami mieszczańskich konwenansów. Kisielewski odsłonił przenikliwie słabości młodego pokolenia inteligencji polskiej. Okazał się jednak gwiazdą jednego sezonu i sukcesu wymienionych sztuk nigdy nie powtórzył.

Karol Hubert Rostworowski (1877–1938). Kreowany na następcę Wyspiańskiego, nie spełnił oczekiwań publiczności. Jego najlepszy dramat to **Judasz z Kariothu**. Temat zdrady Chrystusa ujęty został bardzo oryginalnie: Judasz jest nie tyle zdrajcą, co słabym człowiekiem, zastraszonym sklepikarzem uwikłanym w sieć intryg.

 STANISŁAW WYSPIAŃSKI
➡ TADEUSZ MICIŃSKI
➡ MŁODOPOLSKIE LEGENDY I PORACHUNKI
⬇
STANISŁAW PRZYBYSZEWSKI

*„...jest świat bardzo dziki jeszcze,
bardzo brzydki i błotnisty..."*

GABRIELA ZAPOLSKA

1857–1921

- z domu Korwin-Piotrowska, urodzona w rodzinie ziemiańskiej na Ukrainie, życie miała dość burzliwe: dwa małżeństwa i dwa rozwody, skandale, procesy, polemiki prasowe (m.in. ze Świętochowskim), stała się nawet przyczyną pojedynku
- początkowo raczej aktorka niż pisarka, grywała w Warszawie i we Lwowie, w Poznaniu i Lublinie, w Paryżu i Petersburgu — ze sceny zeszła dopiero po czterdziestce: za wcześnie, by wystąpić w roli... pani Dulskiej
- w prozie — miłośniczka Zoli, naturalistka (powieść **Kaśka Kariatyda** ukazująca losy panny służącej, **Sezonowa miłość**, obraz „strasznych mieszczan" na wakacjach w Zakopanem, tom nowel **Menażeria ludzka**)
- w teatrze — także naturalistka, skłócona z pozytywistami i krytyką konserwatywną, antymieszczańska podobnie jak artyści młodopolscy, pisywała komedie — niezbyt śmieszne (**Żabusia, Ich czworo**), po raz ostatni wywołała awanturę sztuką **Panna Maliczewska** (o tarapatach młodej aktorki)

Dulska w kostiumie antycznym?

W dzisiejszym repertuarze teatralnym znajdziemy kilka utworów Zapolskiej, ale żaden nie dorównuje **Moralności pani Dulskiej** (wyd. książkowe 1907 r.). „Tragifarsa kołtuńska" (według określenia samej autorki) odnosi ciągle triumfy na scenach całego świata, nie wyłączając Chin i Argentyny. „Dopełnienie Moliera" zdaniem Boya-Żeleńskiego, „arcydzieło Zapolskiej" (Słonimski), „*Zemsta* epoki mieszczańskiej". Tylko złośliwiec Karol Irzykowski uznał *Moralność pani Dulskiej* za odwet literatki-awanturnicy (czyli Zapolskiej) na kobiecie przyzwoitej, która pragnie wieść spokojne życie.

Kiedy podnosi się kurtyna, widzimy wnętrze prawdziwego mieszczańskiego domu — z landszaftami na ścianach, mahoniową serwantką, zegarem wybijającym godziny. Niepodzielną władzę w tym domu sprawuje pani Dulska. Na pozór troskliwa matka, wzorowa gospodyni, kobieta z zasadami. A w rzeczywistości — ponury babsztyl w papilotach i brudnym dezabilu, rozplotkowany, dwulicowy, despotyczny.

Właściwie wszyscy mają jej dosyć. Przeciw jej rządom protestuje syn Zbyszko, chodząc na nocne lumpki i robiąc dziecko służącej Hance (o miłości raczej nie ma tu mowy). Protestują córki, Hesia i Mela, oddając się różnym niedozwolonym (na razie jeszcze niewinnym) rozkoszom. Małżonek pani Dulskiej, Felicjan, protestuje nie odzywając się w ogóle, dopiero przy końcu II aktu zdobywa się na odwagę, by wygłosić słynne zdanie: „A niech was wszyscy diabli!!!"

Dulskiej wszyscy mają dosyć, a przecież w finale odnosi ona łatwe zwycięstwo. Zbyszko nie ożeni się z Hanką, Hanka nie powiesi się z rozpaczy, tylko przyjmie pieniężną rekompensatę i zniknie, panienki wrócą grzecznie do fortepianu, a małżonek do milczących spacerów po mieszkaniu. Znów będzie można „zacząć żyć po bożemu".

Podobno krakowscy mieszczanie bawili się doskonale na premierze *Moralności pani Dulskiej*. I nic w tym dziwnego — ostatecznie rodzinne skandale są bardzo zabawne, dopóki nie dotyczą naszego własnego domu.

„W Świątynię wszedłem wielką, ciemną..."

STANISŁAW WYSPIAŃSKI

Urodzony 1869
w Krakowie, syn rzeźbiarza, prawdziwego „zmarnowanego" artysty, dzieciństwo miał
ponure (obłęd matki, nałóg ojca).

rok życia

10 Uczy się w krakowskim gimnazjum Św. Anny. Wśród kolegów — sławni w przyszłości: malarz Józef Mehoffer i poeta Lucjan Rydel (to jego wesele trafi w przyszłości dzięki Wyspiańskiemu do historii literatury polskiej). Już w szkole ujawnia talent plastyczny, a w wieku 17 lat pisze swój pierwszy dramat (**Batory pod Pskowem**).

18 Rozpoczyna studia w krakowskiej Szkole Sztuk Pięknych (jednym z jego nauczycieli jest Jan Matejko), równocześnie słucha wykładów na Uniwersytecie Jagiellońskim.

21 Podróż zagraniczna (Austria, Włochy, Szwajcaria, Francja, Czechy, Niemcy). We Francji podziwia gotyckie katedry, w Niemczech ogląda dramaty muzyczne Wagnera. Do Paryża wyjeżdżać będzie jeszcze kilkakrotnie, pobierając nauki, studiując dzieła współczesnych malarzy i... cierpiąc niedostatek, a nawet głód.

25 Pierwsza wielka miłość — do Zofii Pietraszkiewiczówny, panny z dobrego domu. Oświadczyny i... odmowa! Czyż początkujący artysta mógł stanowić dobrą partię? Wkrótce kolejny zawód miłosny. Powodzenie u kobiet miał zawsze, ze szczęściem w miłości bywało różnie.

28 Zachęcony przez Stanisława Przybyszewskiego obejmuje funkcję „kierownika artystycznego" krakowskiego „Życia", organu modernistów. Nada pismu charakterystyczną, zgodną z estetyką młodopolską, oprawę graficzną.

29
Teatr Miejski w Krakowie wystawia **Warszawiankę**. Jest to krótka, w zasadzie jednoaktowa sztuka określona w podtytule jako *Pieśń z roku 1831*. Akcja rozgrywa się w okresie powstania listopadowego, w szlacheckim dworku, gdzie słychać odgłosy toczącej się właśnie bitwy pod Olszynką Grochowską. Kompozycja sceny przypomina „żywy obraz": na wysokim postumencie popiersie Napoleona, obok grupa oficerów (w tym generałowie: Chłopicki i Skrzynecki), przy klawikordzie dwie dziewczyny: Maria i Anna, których narzeczeni uczestniczą w bitwie. Przez cały czas akcji rozbrzmiewa *Warszawianka*, pieśń Delavigne'a. Z wiarą młodych zapaleńców ruszających do boju po sławę i śmierć kontrastuje „antyromantyczna" postawa Chłopickiego. W „malowniczości zgonu" generał widzi „ukryty miazm rozstroju i rozkładu". Ofiarą porachunków między wodzami pada narzeczony Marii, wysłany na bezsensowną i niepotrzebną śmierć. Wiadomość o nieszczęściu przynosi Stary Wiarus (słynna niema rola Ludwika Solskiego). Maria zmusza Chłopickiego do objęcia dowództwa nad powstaniem.
Warszawianka jest pierwszym w teatrze polskim utworem działającym głównie poprzez nastrój, opartym na zasadach kompozycji muzycznej.

30 Żeni się z Teofilą Spytkówną („Prosta, wiejska kobieta bez wykształcenia. Duża, mocno zbudowana, lubiła się pięknie po krakowsku wystroić, robiła wrażenie ogólnie mocnej baby wiejskiej").
Klątwa, a później **Sędziowie** (1907) — dwa dramaty współczesne, których akcja rozgrywa się na wsi, przypominają bardziej tragedię antyczną niż próbę podjęcia tematu ludowego. W *Sędziach* — zastosowanie stylizacji biblijnej, w *Klątwie* — osobliwe wykorzystanie gwary.

31 Ukazuje się **Kazimierz Wielki** — rapsod historyczny, próba odnowienia poezji epickiej. Nazwa gatunku nawiązuje do podzielonego na „rapsody" poematu Słowackiego *Król-Duch*.
W listopadzie uczestniczy w ślubie, a następnie weselu swego przyjaciela Lucjana Rydla. Po powrocie z Bronowic siada do pracy. Nowy dramat powstaje w niewiarygodnym wprost tempie — premiera już 16 marca 1901 r. w Krakowie
➡ WESELE.

33 Docent w krakowskiej Akademii Sztuk Pięknych. Przez całe życie uprawiał różne dziedziny sztuki: malował portrety, pejzaże, zajmował się grafiką, projektował witraże i... meble. Nominacja nadeszła za późno — w okresie, gdy artysta był już ciężko chory. Ostatnie lata życia upłyną w straszliwych męczarniach.

34 Premiera **Wyzwolenia**, najtrudniejszej sztuki Wyspańskiego. Jest ona obrachunkiem pisarza z wielką poezją romantyczną, a jednocześnie krytyką współczesności („skarżeniem, chłostą i spowiedzią"). W tekście liczne nawiązania do twórczości Mickiewicza, Słowackiego, Krasińskiego, wśród rekwizytów — złota harfa z *Lilli Wenedy* i złoty róg z *Wesela*. Główny bohater, Konrad z *Dziadów* przeniesiony do rzeczywistości początku XX w., pojawia się ubrany w czarny płaszcz, skuty kajdanami. Akcja pierwszego aktu rozgrywa się na scenie krakowskiego teatru. Prócz Reżysera, Muzy i Robotników występują przedstawiciele różnych stronnictw (obrońcy szlacheckiego mitu, lojaliści, krakowscy „stańczycy", mesjaniści), wszyscy osądzeni bardzo surowo. W drugim akcie Konrad stacza pojedynek z bezimiennymi Maskami, w trzecim — rozgrywającym się w podziemiach Katedry na Wawelu — jego przeciwnikiem jest Geniusz, symbol poezji romantycznej, teatralny manekin „niegdyś żywy, dziś niezdolny do czynu".

W trakcie dramatu następuje dojrzewanie idei Konrada. Głoszone przez Geniusza wyzwolenie przez cierpienie i śmierć („wyzwolenie duchem") pragnie on zastąpić wyzwoleniem rzeczywistym, manifestacją siły i odzyskaniem niepodległości („Naród ma jedynie prawo być jako PAŃSTWO"). Konrad potępia „czczy dym", poezję usypiającą i osłabiającą Polaków („POEZJO, PRECZ!!!! JESTEŚ TYRANEM!!"). W finałowym pojedynku symbolem dążeń Konrada jest pochodnia (światło, życie), program Geniusza symbolizują królewskie groby (ciemność, śmierć).

Zwycięstwo bohatera nie jest przecież całkowite. W epilogu autor przypomina, że nadal jesteśmy w teatrze, że zamiast czynu otrzymaliśmy spektakl, a zamiast bohaterstwa — rolę sceniczną. W monumentalnym dramacie (ponad 50 postaci!) poezja miesza się z publicystyką. Oryginalną formę otrzymały didaskalia, są one właściwie wierszowanym komentarzem odautorskim.

Dramat **Bolesław Śmiały**, ważny dla poznania filozofii pisarza. Tytułowy bohater tragedii symbolizuje poszukiwanie „woli mocy" (reminiscencje popularnej w okresie Młodej Polski myśli Fryderyka Nietzschego).

35 **Noc listopadowa** (premiera dopiero za cztery lata), podobnie jak *Warszawianka*, dotyczy powstania 1830 r. Geneza utworu wiąże się z krótkim (i jedynym!) pobytem artysty w Warszawie, zimą 1898 r., zwiedzaniem Łazienek i Starego Miasta. Akcja dramatu rozgrywa się w noc wybuchu powstania, zapoczątkowanego szturmem na Belweder. Wśród bohaterów — postacie autentyczne (Chłopicki, Wysocki, Lelewel, w. książę Konstanty). Podobnie jak w *Dziadach* czy *Kordianie* ludziom tworzącym historię towarzyszą istoty nadprzyrodzone — greccy bogowie i boginki (m.in. Nike, Pallas Atena). Za kluczową scenę w planie mitologicznym uznaje się zwykle pożegnanie Kory przez Demeter. Kora zstępuje do podziemi Hadesu, by wiosną znów powrócić na ziemię („Umierać musi, co ma żyć"). Grecki mit dotyczy cyklu pór roku, podobnie układają się jednak losy narodu — uśpionego, a przecież żyjącego nadzieją („Kiedyś — będziecie wolni!"). Do najważniejszych inscenizacji *Nocy listopadowej* należy krakowskie przedstawienie w reżyserii Andrzeja Wajdy (1974).

36 Paraliż uniemożliwia mu chodzenie („Maszyniści teatralni wnosili go na krześle do teatru. Wielki duch trzepotał się ledwie w zamierającym ciele").

38 Wiosną choroba czyni dalsze postępy. Ostatnie spotkanie z pisarzem tak relacjonowała Stanisława Wysocka: „Nareszcie wtoczono go na wózku — ubranego w serdak i widocznie świeżo przyczesanego i umytego. Bolesny to był widok: twarz zniekształcona przez zapadnięcie się chrząstki nosowej — figurka wychudzona, maleńka — wymowa bełkocąca. Ale za to jaka świeżość umysłu." W ostatnich dniach życia pracuje nad dramatem **Zygmunt August**. Umiera przedwcześnie, 28 listopada 1907 r.

Teatr Wyspiańskiego

- teatr poetycki — Wyspiański stworzył osobliwy język dla swego teatru — patetyczny, stylizowany, programowo „sztuczny", przeciwstawiający się mowie codziennej, język „rytualny"
- teatr malarskiej wizji — „Architektura, Malarstwo i Dramat w jedność spojone" — rozbudowane didaskalia, często wskazówki dotyczące scenografii, projekty kostiumów
- teatr nastroju, teatr wrażenia — Wyspiański był w zupełnie innej sytuacji niż romantycy, praktyka teatralna nie była mu obca, mógł uczestniczyć w przygotowaniach do inscenizacji własnych sztuk

- teatr fantastyczno-symboliczny (w *Akropolis* i *Nocy listopadowej* spotykają się postacie mitologiczne i historyczne, dzieje Polski traktowane jako mit m.in. w *Weselu*, bogactwo symboli w *Wyzwoleniu*)
- teatr antyromantyczny? — do pewnego stopnia; akceptacji cierpienia, słabości, ofiary przeciwstawił Wyspiański — podobnie jak niemiecki filozof Nietzsche — „wolę mocy" (w dramacie **Bolesław Śmiały** te dwa stanowiska reprezentują antagoniści: biskup i władca)

WESELE

Plotka i rzeczywistość

Ślub Lucjana Rydla, młodopolskiego poety i dramaturga, z panną Jadwigą Mikołajczyk odbył się 20 listopada 1900 roku w Krakowie, w kościele Mariackim. Wesele — w Bronowicach pod Krakowem — trwało podobno trzy dni. Wyspiański obserwował tylko początek uroczystości. Przybył na wesele z żoną i córką. Ubrany w czarny surdut, z szyją owiniętą chustką, stał przy piecu, obserwując tańczących w chacie gości. Wkrótce potem dramat był gotowy. Czytelnicy otrzymali go wiosną następnego roku. Zgodnie z pierwotnym pomysłem autora, postacie nosić miały a u t e n t y c z n e nazwiska! Z zamierzenia tego Wyspiański miał się wycofać pod naciskiem dyrekcji teatru. Krakowska publiczność i tak rozszyfrowała prototypy bohaterów *Wesela*, a dla potomności wszelkie niedyskrecje utrwalił Tadeusz Boy-Żeleński (esej *Plotka o „Weselu" Wyspiańskiego*).

Krąg inteligencki

Gospodarz. Włodzimierz Tetmajer, malarz i poeta. W 1900 r. miał prawie 40 lat i był już od 10 lat żonaty. To dzięki niemu Bronowice stały się wsią odwiedzaną chętnie przez krakowską cyganerię artystyczną.

Pan młody. Lucjan Rydel, syn profesora uniwersytetu. 30 lat. Umarł młodo, kilkanaście lat po ślubie.

Poeta. Kazimierz Przerwa Tetmajer. Przyrodni brat Włodzimierza. Wielkie powodzenie u kobiet.

Dziennikarz. Rudolf Starzewski. 30 lat.

Redaktor i recenzent krakowskiego „Czasu", organu konserwatystów.

Radczyni. Profesorowa Domańska, ciotka Rydla.

Haneczka. Siostra Rydla.

Zosia, Maryna. Siostry Pareńskie, córki lekarza.

Nos. Prawdopodobnie malarz Tadeusz Noskowski, postać Nosa utożsamiano jednak z osobą Stanisława Przybyszewskiego.

Krąg chłopski

Gospodyni. Hanna Tetmajerowa z Mikołajczyków. 27 lat. Jej małżeństwo było udane, Tetmajerowie żyli jednak w biedzie.

Panna młoda. Jadwiga (Jagusia) Mikołajczykówna, siostra Hanny. 17 lat.

Marysia. Trzecia z sióstr, podobno najładniejsza i najbardziej pechowa.

Klimina, Czepiec. Postacie autentyczne, a mówiąc dokładniej — rozszyfrowane przez komentatorów.

Rachela. Pepa Singer, córka bronowickiego karczmarza, miała w 1900 r. zaledwie 15 lat. Wydaje się, że autorowi chodziło o inną, znacznie starszą dziewczynę.

Spośród wymienionych obrazili się na Wyspiańskiego Gospodarz, Pan Młody i Czepiec (za wysokość sumy, jaką miał proponować muzykantom). Nie pogniewał się natomiast Dziennikarz i to między innymi dzięki jego artykułom *Wesele* stało się sławne.

Słynne zdania z *Wesela*

1. Niech na całym świecie wojna [...] byle polska wieś spokojna.
2. Duza by juz mogli mieć, ino oni nie chcom chcieć!
3. Sami swoi, polska szopa.
4. Słowa, słowa, słowa, słowa.
5. Jak się żenić, to się żenić.
6. A tu pospolitość skrzeczy.
7. Chłop potęgą jest i basta.
8. Kto mnie wołał, czego chciał?
9. Co się w duszy komu gra, co kto w swoich widzi snach.
10. Świętości nie szargać, bo trza, żeby święte były.
11. Chopin gdyby jeszcze żył, toby pił.
12. Z biegiem lat, z biegiem dni.
13. A to Polska właśnie.
14. Ostał mi się ino sznur.
15. Ja muzykę zacznę sam, tęgo gram, tęgo gram.
16. Miałeś chamie, złoty róg.

KTO JE ? WYPOWIADA

Akt I

Posiada wszelkie cechy komedii obyczajowej, jednej z najświetniejszych w literaturze polskiej. Składa się aż z 38 scen wypełnionych dialogami prowadzonymi w niezwykłym dla tradycji teatralnej tempie. Może rację mają znawcy twierdząc, że *Wesele* jest „filmowe"? I akt zapoznaje nas z bohaterami. Daje przy tym przekrój całego społeczeństwa polskiego, ujawnia istniejące antagonizmy: inteligencko-chłopski, polsko-żydowski, miejsko-wiejski, antagonizm między wykształconymi i niewykształconymi, nawet — między mężczyzną a kobietą. Scena 29 to jakby powtórka (po wiekach) Rejowej debaty między panem, wójtem a plebanem. Miejsce pana zajął żydowski karczmarz. Bardzo wymowna zmiana.

Akt II

Porzucamy poetykę realistyczną. Na scenę wchodzą widma — czy są one projekcją myśli, marzeń i lęków, czy też postaciami przybywającymi z zaświatów, dokładnie nie wiadomo. Od lat biedzą się nad tym inscenizatorzy *Wesela*. Zwróćmy uwagę, że widma (oprócz wszędobylskiego Chochoła) wybierają tylko jedną postać jako obiekt szczególnego zainteresowania.

Marysia — Widmo
Aluzja do osobistej tragedii, jaka spotkała dziewczynę (przedwczesna śmierć narzeczonego).

Dziennikarz — Stańczyk
Rozpoczyna się dyskusja o polskich dziejach. Czy wolno je objaśniać tak, jak czyni to krakowska szkoła historyczna?

Poeta — Rycerz
Rycerzem jest Zawisza Czarny, symbolizujący zaprzepaszczone tradycje Polski rycerskiej i czas jej największej świetności.

Pan Młody — Hetman
Polska rycerska staje się Polską sarmacką, w gruncie rzeczy rządzoną przez magnatów, odpowiedzialnych za upadek państwa. Dlaczego Hetman wybiera właśnie Pana Młodego? Czy dlatego, że to on (za namową Poety) zaprosił na wesele Chochoła?

Dziad — Szela (Upiór)
Sarmackie błędy i przywary prowadzić muszą w końcu do buntu i bratobójczej walki. Szela przywołuje pamięć Polski chłopskiej, która wywołała tragiczną rzeź galicyjską 1846 r.

Gospodarz — Wernyhora
Wraz z jego pojawieniem się odżywają polskie nadzieje. Budzi się myśl o powstaniu, w którym weźmie udział cały naród polski.

Akt III

Jego zakończenie jest tak sugestywne,
że przytłacza początek, w którym raz jeszcze
wytknął autor społeczeństwu jego wady:
pijaństwo, marzycielstwo, nierówności
społeczne, chłopskie pieniactwo,
zmieszczanienie i nieudolność inteligencji,
dekadenckie nastroje artystów.

Realizm znów ustępuje, odtąd na scenie panują
już niepodzielnie zjawy, wizje i symbole.
W kreśleniu obrazów wizji pisarz nawiązuje
wyraźnie do romantyków (kosynierzy pod
Krakowem, krwawa zorza na niebie,
symboliczne ptaki: kogut i kruk). Symbole są
wieloznaczne, ich niezwykłość polega na fakcie,
że od pewnego momentu to symbole posługują
się ludźmi, a nie na odwrót.

Złoty Róg. Ma moc magiczną. Zapewnia
zwycięstwo, siłę i jedność narodu. Oznaczać
może również to, co najlepsze z naszej
przeszłości.

Chochoł. Widmo i symbol zarazem, a także
konkretny przedmiot, który na początku
dramatu stoi w ogrodzie, nie przykuwając
niczyjej uwagi. Chochoł nabiera mocy dopiero
wówczas, gdy z winy Jaśka i po części
lekkomyślnego Gospodarza ginie Złoty Róg.
Chocholi taniec symbolizuje bierność,
bezwład, słabość. Niektórzy przypominają, że
w swym wnętrzu słomiany Chochoł kryje
jednak różę. Spełniałby on więc podobną rolę
jak lawa z *Dziadów* Mickiewicza, a róża byłaby
w tej sytuacji odpowiednikiem „wewnętrznego
ognia".

Czapka z piór. Też wiąże się z tradycją, ale
głównie z jej zewnętrzną formą, fasadą,
dekoracją, bezużytecznym rekwizytem.

Sznur. Bez Złotego Rogu na niewiele się
przyda. Dlaczego jednak Jasiek powtarza tak
uparcie, że sznur został mu w ręku? Finezyjny
interpretator wie, że ze sznurem można robić
bardzo różne rzeczy.

„Przebyłem wiele dróg, po których dzisiaj myśl błądzi..."

STANISŁAW BRZOZOWSKI
1878–1911

- pochodził z ziemi chełmskiej, związany głównie z Warszawą, pod koniec życia zamieszkał we Florencji
- filozof, krytyk literacki (najwybitniejszy w kręgu Młodej Polski), powieściopisarz
- postać tragiczna: w 1908 r., najpewniej w wyniku prowokacji, znalazł się na liście ujawnionych agentów carskiej ochrany („sprawa Brzozowskiego"), zmarł przedwcześnie na gruźlicę

Filozof
- tradycja: marksizm, nietzscheanizm, klasyczna filozofia niemiecka (Fichte, Kant), bergsonizm, syndykalizm Sorela, pod koniec życia zbliżył się do filozofii katolickiej (Newman)
- odrzucał teorię walki klas i dyktaturę proletariatu, głosił filozofię pracy i pochwałę „czynu"
- każdy człowiek odpowiedzialny jest za rzeczywistość, w jakiej żyje — w centrum uwagi twórcza jednostka działająca w obrębie społeczeństwa
- nie pisał traktatów ani rozpraw, podstawową formą wypowiedzi był dla niego szkic polemiczny, artykuł, fragment
- najważniejsze prace (głównie zbiory szkiców): **Kultura i życie** (1907), **Idee** (1910), **Głosy wśród nocy** (1912), interesujący **Pamiętnik** (1913)

Krytyk literacki
- bojowy, agresywny, przewodził kampanii przeciwko Sienkiewiczowi (1903) i Miriamowi (1904) — w pracy **Współczesna powieść polska** (1906) ocenił pozytywnie m.in. twórczość Prusa i Orzeszkowej
- odrzucenie tradycji szlacheckiej („choroba myśli i woli"): „siedząc na tłustym połciu ziemi — szlachcic ufał swojej szabli, pyskatości swej i sprytowi. Rozum [...] był mu niepotrzebny"
- porzucenie tradycji konserwatywnej, narodowo-klerykalnej („pracę myślową nad problematami zastępowały dzwonek kościelny, opłatek i wielkanocne jajko")
- odrzucenie modernizmu

Legenda Młodej Polski (1909), zbiór „studiów o strukturze duszy kulturalnej" jest obrachunkiem pisarza z różnymi nurtami literatury polskiej (romantyzm, konserwatyzm, modernizm). Zdaniem autora Młoda Polska przejęła tylko część spuścizny po wielkich romantykach — samotnictwo, fatalizm, ucieczkę od życia („romantycy usiłowali przemóc w sobie upiora. Młodej Polsce upiór właśnie był głębią i prawdą"). Z literatury zachodniej moderniści tacy jak Miriam przyswoili głównie dzieła odwracające się od historii („bezdziejowe"). Nie wykonali też postulowanej przez Brzozowskiego pracy nad „rozbudzeniem narodu". Tom kończą obszerne analizy twórczości najwybitniejszych przedstawicieli Młodej Polski. Wysoko oceniona została poezja Kasprowicza („czysty liryzm"), krytycznie — dorobek Micińskiego; wnikliwie zanalizowane pisarstwo Żeromskiego („zrósł się on z formacją duchową, która czuje, iż życie grzebie jej świat") i Wyspiańskiego („gest myślenia rzeczywistością: sama rzeczywistość nie jest tu przemyślana").

Powieściopisarz

Z wielu względów nietypowa wydaje się powieść **Płomienie** (1908). Chociaż jej bohaterem jest Polak, Michał Kaniowski, książka dotyczy dziejów rosyjskiego ruchu rewolucyjnego. Zamiast tradycyjnej panoramy polskich losów otrzymujemy więc obraz Komuny Paryskiej i przygotowań do zamachu na cara Aleksandra II. *Płomienie* są powieścią intelektualną — pierwszą na taką skalę w naszej literaturze. Przynoszą konfrontację rozmaitych światopoglądów (materializm, katolicyzm, socjalizm, pozytywizm, romantyzm, konserwatyzm, nawet towianizm). Utwór napisany został w konwencji pamiętnika głównego bohatera i pokazuje jego drogę życiową: szybkie oddalanie się od tradycji rodzinnej (szlachecki dworek!), działalność konspiracyjną łącznie z aktami terroru rewolucyjnego, wreszcie schyłek życia upływający w poczuciu kompletnej klęski. W *Płomieniach* pojawia się cała galeria postaci autentycznych (m.in. słynny rewolucjonista Nieczajew występujący pod własnym nazwiskiem), prawdziwe są też na ogół opisywane epizody. Powieść przyniosła świeże (choć dosyć kontrowersyjne) spojrzenie na genezę ruchu socjalistycznego, uznawanego przez wielu polskich autorów za „towar importowany" (rosyjski).

Do problematyki zarysowanej w *Płomieniach* powracają inne powieści Brzozowskiego: **Książka o starej kobiecie** (1914) i **Dębina** (część pierwsza: **Sam wśród ludzi**, 1911), której akcja rozgrywa się w pierwszej połowie XIX w.

Manifesty młodopolskie:
Młoda Polska (1898). Cykl artykułów Artura Górskiego (1870–1959), opublikowany na łamach krakowskiego czasopisma „Życie". Rodzaj manifestu pokoleniowego, obrona młodej literatury (m.in. Przybyszewskiego). Krytyka wąsko pojmowanej tradycji, „filisterstwa", utylitaryzmu w literaturze.
Confiteor (1899). Artykuł Stanisława Przybyszewskiego zamieszczony w krakowskim „Życiu". „Sztuka nie ma żadnego celu." „Sztuka mająca jakiś cel moralny lub społeczny przestaje być sztuką." Artysta usytuowany „ponad tłumem, ponad światem". Dzieło sztuki nie dla „mydlarzy" oczekujących od kultury rozrywki.
Słowacki i nowa sztuka (1902). Właściwie nie manifest, lecz obszerna rozprawa Ignacego Matuszewskiego (1858–1919), jednego z czołowych krytyków literackich Młodej Polski. Słowacki (zwłaszcza z okresu mistycznego) uznany został za prekursora modernizmu. Zdaniem autora Młoda Polska spełnia rolę, jaka przypadła kiedyś romantyzmowi — jest obrońcą indywidualizmu i wolności artystycznej.

STANISŁAW PRZYBYSZEWSKI
1868–1927

„He, he..."

- człowiek-legenda: gdy u schyłku XIX w. przybywał do Krakowa, otaczała go sława artysty i nowatora, wreszcie przyjaciela ówczesnych twórców awangardowych (Strindberg, Munch, Dehmel) — w rzeczywistości był pierwszym polskim pisarzem, który zdobył popularność głównie dzięki skandalom
- skandal obyczajowy — wybujały erotyzm w teorii („Na początku była chuć. Nic poza nią, wszystko w niej") i praktyce (w pewnych okresach życia miewał po trzy stałe partnerki, w ciągu 9 lat co najmniej sześć razy został ojcem; jego pierwsza towarzyszka życia popełniła samobójstwo, druga, Norweżka Dagny, została zamordowana) — legendarny alkoholizm
- skandal artystyczny — jednoznaczna ocena pozytywizmu („nie stworzył ani jednego dzieła sztuki w Polsce"), uwielbienie dla Nietzschego stawianego na równi z Chopinem(!), niedyskrecje literackie, prowokacja jako stała strategia artystyczna, teoria „nagiej duszy" (duszy wyzwolonej spod wpływów ciała, mózgu i zmysłów) jako fundament sztuki
- skandal religijny — fascynacji demonologią, magią i procesami czarownic dał wyraz w rozprawce **Synagoga szatana** i cieszących się dużym powodzeniem publicznych wykładach
- dramaturg: **Dla szczęścia**, **Złote runo**, **Matka**

Do najpopularniejszych i ciągle grywanych dramatów Przybyszewskiego należy **Śnieg** (1903). Intryga rozgrywa się — jak często u pisarza — pomiędzy czwórką bohaterów (Ewa, Bronka, Tadeusz, Kazimierz). W abstrakcyjnej, niemal odrealnionej przestrzeni odbywają się niezwykłe gry psychologiczne. Jest „kobieta fatalna" (oczywiście — Ewa), jest także samobójstwo zdradzonej żony. *Śnieg*, pełen subtelnych napięć i nastrojów, wykazuje związki z symbolizmem. Należy do utworów stosunkowo najmniej obciążonych właściwą Przybyszewskiemu manierą stylistyczną.

- prozaik: raczej marny (powieści **Dzieci Szatana** i **Homo sapiens**); autor poematów prozą **Requiem aeternam** i **Z cyklu Wigilii** oraz doskonałej autobiografii **Moi współcześni** (1930)

MIRIAM (ZENON PRZESMYCKI)
1861–1944

Już u schyłku lat osiemdziesiątych XIX w. jako redaktor warszawskiego „Życia" przeciwstawiał się pozytywizmowi (teoria „sztuki dla sztuki"). Wydawca i redaktor miesięcznika „Chimera" (1901–1907), organu modernistów, najpiękniejszego pod względem edytorskim czasopisma w historii polskiej prasy. Wszechstronny tłumacz (francuscy symboliści i parnasiści, literatura czeska, włoska, niemiecka, amerykańska). Doskonały krytyk (sławny wstęp do *Wyboru pism dramatycznych* Maeterlincka). Popularyzator twórczości Norwida. Poza tym — poeta, ale raczej drugorzędny.

PROBLEMY XIX WIEKU

Nieprawdą jest, że:
- literatura polska XIX w. to romantyzm i pozytywizm
- pozytywiści nie mieli żadnych przeciwników poza romantykami i modernistami
- kiedy pozytywiści odeszli, zaczęła się Młoda Polska

*Istnieje natomiast **literatura polska XIX wieku**. Pojęcie to obejmuje dorobek twórców uważanych za romantyków i pozytywistów, jak również znaczną część autorów młodopolskich. Literatura XIX w. jest różnorodna, a jednak — jak zauważył Józef Bachórz — powstaje w jednej, wspólnej wszystkim pisarzom polskim „przestrzeni duchowej". Między Mickiewiczem i Prusem, Słowackim i Sienkiewiczem, Krasińskim i Orzeszkową, Norwidem i Wyspiańskim dostrzegamy oprócz różnic także i pokrewieństwa.*

- **Literatura** — olbrzymi autorytet książki i zawodu pisarskiego, kult lektury.
- **Jednostka** — nawet jeśli pozytywiści żądają od niej poświęcenia dla dobra społeczeństwa, nie tracą z oczu pojedynczego człowieka; wszystkich, romantyków, pozytywistów i modernistów, łączy nieufność wobec tłumu.
- **Miłość** — oczywiście, głównie romantyczna, seks traktowany jako wyraz wielkiej, czasem niszczącej namiętności.
- **Bunt** — programowy w przypadku romantyków, bardziej umiarkowany u pozytywistów (zwłaszcza w ich okresie dojrzałym), rozpaczliwy w modernizmie — zawsze wynika z niezgody na rzeczywistość.

- **Niepodległość** — na problem odzyskania niepodległości inaczej patrzą romantycy, inaczej pozytywiści — jednak dążenie do zbudowania potęgi ekonomicznej i nowoczesnego społeczeństwa w rozumieniu pozytywistów to też forma walki o niepodległość (dziś rozumiemy to lepiej niż kiedykolwiek wcześniej).
- **Historia** — wiek XIX rozmyśla o przeszłości, zachwyca się przeszłością, zdobywa wiedzę badając minione dzieje — wśród najwybitniejszych polskich pisarzy żyjących w XIX w. nie spotkamy praktycznie ani jednego, który nie miałby w swoim dorobku utworu o tematyce historycznej!

Romantyczna trójca wieszczów

Pojęcie poety-wieszcza, duchowego przywódcy narodu (choć używane już w epoce staropolskiej), związane jest ściśle z romantyzmem. Wiadomo, że wieszczów powinno być trzech. Do ustalenia pozostają ich nazwiska oraz kolejność w obrębie trójcy. Z upływem lat zachodziły pod tym względem dość poważne zmiany:

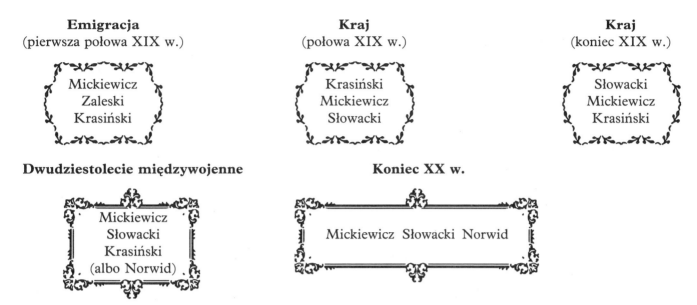

Emigracja
(pierwsza połowa XIX w.)

Mickiewicz
Zaleski
Krasiński

Kraj
(połowa XIX w.)

Krasiński
Mickiewicz
Słowacki

Kraj
(koniec XIX w.)

Słowacki
Mickiewicz
Krasiński

Dwudziestolecie międzywojenne

Mickiewicz
Słowacki
Krasiński
(albo Norwid)

Koniec XX w.

Mickiewicz Słowacki Norwid

„Klasyfikacja" jest naturalnie tylko zabawą. Kolejność i skład trójki różniły się też w zależności od regionu, środowiska, orientacji politycznej (na przykład konserwatywna Galicja stawiała zwykle najwyżej Krasińskiego).

Trójca powieściopisarzy

Pozytywizm nie wydał wieszczów. W okresie dominacji pozytywizmu tworzyli natomiast trzej wybitni powieściopisarze. Tutaj problematyczna mogła być tylko kolejność:

Schyłek XIX w.

Sienkiewicz
Orzeszkowa
Prus

Koniec XX w. (czytelnicy)

Sienkiewicz
Prus
Orzeszkowa

Koniec XX w. (badacze)

Prus
Orzeszkowa
Sienkiewicz

„Czwórka" modernistów

Ocena Leopolda Staffa (1902 r.)

Wyspiański
Kasprowicz
Żeromski
Przybyszewski

Koniec XX w.

Żeromski
Wyspiański
Reymont
?

Do miejsca oznaczonego znakiem zapytania pretendują m.in. Leśmian (jeżeli uznamy go za modernistę), Berent, Miciński.

Za pół wieku wszystko może się zmienić!

CO Z GEOGRAFIĄ?

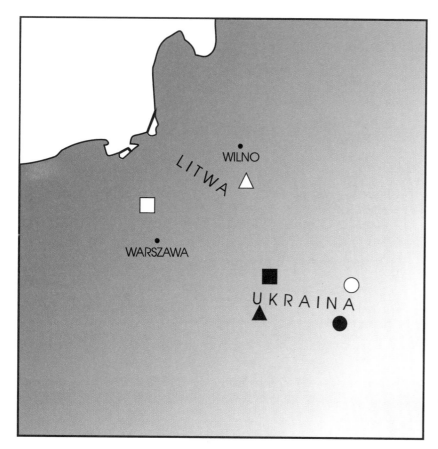

△ Mickiewicz
▲ Słowacki
□ Krasiński
■ Malczewski
● Goszczyński
○ Zaleski

Kraj lat dziecinnych polskich romantyków.

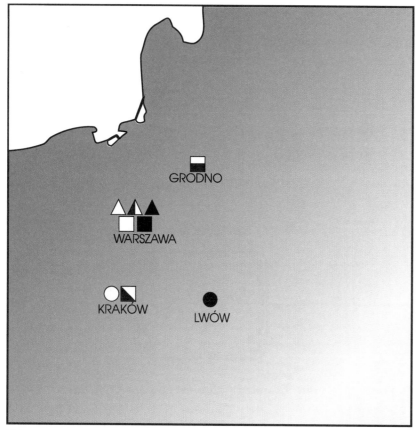

△ Świętochowski
◨ Sienkiewicz
▲ Prus
▭ Orzeszkowa
□ Reymont
◣ Wyspiański
■ Żeromski
● Kasprowicz
○ Przybyszewski

Pisarze polscy pod koniec XIX w.

WAŻNIEJSZE PODRÓŻE
PISARZY POLSKICH XIX w.

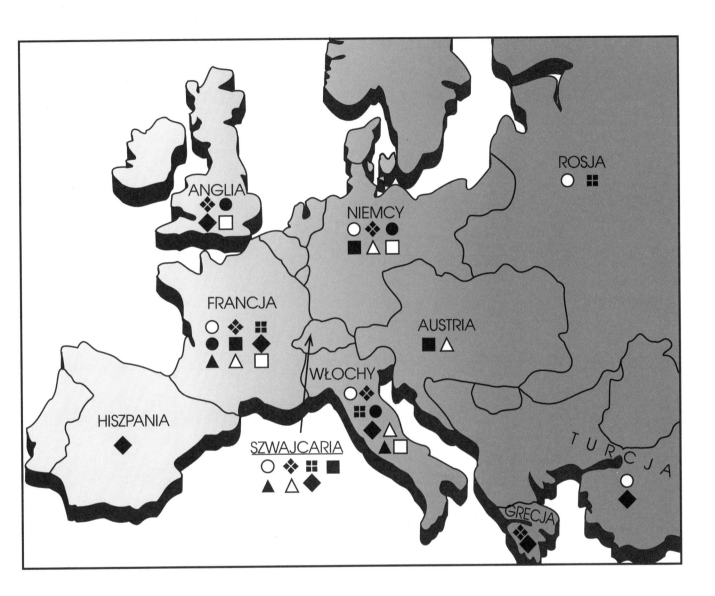

○ Mickiewicz
❖ Słowacki
▓ Krasiński
● Norwid
■ Prus
◆ Sienkiewicz
▲ Wyspiański
△ Żeromski
□ Reymont

POZA MAPĄ:
Bliski Wschód (Słowacki)
Afryka (Sienkiewicz)
USA (Norwid, Sienkiewicz, Reymont)

W XIX w. podróżuje się już bardzo często — dla uzupełnienia studiów, zdobycia nowych doświadczeń, pod przymusem, uciekając przed grożącymi represjami.

Załączona schematyczna mapa nie uwzględnia nazw odwiedzanych miast — z grubsza wiadomo jednak, że kto jeździł do Anglii, ten nie pomijał Londynu, a Polak we Francji kierował się przede wszystkim do Paryża.

WIEK XX

WIEK XX

WIEK ENERGII ATOMOWEJ I LOTÓW KOSMICZNYCH
WIEK TOTALITARYZMU I WOJEN ŚWIATOWYCH
WIEK MASOWEJ KOMUNIKACJI

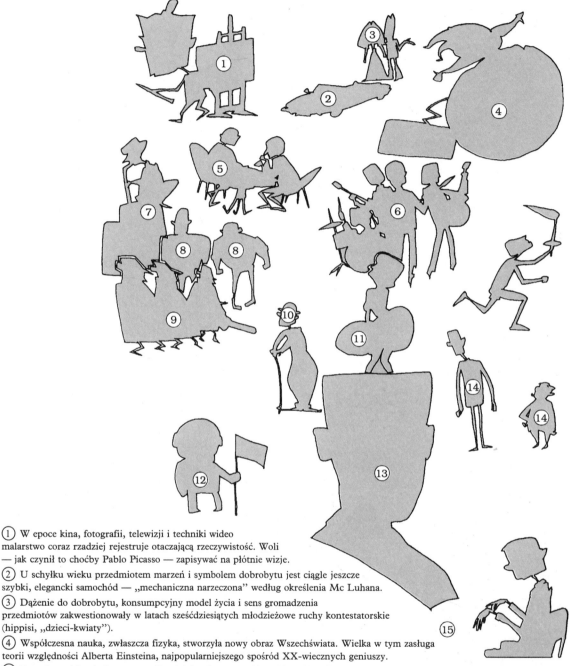

① W epoce kina, fotografii, telewizji i techniki wideo malarstwo coraz rzadziej rejestruje otaczającą rzeczywistość. Woli — jak czynił to choćby Pablo Picasso — zapisywać na płótnie wizje.

② U schyłku wieku przedmiotem marzeń i symbolem dobrobytu jest ciągle jeszcze szybki, elegancki samochód — ,,mechaniczna narzeczona" według określenia Mc Luhana.

③ Dążenie do dobrobytu, konsumpcyjny model życia i sens gromadzenia przedmiotów zakwestionowały w latach sześćdziesiątych młodzieżowe ruchy kontestatorskie (hippisi, ,,dzieci-kwiaty").

④ Współczesna nauka, zwłaszcza fizyka, stworzyła nowy obraz Wszechświata. Wielka w tym zasługa teorii względności Alberta Einsteina, najpopularniejszego spośród XX-wiecznych geniuszy.

⑤ Z punktu widzenia literatury najbardziej wpływowym kierunkiem filozoficznym okazał się egzystencjalizm. Łączono z nim nazwiska dwóch wielkich myślicieli niemieckich: Martina Heideggera i Karla Jaspersa. W paryskich kawiarniach najczęściej dyskutowanymi autorami byli jednak Francuzi: Jean Paul Sartre i Albert Camus.

⑥ Najgłośniejsza ze sztuk XX wieku: muzyka. The Beatles, kwartet z Liverpoolu, nie miał sobie równych. Jego członkowie — poza dziesiątkami przebojów — stworzyli młodzieżowy sposób bycia. Świat śpiewał odtąd po angielsku i tak już zostało.

⑦ Kto chce w naszych czasach robić wielkie interesy, odnosić sukcesy w polityce, rozrywce czy kulturze, nie może lekceważyć reklamy. Niestety...

⑧ Faszyzm — największe wynaturzenie w dziejach zachodniego świata. Zdaniem niektórych może się odrodzić w każdej chwili. Totalitarne państwo może powstać wszędzie tam, gdzie demokracja ma kłopoty.

⑨ Ameryka... Ameryka... W następstwie obu wojen światowych bliższa Europie niż kiedykolwiek przedtem. Coca-cola i hamburgery, Hollywood i Al Capone ze swymi gangsterami, dolary, wieżowce Manhattanu, jazz. Sceptycy mówią, że grozi nam amerykanizacja. To bardzo prawdopodobne.

⑩ Początkowo kino było tylko zabawą, jednak ludzie tacy jak Chaplin dowiedli, że może się stać również sztuką. W połowie wieku pojawiło się kino mistrzów (Szwed Bergman, Hiszpan Buñuel, Włosi: Visconti, Antonioni i Fellini). Ostatnia dekada należała do kina rozrywkowego, arcydzieła zdarzały się rzadko.

⑪ Bohaterami wieku są gwiazdy filmowe — sławne, podziwiane, oplotkowywane przez dziennikarzy i często bardzo nieszczęśliwe. Jak Marylin Monroe, legenda kina amerykańskiego.

(12) W 1969 roku Amerykanin Neil Armstrong postawił stopę na Księżycu. Było to najbardziej spektakularne wydarzenie w dziejach astronautyki. A niedługo polecimy na inne planety?

(13) Wiek psychoanalizy. Doszliśmy do wniosku, że człowiek nie jest stworzeniem w pełni racjonalnym, że pomyłki i sny mają sens, a pragnienia seksualne odgrywają kluczową rolę w naszym życiu. Myśl Zygmunta Freuda rozwinęli Jung, Adler, Fromm.

(14) Podczas gdy krytycy rozprawiali o kryzysie powieści, pisarze tworzyli powieściowe arcydzieła. Monolog wewnętrzny, technika symultaniczna, narracyjne gry i zabawy oraz mnóstwo innych wynalazków zawdzięcza literatura właśnie powieści XX wieku.
W poezji też powstały wielkie dzieła — m.in. za sprawą Apollinaire'a, Rilkego, Eliota. W dramacie nową epokę otworzył Samuel Beckett.

Arcydzieła powieści XX wieku
Proust — *W poszukiwaniu straconego czasu*
Joyce — *Ulisses*
T. Mann — *Czarodziejska góra*
Kafka — *Proces*
Musil — *Człowiek bez właściwości*
Faulkner — *Absalomie, Absalomie...*
Bułhakow — *Mistrz i Małgorzata*
Hesse — *Gra szklanych paciorków*
Lowry — *Pod wulkanem*
Grass — *Blaszany bębenek*

(15) Komputer, energia atomowa, telewizor, antybiotyki, magnetofon, nowoczesne miasta — prawie wszystkie cuda nauki i techniki składające się na otoczenie dzisiejszego człowieka powstały lub zostały upowszechnione w XX w.

(16) Pod koniec wieku groźba wybuchu wojny atomowej wydaje się mało prawdopodobna. Mimo wszystko świat nie pozbył się lęku.

(17) Moda starała się nadążać za postępującą w błyskawicznym tempie rewolucją obyczajową. Mini-spódniczka i kostium bikini podbiły świat. Czy wyobrażacie sobie, by w takich strojach mogły się pokazać publicznie bohaterki Orzeszkowej?

(18) Na początku lat dziewięćdziesiątych prezydent Borys Jelcyn wykreślił z mapy kraj o nazwie Związek Radziecki. Siedemdziesiąt lat istnienia czerwonego molocha przyniosło śmierć i prześladowania milionom ludzi.

(19) Bohaterami wieku są również gwiazdy sportowe. Zwłaszcza mecze piłkarskie wywołują olbrzymie emocje, a niekiedy nawet wojny, przykładem tak zwana „wojna futbolowa".

(20) Dwie wojny światowe, wojna rosyjsko-japońska, hiszpańska, koreańska, wietnamska, kampanie na Bliskim Wschodzie, wojna cywilizowanego świata z Irakiem, wojna w Jugosławii. Wiek XX wymyślił formułę wojny totalnej, w której stają naprzeciwko siebie nie armie, lecz całe narody.

Dla Polaków wiek XX nie był chyba szczęśliwszy od poprzedniego. Dwadzieścia lat niepodległości, wojenna katastrofa, później życie w cieniu wyroku traktatu jałtańskiego. U schyłku stulecia Europa zmieniła się nie do poznania. My też. Wydaje się jednak, że rok 2000 powitamy bez euforii.

Wydarzenia	Skutki i świadectwa
Rewolucja 1905	*Dzieci* Prusa, *Wiry* Sienkiewicza, obszerne fragmenty listów Orzeszkowej. Nadciąganie rewolucji pokazuje *Ozimina* Berenta. Rewolucja należy do najważniejszych tematów twórczości Andrzeja Struga (1871–1937), prozaika i działacza PPS. Tadeusz Gałecki (prawdziwe nazwisko pisarza) był człowiekiem o bogatej biografii (rewolucjonista, żołnierz Legionów Piłsudskiego, mason, senator). Patos i heroizm nierównej walki niosącej zazwyczaj klęskę bojownikom rewolucji dominują w opowiadaniach z tomu **Ludzie podziemni** (1908) i powieści **Dzieje jednego pocisku** (1910). W późniejszych utworach był surowym oskarżycielem rzeczywistości międzywojennej (*Pokolenie Marka Świdy*).
I wojna światowa 1914–1918	Wybuchem wojny kończą się *Noce i dnie* Dąbrowskiej, o pierwszych miesiącach wojny mówi *Sól ziemi* Wittlina, najbardziej rozległy obraz działań wojennych przynosi *Żółty krzyż* Struga. Temat ten powraca często w prozie polskiej ostatnich 20 lat (utwory Buczkowskiego, Kuśniewicza, Stryjkowskiego). Osobnym zjawiskiem jest literatura „legionowa" i utwory związane z osobą Józefa Piłsudskiego, pisane w różnych latach (m.in. wiersze Lechonia, Wierzyńskiego, Iłłakowiczówny, proza Kadena-Bandrowskiego). Kolejny krąg tematyczny tworzą teksty pokazujące rewolucję bolszewicką 1917 r. i wojnę domową w Rosji. Krytyczne spojrzenie na te wydarzenia przyniosły w latach dwudziestych książki Ferdynanda Goetla (*Przez płonący Wschód*) i Zofii Kossak-Szczuckiej (*Pożoga*). Równie wstrząsające obrazy rewolucyjnej rzezi znajdziemy w utworach pisarzy próbujących zrozumieć fenomen rewolucji (przykładem — *Przedwiośnie* Żeromskiego). W ostatnich latach do wspomnianego tematu powrócił Igor Newerly w autobiograficznej powieści *Zostało z uczty bogów*.
Wojna polsko-bolszewicka 1919–1920	Pamiętniki (m.in. Broniewskiego) i reportaże (m.in. Kadena-Bandrowskiego i *Na probostwie w Wyszkowie* Żeromskiego). Powieści Kadena-Bandrowskiego, Struga, Żeromskiego (epizody w *Przedwiośniu*). Sporą popularnością cieszyły się niegdyś dwie powieści wojenne Stanisława Rembeka (1901–1985): **Nagan** (1928) i **W polu** (1937). Spośród utworów znacznie późniejszych wymienić warto kontrowersyjną powieść Józefa Mackiewicza *Lewa wolna*, krytyczną wobec osoby Piłsudskiego, uznającą kampanię 1920 r. za „wojnę zaprzepaszczonych szans".
II Rzeczpospolita 1918–1939	➡ WOBEC MIĘDZYWOJNIA
II wojna światowa 1939–1945	➡ TEMATY WOJENNE ➡ OBOZY ➡ ŁAGRY ➡ PAMIĘĆ WOJNY ➡ PISARZE NA WOJNIE

PRL i trochę później...

1945 Koniec wojny. Polska w nowych granicach, w sferze wpływów sowieckich. Trwa nierówna walka o władzę ➡ TUŻ PO WOJNIE.

1949 Koniec okresu przejściowego. Rozpoczynają się lata stalinowskiego terroru ➡ WOBEC STALINIZMU.

1952 Pierwsza audycja działającej do dziś w Monachium rozgłośni polskiej Radia Wolna Europa. Pierwszym dyrektorem RWE — Jan Nowak-Jeziorański (autor książek wspomnieniowych *Kurier z Warszawy* i *Widziane z oddali*). Wśród współpracowników — Wierzyński, Lechoń, Wittlin, Herling-Grudziński. W latach osiemdziesiątych funkcję dyrektora pełnił Zdzisław Najder (publicysta, wybitny znawca twórczości Conrada), obecnie pracują dla RWE pisarze: Tadeusz Nowakowski, Włodzimierz Odojewski, Jacek Kaczmarski.

1956 Wydarzenia poznańskie. Przełom październikowy. „Odwilż" (pewne jej przejawy notujemy już po 1953 r.). Rozluźnienie cenzury. Nowe czasopisma, liczne debiuty, wznowienia utworów międzywojennych, wydania niektórych dzieł pisarzy emigracyjnych, nadrabianie zaległości w zakresie przekładów (pojawia się na rynku ambitna literatura zachodnia XX w., a także tłumaczenia niemarksistowskich filozofów, socjologów, psychologów). W polskiej prozie i poezji dominuje tematyka „obrachunkowa" (m.in. utwory Jerzego Andrzejewskiego, Kazimierza Brandysa, Marka Hłaski).

1968 Wydarzenia marcowe, sprowokowane zakazem dalszego wystawiania *Dziadów* w Teatrze Narodowym w reżyserii Kazimierza Dejmka. Ostra rozprawa z niepokornymi literatami i zbuntowaną młodzieżą uniwersytecką. Reminiscencje marca 68 roku pojawiają się m.in. w prozie Józefa Hena i Kazimierza Brandysa, utworach Henryka Grynberga (m.in. tom *Antynostalgia*), w poświęconym sylwetce Słonimskiego *Rogatym warszawiaku* Adolfa Rudnickiego. W formie aluzyjnej temat ten powraca w opowiadaniu Marka Nowakowskiego *Zdarzenie w Miasteczku* i powieści Andrzeja Szczypiorskiego *Msza za miasto Arras*. Sierpniowa agresja wojsk sowieckich i ich sojuszników na Czechosłowację. Protest pisarzy polskich (Herling-Grudziński, Andrzejewski, Mrożek). Spośród utworów literackich wymieńmy przynajmniej *Tren na śmierć Jana Palacha* Kazimierza Wierzyńskiego i opowiadanie *Twardy człowiek* Mariana Brandysa.

1976 Wypadki czerwcowe (Radom, Ursus). Odpowiedzią na falę procesów i represji — powołanie Komitetu Obrony Robotników (wśród członków-założycieli pisarze Jerzy Andrzejewski i Stanisław Barańczak, historyk literatury i publicysta Jan Józef Lipski). W roku następnym ukazywać się zacznie „Zapis", pierwsze niezależne pismo literackie wydawane z pominięciem cenzury. Powstanie drugiego obiegu stało się faktem.

1978 Pierwszy Polak papieżem! Przy okazji odkrywamy, że Karol Wojtyła, krakowski kardynał, a obecnie Jan Paweł II, jest również pisarzem. Jako papież odwiedzi Polskę po raz pierwszy w 1979 r. Kolejne pielgrzymki papieskie dokumentuje w swych reporterskich książkach Tadeusz Nowakowski, na uwagę zasługują również fragmenty prozy autobiograficznej Marii Kuncewiczowej.

1980 Strajki sierpniowe. Narodziny NSZZ „Solidarność". Cenzura faktycznie przestaje istnieć, wydawnictwa niezależne sprzedawane są na ulicach. Liczne relacje reporterskie, poezja okolicznościowa, z powieści — *Moc truchleje* Janusza Głowackiego.

1981 Rok polskiej wolności zakończony ogłoszeniem w grudniu stanu wojennego ➡ WOBEC STANU WOJENNEGO.

1989 Rozmowy Okrągłego Stołu. Wyborcza klęska ekipy rządzącej. Początek agonii komunizmu we wszystkich krajach europejskich. Zniesienie cenzury, powstanie kilkuset wydawnictw prywatnych, nowe tytuły na rynku prasowym, krajowe edycje dzieł pisarzy emigracyjnych.

STYLE

Awangarda. Wszystko, co w sztuce nowe, poszukujące, zrywające z tradycją. Pamiętajmy, że zwycięska awangarda staje się klasyką. W Polsce pojęcie awangardy dotyczy głównie różnych nurtów poezji międzywojennej. W odniesieniu do twórczości powojennej stosowane rzadko — mówimy raczej o „powieści eksperymentalnej" niż „powieści awangardowej". Tak czy owak, dobrze wierzyć, że jest się awangardą!

Dadaizm. I ty możesz być poetą. Wystarczy włożyć do kapelusza kartki z napisanymi słowami, wymieszać i wyciągać po kolei, zdając się na przypadek. Czy tym sposobem powstanie poezja, raczej wątpliwe. Dadaistom (T. Tzara, początkowo A. Breton) chodziło jednak nie o dzieło, lecz o artystyczną manifestację. Efemeryczny kierunek, skończył się niemal w momencie narodzin (w okresie I wojny światowej). W sztukach plastycznych dał bardziej obiecujące rezultaty.

Ekspresjonizm. Narodził się w Niemczech na początku XX w. jako protest przeciw kulturze mieszczańskiej. Najciekawsze osiągnięcia: film *Gabinet doktora Caligari* w reżyserii R. Wienego, obrazy W. Kandinsky'ego i O. Kokoschki, wiersze G. Trakla i G. Benna, proza Klabunda. Zdaniem ekspresjonistów celem sztuki nie jest naśladowanie rzeczywistości, lecz wyraz (ekspresja) doświadczeń jednostki. Wolno mieszać gatunki i style, bulwersować, zaskakiwać. Pewne elementy ekspresjonizmu znajdziemy już w twórczości pisarzy Młodej Polski (J. Kasprowicz, W. Berent, T. Miciński).

Formizm. Zaczął się w 1917 r., a przez szeregi formistów przewinęły się indywidualności tak różne (m.in. Witkacy, T. Peiper, A. Wat, T. Czyżewski), że kierunek musiał w końcu stracić swoją tożsamość. W kręgu formizmu dojrzały koncepcje **Leona Chwistka** (1884–1944), filozofa, autora eksperymentalnej powieści *Pałace Boga*. Dowodził on, że nie istnieje ani „jedna" sztuka, ani „jedna" rzeczywistość. Nowatorska twórczość przełamuje wszelkie konwencje (rozprawa *Wielość rzeczywistości w sztuce*).

Futuryzm. Niech żyje nowoczesność, ruch, wielkomiejska cywilizacja, maszyny, fabryki, okręty, samoloty (zwane jeszcze aeroplanami). Niech żyje przyszłość, o której wypada mówić nowym językiem. Futuryzm objawił się przed I wojną światową we Włoszech (F. T. Marinetti) i Rosji (W. Chlebnikow, W. Majakowski). Arcydzieł nie stworzył, chociaż podobnie jak inne kierunki przyczynił się do „przewietrzenia" literatury.

Kreacjonizm. Kreujemy, czyli tworzymy. Jeśli rzeczywistość nam przeszkadza, wolno ją odrzucić. Kreacjonizm rezygnuje z obserwacji, polega na wyobraźni. W historii literatury — termin niejednoznaczny. Bezpiecznie będzie powiedzieć, że kreacjonistami byli na przykład Leśmian i Schulz.

Neoklasycyzm (klasycyzm XX wieku). Dąży do ustanowienia harmonii między człowiekiem i światem, nawiązuje do tradycji kultury śródziemnomorskiej, zwłaszcza do jej antycznych źródeł. Zwykle dba o czystość i jasność języka, czasem szacunek dla klasyki wyraża kontynuacją gatunków takich, jak oda, elegia, list poetycki, tragedia. W Anglii T. S. Eliot, we Francji P. Valéry, w Niemczech S. George, w Rosji O. Mandelsztam uważani są za wzorcowych neoklasyków. Uwaga! Neoklasycyzm to postawa, a nie kierunek. Nie skończył się więc jak futuryzm czy ekspresjonizm. Trwa nadal.

Postmodernizm. Żeby uchwycić to pojęcie, trzeba zapomnieć o polskim rozumieniu słowa „modernizm". W tradycji anglosaskiej prawie cała literatura współczesna (czyli „modern literature") jest „modernizmem". Po pisarzach takich, jak T. S. Eliot czy J. Joyce, przychodzą S. Beckett i J. L. Borges, autorzy mający świadomość „wyczerpania" konwencji (na ten temat — ważny esej J. Bartha), traktujący literaturę jako tworzywo („metaliteratura"). Postmodernizm zakłada ironiczny dystans autora wobec dzieła, posługuje się chętnie parodią i pastiszem. W ostatnich latach wielką indywidualnością postmodernizmu stał się angielski reżyser filmowy (okazjonalnie również prozaik) P. Greenaway.

Psychologizm. Oczywiście, literatura zawsze mówiła o psychice człowieka, opisywała jego życie wewnętrzne, starała się docierać do tego, co ukryte. Wraz z rozpowszechnieniem psychoanalizy pisarz miał zadanie jakby ułatwione. Świat psychologicznych zagadek był na tyle pociągający, że można było zlekceważyć czy przynajmniej odsunąć na drugi plan życie „zewnętrzne": społeczne, ekonomiczne, polityczne czy obyczajowe. Ekspansję psychologizmu w polskiej prozie przyniosły lata trzydzieste (powieści Nałkowskiej i Kuncewiczowej, znakomita większość utworów nowej formacji prozaików).

Realizm. O nic nie kłócono się równie zacięcie jak o realizm. Przedmiot sporów wymyślili starożytni, każąc sztuce naśladować rzeczywistość („mimesis"). Zwolennicy realizmu sądzą, że literatura powinna wyrażać prawdę o świecie, społeczeństwie, historii. Do tego celu nadaje się najlepiej solidna, gruba powieść. Saga rodzinna? Powieść polityczna? Powieść społeczno-obyczajowa? Rzecz gustu. Wynaturzeniem realizmu był „socrealizm" (tak zwany „realizm socjalistyczny"), prezentujący rzeczywistość stosownie do wskazówek władz partyjnych. Realizm bez wygórowanych ambicji określa się mianem „małego realizmu". Prozaicy tego nurtu lubią marginalia i marginesy (w tym margines społeczny), drobne sprawy małych ludzi, codzienność, przeciętność. Wśród gatunków literackich preferują nowelę.

Realizm magiczny. W ostatnich latach używano tego terminu w stosunku do grupy świetnych pisarzy południowoamerykańskich (Argentyńczycy: J. L. Borges, J. Cortazar, E. Sabato; Kubańczycy: A. Carpentier i J. Lezama Lima; Kolumbijczyk G. Marquez; Meksykanin C. Fuentes). Wykorzystując zdobycze prozy XX w., odwoływali się także do tradycji rodzimej: dawnych legend, mitów, baśni. Rzeczywistość w ich utworach, pisanych poetyckim językiem nasyconym barokowymi metaforami, pełna jest ukrytych znaczeń, niepokojąca, zagadkowa.

Surrealizm (nadrealizm). Narodzić się mógł tylko w Paryżu — mieście, w którym sny są piękniejsze niż gdzie indziej. Około r. 1920 surrealistami byli m.in. A. Breton (napisał manifesty ruchu), L. Aragon, później także R. Char. Surrealizm oznaczał wyzwolenie wyobraźni, tworzył sztukę skupioną na tym, co ukryte, podświadome, irracjonalne (psychoanaliza była tu bardzo pomocna). Poeta brał do ręki pióro i pisał bez namysłu, czasem zaraz po przebudzeniu, utrwalając treść snów („pisanie automatyczne"). Interesowały go sny, wizje, mistyka, szaleństwo, dziwaczności i perwersje, książki zapomniane i potępione (wśród ulubionych autorów — Sade i Lautréamont). Surrealistyczni malarze (G. Chirico, R. Magritte, S. Dali) zaliczani są do grona najwybitniejszych artystów XX w.

Turpizm. Nie kierunek, lecz postawa artystów współczesnych, buntujących się przeciw tradycyjnie rozumianemu pięknu (w tym sensie turpistą był G. Benn, a bywał nawet sam T. S. Eliot). Zamiast opiewanej przez wieki róży bierzemy za temat wiersza kwiat już nawet nie więdnący, lecz gnijący i opisujemy możliwie najbardziej szczegółowo. Bulwersuje, szokuje, porusza. Na gruncie polskim określenia „turpizm" użył J. Przyboś w odniesieniu do ówczesnej młodej poezji (S. Grochowiak, M. Białoszewski). Turpistą najczystszej wody był A. Bursa.

WOBEC MIĘDZYWOJNIA

Początek lat dwudziestych to jeden z najtrudniejszych okresów dla młodego państwa polskiego. Po raz pierwszy ujawnił się wówczas rozdźwięk między władzą a społeczeństwem, zwłaszcza najbiedniejszymi jego warstwami.

Najgłośniejszą powieścią polityczną okresu międzywojennego jest **Przedwiośnie** (1924) Stefana Żeromskiego. Bohater utworu, Cezary Baryka, wywodzący się z polskiej rodziny osiadłej w Baku, rówieśnik XX w., odbywa życiową edukację w bardzo burzliwych czasach. Po dostatnim i szczęśliwym dzieciństwie tuż przed I wojną światową nadchodzi wojenny i rewolucyjny koszmar. Entuzjastę, który uległ naiwnie urokowi frazeologii rewolucyjnej, spotyka rozczarowanie. Podczas wojny polsko-bolszewickiej bić się będzie już po stronie własnych rodaków, chociaż i odzyskana ojczyzna nie spełni jego oczekiwań. W finale bohater poszukuje nadal własnej drogi, a przyłączając się do zbuntowanych robotników, nie dokonuje bynajmniej jednoznacznego wyboru politycznego. Prawicę reprezentuje w *Przedwiośniu* ziemiańska Nawłoć — ludzie nie wyobrażający sobie Polski bez szlacheckiego dworku, panów i służby, właścicieli ziemskich i komorników. Skrajna lewica to Antoni Lulek, idealny kandydat na rewolucyjnego psychopatę, chorobliwy demagog, przeciwnik niepodległej Polski. Stanowisko środkowe zajmuje Szymon Gajowiec, związany z tradycjami lewicy patriotycznej (PPS), obecnie przedstawiciel elity rządzącej. Rewolucji społecznej, która może zmieść z powierzchni ziemi Nawłoć, zamienić szlachetne marzenia w rodzaj antyutopii, wreszcie zniszczyć rodzącą się demokrację, nie zapobiegną zdaniem pisarza ludzie pokroju Gajowca. Wobec naporu historii bezsilny okazuje się światopogląd matki Cezarego, broniącej najprostszych wartości moralnych. Ojciec bohatera przeciwstawia rewolucji utopię szklanych domów (dwupokojowe mieszkanie z ciepłą wodą dla rodziny pracującej — słowem, M-3 dla każdego!) i wizję ewolucyjnego rozwoju, daleką od urzeczywistnienia w polskich warunkach. W *Przedwiośniu* znajdziemy jedynie listę najpilniejszych problemów do załatwienia (reforma rolna, bezrobocie, kwestia mniejszości narodowych), brak natomiast odpowiedzi, czy istnieje jakiś program gwarantujący wyciszenie konfliktów społecznych.
Powieść, ukazująca losy narodu w momencie przełomowym, może być nazwana anty-*Panem Tadeuszem*, szyderczą interpretacją pewnych wątków Mickiewiczowskiego poematu. Kobiece postacie (Telimena, Zosia) znajdują swoje odpowiedniki w namiętnej Laurze i dziewczęcej Karolinie (Karusi), poloneza zastąpił kozak, groteskowy duchowny wydaje się karykaturą księdza Robaka, a mieszkańcy szlacheckiego dworku godzą bez trudu cynizm i obłudę z umiłowaniem tradycji.

Juliusz Kaden-Bandrowski (1885–1944)

1915 — *Piłsudczycy*
1923 — *Generał Barcz*
1925 — *Miasto mojej matki*
1926 — *W cieniu zapomnianej olszyny*
1928 — *Czarne skrzydła* (t. II — 1929)
1933 — *Mateusz Bigda*

- z wykształcenia pianista, już w młodości pasjonował się polityką (związki z PPS) — jeden z najgłośniejszych pisarzy okresu międzywojennego (prezes Związku Zawodowego Literatów Polskich, sekretarz generalny Polskiej Akademii Literatury)
- legionista, oficer sztabowy I Brygady, jeden z twórców „legionowego mitu" (**Piłsudczycy**), w 1920 r. — korespondent wojenny
- pisarz popularny, budzący ogromne emocje — twórca polskiej powieści politycznej (**Generał Barcz**, **Czarne skrzydła**, **Mateusz Bigda**), jego utwory dotyczyły autentycznych wydarzeń (formowanie państwa polskiego w *Generale Barczu*, katastrofa w kopalni w *Czarnych skrzydłach*, spory sejmowe w *Mateuszu Bigdzie*), w postaciach stworzonych przez Kadena rozpoznawano znanych polityków: Piłsudskiego (Barcz), Daszyńskiego (poseł Mieniewski), Witosa (Bigda)
- niepowtarzalny styl powieści Kadena — zdaniem krytyków „naturalistyczny", „ekspresjonistyczny", „barokowy" — tworzą krótsze niż zazwyczaj w polskiej prozie akapity, lapidarne zdania bliskie mowie potocznej (czasowniki opisujące ruch pojawiają się częściej niż zwykle — stąd wrażenie niezwykłego dynamizmu narracji), dosadne epitety i metafory — wszystkie te cechy (choć w formie znacznie łagodniejszej) występują nawet w lirycznych wspomnieniach z okresu dzieciństwa pisarza (**Miasto mojej matki**, **W cieniu zapomnianej olszyny**)

Czarne skrzydła stanowić miały pierwotnie część wielkiego cyklu powieściowego, który nie został dokończony. Powieść przynosi bardzo krytyczny obraz rzeczywistości międzywojennej, oglądanej z perspektywy Zagłębia Dąbrowskiego. Zawodzą elity polityczne, panoszy się obcy kapitał (reprezentowany tu przez demonicznego Francuza o znaczącym nazwisku Coeur). PPS i KPP zaciekle rywalizują o wpływy, w gruncie rzeczy robotnicy nie znajdują prawdziwych sojuszników. Przedstawicielem pokolenia rozczarowanych jest Tadeusz Mieniewski, syn posła z ramienia PPS, bohater dosyć podobny do Cezarego Baryki. Śmiałe sceny erotyczne — głównie za sprawą niesfornej panny Zuzanny. *Czarne skrzydła* oskarżano o cynizm, pornografię i prokomunistyczne sympatie. Trudno o lepszą reklamę dla książki wydanej u schyłku lat dwudziestych.

*„Dzieje człowieka zawarte między urodzeniem jego
a śmiercią wyglądają niekiedy jak nonsens..."*

Zofia Nałkowska (1884–1954)

- córka uczonego i publicysty, Wacława Nałkowskiego, większą część życia spędziła w Warszawie, swoim rodzinnym mieście
- debiutowała u schyłku XIX w. (jako poetka!) — na jej obszerny dorobek składają się głównie powieści, krótkie formy prozatorskie, dramat **Dom kobiet**, utwory autobiograficzne
- podobnie jak Staff tworzyła w trzech okresach literackich (Młoda Polska, międzywojnie — wtedy powstały jej najlepsze utwory — lata powojenne)

1922 —	*Charaktery* (kontynuacja w 1948 r.)
1924 —	*Romans Teresy Hennert*
1930 —	*Dom kobiet*
1935 —	*Granica*
1939 —	*Niecierpliwi*
1946 —	*Medaliony*
1948 —	*Węzły życia*

Ocena rzeczywistości międzywojennej

Pierwszych lat po odzyskaniu niepodległości dotyczy powieść **Romans Teresy Hennert**, ukazująca sfrustrowanie bohaterów niedawnej wojny, korupcję władzy, kulisy pierwszych powojennych karier. Rozczarowaniu dawali wyraz zwłaszcza młodzi („W tej odzyskanej, niepodległej ojczyźnie zostały zachowane bez zmiany haniebne instytucje caratu — żandarmeria, policja, szpiedzy"). Analizę bardziej rozległą przynosi **Granica**. Krytyczną ocenę politycznych elit Polski międzywojennej zamieściła też pisarka w **Węzłach życia**.

Psychologia postaci

Wczesne utwory Nałkowskiej mieszczą się w kręgu modernizmu, późniejsze (**Niedobra miłość, Granica**, cykl miniatur **Charaktery**) są świadectwem zainteresowania psychoanalizą. W powojennych **Medalionach** dochodzi do głosu behawioryzm. Prawda o postaci jest u Nałkowskiej wielowarstwowa. Własnego wyobrażenia o człowieku nie podziela zwykle jego otoczenie, przez całe życie poszukuje się własnej tożsamości.

Miłość i świat kobiet

Sumienna rejestratorka rewolucji obyczajowej lat dwudziestych, czyni tematem wielu utworów miłość pozamałżeńską, zdradę, przygody erotyczne panów, pań i panienek („dziedzina niezorganizowanego erotyzmu"). Prawdziwa dama, obserwuje z uwagą świat eleganckich kobiet (ideał lat dwudziestych — kobiety „o nagich plecach i ramionach, o piersiach płaskich i biodrach zatartych prostą linią sukien"). Obok Dąbrowskiej i Kuncewiczowej — najbardziej wnikliwa badaczka subtelności kobiecej psychiki.

Narrator **Granicy** zachowuje się niczym dziennikarz zbierający materiały do sensacyjnego reportażu. Nie spieszy się z selekcją, rozbudowuje wątki poboczne, przygląda się z uwagą nawet drugoplanowym postaciom. Z punktu widzenia tradycyjnej powieści XIX-wiecznej opowiada „nieporządnie", uprzedza opisywane wypadki, zdradza tajemnice, które szanujący się autor zwykł zachowywać na koniec utworu. Dzięki tym właśnie zabiegom powstaje nowoczesna kompozycja powieściowa, skutecznie przesłaniająca dość banalną fabułę, na którą składają się dwa ściśle ze sobą związane, niejako „symetryczne" wątki. Pierwszy to historia kariery Zenona Ziembiewicza, na początku utworu studenta, później redaktora „bezpartyjnego" dziennika, wreszcie prezydenta miasta. Wątek drugi, romansowy, tworzą dzieje dwóch kobiet: dziewczyny z ludu, uwiedzionej i porzuconej przez Zenona, oraz panny z dobrego domu, narzeczonej, a później żony głównego bohatera. Justyna i Elżbieta symbolizują przepaść odzielającą miejską i wiejską biedotę (ludzie „spod podłogi") od zamożniejszych warstw społeczeństwa. Oba wątki wiodą ku tragedii. Kariera polityczna osiągnięta drogą kompromisów załamuje się, gdy Ziembiewicz zmuszony zostaje do stłumienia siłą robotniczych manifestacji. Zaprzecza wówczas samemu sobie, przekracza „granicę, za którą nie wolno przejść; za którą przestaje się być sobą". Desperacki gest zawiedzionej w uczuciach Justyny i samobójczy strzał Zenona kończą powieść, w której związek mężczyzny i kobiety jest zawsze jakąś formą „niedobrej miłości", w której wszystkie postacie doświadczają uczucia bezgranicznej samotności.

Dzieło życia

Są nim zapewne **Dzienniki** (wydawane od ponad 20 lat z doskonałymi komentarzami Hanny Kirchner). Pisarka prowadziła je przez pół wieku, dokumentując zarówno własne życie, jak i epokę (m.in. obraz codzienności okupacyjnej), komentując napisane przez siebie utwory, opisując spotkania z wybitnymi pisarzami (m.in. Brunonem Schulzem).

➡ OBOZY

TRADYCJA NIE JEST NAM OBCA...

① Bolesław Leśmian
② Leopold Staff
③ Skamandryci (Iwaszkiewicz, Lechoń, Słonimski, Tuwim, Wierzyński)
④ Piszące panie: Iłłakowiczówna, Pawlikowska-Jasnorzewska
⑤ Poezja rewolucyjna: Broniewski
⑥ Konstanty Ildefons Gałczyński

PRECZ Z TRADYCJĄ! NIECH ŻYJE AWANGARDA!

(7) Futuryści (Jasieński, Wat)
(8) Ekspresjoniści (Wittlin, Zegadłowicz)
(9) Awangarda krakowska (Peiper, Przyboś, Ważyk)
(10) Awangarda lubelska (Czechowicz, Łobodowski)
(11) Awangarda wileńska — Żagaryści (Miłosz, Zagórski)

„A jednak śpiewać będę wam pochwałę życia..."

LEOPOLD STAFF

1878–1957

- urodzony we Lwowie; przed I wojną światową związany z tym miastem, po 1918 r. z Warszawą
- poeta, dramaturg, wszechstronny tłumacz (przekładał m.in. Nietzschego i *Kwiatki św. Franciszka z Asyżu*, Goethego i Tomasza Manna, Michała Anioła i poezję orientalną)
- poezja Staffa powstawała na przestrzeni półwiecza, w trzech okresach literackich (Młoda Polska, dwudziestolecie międzywojenne, lata powojenne)
- jeden z najwybitniejszych przedstawicieli klasycyzmu w jego XX-wiecznej odmianie

1901 — *Sny o potędze*
1903 — *Dzień duszy*
1905 — *Ptakom niebieskim*
1919 — *Ścieżki polne*
1927 — *Ucho igielne*
1932 — *Wysokie drzewa*
1936 — *Barwa miodu*
1946 — *Martwa pogoda*
1954 — *Wiklina*
1958 — *Dziewięć muz*

Okres młodopolski

- inspiracje intelektualne: nietzscheanizm, bergsonizm, franciszkanizm — w przeciwieństwie do współczesnych sobie poetów poszukuje mocy, „tytanicznej potęgi", a nie słabości (*Kowal, Sen nieurodzony*)
- pociągają go sny, zagadki, legendy, dostrzega niezwykłość najprostszych przedmiotów („Poezja starych studni, zepsutych zegarów, strychu i niemych skrzypiec pękniętych bez grajka")
  — w tym nurcie mieści się też wspaniały wiersz poświęcony francuskiemu symboliście Verlaine'owi (*Odkrywca złotych światów*)
- pochwała codzienności, a nawet przeciętności („kocham was, mali ludzie"), odejście od młodopolskiego stereotypu artysty gardzącego tłumem („poznam, że mnie nic nie różni od braci"), życie zwykłych ludzi też bywa cudem i drogą do ujawnienia harmonii istnienia (*Przedśpiew, Dzień pracy, Życie bez zdarzeń*)
- poeta jesiennej pogody i brzydkiego krajobrazu („szara, spękana ziemia, ugór zjałowiały"), opisuje zmierzch, wichurę, noc, mróz, błoto, ulewę (*Deszcz jesienny*)
  — brzydota pełna jest tajemnicy i osobliwego uroku
- w późniejszej twórczości staje się poetą lata oglądanego na polskiej wsi, nawiązuje do tradycji staropolskiej (Kochanowski), opisuje sady, pola, ogrody, pasieki, podejmuje temat ludzkiej pracy („Pochwalona wieś dobra, wóz, konie i grabie")
- z klasycyzmem łączy go m.in. zachwyt dla dzieł sztuki włoskiej, opisywane miasta kojarzą mu się przede wszystkim z nazwiskami działających tam przed wiekami artystów (Wenecja Tycjana i Giorgione, Florencja Giotta, Rzym Michała Anioła)

Okres międzywojenny

- marzeniem poety — umiar, harmonia, prostota (wiersz „tak jasny jak spojrzenie w oczy i prosty jak podanie ręki")
- mądrość — poprzestawanie na małym, uznanie cierpienia za nieodłączny składnik ludzkiego losu, fascynacja „otchłannym pięknem wszechświata"; w liryce religijnej (tom *Ucho igielne*) tonacja pokornej modlitwy, nadzieją człowiek-Bóg, Chrystus
- pejzaż — polska wieś w tomie *Ścieżki polne* (nadal ważny temat pracy: żniwa, zwózka siana, pieczenie chleba); jesień jest teraz porą owocowania, jej graniczące z przepychem i nadmiarem piękno opisuje poeta za pomocą barokowych niemal konceptów (*Zachód jesienny*) — przezwyciężenie młodopolskiej melancholii (zaprzeczeniem sławnego *Deszczu jesiennego* — *Deszcz wiosenny*)

Za najbardziej udany tom poetycki tego okresu uważa się zwykle **Wysokie drzewa**, ostateczne pożegnanie konwencji liryki młodopolskiej. Autor opowiada się za „tradycją czarnoleską", zapoczątkowaną przez Kochanowskiego (*Lipy*). Sympatyzuje wyraźnie ze skamandrytami, próbuje opisać na nowo rzeczywistość, zaskakuje świeżością spojrzenia („słońce jak oliwa złota, gęsta, tłusta", „morze aż śmiesznie piękne"). Zbiór głosi pochwałę istnienia, wyraża zachwyt urodą świata, mówi jednak również o konieczności pogodzenia się z nie zawsze przyjaznym losem („jedna chwila radości wystarczy na długie lata cierpienia").

Okres powojenny

Pierwszy po wojnie zbiorek (*Martwa pogoda*) nie zapowiadał jeszcze kolejnej ewolucji. Wręcz przeciwnie, świadczył o ciągłości sztuki poetyckiej Staffa. Dowodził zainteresowania barokowym konceptem (*Zatarty fresk*), baśniowym pejzażem (*Pełnia*), motywami antycznymi (*Wiosna*). W swych wierszach wojennych Staff pozostawał poetą nadziei (napisana po klęsce wrześniowej *Pierwsza przechadzka*).

W dwóch ostatnich tomach (**Wiklina, Dziewięć muz**) Staff sięgnął po środki wyrazu charakterystyczne dla ówczesnej młodej poezji (np. Różewicz), takie jak wiersz biały, bezrymowy, rezygnacja lub ograniczenie metafory, nasycenie języka zwrotami potocznymi, brulionowy zapis:

> „Nic nie wiem.
> Nie mogę znaleźć butów,
> Nie mogę znaleźć siebie.
> Boli mnie głowa."

Staff posługuje się teraz chętniej niż kiedyś paradoksem (*Podwaliny, Most*), ironią (*Piosenka*), poetyką absurdu (*Poeta subtilis*). Zdaniem Ireny Maciejewskiej, najwybitniejszej badaczki twórczości pisarza, dokonała się jeszcze inna ewolucja. Dotąd poeta sądził, że celem sztuki jest poszukiwanie ładu, teraz uznaje za zadanie artysty budzenie niepokoju moralnego. Wiersze z *Wikliny* i *Dziewięciu muz* wskazują, że doświadczenie wojny i totalitaryzmu stanowiło ciężką próbę dla Staffowego optymizmu.

SKAMANDRYCI

Skamander

- najbardziej wpływowa grupa poetycka okresu międzywojennego skupiona wokół pism: „Pro arte et studio" (1916–1919), „Skamander" (1920–1928, 1935–1939), „Wiadomości Literackie" (1924–1939) z Mieczysławem Grydzewskim jako redaktorem naczelnym
- skład grupy: „wielka piątka" (Tuwim, Lechoń, Wierzyński, Iwaszkiewicz, Słonimski) i „satelici" (Baliński, Iłłakowiczówna, Pawlikowska-Jasnorzewska)
- programowa różnorodność tematów i stylów, brak programu — poetów łączyła jedynie przyjaźń i... wiara w talent (to już niemało!)
- opozycja wobec modernizmu (artysta ponad społeczeństwem) i romantyzmu (poeta-wieszcz) — poezja bliska codzienności, konkretowi, posługująca się językiem potocznym, w zestawieniu z dążeniami ówczesnej awangardy — mimo wszystko tradycyjna (nastrojowość, dążenie do jasności i harmonii, nierzadko — wiersz o regularnej budowie)
- już w latach trzydziestych drogi poetów Skamandra wyraźnie się rozchodzą — wraz z wybuchem wojny grupa przestaje istnieć

Antoni Słonimski (1895–1976)

„Łatwo się mnie nie pozbędziecie."

- pochodził ze starej rodziny żydowskiej, związany z Warszawą, w latach 1939–1951 za granicą (Paryż, Londyn)
- poeta-tradycjonalista, bliski klasycyzmowi i parnasizmowi, okazjonalnie — ekspresjonista w skandalizującym poemacie **Czarna wiosna** (1919), zapowiadającym wybuch rewolucji i zgładzenie starego świata („Drżyjcie, burżuje, przyszedł czas")
- poeta-pacyfista (choć wielką popularność przyniosły mu wiersze wojenne: **Alarm** i **Ten jest z ojczyzny mojej**)
- poeta Warszawy (choć utrwalał w liryce także wrażenie z egzotycznych podróży)
- najlepszym poematem Słonimskiego jest napisany w latach sześćdziesiątych **Sąd nad Don Kichotem** — alegoryczną opowieść o Sancho Pansie, który obejmując władzę nad wyspą Baritaria stał się ponurym despotą, odczytać można jako krytykę systemu totalitarnego
- prozaik — autor dwóch powieści w poetyce science-fiction: **Torpeda czasu** (1924) i **Dwa końce świata** (1937) — ten drugi utwór zaliczylibyśmy dziś raczej do gatunku „politics-fiction" (prezentuje świat, w którym Hitler i Stalin zginęli przed wybuchem II wojny, a ich miejsce zajął równie ponury dyktator)
- publicysta — przed wojną autor głośnych felietonów na łamach „Wiadomości Literackich" (**Kroniki tygodniowe, Książki najgorsze**), po wojnie współpracował z „Tygodnikiem Powszechnym", stając się u schyłku życia wzorem niezależnego pisarza; swoje spotkania ze sławnymi postaciami epoki opisał w **Alfabecie wspomnień** (1975) — ostatnio modne stało się naśladowanie tej formy

Julian Tuwim (1894–1953)

„Jestem tylko łowcą słów..."

- urodzony w Łodzi, w rodzinie pochodzenia żydowskiego, 1916–1939 w Warszawie, podczas wojny na emigracji, do kraju powrócił w 1946 r.

Wczesna twórczość
- obejmuje lata 1918–1923
- Tuwim jest wówczas poetą naiwnej, młodzieńczej radości życia, zauroczonym miastem i wielkomiejską cywilizacją
- kpi z tradycji (Sokrates to u niego „stary gałgan"), nie jest mu obcy ekspresjonizm i futuryzm (zwłaszcza w jego rosyjskiej odmianie)
- wywołuje skandal wierszem **Wiosna** („Naróbcie Polsce bachorów [...] Gwałćcie!"), chociaż bywa też bardzo sentymentalny (**Piotr Płaksin**)
- w **Słopiewniach** próbuje stworzyć nowy język poetycki, oparty niemal wyłącznie na neologizmach, nawiązujący do uniwersalnego języka słowiańskiego

1918 —	*Czyhanie na Boga*
1920 —	*Sokrates tańczący*
1929 —	*Rzecz czarnoleska*
1932 —	*Biblia cygańska*
1936 —	*Treść gorejąca*
1946 —	*Bal w Operze*
1949 —	*Kwiaty polskie*

Twórczość okresu dojrzałego
- odrzucenie tradycji młodopolskiej („poetyckie Tworki"), podjęcie dialogu z poezją Kochanowskiego, Mickiewicza, Słowackiego (**Rzecz czarnoleska**), Tuwim nie uważa się jednak za natchnionego wieszcza („znakami czarnej męki pstrząc białe arkusze")
- antymieszczański, pacyfistyczny (wiersz **Do prostego człowieka** wywołał w 1929 r. kolejny skandal), atakuje tradycje polskiej prawicy (**Quatorze juillet**), oskarża endecję (**Pogrzeb prezydenta Narutowicza**)

Poemat **Bal w Operze** napisany został już w 1936 r., wydany — z uwagi na cenzurę — dopiero po dziesięciu latach. Jest on satyrą na ówczesne elity (generalicja, arystokracja, politycy), których przedstawiciele uczestniczą w nocnym balu. Zabawa odbywa się pod czujnym okiem tajniaków, dziennikarze przygotowują już sprawozdania w duchu oficjalnej propagandy („małe, słodkie IDEOLO"). Bal kończy się nie tyle tragicznie, co groteskowo — katastrofalnym w skutkach chaosem („Wszystkich wszyscy diabli wzięli"). Słownictwo utworu pełne jest wyrażeń żargonowych, brutalizmów i neologizmów. Zwracają uwagę charakterystyczne dla pisarza igraszki słowne: zwroty i słowa niepełne, wyliczenia, przestawienia, onomatopeje („Pryska extra bluzgi grzmiące"). Zdaniem niektórych badaczy (np. Michała Głowińskiego) — największe osiągnięcie Tuwima.

- poeta codzienności — opisuje w swych wierszach najzwyczajniejsze przedmioty (buty, kanapa, kredens, gazeta, kartofle — ale pieczone przy ognisku) i czynności (golenie, picie mleka); inaczej niż np. u Staffa dom pozostaje obcy, nie daje poczucia „zadomowienia" („Dom jak więzienie"), z upływem lat — coraz większy dystans wobec cywilizacji XX wieku
- poeta melancholijny — szczególnie w twórczości z lat trzydziestych; Tuwimowska jesień („wielkie, głębokie westchnienie") bywa jeszcze radosna i szalona (**Wspomnienie, Zawieja**), zima jest przerażająco smutna (**Zadymka**)
- autor poematu dygresyjnego, będącego próbą ożywienia epiki romantycznej (**Kwiaty polskie**) — podczas wojny wielką popularnością cieszył się fragment zaczynający się od słów: „Chmury nad nami rozpal w łunę" (znany też jako **Modlitwa**), po latach wartość utworu znacznie zbladła
- kolekcjoner osobliwości, zapalony bibliofil, opracował słownik pijacki, interesował się magią, czarownicami, wiedzą tajemną
- autor tekstów piosenek i skeczów dla teatrzyku „Qui pro Quo" — napisał słowa słynnych przebojów **Miłość ci wszystko wybaczy, Co nam zostało z tych lat, Uliczka w Barcelonie** — tworzył pod wieloma pseudonimami (m.in. jako Pekińczyk, Twardzioch, Schyzio-Frenik, doktor Pietraszek)
- autor popularnych wierszy dla dzieci (**Lokomotywa, Ptasie radio, Zosia Samosia, Słoń Trąbalski**)
- tłumacz poezji rosyjskiej

„Nie ma nieba ni ziemi, otchłani ni piekła,
Jest tylko Beatrycze. I właśnie jej nie ma.''

Jan Lechoń (1899–1956)

- prawdziwe nazwisko: Leszek Serafinowicz; od urodzenia związany z Warszawą, w latach trzydziestych w Paryżu (jako pracownik polskiej ambasady), od 1941 r. mieszkał w Nowym Jorku, zmarł śmiercią samobójczą (skok z 10 piętra Hotelu Hudson)

- cudowne dziecko: debiutował w wieku zaledwie 13 lat (!), później bywało różnie (długie okresy milczenia spowodowały, że dorobek Lechonia jest objętościowo skromniejszy niż pozostałych skamandrytów)

1920 —	*Karmazynowy poemat*
1924 —	*Srebrne i czarne*
1942 —	*Lutnia po Bekwarku*
1945 —	*Aria z kurantem*
1967 —	*Dziennik* (całość w 1973)

- początkowo — czołowy poeta Skamandra (wymyślił nazwę grupy), odnosił wielkie sukcesy w kawiarni poetyckiej „Pod Picadorem'', gdzie zbierali się skamandryci i ich publiczność (recytował tam z wielkim powodzeniem *Mochnackiego*)

- poeta marzeń o niepodległości, apologeta Piłsudskiego (wiersze upamiętniające czyn zbrojny I Brygady Legionów Polskich i wojnę polsko-bolszewicką) — poeta narodowych mitów (uznanie dla Polski szlacheckiej, podtrzymanie legendy napoleońskiej) — spadkobierca romantyzmu: w znakomitym wierszu **Mochnacki** nawiązuje do koncertu Jankiela z *Pana Tadeusza* (mieszczańska publiczność jest tu jednak przeciwnikiem artysty); zdaniem Romana Lotha stosunek poety do tradycji romantycznej jest niejednoznaczny (krytyka w **Herostratesie**, apologia w **Jacku Malczewskim**)

- w swym najlepszym tomie (**Srebrne i czarne**) poeta pesymizmu, miłości i śmierci, „zeschłych liści, zwiędłych kwiatów'' — użycie (już w tytule) barw ceremonii pogrzebowej, liczne jej rekwizyty w wierszach — poszerzenie dialogu z tradycją (m.in. o barok), wśród bohaterów wierszy — Dante, Goethe, Proust

- podczas wojny — poeta patetyczny, konsekwentny tradycjonalista; o kampanii wrześniowej mówią wiersze **Grób Agamemnona** i **Pieśń o Stefanie Starzyńskim**, o klęsce Francji **Marsylianka**, o walkach Polaków na Zachodzie **Monte Cassino** i **Marsz II Korpusu**, o powstaniu warszawskim **Wiersz dla Warszawy**

- rekwizytorium polskości w poezji Lechonia: tradycja staropolska (Rzeczpospolitej Obojga Narodów), legenda napoleońska (zwłaszcza Somosierra i śmierć księcia Józefa Poniatowskiego), poezja Mickiewicza, Słowackiego, Krasińskiego, dramaty Wyspiańskiego, malarstwo Grottgera — bohaterstwo walczącej Polski widzi poeta jako kontynuację tradycji romantycznej

---

Swój **Dziennik** pisał poeta za namową lekarza (w psychoanalizie dziennik bywa często formą terapii) już pod koniec życia, w okresie narastającego kryzysu psychicznego (lata 1949–1956). Zapiski prowadził z dużą regularnością, zachowując zwykle stały porządek (pierwszy fragment dziennej notatki dotyczył własnych planów twórczych i pracy pisarskiej, dalsze — emigracyjnej codzienności przeżywanej w Nowym Jorku, wiadomości nadchodzących z kraju, wspomnień). Nieprzejednany antykomunista, potępiał ostro pisarzy akceptujących nową władzę. Przejęcie władzy przez stalinowców uznawał za katastrofę na miarę Apokalipsy („Już jest zupełnie jak w Sowietach, już nic polskiego nie ma — carskie czasy to była rozszalała wolność, gdy ją porównać z tym niewolniczym upodleniem, do którego doprowadzili bolszewicy Polaków''). Z kart *Dziennika* wyłania się autoportret neurotycznego artysty, człowieka skłóconego z otoczeniem (m.in. kręgiem paryskiej „Kultury''), pełnego kompleksów, z trudem przystosowującego się do życia w Ameryce.

*„Nie lękaj się, otwórz drzwi,
Wejdź w mój sen."*

Kazimierz Wierzyński (1894–1969)

● w okresie międzywojennym związany z Warszawą, po r. 1939 na emigracji (głównie w USA)

Wiersze młodzieńcze

● poeta radości, szczęścia, miłości, wina (także szampana — „jestem jak szampan"), zupełnie nieodpowiedzialny, trochę zwariowany („zielono mam w głowie i fiołki w niej kwitną")
● uwielbia ruch, pęd, taniec, ulubiona pora roku — „pogańska wiosna", pora dnia — słoneczny poranek
● poetyckie credo:
„Niech żyją bzdurstwa, bujdy, banialuki!
Dosyć rozsądku! Wiwat trans wariata!"

1919 —	*Wiosna i wino*
1921 —	*Wróble na dachu*
1927 —	*Laur olimpijski*
1936 —	*Wolność tragiczna*
1951 —	*Korzec maku*
1960 —	*Tkanka ziemi*
1968 —	*Czarny polonez*
1969 —	*Sen mara*

Wiersze olimpijskie

● w tomie **Laur olimpijski** znalazły się wiersze o sporcie — z epoki, gdy ćwiczące panie budziły jeszcze sensację i przyrównać je wypadało do „Spartanek i Amazonek", gdy zawody piłkarskie zwało się „matchem footballowym", już wówczas do najbardziej pasjonujących konkurencji należał bieg na sto metrów i skok o tyczce
● nie biegając, nie skacząc, nie rzucając dyskiem ani oszczepem, Kazimierz Wierzyński zdobył dla naszych barw złoty medal na Igrzyskach Olimpijskich w Amsterdamie w 1928 r. (za poezję!)

Wiersze patriotyczne

● już w okresie międzywojennym — nurt poezji obywatelskiej (tom **Wolność tragiczna**, którego bohaterem jest Piłsudski, uosobienie tradycji niepodległościowych, pokazywany przez Wierzyńskiego jako wielki mąż stanu nie do końca zrozumiany przez naród)
● w wierszach wojennych — nawiązanie do tradycji romantycznej (Mickiewicz, Słowacki, Norwid, Krasiński, Chopin), dialog z Wyspiańskim (motyw Chochoła), ożywienie legendy napoleońskiej i powstańczej, przypomnienie martyrologii syberyjskiej, mesjanizm; poezja patetyczna — wątki religijne w formach takich jak modlitwa i hymn (**Święty Boże**)

Wiersze emigracyjne

● najcenniejsze w dorobku poety utwory pochodzą z lat 1951–1969; liryka w pełni nowoczesna (oddalone rymy, brulionowy zapis, nieregularna budowa wiersza, ograniczenie metaforyki, maksymalna zwięzłość i prostota)
● pejzaż poetycki: noc, ciemność, ruiny, cmentarzyska, powracające cienie zmarłych — ziemia z późnych wierszy Wierzyńskiego to najczęściej świat podziemny, po którym wędruje Orfeusz, „lutnista ciemnego czasu i losu"
● pełna życia jest natomiast nie istniejąca już kraina dzieciństwa — tam „trawy pachną i więdną po polsku"
● liryka intymna, wiersz-wyznanie, rejestrujący złudne nadzieje, lęki, słabości poety, rozczarowania („nie sprzyjają mi ludzie i duchy"), oniryczne krajobrazy (sen otwiera drogę do świata umarłych, staje się koszmarem)

Wielkim zaskoczeniem — i dla kraju, i dla emigracji — był zbiór **Czarny polonez**, książka dowodząca świetnej znajomości realiów PRL, języka ulicy, nastrojów społecznych. Do idei *Zniewolonego umysłu* nawiązywał *Moralitet o czystej grze*, pokazujący moralną kapitulację elity umysłowej. O wycieczkach turystyczno-handlowych Polaków, nasilających się w późniejszym okresie, mówiła *Wyprawa fenicka*. Autor podjął również temat emigracji zewnętrznej (*Uciekają*) i wewnętrznej (*Dobranoc*), rozbudzonych po październiku 1956 r. i nie spełnionych nadziei (*Do towarzysza Wiesława*), ewentualność powrotu do kraju wykluczał słowami: „Ja tam nie mogę żyć." Brutalna, agresywna poetyka *Czarnego poloneza* sprawiła, że książka należała do najsurowiej tępionych przez cenzurę PRL. W drugim obiegu stała się prawdziwym bestsellerem, wielokrotnie przedrukowywanym.

Z perspektywy dzisiejszej — być może najlepszy poeta Skamandra. Trochę w cieniu swych lepiej dbających o własne interesy kolegów, po wojnie — stanowczo nie doceniany. Dziesięć lat temu ukazał się w kraju okaleczony przez cenzurę dwutomowy wybór pism Wierzyńskiego. Monografia poety — ciągle do napisania.

„Nie jestem jednak rycerz..."

JAROSŁAW IWASZKIEWICZ

1894–1980

- pochodził z Ukrainy, studiował w Kijowie, od 1928 r. w Stawisku pod Warszawą
- przed wojną — członek grupy Skamander, po wojnie — redaktor naczelny miesięcznika „Twórczość", wieloletni prezes Związku Literatów Polskich
- postać kontrowersyjna — w okresie PRL pełnił trudną i niewdzięczną funkcję pośrednika między władzą a niepokornymi literatami, nie da się jednak ukryć, że instytucje, którymi kierował, zawdzięczały swój prestiż także Iwaszkiewiczowi
- pisarz wszechstronny i płodny, tradycjonalista we wszystkich rodzajach uprawianej twórczości

Poeta

- w **Oktostychach** (1919) klasycyzujący modernista, bliski parnasizmowi, poeta poza historią
  — „oktostych" to ośmiowiersz, u Iwaszkiewicza — liryk złożony z czterech dwuwierszowych strof
- w **Dionizjach** (1922) — przeobrażenie: Iwaszkiewicz zbliża się do... ekspresjonizmu!
- kolejna metamorfoza w tomach: **Księga dnia i księga nocy** (1929), **Powrót do Europy** (1931), **Lato 1932** (1933) — zwrot ku klasycyzmowi (wśród gatunków: oda, list, elegia, sonet), poezja licznych aluzji kulturowych w *Lecie 1932* liryka, której tematem jest noc, chłód, zima, zamieranie
- po wojnie wydał kolejne zbiory poetyckie, m.in. **Śpiewnik włoski** (1974), **Muzyka wieczorem** (1981)

> „Bo sens nie w szarpaniu
> Ani jest w radości,
> Ale w cierpliwości
> I wielkim czekaniu."

Mapa pogody (1977) zdobyła największe uznanie krytyki i czytelników. Pisana u schyłku życia, w „czas ostatnich śpiewów", zdumiewa harmonią i precyzją języka. „Stary poeta" (tak nazywa się jeden z zamieszczonych tu cykli lirycznych) czuje się przytłoczony wspomnieniami, otaczają go cienie zmarłych, gromadzi pamiątki, imiona, krajobrazy. Zbiór jest pochwałą klasycznego umiaru i prostoty — tak w sztuce, jak i w życiu („Zawsze najpewniejsze ze wszystkich szczęść i wielkich i małych — najmniejsze").

Nowelista

Nie potrafimy wyobrazić sobie utworu Iwaszkiewicza rozgrywającego się w abstrakcyjnej przestrzeni. Urzeka go konkret, miejsca, ludzie, ich zajęcia. Pod piórem autora *Brzeziny* przedmioty i pejzaże zamieniają się w prawdziwe dzieła sztuki. Prezentując najbardziej zawiłe dramaty, stroni od gruntownej wiwisekcji ludzkiej psychiki. Wybiera poetykę niedopowiedzenia (**Panny z Wilka, Kościół w Skaryszewie, Tano**). Motywacje są tu często zaskakujące, zagadkowe albo wręcz nieprzeniknione. Biologiczne instynkty powodują, że człowiek stanowi niespodziankę — nawet dla samego siebie. Miłość i śmierć, a przeważnie ich bliski związek, dostarczają tematu do kolejnych utworów (**Brzezina, Tatarak, Kochankowie z Marony**).

1933 — *Panny z Wilka. Brzezina*
1936 — *Młyn nad Utratą*
1947 — *Nowa miłość i inne opowiadania* (m.in. *Matka Joanna od Aniołów, Bitwa na równinie Sedgemoor*)
1947 — *Nowele włoskie*
1960 — *Tatarak i inne opowiadania*
1961 — *Kochankowie z Marony*
1974 — *Sny. Ogrody. Sérénité*
1976 — *Noc czerwcowa. Zarudzie. Heydenreich*
1981 — *Utwory ostatnie*

Bohaterowie większości nowel to mieszkańcy wsi i małych miasteczek, żyjący w poczuciu niedosytu, spragnieni nowych doświadczeń — niezadowoleni, zawiedzeni, załamani. Jednych nęka poczucie winy, innych — reminiscencje minionej wojny (**Tatarak, Wzlot, Sérénité**). Ci „mali", niezbyt atrakcyjni bohaterowie czasem nie dorastają do ról, jakimi obdarzył ich autor. Być może — jak Michał z opowiadania **Mefisto-Walc** — wkroczyli do współczesności z innego świata, w XX w. czują się obco.

Wśród opowiadań o tematyce historycznej prócz popularnej **Matki Joanny od Aniołów** (wartościowa ekranizacja Jerzego Kawalerowicza!) zasługuje na uwagę **Bitwa na równinie Sedgemoor**, stawiająca pytanie o sens oporu jednostki wobec historii. W swym późnym „powstańczym" tryptyku pisarz polemizuje z tradycyjnym pojmowaniem patriotycznego obowiązku (**Noc czerwcowa**), sensu ofiary (**Zarudzie**), z rozumieniem heroizmu (**Heydenreich**).

Powieściopisarz
● powieść historyczna **Czerwone tarcze** (1934) — akcja w średniowieczu, bohaterem książę Henryk Sandomierski, syn Bolesława Krzywoustego — nowoczesna powieść psychologiczna o władzy

Trzytomowa powieść **Sława i chwała** (1956–1962) wydawała się niektórym krytykom spełnieniem marzeń o kontynuacji wielkiej epiki. Cztery pierwsze rozdziały poświęcił Iwaszkiewicz wielkim wydarzeniom (I wojna światowa, rewolucja 1917 r., wojna polsko-bolszewicka, zamach majowy Piłsudskiego). Dopiero rozdział piąty, zatytułowany wymownie „Gospodarstwa i ogrody", wnosi uspokojenie i zapowiedź normalnego życia. Okaże się ona iluzją. Powracają tematy wojenne (wojna domowa w Hiszpanii, kampania wrześniowa, powstanie w getcie, powstanie warszawskie), ginie większość bohaterów. Powieść ukazuje rozmaite środowiska (ludzie nauki i sztuki, elita władzy, salony arystokratyczne, w epizodach także robotnicy), stara się dać wyczerpujący obraz epoki, choć przynosi w rezultacie wizję historii Polski obowiązującą oficjalnie w PRL. Na katastrofy dziejowe patrzy zresztą autor nie bez dystansu (takie spojrzenie ułatwia postać głównego bohatera, Janusza Myszyńskiego).
Być może „chwała ludzkości nie w cierpieniu", lecz to właśnie cierpienie czyha na człowieka w każdej sferze jego życia (miłość, choroba, śmierć). Nie jest od niego wolna również sztuka, prawdziwego artystę nęka zawsze poczucie niespełnienia. Rozmyślania kompozytora Edgara Szyllera (utożsamianego przez wielu z Karolem Szymanowskim) i opis jego śmierci zawarty w rozdziale „Kwartet d-moll" należą do najbardziej udanych partii tej niezbyt udanej powieści.

Eseista
● wspomnienia: **Książka moich wspomnień** (1957), **Aleja Przyjaciół** (1984), autobiograficzny charakter ma wiele innych utworów pisarza
● szkice i gawędy o literaturze: **Rozmowy o książkach** (1961), **Petersburg** (1976)
● eseje o muzyce: **Chopin** (1938, 1949), **Spotkania z Szymanowskim** (1947)

Podróże do Polski (1977) są być może jedyną liczącą się w dorobku Iwaszkiewicza książką o Polsce powojennej. Rodzimą prowincję pokazywały liczne opowiadania i nowele, jednak dopiero *Podróże* stały się prawdziwym requiem dla umierającego świata małych miasteczek. Powtórki przedwojennych wędrówek są bolesne: „niszczeją pamiątki, całe połacie wspomnień i całe kawały pejzażu". Polska jest tu krajem zrujnowanym, a co gorsza, zamienia się powoli w „ziemię niczyją", do której mieszkańcy stracili przywiązanie. Zamiera życie umysłowe, marnieje inteligencja prowincjonalna. Warto wspomnieć, że utwór ukazał się w epoce „propagandy sukcesu", gdy energicznie rozpowszechniano obraz kraju jak z kolorowej pocztówki.

Dramaturg
● dramaty pokazujące epizody z życia artystów: Chopina (**Lato w Nohant**, 1937) i Puszkina (**Maskarada**, 1939)

Tłumacz
● poza utworami Szekspira, Andersena i pisarzy francuskich (m.in. Gide'a) przełożył dwie podstawowe prace Kierkegaarda: *Bojaźń i drżenie* oraz *Albo-albo* (jako jeden z niewielu ludzi w Polsce znał języki: duński i rumuński)

!!!
...

Iwaszkiewicz, całe życie uważany za pisarza kompromisu, wywołał po śmierci prawdziwy skandal. Zgodnie ze swoim życzeniem pochowany został w galowym mundurze górniczym, co znaczna część opinii publicznej odebrała jako ukłon pod adresem „pierwszego górnika Rzeczypospolitej", Edwarda Gierka. Dało to początek dosyć groteskowej dyskusji.

FUTURYŚCI

Dość efemeryczna grupa poetycka działająca w latach 1918–1923, w jej skład wchodzili m.in. Jerzy Jankowski (1887–1941), Tytus Czyżewski (1880–1945), Bruno Jasieński (1901–1939), Anatol Stern (1899–1968), Aleksander Wat.

- próbowali zreformować polską ortografię pisząc „pszewrucony", „pujdź", „bżuch", cenili językowy żart, czarny humor, nonsens, szokujące rymy w rodzaju „skriabin-karabin" (kto słuchał Skriabina w wykonaniu Horowitza, musi przyznać, że to skandal)
- nie grzeszyli skromnością („gdy nastał Jasieński, bezpowrotnie umarli i Tetmajer, i Staff" — pisał... Bruno Jasieński!), głosili chwałę nowoczesnej cywilizacji, wielbili energię, ruch („przypiec pięty wam śniącym w bezruchu" — marzył Stern), choć nie był im obcy także folklor (pastorałki Czyżewskiego)
- byli na ogół pisarzami zbliżonymi do lewicy (Wat), włączali się do nurtu poezji rewolucyjnej (**Słowo o Jakubie Szeli** Brunona Jasieńskiego)

Aleksander Wat (1900–1967)

- pochodził ze starej rodziny żydowskiej, podczas wojny w ZSRR (więzień, robotnik, urzędnik), do kraju powrócił w 1946 r., po 1959 r. na emigracji (Włochy, Francja, USA)
- futurystą był tylko w młodości — jego poemat prozą pod imponującym tytułem **Ja z jednej strony i ja z drugiej strony mego mopsożelaznego piecyka** to jeden z najważniejszych eksperymentów poetyckich okresu międzywojennego, otwarty na rozmaite interpretacje (Ryszard Matuszewski wiąże go z dadaizmem, Jan Zieliński z surrealizmem)

1920	*Ja z jednej strony....*
1957	*Wiersze*
1962	*Wiersze śródziemnomorskie*
1968	*Ciemne świecidło*
1977	*Mój wiek*
1985	*Świat na haku i pod kluczem*
1986	*Dziennik bez samogłosek*

- powojenna liryka Wata wyrasta z doświadczeń osobistych: bólu, cierpienia, choroby, poczucia zbliżającej się agonii, poszukiwania śmierci i unicestwienia („z krzyża wołam już tylko nicości"), zawiera katastroficzną interpretację historii (częsty motyw martwego, kamiennego pejzażu), jej tworzywem są wątki antyczne, orientalne, biblijne (oryginalna interpretacja tematu Męki Pańskiej); jest to poezja metonimiczna (według określenia Romana Jakobsona, odróżniającego poezję „metaforyczną", związaną z romantyzmem i tradycyjną poetyckością, od poezji „metonimicznej", bliższej prozie), zakładająca „koniec metafory", bogata gatunkowo (oda, sonet, miniatura, poemat prozą), erudycyjna (aluzje do wielu dzieł literatury, malarstwa, rzeźby)

Pamiętnik mówiony **Mój wiek** to zapis rozmów, jakie w 1965 r. prowadził z Aleksandrem Watem Czesław Miłosz. Przyznać trzeba, że wielki poeta okazał się znakomitym dziennikarzem i to również dzięki niemu wywiad-rzeka stał się dziełem, jakiego ciężko chory pisarz nie byłby już w stanie stworzyć.

Mój wiek zachowuje porządek tradycyjnej autobiografii. Pokazuje futurystyczną młodość autora, kreśli obraz życia ówczesnej cyganerii artystycznej (m.in. sylwetki Peipera i Witkacego), tłumaczy powody atrakcyjności komunizmu dla inteligencji polskiej pochodzenia żydowskiego. Najcenniejsze rozdziały dotyczą wojennych losów pisarza: aresztowania we Lwowie (w jednej celi z Broniewskim), pobytu w więzieniu na Łubiance, późniejszej tułaczki na terenie Związku Sowieckiego (Ałma Ata, Taszkient). *Mój wiek* jest jednak przede wszystkim autobiografią intelektualną, rozprawą ze stalinizmem i komunizmem na skalę nie spotykaną w literaturze polskiej. Wat już w latach trzydziestych (m.in. pod wpływem doniesień o procesach moskiewskich, kolektywizacji i stwierdzeniu podobieństw między komunizmem a hitleryzmem) oddalił się od lewicy politycznej. Nie potrafił zaakceptować jej ideałów również jako artysta, chroniący swój wewnętrzny świat, dążący do ocalenia w sobie „wewnętrznego człowieka" („żeby wprowadzić dekalog komunistyczny w duszę, trzeba zabić wewnętrznego człowieka").

- do tematów poruszonych w *Moim wieku* nawiązują w znacznej mierze autobiograficzne zbiory esejów i zapisków **Świat na haku i pod kluczem** oraz **Dziennik bez samogłosek**

EKSPRESJONIŚCI

W najściślejszym znaczeniu — pisarze tacy jak Józef Wittlin i Emil Zegadłowicz. Organem polskich ekspresjonistów był poznański „Zdrój" (1917–1922), z którym współpracowali także pisarze młodopolscy (Przybyszewski, Berent, Kasprowicz, Miriam), a nawet skamandryci. Polski ekspresjonizm nawiązywał do romantyzmu (kult mistycznego Słowackiego), modernizmu, czasem szukał inspiracji w literaturze ludowej.

Józef Wittlin (1896–1976)

1920 —	*Hymny*
1936 —	*Sól ziemi*
1963 —	*Orfeusz w piekle XX wieku*

● pisarz o kresowym rodowodzie, brał udział w I wojnie światowej, w okresie międzywojennym przebywał we Lwowie, Łodzi, Warszawie, od 1939 r. emigrant (Francja, Portugalia, USA)
● poeta: autor ekspresjonistycznego tomu **Hymny**, zawierającego wstrząsające wiersze antywojenne (sławny **Hymn o łyżce zupy**) — w późniejszej liryce pokazuje wielkomiejską cywilizację, „kulturę gazety", wynaturzenia epoki (**Litania**), tworzy współczesne odpowiedniki gatunków takich, jak elegia, tren, pieśń
● prozaik

> **Sól ziemi** stanowić miała <u>część pierwszą</u> trylogii **Powieść o cierpliwym piechurze**. Z części drugiej (*Zdrowa śmierć*) znamy tylko fragment, a trzecia (*Dziura w niebie*) nie została nigdy napisana. Bohaterem utworu jest Piotr Niewiadomski, biedny analfabeta, robotnik kolejowy, poddany cesarza Franciszka Józefa, idący w 1914 r. na wojnę jako żołnierz austriacki. Książka przynosi świetne epizody z życia koszarowego c.k. armii. I wojna światowa jest dla autora „rodzicielką tej drugiej, totalnej wojny światowej oraz wszelkich grożących nam dzisiaj katastrof".
> Na szczególną uwagę zasługuje prolog powieści, ukazujący techniką panoramiczną, bliską symultanizmowi, przygotowania do wojny. Ekspresjonistyczny w stylistyce, pisany przeważnie krótkimi zdaniami-wykrzyknikami, w zakończeniu staje się poematem prozą.

● eseista

> Dorobek eseistyczny pisarza gromadzi wydany na emigracji zbiór **Orfeusz w piekle XX wieku**. Sam Wittlin uznał go za „autoportret" z uwagi na przewagę szkiców wspomnieniowych (m.in. *Mój Lwów*). Autor opowiada o swych fascynacjach literackich (Gombrowicz, Rilke, T. Mann), niepokoi go rozwój współczesnej cywilizacji (wojna jako wybuch barbarzyństwa). Znakomity tekst poświęca sytuacji pisarza emigracyjnego, odciętego od kultury ojczystej, pracującego w izolacji (*Blaski i nędze wygnania*).

● tłumacz: trzykrotnie przekładał *Odyseję* — utwór, nad którym rozmyślał przez całe życie

Emil Zegadłowicz (1888–1941)

● poeta — czerpał inspiracje ze sztuki ludowej (**Powsinogi beskidzkie**), pisał subtelne liryki miłosne (**Wrzosy**)
● prozaik — dosyć skandalizujący w powieściach **Zmory** (1935) i **Motory** (1938), oskarżanych o pornografię, opisujących pierwsze wtajemniczenia seksualne bohaterów, zapowiadających współczesną inwazję wątków erotycznych; w *Zmorach* — wstępny kurs „przysposobienia do życia w rodzinie" napisany gwarą góralską

AWANGARDA KRAKOWSKA

- konkurencyjna wobec Skamandra grupa poetów (m.in. Tadeusz Peiper, Julian Przyboś, Adam Ważyk, Jan Brzękowski), skupiona wokół czasopism „Zwrotnica" (1922–1923, 1926–1927) i „Linia" (1931–1933)
- główny teoretyk: **Tadeusz Peiper** (1891–1969), bardzo oryginalny poeta (twórca idei „poematu rozkwitającego"), autor manifestów **Nowe usta** (1925) i **Tędy** (1930)
- program: zasada ścisłej konstrukcji i ekonomii środków (jak najmniej słów), powściągliwość w wyrażaniu uczuć („metafora wstydliwego uczucia")
- **„Miasto-masa-maszyna"** — walka o poezję zgodną z duchem czasu („oddać miąższ wieków"), pejzaż wielkomiejski jako źródło nowego piękna, za dziełem sztuki stoi nie jednostka (jak sądzili choćby romantycy i moderniści), lecz społeczeństwo („masa")
- poezja to „tworzenie pięknych zdań", poemat — „układ pięknych zdań", awangardziści lubią nieregularną budowę wiersza, asonanse (rymy przybliżone), rezygnują z podziału na strofy (wiersz-organiczna całość)

Julian Przyboś (1901–1970)

- poeta o chłopskim rodowodzie, urodzony na Rzeszowszczyźnie (wieś Gwoźnica)
- najwcześniejszy okres twórczości (lata dwudzieste): poeta „miasta", „masy", a zwłaszcza „maszyny" — konstruktywista, opiewa śruby, belki, koła zębate, kable (nowy rodzaj piękna, który jakoś się nie przyjął)
- począwszy od zbioru **Z ponad** powraca do natury (polski pejzaż: jabłonie, brzozy, nawet słowik został w końcu „ułaskawiony"), opisuje ją jednak inaczej niż skamandryci czy Staff (pejzaż pozbawiony barwy, „geometryczny", obraz poetycki przypomina bardziej grafikę niż malarstwo)

1925 —	*Śruby*
1930 —	*Z ponad*
1932 —	*W głąb las*
1938 —	*Równanie serca*
1945 —	*Miejsce na ziemi*
1961 —	*Próba całości*

- poeta ruchu: zwykle nierealnego, łagodnego („Latarnie wyszły z ciemnych bram na ulicę i w powietrzu cicho stanęły") albo gwałtownego („sny rozwaliły dom")
- poeta uporządkowanej przestrzeni — częsty motyw: koło widnokręgu wprawione w ruch — przestrzeń kształtowana nie tylko za pomocą obrazu („mów szeroko — mów obszarem")
- w nurcie poezji obywatelskiej mieszczą się wiersze podkreślające solidarność pisarza z przejawami chłopskiego buntu (**Odjazd z wakacji**), poświęcone wojnie domowej w Hiszpanii (**Na granicy**), kampanii wrześniowej (**Póki my żyjemy**), okupacji (**Nie zasnę dziś...**), rewolucji węgierskiej 1956 r. (**Elegia tucholska**)
- w nurcie poezji miłosnej: **Wieczór, Odjazd, Do ciebie o mnie** — liryki te są próbą znalezienia nowej formuły erotyku (powściągliwość, odmienny typ nastroju, zasadniczo niepoetycka sceneria: ulica, dworzec)
- nowy język poetycki: wulgaryzmy („łeb ziemi", „bekowisko materii"), neologizmy („przysłowieć", „rosny", „starodrzewny"), dziwaczności („wyjmij z pięty usterkę mili") — zasada rygoru, zwięzłości, maksimum znaczeń przy użyciu możliwie najmniejszej liczby słów, wśród najważniejszych figur poetyckich — oksymoron („gromobicie ciszy")

Adam Ważyk (1905–1982)

- poeta: w różnych okresach życia zbliżony do surrealizmu, dadaizmu, kubizmu, nawet — socrealizmu; nade wszystko — znakomity tłumacz poezji francuskiej XX w., a także poezji rosyjskiej
- prozaik: powieści **Latarnie świecą w Karpowie** (1933), gdzie próbował wykorzystać Joyce'owski monolog wewnętrzny, **Mity rodzinne** (1938) zbliżające autora do kręgu „nowej formacji"; autobiografia intelektualna **Kwestia gustu** (1966), ważny esej **Dziwna historia awangardy** (1976)

Jan Brzękowski (1903–1983)

- poeta, prozaik, krytyk, od 1928 r. we Francji (pisał też po francusku), zbliżył się do surrealizmu postulując program „metarealizmu", przyznając w nim główną rolę „wyobraźni wyzwolonej" (uważanej za główny żywioł poezji)

AWANGARDA LUBELSKA

- „krąg Czechowicza", jeden z nurtów tzw. „drugiej awangardy", dochodzący do głosu w latach trzydziestych (m.in. Czechowicz, Iwaniuk, Łobodowski)
- opozycyjna wobec poezji skamandrytów, nawiązująca (nie bez zastrzeżeń) do osiągnięć awangardy krakowskiej, podejmująca dialog z romantyzmem (Słowacki, Norwid) i symbolizmem
- wspólny dla całej „drugiej awangardy" jest **katastrofizm**

Józef Czechowicz (1903–1939)

1927 —	*Kamień*
1930 —	*dzień jak codzień*
1932 —	*ballada z tamtej strony*
1934 —	*w błyskawicy*
1939 —	*nuta człowiecza*

- uczestnik wojny 1920 r., związany z Lublinem, następnie Warszawą — poeta, prozaik, dramaturg (bardzo oryginalne słuchowiska radiowe!)
- przeciwnik realizmu — poezja tworzy nowy świat, zgodny z logiką wyobraźni, „nowe biblie i sagi zrodzone z myśli współczesnej, z ducha XX wieku"
- katastrofista — nękany przeczuciem zbliżającej się, przedwczesnej śmierci, zafascynowany śmiercią (motyw wędrówki po cmentarzach, napisy nagrobkowe wplecione do tekstu wiersza), obrazy krwawych bitew (w ujęciu poety *Iliada* opowiada o rzezi), reminiscencje wojenne („my wciąż na froncie bijemy się") łączą się z apokaliptyczną wizją zagłady całego kosmosu (**W boju**)

> „wielbi cię siła człowieczej
> gliny
> śmierci
> winna bez winy"

- pejzażysta — w liryce Czechowicza przyroda urzeka przede wszystkim zapachami („wonny" wieczór, pagórki, siano, ale i słowa!), ulubiona pora dnia — wieczór z księżycem (srebrnym albo czerwonym) i rozgwieżdżonym niebem — charakterystyczne użycie barw jasnych, czystych (błękit, czerwień, zieleń, czerń)
- wirtuoz formy — wykorzystuje doświadczenia awangardy krakowskiej (głównie Przybosia), stosuje urozmaicone środki wyrazu (muzyczność wiersza, zmiany rytmu, dysonanse, swobodna wersyfikacja, innowacje w zapisie graficznym tekstu, odrzucenie dużych liter nawet w tytułach)

Józef Łobodowski (1909–1988)

- poeta i prozaik, przed wojną sympatyk lewicy, po wojnie na emigracji w Hiszpanii (współpracownik polskojęzycznej redakcji Radia Madryt, szczególnie źle widzianej przez komunistów)
- w najwcześniejszej twórczości — typowy katastrofista; patetyczny w wierszach wojennych; na emigracji autor politycznych pamfletów (rewolucja rosyjska jako „krwawa miotła" i „dziewka rozpustna"), pisze epitafia (m.in. dla Borysa Pasternaka, Majakowskiego, Achmatowej), w liryce wolnej od publicystyki sięga po gatunki typowe dla poezji arabskiej, rzadkie w literaturze polskiej (gazela, kasyda)

Wacław Iwaniuk (ur. 1913)

- już przed wojną — autor obiecujących wierszy, katastrofista, poetycki wizjoner; podczas wojny żołnierz generała Maczka; po wojnie wybrał trudny los emigranta (Kanada); w jego poezji żywa jest pamięć wojny, uprawia lirykę refleksyjną, porównuje cywilizację amerykańską i europejską, analizuje doświadczenie totalitaryzmu

AWANGARDA WILEŃSKA

- grupa poetów skupionych wokół czasopisma „Żagary" (1931–1934)
- odchodzi od ideałów awangardy krakowskiej (zwrot ku neoklasycyzmowi, symbolizmowi, katastrofizmowi), wybierając poetyckie wizjonerstwo
- najwybitniejsi przedstawiciele: Aleksander Rymkiewicz (1913–1983), autor poematu **Tropiciel**, oraz Jerzy Zagórski (1907–1984), autor poematu **Przyjście wroga**, a przede wszystkim ➡ CZESŁAW MIŁOSZ

Poezja „drugiej awangardy" wywarła znaczny wpływ na twórczość poetów pokolenia wojennego (Baczyński, Gajcy)!

LIRYCY I PIEŚNIARZE

Maria Pawlikowska-Jasnorzewska (1891–1945)

Najwybitniejsza w literaturze międzywojennej przedstawicielka poezji kobiecej. Autorka cenionych zbiorów, m.in. **Różowa magia** (1924), **Pocałunki** (1926), **Wachlarz** (1927), **Balet powojów** (1935).

Świat poezji Pawlikowskiej tworzą stare fotografie, bukiety kwiatów, pożółkłe kajety, rozmaite kunsztowne precjoza, suknie, kapelusze, a w charakterze dodatków na przykład parasolka, chiński piesek, perfumy — koniecznie o zapachu tuberozy. Bardzo ważne są ptaki, nie zawsze egzotyczne (sowy, mewy, jaskółki), owady (ćmy, pasikoniki) i nietoperze. Wszystko to tylko dekoracja buduaru wielkiej damy, dla której najważniejsza jest

oczywiście miłość. Trochę jeszcze modernistyczna (tę konwencję najtrudniej było przezwyciężyć), w dużej mierze jednak nowoczesna, odrzucająca traktowanie seksu jako grzechu, upadku, fatalnej namiętności. Ulubioną formą poetycką pisarki jest zwykle czterowierszowa miniatura (*Pocałunki*), zawierająca często zaledwie kilkanaście słów, zamknięta efektowną pointą.

W tej liryce ciepłej, delikatnej, bardzo zmysłowej zdarzają się niespodzianki: nawiązania do rubasznego księdza Baki, odwołania do języka potocznego, żartobliwe porównania („ptaszek idiota [...] z główką jak makówka"). Pawlikowska pozostała wierna przyjętej raz poetyce, jednak w jej późnych tomach coraz częściej daje o sobie znać melancholia, niepokój, świadomość zbliżającego się kresu.

Kazimiera Iłłakowiczówna (1892–1983)

Poetka zbliżona do skamandrytów, przed wojną mieszkała w Warszawie, po wojnie — w Poznaniu. Pisała wiersze o Marszałku Piłsudskim i bajkowe liryki, w których igrały rozmaite „duszki", „skrzydlaki", czarodzieje. Tłumaczyła (m. in. *Annę Kareninę* Tołstoja). Znaczną popularność przyniosły jej **Obrazy imion wróżebne** (1926), album poetyckiej magii, oparty na żartobliwej wierze, iż posiadane imię określa charakter człowieka.

Władysław Broniewski (1897–1962)

Człowiek o powikłanym życiorysie: legionista i uczestnik wojny polsko-bolszewickiej, więziony w Polsce międzywojennej za komunizm, w Moskwie za zdradę „robotniczej sprawy". Przed wojną czołowy poeta rewolucyjny (tom *Troska i pieśń*, 1932), podczas wojny pod wpływem więziennych doświadczeń pisywał „nieprawomyślne" wiersze (m.in. bronił polskich granic sprzed 1939 r.), po wojnie jego wiersze trafiły do szkolnych wypisów, recytowano je na akademiach majowych i listopadowych. W kontekście poszukiwań liryki XX w. twórczość Broniewskiego wywodząca się z romantyzmu i pieśni ruchu rewolucyjnego jest cokolwiek anachroniczna.

Stanisław Baliński (1899–1984)

„Satelita skamandrytów". Poeta-dyplomata, po wojnie londyński emigrant. Liryk bardzo tradycyjny, nawiązujący głównie do romantyzmu w opisach dalekich podróży, sposobie ujęcia tułaczego losu, kontynuacji gatunków takich jak ballada.

Władysław Sebyła (1902–1940)

Poeta związany z warszawską grupą Kwadryga (głosiła program poezji „uspołecznionej", obywatelskiej, za swoich patronów uznawała Norwida, Żeromskiego, Brzozowskiego). Zyskał uznanie zbiorem **Pieśni szczurołapa** (1930). Poeta bardzo wszechstronny, uprawiał najrozmaitsze gatunki (poemat filozoficzny w duchu Norwida, poemat prozą, modlitwa, bajka, fraszka, literackie odpowiedniki form muzycznych, takich jak sonata, nokturn, koncert). Pacyfista, katastrofista, twórca o niespokojnej, onirycznej wyobraźni.

Mieczysław Jastrun (1903–1983)

Płodny poeta (ponad 20 zbiorów), tłumacz (m.in. Rilkego), eseista, okazjonalnie — powieściopisarz. Wiersze, poematy i eseje Jastruna przenika myśl

o udręce wynikającej z faktu pozostawania
człowieka w czasie, „uwięzienia przez czas".
Przeszłość organizuje się na nowo
w teraźniejszości, jednak dla człowieka
nowoczesnego zdecydowanie najważniejsza jest
przyszłość. Następuje „kurczenie się przeszłości".
Nawiązująca do symbolizmu, klasycyzmu i „mitu
śródziemnomorskiego" metafizyczna liryka
Jastruna odkrywa jednak brak harmonii między
człowiekiem a światem, za podstawowe
doświadczenie egzystencjalne uznając śmierć
(„umieramy za każdym ruchem słowa").

Konstanty Ildefons Gałczyński
(1905–1953)

W okresie międzywojennym związany przelotnie
z grupą Kwadryga, do której zupełnie nie pasował,
wojnę spędził w obozie jenieckim. Bajecznie
wprost utalentowany, obdarzony zdolnościami
językowymi, łatwością rymowania,
niekonwencjonalną wyobraźnią poetycką,
lirycznym humorem. Najlepiej czuł się w tonacji
groteskowej (zapomniana powieść **Porfirion
Osiełek, czyli Klub Świętokradców** z 1929 r.)
i poetyce absurdu (słynne **Skumbrie
w tomacie** z 1936 r.). Ożywił lirykę miłosną
dzięki wyczynom niezapomnianej pary (srebrna
Natalia, zielony Konstanty). Spojrzał świeżym
okiem na świat przedmieść i prowincję, świat
staroświeckiej galanterii („szacuneczek", „nóżki
całuję") i tandetnej subkultury (z mandoliną
i bibułkowym księżycem). Wysługiwał się różnym
mecenasom, ale nie szanował chyba żadnego
(„Poeto, pluń, gdzie komuna, sanacja i endecja").
Świętości szargał lekkomyślnie i z ochotą,
nazywając Boga „jednym z szarlatanów",
posługując się w refrenie wiersza zwrotem „serwus,
madonna". Wspaniałomyślnie pozwalał nazywać
siebie samego „łotrem i łobuzem" (kokieteria, rzecz
jasna!).
Po zakończeniu wojny nie od razu wrócił do
kraju. Mógł chyba zostać na Zachodzie, ale wolał
nie ryzykować. Lojalny i gorliwy wobec nowej
władzy, rozczarował szybko swoich mocodawców.
Roztrzepany poeta nie nadawał się zupełnie do
roli socrealistycznego wieszcza. Piętnował bierność
inteligencji, emigrację, opozycję oglądającą się
na Londyn, a nie na Moskwę, drwił
z romantyzmu, mesjanizmu i towianizmu
(Teatrzyk „Zielona Gęś" — cykl miniatur
dramatycznych publikowanych na łamach
„Przekroju" w latach 1946–1950). Czasem wracał
do dobrej formy poetyckiej, tworząc poematy
Niobe (1951) i **Wit Stwosz** (1952) oraz cykl
Pieśni (1953). Popularny i lubiany przez
czytelników, którzy jego poezję „ocalili od
zapomnienia", roztrwonił przecież niemałą część

swego talentu, produkując utwory doraźne,
przynoszące zysk, często służalcze
i kompromitujące autora.

Zbigniew Bieńkowski (ur. 1913)

Przed wojną bliski surrealizmowi, zapewnił sobie
miejsce w historii polskiej poezji tomami wydanymi
po wojnie: **Sprawa wyobraźni** (1945) i **Trzy
poematy** (1959). Przyniosły one lirykę filozoficzną,
korespondującą z przemyśleniami
dwudziestowiecznego egzystencjalizmu. Znaczący
jest dorobek eseistyczny i krytycznoliteracki tego
pisarza, zajmującego się głównie literaturą
zachodnioeuropejską i amerykańską.

„Bardzo trudno znaleźć wytyczną naszego stosunku do ludzi!
Chyba miłość — nawet do tych, których się nie lubi i tępi.''

MARIA DĄBROWSKA

Urodzona 1889
w Russowie koło Kalisza, w zubożałej rodzinie ziemiańskiej; z domu Szumska.

rok życia

16 Jako słuchaczka żeńskiej pensji w Warszawie ogląda rewolucję 1905 r.

18 Po ukończeniu gimnazjum studiuje nauki przyrodnicze i społeczne na uniwersytetach w Lozannie i Brukseli. Poznaje Edwarda Abramowskiego, którego filozofia (m.in. idea społecznej kooperacji) stanie się podstawą światopoglądu Dąbrowskiej, w następnych latach wytrwałej propagatorki ruchu spółdzielczego.

21 Debiutuje na łamach prasy jako publicystka. Pisywała także wiersze.

22 W Brukseli wychodzi za mąż za Mariana Dąbrowskiego, działacza PPS, współpracownika Piłsudskiego. Świadkiem na ich ślubie był Juliusz Kaden-Bandrowski.

28 Powrót męża z frontu. Przenosi się do Warszawy na Polną 40, gdzie spędzi połowę swego życia.

29 Przez następnych 6 lat pracuje (jako urzędniczka!) w Ministerstwie Rolnictwa.

34 Tom opowiadań **Uśmiech dzieciństwa**. Nie pierwsza wprawdzie, ale zdaniem samej autorki: „moja pierwsza książka artystyczna''.

36 Niespodziewana śmierć męża. Nowym towarzyszem życia Dąbrowskiej stanie się wkrótce Stanisław Stempowski (ojciec Jerzego), publicysta, tłumacz, przywódca polskiej masonerii, szara eminencja życia politycznego. Ich związek przetrwa aż do śmierci starszego prawie o 20 lat Stempowskiego (w r. 1952).

37 Tom opowiadań **Ludzie stamtąd** (1926) — przemyślany, staranie skomponowany, jednolity w zakresie tematyki i opisywanego środowiska (proletariat wiejski). Autorka kazała swym bohaterom rozmyślać nad wielkimi dylematami egzystencji ludzkiej w przekonaniu, że „śród ludzi najbardziej odepchniętych od biesiadnego stołu kultury istnieje tak samo rozległa skala typów duchowych jak w każdej innej sferze''. Granice człowieczeństwa, cierpienie, umieranie, poszukiwanie Boga, miłość i erotyzm, walka o przetrwanie biologiczne — wszystkie wymienione tematy znalazły miejsce w utworach przypominających monologi, pisanych mową pozornie zależną, przy użyciu stylizacji gwarowej (częściowo także poza dialogami). Na ścisły związek *Ludzi stamtąd* z autentycznym folklorem (pieśni, przyśpiewki, poezja ludowa) zwrócił uwagę najwybitniejszy znawca twórczości Dąbrowskiej, Tadeusz Drewnowski.

Początek pracy nad powieścią, która stanie się jej największym dziełem. Jednak dopiero za kilka lat zaczną się ukazywać ➡ NOCE I DNIE. Całość w r. 1934. Po napisaniu pierwszej wersji utworu zanotowała w swoim dzienniku: „Uczułam się potem, jakbym po ciężkim kamienistym narzeczeństwie doprowadziła do ołtarza i jakbym z przerażeniem myślała o mającym nastąpić pożyciu."

49 Zaczyna pisać nową powieść, zamierzoną pierwotnie jako kontynuacja *Nocy i dni*.

> **Przygody człowieka myślącego** (1970) nie zostały przez pisarkę ukończone. Nie są one (wbrew oczekiwaniom czytelników) dalszym ciągiem *Nocy i dni*. Nie są także (wbrew nadziejom autorki) dziełem na miarę *Doktora Faustusa* Tomasza Manna. Powstawały przez ćwierć wieku, pisane z wielkimi trudnościami, publikowane we fragmentach od 1961 r. W przeciwieństwie do *Nocy i dni*, podsumowujących doświadczenia XIX w., są próbą obrachunków ze współczesnością. Zarówno w zakresie techniki pisarskiej (odwołania do psychoanalizy, partie eseistyczne, technika collage'u), jak i w sferze idei (potępienie totalitaryzmu, kultu zbiorowości i organizacji, „wieku przewrotności" kwestionującego porządek moralny). Powieść zawiera znakomite rozdziały, jako całość raczej zawodzi.

50 Pierwsze wojenne miesiące spędza we Lwowie, pod okupacją sowiecką. Powraca do Warszawy w połowie 1940 r. Żyje w biedzie, współpracuje z ruchem oporu, prowadzi dziennik.

57 Na krótki czas przenosi się do Wrocławia i... kolejny powrót do stolicy.

60 Pozostaje obca obowiązującej poetyce socrealizmu, wybiera emigrację wewnętrzną, która zakończy się dopiero w 1952 r. (jubileusz czterdziestolecia pracy twórczej, odznaczenia i gratulacje ze strony władz państwowych, później wycieczka do ZSRR).

63 Ukazuje się doskonały przekład *Dzienników* Samuela Pepysa (arcydzieło literatury angielskiej XVII w.), ukończony 3 lata wcześniej.

66 > Nowele z tomu **Gwiazda zaranna** (1955) mówią o życiu zmagającym się ze śmiercią. Trwa jeszcze wojna, zwycięskie armie ruszają na Berlin, a w zniszczonej Warszawie pojawiają się już ludzie tworzący „małą" historię: handlujący, urzędujący, nauczający. To także dzięki nim miasto ocaleje. Odmienny charakter ma dłuższe opowiadanie *Trzecia jesień*. Akcja rozgrywa się w okresie stalinizmu, którego wypaczenia Dąbrowska opisała w sposób aluzyjny, nie budzący przecież wątpliwości. Działka uprawiana przez Klemensa Łohojskiego staje się prawdziwą twierdzą „małej" historii: ludzie przełamują strach i nieufność, wychodzą sobie na spotkanie. Zwycięża pracowitość, użyteczność, pozytywistyczny świat wartości. Przemiany socjologiczne na polskiej wsi opisuje zamieszczone w zbiorze opowiadanie *Na wsi wesele* (po Wyspiańskim i Reymoncie kolejne, nie dorównujące jednak pierwowzorom ujęcie tematu chłopskiego wesela).

70 Ukazują się **Szkice o Conradzie**, gromadzące teksty opublikowane w różnych latach, m.in. głośną polemikę z Janem Kottem w obronie autora *Lorda Jima*. Zdaniem pisarki dzieło Conrada jest „artystyczną próbą dociekania, czy i w jaki sposób możliwe jest dla człowieka ocalić śród niemoralnego świata «interesów materialnych» wierność czemuś istotnie moralnemu i wartościowemu!"

75 Wraz z innymi pisarzami uczestniczy w proteście przeciw polityce kulturalnej PRL (tzw. „List 34").

76 Umiera 19 maja 1965 r. w Warszawie.

> Przez pół wieku (1914–1965) Dąbrowska prowadziła **Dzienniki** (1988—wyd. niepełne, w dodatku okaleczone przez cenzurę), a od pewnego momentu uzupełniała je i poprawiała z myślą o druku. Choć znajdziemy w nich opisy snów i wypowiedzi zaskakujące bezwzględną szczerością, trudno dopatrzyć się w tych zapiskach cech dziennika intymnego. To raczej zeszyt pomysłów literackich, wzbogacony dokładną i bezcenną dla badacza kroniką życia prywatnego, gromadzący ponadto cudze relacje i życiorysy, które autorka wykorzystywała układając losy swoich bohaterów. *Dzienniki* nabrały nowego charakteru, gdy pisarka odczuła dotkliwie ograniczenia PRL-owskiej cenzury. Być może kompletna edycja uczyni je opowieścią o przygodach człowieka myślącego w totalitarnym państwie.

NOCE I DNIE

Akcja powieści rozgrywa się na przestrzeni 30 lat (1884–1914), głównie w zaborze rosyjskim, na wsi (Krępa, Serbinów) i w prowincjonalnym miasteczku Kalińcu (pod tą nazwą ukrywa się Kalisz), w dalszych tomach również w Warszawie i za granicą. Bohaterowie: w dwóch pierwszych tomach Bogumił i Barbara Niechcicowie, potem uwagę narratora przyciągają coraz bardziej losy ich dorastającej córki, Agnieszki. *Noce i dnie* kreślą obraz przemian, jakim ulega zubożałe ziemiaństwo polskie. Jedni przenoszą się do miasta i zasilają szeregi inteligencji (Ostrzeńscy), rzadziej — burżuazji (Anzelm), inni pozostają na wsi, próbując dalej gospodarować (Niechcicowie). Tomy *Nocy i dni*: 1932 — *Bogumił i Barbara*; 1932 — *Wieczne zmartwienie*; 1933 — *Miłość* (cz. 1—2); 1934 — *Wiatr w oczy*.

brat: Daniel (absolwent Szkoły Głównej),
nauczyciel w Kalińcu
bratowa: Michalina

ich synowie: Anzelm,
Janusz, Bogdan

brat: Julian (inżynier
w Rosji)

siostra: Teresa,
nauczycielka

szwagier: Lucjan
Kocieł

ojciec: Adam,
syn Jana Chryzostoma
matka: Jadwiga
z Jaraczewskich

ojciec: Michał,
syn Macieja (zmarł
na Syberii)
matka: Florentyna
z Klickich, zmarła
w dniu ślubu syna

wuj: Klemens Klicki,
powstaniec, obłąkany

dalsza rodzina:
Hipolit i Urszula
Niechcicowie z córką
Anną

Barbara Joanna z Ostrzeńskich
ur. 1859

Bogumił Adrian
ur. 1848
zm. 1914

NIECHCICOWIE

Piotruś
(zmarł w wieku
czterech lat)

Agnieszka Teresa
(poślubiła Marcina
Śniadowskiego)

Emilia Florentyna
(poślubiła Seweryna
Bartołda)

Tomasz Michał
(tak zwane „wieczne
zmartwienie")

Saga rodzinna

Powieść o kilku (co najmniej dwóch) pokoleniach — zwykle obszerna, wielotomowa, respektująca tradycyjny model epiki. Skupiając uwagę na historii rodu: narodzinach, małżeństwach, sukcesach i kłopotach majątkowych, romansach i zgonach, pokazuje jednak również przeobrażenia społeczne, gospodarcze, polityczne. W literaturze francuskiej za najlepszą sagę rodzinną uważa się *Rodzinę Thibault* R. Martina du Garda, w niemieckiej — *Buddenbrooków* T. Manna, angielskiej — *Sagę rodu Forsyte'ów* J. Galsworthy'ego. Na tle wymienionych utworów *Noce i dnie* prezentują się wyśmienicie.

Powieść o polskiej rodzinie

W *Lalce* nie dochodzi do wesela. *Pan Tadeusz* i *Nad Niemnem* kończą się przygotowaniami do ślubu. Ciąg dalszy autorzy pozostawili domyślności czytelnika. *Noce i dnie* — jakby na przekór tradycji — rozpoczynają się właśnie od ślubu (niezbyt zresztą radosnego) i mówią o miłości małżeńskiej.

Niechcicowie tworzą rodzinę tradycyjną, ale niekonserwatywną. Wykazują tolerancję także w stosunku do tych, których postępowania nie są w stanie zrozumieć. Przekonani o wyższości etyki nad nauką, próbują własny kodeks wartości przekazać następnemu pokoleniu.

Są małżeństwem z rozsądku (oczywiście!), a w dodatku związkiem ludzi o zupełnie różnych charakterach. Bogumił jest reprezentantem postawy „współbrzmiącej z życiem, czynnej, raczej otwartej ku światu". Barbara — postawy „nie harmonizującej z życiem, trudno się z nim zespalającej, nieufnej, poniekąd zamkniętej". Tworząc kreacje tak pomyślanych bohaterów Dąbrowska udowodniła, jak wielkim bogactwem może się dla nas okazać drugi człowiek, jeżeli potrafimy wyjść mu na spotkanie. I z perspektywy lat nie ma znaczenia, że zrobiliśmy to niechętnie, z oporami.

Powieść o historii

W momencie gdy rozpoczyna się akcja utworu, historia „wielka" określiła już sytuację bohaterów (w powstaniu styczniowym wzięli udział Bogumił i jego ojciec zesłany na Syberię, a także Daniel Ostrzeński). Później burze dziejowe omijają szczęśliwie Krępę, Serbinów, Kaliniec. Na wsi rok 1905 przebiega spokojniej niż w miastach. Dopiero wybuch I wojny światowej oznaczać będzie symboliczne zamknięcie epoki.

Takie rozłożenie akcentów i umiejscowienie akcji nie jest przypadkowe, a tłumaczy je najlepiej spór Agnieszki z Marcinem:

Marcin — Szkoda mi każdej jednostki nie zużytkowanej w posuwaniu naprzód naszych dziejów. A, niestety, nie posuwa się ich naprzód sadząc warzywa czy tam kwiatki albo hodując kury.

Agnieszka — Nikt nie może być pewny, że to on właśnie posuwa dzieje naprzód.

Dziewczyna ma rację. Rewolucjonista jest z pewnością bardziej widoczny od ogrodnika czy hodowcy drobiu. Bardziej widoczny — to nie znaczy, że ważniejszy. Bo na co dzień nie żyje się jednak przewrotami politycznymi czy socjalnymi. Biologiczne przetrwanie narodu to kwestia równie doniosła.

Wątek religijny

Wiąże się zwłaszcza z niezwykłą postacią księdza Komodzińskiego — kapłana, który rozumie, że duszpasterstwo to „umiejętność znalezienia drogi do ludzkich serc". Słynna modlitwa na polu odsłania Bogumiłowi sens egzystencji człowieka-pielgrzyma szukającego drogi do wieczności („Za tym pługiem idąc widzisz Boga lub grudę ziemi. Na to samo drzewo patrząc widzisz cud stworzenia lub widzisz cień od skwaru, liście, owoce i budulec").

 Młodość Bogumiła i Barbary przypada na lata, gdy modne stają się w Polsce idee pozytywizmu. Ten nurt tradycji nie był obcy Dąbrowskiej (szkice o Prusie i Orzeszkowej).

Kto jest w „Nocach i dniach" pozytywistą?

Być może Bogumił ze swoim kultem pracy, potrzebą użyteczności, umiejętnością gospodarowania i głęboką wiarą, że trzeba wybrać życie przeciwko śmierci, trwanie wbrew katastrofie.

Być może Barbara, troszcząca się o edukację swoich dzieci, chętniej niż małżonek sięgająca do kształcących lektur, czytająca (ale jeszcze w Kalińcu) Darwina i Buckle'a.

A może ani Bogumił, ani Barbara?

Prawdę mówiąc, Niechcicowie mało przypominają ideał warszawskich pozytywistów. Brak im zamiłowania do handlu, przemysłu, nauki, nowoczesnej cywilizacji. Nie potrafią robić interesów, stronią od dużych pieniędzy. Myślę, że w odniesieniu do tej powieści kategorie „romantyczny" i „pozytywistyczny" mówią doprawdy niewiele. Wszystko miesza się tu jak w życiu. Elementy postawy romantycznej i pozytywistycznej trudne są czasem do rozdzielenia.

!!! Czy *Noce i dnie* są powieścią metafizyczną?

„Gdy ludzie nauczą się patrzeć i słuchać,
przestaną się zajmować rzeczywistością w ogóle
i wejdą w zamknięty dla nich dotąd świat wrażeń od Czystej Formy."

STANISŁAW IGNACY WITKIEWICZ (WITKACY)

Urodzony 1885
w Warszawie, syn Stanisława Witkiewicza, malarza i pisarza.

rok życia

18 Uzyskuje maturę (jako ekstern) we Lwowie. Genialne dziecko, do szkoły nie chodził, już od najmłodszych lat pisał dramaty, malował i... filozofował. Dzieciństwo spędził w Zakopanem. Jego przyjaciółmi w latach młodzieńczych byli m.in. Leon Chwistek, w przyszłości filozof i prozaik, Bronisław Malinowski, późniejszy antropolog, autor *Życia seksualnego dzikich*, Karol Szymanowski.

19 Rozpoczyna studia w krakowskiej Akademii Sztuk Pięknych.

26 Pisze swoją pierwszą powieść (w dużej mierze autobiograficzną): **622 upadki Bunga, czyli Demoniczna kobieta**. Utwór nie ukazał się za życia pisarza.

29 Wraz z Malinowskim podróżuje do Australii (po drodze — Cejlon, Indie). Po wybuchu wojny wstępuje do szkoły oficerskiej. Walczy jako porucznik armii carskiej. Rewolucyjne przeżycia Witkacego są zagadką — wiadomo, że pozostawiły one silny ślad w jego twórczości i wpłynęły na katastroficzne widzenie historii.

33 Wraca do Polski. Mieszka w Zakopanem i Warszawie. Współpracuje z grupą formistów — jako teoretyk i malarz.

34 Drukuje **Nowe formy w malarstwie**, bodaj najpełniejszy wykład swych teorii estetycznych i filozoficznych. Malarska twórczość Witkacego obejmuje portrety, pejzaże, sceny fantastyczne. Artysta dystansuje się wobec realizmu oraz większości kierunków sztuki XX w., nawiązując przekornie do monachijskiej secesji. Szczególną wartość mają portrety Witkacego (od 1928 r. — właściciela eksperymentalnej „firmy portretowej"), a także oryginalne fotografie.

36 Pierwsze sztuki Witkacego trafiają na scenę (premiera **Tumora Mózgowicza** i **Kurki Wodnej**).

38 Ślub z Jadwigą (z Unrugów) — małżeństwo dosyć dziwaczne. Publikacja zbioru rozpraw i artykułów **Teatr. Wstęp do teorii Czystej Formy w teatrze**. Premiera **W małym dworku** ➡ TEATR WITKACEGO.

39 Powstaje dramat **Matka**.

40 Premiera **Nowego Wyzwolenia** i **Jana Macieja Karola Wścieklicy**.

42 Debiut powieściowy — efektowny, choć nie doceniony.

W przedmowie do **Pożegnania jesieni** (1927) wyznał, że nie uważa powieści za dzieło sztuki. Traktował ten gatunek twórczości raczej jako okazję do podjęcia sporów intelektualnych, polemik, artystycznych eksperymentów i skandali. W *Pożegnaniu jesieni* znajdziemy wszystkie ważniejsze tematy Witkacego. Jest poszukujące metafizycznych doznań Istnienie Poszczególne, czyli Atanazy Bazakbal, demoniczna kobieta (kochał się w niej nawet szach perski), atmosfera dekadencji, znużenia, rozkładu. Akcja powieści rozgrywa się w Polsce, w niedalekiej przyszłości. Polityczne wstrząsy doprowadzają do rewolucji, której bojownicy mówią „z rosyjska", a w finale ustawiają Atanazego „pod stjanką". Jedna z najpełniejszych manifestacji katastrofizmu w dorobku autora.

W Łodzi — premiera sztuki **Persy Zwierżontkowskaja**. Tekst utworu, podobnie jak kilkunastu innych dramatów pisarza, nie zachował się.

45

Akcja powieści **Nienasycenie** (1930) rozgrywa się u schyłku XX w. Polską rządzi wówczas niejaki Kocmołuchowicz (dopatrywano się w tej postaci portretu Piłsudskiego). Kraj chyli się ku upadkowi, elity rządzące i intelektualne popadły w dekadencję, wybujały erotyzm, narkomanię. Od Wschodu zagraża państwu wielka armia chińska, dokonująca podbojów m.in. za pomocą pigułek Murti-Binga (znie-czulających i czyniących ludzi posłusznymi). Ostatecznie Kocmołuchowicz poddaje się Chińczykom i zostaje stracony. Wschodni totalitaryzm triumfuje, choć ludzie w nim żyjący nękani są ciągle poczuciem „nienasycenia formą".
Także i ta powieść przynosi charakterystyczne cechy poetyki Witkacego-prozaika: autorski dystans, zamierzoną sztuczność stylu, osobliwości językowe (neologizmy, kalambury, stylizacje).

49 Kończy swój ostatni i według opinii badaczy najwybitniejszy dramat. **Szewcy** ➡ TEATR WITKACEGO ukażą się dopiero po wojnie.

54 Po wybuchu wojny ucieka z Warszawy na wschód. Na wieść o wkroczeniu do Polski Rosjan popełnia samobójstwo 18 września w Jeziorach na Polesiu.

Filozofia Witkacego
- jest krytyką rozmaitych nurtów filozofii i psychologii europejskiej (bergsonizm, fenomenologia, psychoanaliza, neopozytywizm)
- człowiek to IP (Istnienie Poszczególne), jednostka, indywidualność, niepojęta zagadka dla samego siebie
- najważniejszym doświadczeniem egzystencjalnym jest poczucie „głodu metafizycznego" (zaspokajanego niegdyś przez religię, filozofię i sztukę), w XX w. zanikającego
- współczesna cywilizacja zmierza do rozpadu osobowości, zniewolenia, systemu represji, którego celem jest stworzenie „społecznie doskonałego, zmechanizowanego człowieka"
- katastrofa jest nie do uniknięcia — katastrofizm Witkacego łączy się z krytyką kultury, nieufnością wobec filozofii, nauki, techniki, wszelkich prób organizowania społeczeństwa, utopijnych programów politycznych

 Lubił się przebierać, robić dziwne miny, straszyć dzieci, wywoływać awantury w miejscach publicznych, prowokować i obrażać (potem godzić — nie zawsze). Jego osobowość stanowiła dziwną mieszaninę groteski i tragizmu, wyrafinowanego humoru i najczarniejszej rozpaczy. Za życia widziano w nim co najwyżej ekscentrycznego artystę. Doceniono — ćwierć wieku po śmierci. W przywróceniu dramatów Witkacego polskiej scenie znaczącą rolę spełnił po wojnie teatr „Cricot-2" Tadeusza Kantora. Obecnie ukazuje się wydanie zbiorowe dzieł Witkacego pod redakcją Janusza Deglera.

TEATR WITKACEGO

Teatr Czystej Formy

Co to jest Czysta Forma?

,,Czysta Forma to taki układ składników dzieła (dźwięków w muzyce, barw i kształtów w malarstwie), który zapewnia i twórcy, i odbiorcy odczucie jedności w wielości. Mianowicie: po pierwsze, odczucie koniecznego, chociaż intelektualnie niewytłumaczalnego związku wszystkich elementów dzieła; po drugie zaś — niepojętego, ale niewątpliwego związku danej osobowości (Istnienia Poszczególnego) z całokształtem świata, przepływającego swą mnogością w nieskończoność'' (z definicji Jana Błońskiego). Sam Witkacy przyznawał, że jego sztuki wyrażają raczej dążenie do Czystej Formy niż jej gotową realizację.

Teatr groteski, absurdu, parodii

Groteskowa jest cała dramaturgia Witkacego. Duch groteski rządzi didaskaliami, opisami postaci noszących charakterystyczne nazwiska i imiona, groteskowy jest przeważnie język (już w zamierzeniu ,,antynaturalistyczny'', sztuczny), jaki słyszymy ze sceny. Fabuła sztuki zmierza zwykle do spotęgowania absurdu. Absurdalne okazują się wysiłki, uczucia, doznania i zachowania ludzkie, absurdalna jest historia, polityka, filozofia, nauka. Przykłady parodiowanych wzorów: Ibsen, a także Strindberg i Szekspir w *Matce*, Wyspiański i Słowacki w *Nowym Wyzwoleniu*, poezja modernistyczna w dramacie *W małym dworku* itd.

Teatr okrucieństwa

Postacie z dramatów Witkacego na ogół zadręczają się wzajemnie. Wszelkie typy więzi międzyludzkich (matka — syn, kobieta — mężczyzna, władza — rządzeni) pełne są okrucieństwa, pozwalającego zdaniem pisarza wstrząsnąć coraz mniej wrażliwą publicznością. Pod tym względem teatr Witkacego przypomina dokonania A. Artauda, francuskiego aktora, reżysera i teoretyka. W *Nowym Wyzwoleniu* scena zamienia się w izbę tortur, instrumentami kaźni (okrutnej, ale i groteskowej) są obcęgi, piły, młoty i... maszynka do lutowania — narzędzia pracy sugerujące, że ich posiadacze byli kiedyś robotnikami. Podobny motyw w *Matce* i *Szewcach*.

Teatr filozoficzny

Rzecz jasna, nie tylko dlatego, że bohaterowie dyskutują o filozofii, że ze sceny padają nazwiska znanych myślicieli. Chociaż w zamierzeniu autora jego dramaty ,,nie wyrażają'' żadnych poglądów, to w wielu utworach powracają te same wątki, idee, tematy. Należą do nich: dekadencja (jej ucieleśnieniem jest tytułowa bohaterka *Matki* — niegdyś arystokratka, dziś alkoholiczka i narkomanka), próba ocalenia świata bądź jego naprawy (za pomocą pozytywnego programu w *Matce*, poprzez rewolucję w *Szewcach*), intrygi ,,demonicznej kobiety'', rozmiłowanej — jak księżna Irina z *Szewców* — w ,,najgorszych kobiecych świństewkach''.

Do najpopularniejszych i najchętniej grywanych sztuk Witkacego należy trzyaktówka **W małym dworku**. Pisarz zgromadził w niej sporo rekwizytów, tematów i wątków należących do tradycji teatralnej. Tytuł jak z Rittnera, dekoracje z dramatu realistycznego drugiej połowy XIX w., trójkąt, a później czworokąt (!) z dramatu młodopolskiego, wątpliwości co do ojcostwa ze Strindberga. Są jeszcze perwersyjne dziewczynki — trochę jak u Zapolskiej — oraz finałowa parada trupów niby w zakończeniu tragedii Szekspira.

Didaskalia i dokładne umiejscowienie utworu (Kozłowice w Sandomierskiem) każą czytelnikowi wierzyć, że będzie miał do czynienia z ,,normalną'' sztuką. Niestety — normalna jest tu (przynajmniej na początku) jedynie kuzynka Aneta, odwiedzająca mieszkańców małego dworku. Na scenie grasuje zmarła niedawno pani Nibkowa, czyli Widmo w wianku z kwiatków rumianku na głowie, popija kawę i wiśniówkę, dręczy męża niepewnością co do osoby kochanka (był nim oficjalista Kozdroń lub poeta Jęzory Pasiukowski, ewentualnie jeden i drugi). U Witkacego prawda rozdwaja się, a potem zwielokrotnia (,,Wszyscy mamy rację, wszyscy czworo, jak tu jesteśmy'' — tłumaczy pojednawczo Widmo). W finale, za namową demonicznej mamusi, jej córeczki ,,piją truciznę z rozkoszą'' i przenoszą się w zaświaty. Wkrótce dołącza do nich po samobójczym wystrzale pan Nibek.

Kończy się teatr. Powraca normalność. ,,Nie ma już widm między nami. Są tylko trupy i ludzie żyjący. Zaczynamy nowe życie'' — oświadcza Aneta. Mimo wszystko — niewesoła perspektywa.

Witkacego myśli o teatrze (wyjęte z kontekstu)

- Zadaniem teatru jest według nas to właśnie wprowadzenie widza w stan wyjątkowy, który nie może być osiągnięty tak łatwo w przepływaniu dnia codziennego w czystej swojej formie, stan uczuciowego pojmowania Tajemnicy Istnienia.

- W teatrze pojętym jako przedstawienie życia czy jako środek do wywołania pewnego nastroju uczuciowego, czy nawet jako środek rozstrzygnięcia pewnych problematów: życiowych, narodowych czy społecznych, jest implicite zawarty element kłamstwa.
  Nie byłoby kłamstwa w teatrze takim (jaki proponujemy), ponieważ nie starałby się on nic imitować, nic udawać.

- Zapomnieć kompletnie o życiu i nie zwracać uwagi na żadne życiowe konsekwencje tego, co się dzieje na scenie w danej chwili, w stosunku do tego, co się ma dziać w chwili następnej.

- Artysta nie może w komponowaniu sztuki krępować się tym, że dziwaczna jej treść życiowa może odciągnąć widzów od czysto artystycznych wrażeń.

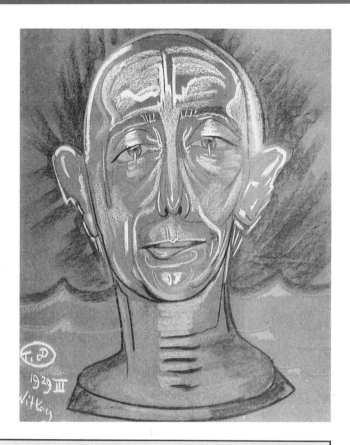

Dramat **Szewcy** określony został przez autora jako „naukowa sztuka ze »śpiewkami« w trzech aktach". Jest to utwór napisany z rozmachem, reżysersko trudny, chociaż atrakcyjny dla inscenizatora. Utwór o historii współczesnej, o dziejowych kataklizmach, zbudowany tak perfekcyjnie, że widz ma wrażenie, iż działają w nim tłumy. Tymczasem na scenie pojawia się zaledwie kilkanaście postaci.

Już na początku dramatu istniejący porządek rzeczy ulega zachwianiu. Szewcy, którym przewodzi Sajetan Tempe, szyją wprawdzie nadal buty, ale powoli rodzi się i dojrzewa „świadomość rewolucyjna" — przekonanie, że można i trzeba stworzyć lepszy świat, którym rządzić będzie lud roboczy, traktowany dotąd jak „nawóz" i „bydlęce ścierwo". Obrońcą starego porządku jest liberał i demokrata, prokurator Scurvy, niesympatyczny osobnik o twarzy „jakby z czerwonego salcesonu", dekadent (jego zdaniem: „Ludzkości nie ma — są tylko robaki w serze, który jest też kupą robaków"). Jego sojusznikiem w walce z szewcami stają się faszyzujący „Dziarscy Chłopcy". W wyniku pierwszego przewrotu szewcy tracą wolność i zarazem prawo do pracy. Zamknięci w „sali przymusowej bezrobotności" wzniecają bunt poprzez pracę. Swoją „metafizyką pracy" („praca to cud najwyższy") „uszewczają" strażników, głosząc hasło: „But jako abso-lut." Także i ten przewrót, który moglibyśmy nazwać „lewicowym" albo „rewolucyjnym", nie kończy epoki terroru. Koło historii, puszczone w ruch, pędzi naprzód w oszałamiającym tempie. Wyeliminowany zostaje dotychczasowy przywódca, Sajetan, następuje rozprawa z chłopami, a na scenę wkracza potworny Hiper-Robociarz z bombą-termosem (ten ciąg scen budzi nieodparte skojarzenia z przebiegiem rewolucji bolszewickiej). W zakończeniu panują już niepodzielnie aparatczycy totalitarnego systemu, których ideałem jest człowiek-automat, bezwzględnie podporządkowany władzy. Zwycięża nuda, groteska, absurd (rojenia o matriarchacie to zapewne echo komunistycznych tęsknot do wspólnoty pierwotnej). *Szewcy* to prawdziwy popis inwencji językowej autora, posługującego się stylem naukowym, filozoficznym, publicystycznym, potocznym, korzystającego nawet ze stylizacji gwarowej. Unikając wulgaryzmów, Witkacy wymyślił dla swoich bohaterów język, którego dosadności możemy jedynie się domyślać („sturba ich suka malowana" „dziamdzia ich szać zaprzała"). W tekście — liczne złośliwości i aluzje pod adresem wymienionych z nazwiska filozofów, publicystów, pisarzy (m.in. Chwistka, Boya, Słonimskiego i… samego Witkacego).

„Odnaleźć własną, prywatną mitologię..."

BRUNO SCHULZ

1892–1942

- prozaik, malarz i grafik pochodzenia żydowskiego, przez całe życie związany z Drohobyczem — wrażliwy, nieśmiały, delikatny, pełen kompleksów
- pracował zarobkowo jako nauczyciel rysunków w swoim rodzinnym mieście
- zdążył opublikować zaledwie dwie książki: **Sklepy cynamonowe** (1933) i **Sanatorium Pod Klepsydrą** (1936) — po wojnie utwory te wydawano w jednym tomie, słusznie traktując jako pewną całość
- zginął w getcie, zastrzelony na ulicy przez gestapowca, nie ma grobu, nie istnieje też cmentarz żydowski, na którym spoczywali rodzice pisarza
- do entuzjastów prozy Schulza należeli m.in. Nałkowska, Witkacy, Tuwim, do przeciwników — Iwaszkiewicz; po wojnie kompletowaniem ocalałej spuścizny zajął się Jerzy Ficowski, poeta, znany badacz folkloru cygańskiego
- tradycja: twórczość Schulza łączono m.in. z ekspresjonizmem, surrealizmem, kreacjonizmem, psychoanalizą; on sam cenił Rilkego, Kafkę, Tomasza Manna

Mit. Proza Schulza jest nową interpretacją rzeczywistości. Znaczną rolę odgrywają tu sny, praca wyobraźni, dzieciństwo traktowane jako najważniejszy okres w życiu człowieka. Czas — tak jak w micie — przybiera postać koła. Liczą się pory dnia i pory roku, a nie linearne następstwo zdarzeń, chronologia, daty. W *Sanatorium Pod Klepsydrą* znajdujemy szczególną postać czasu — czas zatrzymany, zakwestionowany, unicestwiony. Podobnie jak w marzeniu sennym, zaciera się tożsamość postaci, przedmiotów i miejsc. Toczy się gra między życiem a śmiercią, kreowana rzeczywistość „mityczna" jest wieloznaczna, niesamowita i pełna zagadek.

Księga. W tradycji kabalistycznej Księga (Tora) jest niezbędna zarówno do stwarzania, jak i objaśniania świata. U Schulza Księgę symbolizować może czas

(księga roku z *Nocy wielkiego sezonu*, księga wakacji z *Sierpnia*), tajemniczy tekst zapamiętany w dzieciństwie, rocznik czasopisma, markownik, czyli album ze znaczkami (*Wiosna*). Księga to autentyk, który potrafimy odróżnić od falsyfikatu jedynie w dzieciństwie.

Ojciec. W żydowskiej tradycji rodzinnej ojcu przypada zupełnie wyjątkowa rola niepodważalnego autorytetu moralnego i religijnego. Jest on dla rodu tym, czym Bóg dla całej ludzkości. Tak jak w biblijnej Księdze Rodzaju, w prozie Schulza Jakub (właściciel sklepu) ma syna imieniem Józef. Przygody ojca zawierają liczne aluzje do losów kolejnych patriarchów i proroków Izraela. Schulzowski ojciec jest władcą ptasiego królestwa (jak Noe), staje się natchnionym prorokiem (jak Izajasz), w *Martwym sezonie* walczy niby biblijny

Jakub, w *Karakonach* zamienia się w robaka (aluzja do wypowiedzi Hioba), w *Nocy wielkiego sezonu* usiłuje powtórzyć wyczyn Jozuego. Ojciec jest stwórcą „niższego rzędu", prorokiem niedoskonałym. Jego kolejne dzieła to właściwie ciąg niepowodzeń.

Manekiny. Zupełnie inaczej niż w ortodoksyjnej tradycji religijnej (żydowskiej i chrześcijańskiej) przedstawia się u Schulza związek między Bogiem a stworzeniem. Materia (pierwiastek kobiecy) jest wieczna tak jak Bóg, Stwórca, Demiurgos (pierwiastek męski). Dzieło Boga stanowi dla człowieka wyzwanie. Próbuje on naruszyć istniejący porządek, wprowadzając pewne poprawki (próba ożywienia przedmiotów, krzyżowanie rozmaitych gatunków). Staje się istotnie twórcą, ale rzeczywistość przez niego kreowana jest równie tandetna, prowizoryczna, „imitatorska" jak krawiecki manekin (*Traktat o manekinach*).

Kobieta. U Schulza zawsze demoniczna, władcza i może dlatego właśnie — fascynująca. Dominuje nad mężczyzną tak jak służąca Adela nad ojcem, a ciotka Agata nad wujem Markiem. Obsesje Schulza znalazły najpełniejszy wyraz w jego grafice (m.in. cykl *Xięga bałwochwalcza*), gdzie powtarza się często ten sam obraz: hołd składany kobiecie przez maleńkich, udręczonych mężczyzn. Symbolami kobiecej perwersji są zwykle części damskiej garderoby (pantofel i czarna pończocha).

Miasto. Schulz opisuje Drohobycz — typowe miasteczko kresowe, gdzie za czasów II Rzeczypospolitej spotkać można było i cerkiew, i synagogę, a na ulicy usłyszeć jednocześnie kilka języków. Na przełomie lat dwudziestych i trzydziestych Drohobycz, „stolica galicyjskiej nafty", utracił swą atrakcyjność. W prozie Schulza ekscesy ojca („wybuchy kolorowości") kontrastują z szarą, nudną, prowincjonalną rzeczywistością. Wyobraźnia zamienia jednak autentyczny Drohobycz w miasto-labirynt, miasto jak ze snu, w którym istnieją „podwójne" ulice, ulice-sobowtóry.

Kompozycja i język
Utwory wchodzące w skład *Sklepów cynamonowych* i *Sanatorium Pod Klepsydrą* to bardzo nietypowe nowele i opowiadania. Przypominają sen — są zbiorem luźnych epizodów nie zawsze zakończonych pointą. W *Sklepach cynamonowych* narrator (pierwszoosobowy) jest zwykle obserwatorem i komentatorem, w *Sanatorium Pod Klepsydrą* — jako Józef — staje się aktywnym uczestnikiem opisywanych zdarzeń.

W prozie Schulza rzeczywistość cechuje nieprawdopodobna wręcz bujność życia. Ożywają przedmioty („kwadraty bruku miały powoli pod naszymi miękkimi i płaskimi krokami"). Rzeczy martwe okazują się zdolne do życia najwyższego stopnia, życia intelektualnego i emocjonalnego („balkony wyznawały niebu swą pustkę"). Codzienność pełna jest urody, kojarzy się z barokowym przepychem. Poetyckie metafory odsłaniają piękno owoców, warzyw, czynności kuchennych, nawet ruder i śmietników. Schulz patrzy na rzeczywistość okiem malarza, interesują go barwy, linie, faktura, gra światła.

Nasycony metaforami język pisarza wydaje się właściwie językiem poetyckim. Znajdujemy w nim słowa i wyrażenia pełne staroświeckiego wdzięku, prowincjonalizmy, ale także liczne przykłady zabaw słowotwórczych i gier językowych („strychy, wystrychnięte ze strychów"). Istotna jest również warstwa brzmieniowa tej prozy („wyłupiaste pałuby łopuchów wybałuszyły się jak babska").

NOWA FORMACJA PROZAIKÓW

- grupa pisarzy urodzonych przeważnie w pierwszej dekadzie XX w., debiutujących po 1930 r. (m.in. Gombrowicz, Breza, Andrzejewski, Choromański, Parnicki, Rudnicki)
- dystans wobec sporów politycznych, antymilitaryzm, pacyfizm
- psychologizm — wpływ psychoanalizy Freuda i Adlera, zainteresowanie patologią, snami, neurotyczną osobowością naszych czasów — w centrum uwagi jednostka, a nie społeczeństwo
- zamiast powieści o miłości — powieść o życiu erotycznym człowieka, seks nabiera cech ludycznych, bywa jedną z zabaw wieku młodzieńczego, a nawet dziecięcego (Freud rozwiał mit o niewinności dziecka!)
- demitologizacja dzieciństwa, odkrycie w świecie międzyludzkim egoizmu, wyrachowania, gry konwencji
- nowe techniki narracyjne, monolog wewnętrzny, eseizacja, symultanizm, zastępowanie „zdarzeń"

1932 —	Uniłowski:	*Wspólny pokój*
1933 —	Choromański:	*Zazdrość i medycyna*
1933 —	Gombrowicz:	*Pamiętnik z okresu dojrzewania*
1936 —	Breza:	*Adam Grywałd*
1937 —	Gombrowicz:	*Ferdydurke*
1937 —	Parnicki:	*Aecjusz, ostatni Rzymianin*
1937 —	Rudnicki:	*Niekochana*
1937 —	Straszewicz:	*Przeklęta Wenecja*
1938 —	Andrzejewski:	*Ład serca*

— „przeżyciami", ograniczenie fabuły na rzecz analizy psychologicznej, rozbicie jedności powieściowego czasu, „mozaikowa" kompozycja utworu

- zasługą nowej formacji jest radykalne unowocześnienie polskiej powieści, zbliżenie jej do głównych nurtów prozy XX w. — ambitne wzory: Joyce, Proust, T. Mann, Céline

Z nową formacją prozaików związana jest także — głównie z racji podobnych zainteresowań warsztatowych — powieść historyczna w wydaniu autorów takich, jak Teodor Parnicki czy Hanna Malewska.
Bruno Schulz, starszy o kilkanaście lat od prozaików nowej formacji, jest im bliski w swej bardzo oryginalnej twórczości. Dojrzałością przerasta jednak ówczesnych debiutantów.

Prozaicy nowej formacji

Michał Choromański (1904–1972) zapowiadał się przed wojną na czołowego pisarza omawianej grupy.

> Wydawniczy bestseller, **Zazdrość i medycyna**, to powieść prawie sensacyjna, w której prowadzone przez głównego bohatera śledztwo winno wykazać, czy nastąpiła zdrada małżeńska. Utwór utrzymany jest w poetyce dzisiejszego „thrillera". Pokazuje z pozoru normalny świat, który znalazł się we władzy choroby (chorobliwa zazdrość Widmara, chorobliwy wygląd krawca Golda i jego syna). Wrażenie niesamowitości potęguje sceneria, w której dominuje zdecydowanie kolor żółty (chmury, salon Widmarów, oczy i ręce krawca Golda). Sprawnie napisana, piętrząca zagadki powieść posługuje się techniką wielu punktów widzenia i narracją częściowo w formie pamiętnika. Stawia pod znakiem zapytania możliwość pełnej rekonstrukcji przeszłości (wysiłki Widmara kończą się niepowodzeniem).

Powojenne utwory Choromańskiego dzieli się zwykle na dwie grupy. Do pierwszej należą powieści tematycznie związane z Polską międzywojenną (**Schodami w górę, schodami w dół**, **W rzecz wstąpić, Miłosny atlas anatomiczny**), do drugiej — powieści „egzotyczne", z akcją umiejscowioną w Ameryce Południowej (**Głownictwo, moglitwa i praktykarze**). Do stałych motywów tej prozy należą zagadki, tajemnicze zniknięcia, niesamowite odkrycia, złe przeczucia (zwykle uzasadnione). Wszystko jest tu zaszyfrowane: zarówno gesty i słowa ludzi, jak i przyroda.

Czesław Straszewicz (1904–1963). Przed wojną jeden z najpłodniejszych pisarzy nowej formacji (aż cztery książki). Nie stronił od tematów aktualnych (wojna w Hiszpanii, stosunki polsko-niemieckie).

Powieść **Przeklęta Wenecja** to coś więcej niż tylko interesująco opowiedziana historia miłosnego trójkąta — o tyle skomplikowanego, że mąż jest Polakiem, kochanek — Niemcem, główna zaś bohaterka, Elza Fryze, trwa niejako w zawieszeniu między polskością narzuconą przez małżonka a niemiecką tradycją wyniesioną z domu. Brak porozumienia między ludźmi znajduje odpowiednik w niemożności nawiązania dialogu między narodami. Wenecka konferencja rozbrojeniowa staje się groteskową konferencją „dozbrojeniową". Autor zastosował typ narracji, który moglibyśmy nazwać „dialogiem pozornym", czyli dialogiem przekształcającym się w monolog. Wypowiedziane kwestie pozostają bez odpowiedzi, ludzi dzieli mur milczenia.

Po wojnie znalazł się na emigracji (Urugwaj). Przypomniał o sobie tylko raz: wydanym w Paryżu tomem **Turyści z bocianich gniazd**.

Tadeusz Breza (1905–1970). Z urodzenia — ziemianin, z wykształcenia — filozof, dla kariery — dyplomata. W młodości — zakonnik (chyba bez powołania).

Adam Grywałd mieści w sobie kilka potencjalnych powieści. Jedną z nich (chyba nie najbardziej efektowną) układa samo życie. Twórcą drugiej jest narrator utworu. Z pozoru bezstronny obserwator, niezdolny do intrygi, posiada przecież znaczną władzę nad rzeczywistością powieściową. Chciałby on uczynić postać Adama możliwie najbardziej czytelną, „przejrzystą". Pragnąłby również zamknąć całą historię w konwencji romansu, powieści o nieszczęśliwej miłości. Spotyka go jednak (podobnie jak Rzeckiego w *Lalce*) przykry zawód. Adam unika spotkania z Izą, a co gorsza, zwraca swe uczucia ku osobie jej brata, Edmunda. Narrator nie bardzo wie, co sądzić o stosunku łączącym te dwie postacie. Okoliczności życiowe wymuszają na nim zupełnie inną powieść (bez pointy i rozstrzygnięcia), inną psychologię (respektującą płynność ludzkiej osobowości), inną estetykę.
Adam Grywałd to jedna z najpiękniejszych powieści o potrzebie miłości (związek homoseksualny nie jest w niej traktowany jako dewiacja). Jest to również „powieść psychicznej inwigilacji, której bohaterowie bez przerwy podglądają się wzajemnie, obserwują, badają własne i cudze reakcje". Powieść pod każdym względem rewelacyjna, przez krytyków i badaczy oceniana jako „proustowska", co wydaje się sądem powierzchownym i nie w pełni usprawiedliwionym.

Po wojnie był pisarzem głośnym, również z racji podejmowanych tematów (obraz funkcjonowania hierarchii kościelnej w **Urzędzie** i **Spiżowej bramie** odczytać można na wiele sposobów). Książki równie ważnej jak *Adam Grywałd* już nie napisał.

Zbigniew Uniłowski (1909–1937). Przedwcześnie zmarły autor powieści „z kluczem" prezentującej środowisko młodych artystów, prawdziwych „chudych literatów" (**Wspólny pokój**).

Adolf Rudnicki (1912–1990). Przed wojną autor cenionych opowiadań i nowel psychologicznych (**Niekochana**) oraz demaskatorskiej powieści

o życiu koszarowym (**Żołnierze**). Po wojnie autor **Niebieskich kartek** (osobliwy pamiętnik dołączany do kolejnych tomów nowelistycznych) oraz cyklu **Epoka pieców** ➡ TEMATY WOJENNE.

➡ WITOLD GOMBROWICZ
JERZY ANDRZEJEWSKI ➡ TUŻ PO WOJNIE
TEODOR PARNICKI ➡ POWIEŚĆ O HISTORII

„Przed człowiekiem schronić się można jedynie w objęcia innego człowieka."

WITOLD GOMBROWICZ

Urodzony 1904
w majątku Małoszyce pod Opatowem, w rodzinie ziemiańskiej („mój dom rodzinny był [...] jednym wielkim dysonansem").

rok życia

16 Wojna polsko-bolszewicka nie budzi w młodym gimnaziście patriotycznych uczuć — rok 1920 uczynił go „indywidualistą", „istotą wyodrębnioną, żyjącą na marginesie społeczeństwa".

18 Zdaje maturę w warszawskim gimnazjum im. Św. Stanisława Kostki. Na świadectwie dojrzałości przeważają dostateczne, najwięcej kłopotów z matematyką i łaciną. Studiuje prawo („nieludzkie nudziarstwo") na Uniwersytecie Warszawskim. Nie przemęcza się nauką („grywałem z pasją w tenisa, trochę w szachy, oddawałem się lekturze, gawędziłem z przyjaciółmi"). Zdaje jednak egzaminy i szczęśliwie dochodzi do dyplomu.

24 Pobyt w Paryżu („bardzo się przyczynił do natężenia mego stosunku do narodu. Zobaczyłem wtedy naród z zewnątrz. Z zagranicy. To jest bardzo pouczające"). Po powrocie pracuje jako aplikant sądowy.

29 Dotąd mało kto wiedział, że Gombrowicz interesuje się literaturą. Tym większym zaskoczeniem była publikacja zbioru opowiadań **Pamiętnik z okresu dojrzewania**. Był to (przynajmniej z dzisiejszej perspektywy) jeden z najefektowniejszych debiutów międzywojennych. Kolejne utwory parodiują m.in. wzorzec powieści sensacyjnej, awanturniczej, psychologicznej. Autor przeciwstawia się autobiografizmowi i psychologizmowi pisarzy z kręgu nowej formacji prozaików. W zmienionym nieco kształcie zbiór wznawiany będzie po wojnie jako **Bakakaj**.
Przyjaźnie i znajomości w świecie literackim: Tadeusz Breza, Witkacy, Bruno Schulz i... Jarosław Iwaszkiewicz. Gromadzi wielbicieli przy „swoim" stoliku w słynnej kawiarni „Ziemiańska", ulubionym miejscu spotkań i dyskusji warszawskich literatów.

33 Powieść **Ferdydurke** ➡ POWIEŚCI GOMBROWICZA.

Podróż do Włoch („trochę, żeby zobaczyć faszyzm, trochę, żeby odpocząć").

34 Debiutuje jako dramaturg: na łamach „Skamandra" ukazuje się **Iwona, księżniczka Burgunda**.

35 Na łamach dwóch dzienników jednocześnie (warszawskiego „Dobry Wieczór—Kurier Czerwony" i kieleckiego „Ekspresu Porannego") ukazują się podpisane pseudonimem Zdzisław Niewieski kolejne odcinki powieści **Opętani**. Znaczenie tego utworu w dorobku pisarza stało się przedmiotem sporu badaczy (Jerzy Jarzębski kontra Maria Janion). 1 sierpnia 1939 r. na pokładzie transatlantyku „Chrobry", w towarzystwie Czesława Straszewicza, płynie do Argentyny. Wybuch wojny zastaje go w Buenos Aires. Grywa w szachy w kawiarni „Rex". Uczy się hiszpańskiego. Bieduje. Zarabia pisując pod pseudonimami do miejscowych gazet. Z czasem patronować będzie grupie młodych literatów południowoamerykańskich. Wśród przyjaciół — Virgilio Pinera i Ernesto Sábato.

43 Z pomocą przyjaciół tłumaczy *Ferdydurke* na hiszpański. Książka nie odnosi sukcesu. Bieda skłania go do podjęcia pracy w Banco Polaco (Bank Polski w Buenos Aires podlegający władzom warszawskim) — nie lubianej, nie chcianej („urzędniczek zarżnięty siedmioma godzinami urzędolenia, zdławiony we własnych przedsięwzięciach pisarskich" tworzył podobno znakomite sprawozdania z działalności banku).

47   Nawiązuje współpracę z paryską „Kulturą".

49   W Bibliotece „Kultury" ukazuje się tom zawierający powieść **Trans-Atlantyk** i dramat **Ślub** ➡ TEATR GOMBROWICZA.

Na łamach paryskiej „Kultury" pojawia się pierwszy fragment **Dziennika**. Publikowany od 1953 r. aż do śmierci pisarza, w edycji książkowej ukaże się po raz pierwszy w latach 1957–1966. Nie jest to dziennik intymny ani kronikarski zapis zdarzeń zewnętrznych. Gombrowicz stworzył nowy w literaturze polskiej typ dziennika, pomyślanego jako autokreacja, polemika i wyzwanie wobec czytelnika. Przyjmując najrozmaitsze role i maski, posługując się wieloma stylami, a nawet gatunkami (esej, felieton, aforyzm, gawęda, pamflet), przeobraził „pisaninę dość bezładną" w prawdziwe dzieło życia. Najbardziej zewnętrzna warstwa *Dziennika* rejestruje epizody takie jak „odwilż" 1956 r. i rewolucja węgierska, w pierwszych dwóch tomach sporo miejsca zajmują wędrówki po Argentynie, w ostatnim — obrazy podróży po Europie Zachodniej. Stale obecna jest również przeszłość (obrachunki z literaturą międzywojenną, a także wiekiem XIX). Bez wątpienia najważniejsze jest tu Ja, czyli sam Gombrowicz — sam, a właściwie i nie sam, Gombrowicz walczący przeciwko stronnictwom, grupom, narodom. W uproszczeniu rzecz wygląda następująco:

1) JA-AUTOR przeciwko krytykom. *Dziennik* to forma walki o uznanie własnej twórczości, a ponadto autokomentarz do większości dzieł (m.in. *Ferdydurke*, *Trans-Atlantyk*, *Pornografia* i... *Dziennik*).

2) JA-POLAK przeciwko Polakom. „Rewizja polskiego anachronizmu", próba uwolnienia Polaka od ciężaru polskości.

3) JA-EMIGRANT przeciwko emigrantom. Skłócony z krajem, spiera się również z emigracją, zwłaszcza londyńską. Polemizuje z Miłoszem („siła pierwszorzędna"), szydzi z mniej utalentowanych („poczciwe ciotki", „mięczaki").

4) JA-ARTYSTA przeciwko artystom. Sceptyczny, prowokujący, malarzom powiada: „nie wierzę w malarstwo", kompozytorom: „nie wierzę w muzykę". Pisze ironiczny pamflet *Przeciw poetom*, w którym oświadcza, że „nikt prawie nie lubi wierszy".

5) JA-EUROPEJCZYK przeciw Argentynie. Zarzuca Argentyńczykom to samo co i Polakom: niewolnicze naśladowanie zachodnich wzorów, brak wiary, że „niedojrzałość", „młodszość" też okazać się może twórczą siłą.

6) **JA-ARGENTYŃCZYK (JA-POLAK)** przeciw Zachodowi. „Ja, Amerykanin, ja, Argentyńczyk" lekceważony przez Zachód, nie dostrzegany przez wpływowych intelektualistów europejskich, kłóci się z największymi. Nie oszczędza Eliota, Gide'a, Musila, Sartre'a. Nie przegapi też żadnej okazji, by dostać się do elitarnego świata zachodnich artystów. Jako całość *Dziennik* jest obroną wolności jednostki zagrożonej w warunkach kultu zbiorowości (o jego szerzenie autor oskarża komunizm, katolicyzm, współczesną naukę, kulturę masową). Z uwagi na krytyczne wypowiedzi o zbrodniach sowieckich i PRL pierwsze krajowe oficjalne wydanie *Dziennika* (dopiero w 1986 r.!) zostało ocenzurowane. Urzędowe zakazy niewiele pomogły, bo znacznie wcześniej to właśnie dzieło Gombrowicza stało się prawdziwą biblią polskich intelektualistów.

51 Rozstanie z bankiem (instytucja została sprzedana Argentyńczykom).

53 *Trans-Atlantyk*, *Ślub* oraz *Bakakaj* ukazują się w PRL (rok później — *Iwona, księżniczka Burgunda*). Na kolejne dzieła i wznowienia przyjdzie długo poczekać.

56 Powieść **Pornografia**.

59 Wiosną opuszcza Argentynę („Przecięte zostało to coś tajemniczego pomiędzy mną i miejscem moim"). Wyjeżdża na roczne stypendium Fundacji Forda do Berlina Zachodniego.

60 Wyjeżdża do Royaumont pod Paryżem, następnie przenosi się do Vence, na południu Francji.
Jego towarzyszką życia zostaje kanadyjska studentka Maria-Rita Labrosse (Rita Gombrowicz — ślub odbył się w 1968 r.). Zajmie się ona w przyszłości gromadzeniem i wydawaniem spuścizny pisarza oraz założy Towarzystwo Przyjaciół Gombrowicza.

61 Wydaje swoją ostatnią, być może najtrudniejszą powieść, **Kosmos**.

62 Ukazuje się **Operetka** ➡ TEATR GOMBROWICZA, dołączona do 3 tomu *Dziennika*.

64 **Rozmowy z Dominikiem de Roux** — wywiad udzielony francuskiemu pisarzowi i wydawcy. Staje się coraz sławniejszy, kandyduje do Nagrody Nobla.

65 Choruje (na siedemnaście rozmaitych dolegliwości). Najbardziej dokucza mu astma, „rodzinna" choroba Gombrowiczów.
Umiera 25 lipca 1969 r. w Vence.
Powiadał czasem: „Jak skonam, pewnie mnie w końcu na Wawelu pochowają jak Słowackiego." Może tak się rzeczywiście kiedyś stanie?

Gombrowiczologia
Już istnieje! Prawie każdy z badaczy literatury współczesnej poświęcił Gombrowiczowi przynajmniej kilka stronic. Książki o twórczości pisarza wydali dotąd Andrzej Falkiewicz, Jerzy Jarzębski, Zdzisław Łapiński. Biografię prezentuje najpełniej dwutomowe opracowanie Rity Gombrowicz. Losami rodziny, przyjaciół i znajomych Gombrowicza zajęła się Joanna Siedlecka w *Jaśniepaniczu* (ta pasjonująca książka łączy cechy reportażu, zbioru wywiadów i nietypowej biografii).

FERDYDURKE

Zgodnie z informacją zawartą w tekście akcja *Ferdydurke* rozgrywa się w Polsce międzywojennej, w latach trzydziestych (pewne okoliczności wskazywać by mogły na okres nieco wcześniejszy — gimnazjalną młodość pisarza). Tę dwoistość podkreśla również wiek bohatera — ma on jednocześnie siedemnaście i trzydzieści lat, jest chłopcem i dorosłym mężczyzną. Nosi imię Józio, a z drugiej strony jest autorem książki *Pamiętnik z okresu dojrzewania* (tytuł debiutanckiego tomu Gombrowicza).

Przeglądamy *Ferdydurke*

Powieść rozpoczyna się od snu — być może proroczego, lecz zarazem ,,pomniejszającego i dyskwalifikującego''. ,,W połowie drogi żywota'' (aluzja do Dantego) bohater znajduje się w lesie nie tyle ciemnym, co ,,zielonym''. Krótko mówiąc — wysłany zostaje znów do szkoły i przemocą ,,udziecinniony''. Główną rolę w tym procesie odgrywa T. Pimko, ,,doktor i profesor, a właściwie nauczyciel, kulturalny filolog z Krakowa'' stojący ,,na straży wartości kulturalnych''. Szkoła, z lekcjami łaciny i literatury ojczystej, opisana została w konwencji groteskowej i komicznej (słynny pojedynek Syfona i Miętusa na miny, spór ucznia Gałkiewicza z profesorem Bladaczką, czy Słowacki ,,wielkim poetą był'' i za co powinniśmy kochać wieszczów).

Z martwą tradycją rodem z bohaterskiego XIX w. nie ma nic wspólnego kolejne środowisko, do którego trafia nasz bohater. Dom inżynierostwa Młodziaków uwielbia sport, tężyznę fizyczną, taniec, muzykę jazzową. Jego mieszkańcy podkreślają na każdym kroku swoją ,,postępowość'' i ,,nowoczesność'', są typowymi reprezentantami przedwojennej inteligencji warszawskiej, ośmieszanej przez Gombrowicza również w innych utworach. Narrator, który padł ofiarą uczucia do panny Młodziakówny, ,,nowoczesnej pensjonarki'', wyzwala się po części dzięki Miętusowi (pełni on w całej powieści rolę czynnika rozkładowego), po części zaś dzięki szatańskiej intrydze. W dziewczęcej sypialni spotykają się dwaj uczniowie i profesor Pimko. Skandal! Symboliczną (niedosłowną!) przestrzenią dla pierwszej części *Ferdydurke* mógłby być Kraków, narodowe sanktuarium z grobami wieszczów. Część druga dotyczy Warszawy, w trzeciej udajemy się na prowincję, do prawdziwego ziemiańskiego dworu. Jego starodawny ład, ustalony od wieków podział na ,,chamskie'' obowiązki i ,,pańskie'' przywileje, burzy niezmordowany anarchista Miętus. ,,Brata się'' z parobkiem Walkiem, przywołując widmo chłopskiego buntu i rewolucji. Józio ucieka ,,z gębą w rękach'' — nie sam, niestety, bo w międzyczasie

zdążył popaść w najgorszą niewolę: związał się (albo został związany) z panną z dobrego domu, Zosią. Właściwym tematem *Ferdydurke* są przygody JA — nieustannie ograniczanego, formowanego, strofowanego, wychowywanego, wtłaczanego w obręb społecznego stereotypu. Kontakty międzyludzkie, tak pociągające, tak kuszące dla jednostki, stanowią zagrożenie. Czai się za nimi ukryta bądź jawna agresja. Ludzie czyhają tu na siebie tak jak Józio na pannę Młodziakównę, Pimko na Józia, Miętus na Walka, a Walek na Miętusa. Światem człowieka rządzi prawo podboju.

Kompozycja

Ferdydurke jest powieścią ,,skonstruowaną'', a nie ,,opowiedzianą''. Kompozycję określa porządek wywodu intelektualnego, a nie wymogi fabuły, którą rozbijają dwa samodzielne fragmenty (*Filidor dzieckiem podszyty* i *Filibert dzieckiem podszyty*), każdy poprzedzony przedmową w formie eseju. Utworowi towarzyszy autorski komentarz (co u Gombrowicza jest regułą).

Pupa, gęba, forma

Przyprawić komuś p u p ę — potraktować dorosłego jak dziecko, udziecinnić go.
Zrobić komuś g ę b ę — opatrzyć człowieka inną twarzą niż jego własna.
F o r m a:
● jest podstawą organizacji życia zbiorowego, stylem, niekiedy maską, konwenansem, społeczną rolą
● jest przeciwieństwem tego, co autentyczne, spontaniczne, naturalne, instynktowne
● za sprawą formy ,,powstaje w nas coś, co nie jest z nas''

Magiczna trzydziestka

Kiedy kończy się młodość, a zaczyna starość? Zdaniem pisarza bardzo wcześnie. ,,Trzydzieści lat to końcówka. Już się zaczyna umieranie po kawałku: pierwsze siwe włosy, pierwsze zmarszczki, których usiłuje się nie zauważać.'' Horror! Nie zgadzamy się zupełnie!

POWIEŚCI POWOJENNE

Tytuł	Temat	Parodiowany wzór literacki
Trans-Atlantyk	podróż	gawęda szlachecka, *Pan Tadeusz*, Trylogia
Pornografia	spisek	powieść XVIII i XIX w. (różne odmiany)
Kosmos	śledztwo	powieść sensacyjna, francuska „nowa powieść"

JA

Gombrowicza nie interesuje tworzenie doskonałych powieści — skończonych dzieł sztuki. Powieść stanowi dla niego okazję do manifestacji autorskiego JA. W *Trans-Atlantyku* pojawia się sam Witold Gombrowicz, by odsłonić kulisy swojej kariery od Gówniarza do Geniusza i... z powrotem. Autor *Kosmosu* nie potrafi wyobrazić sobie autentycznej literatury, która nie byłaby głosem JA, wypowiedzią we własnym imieniu, swobodną i otwartą.

Gombrowiczowe JA nie jest nigdy samotnikiem. Wręcz przeciwnie, formuje się i określa dopiero w kontaktach z innymi ludźmi.

Polacy i polskość

W *Trans-Atlantyku* odwaga zachowania własnej tożsamości okupiona może zostać tylko aktem tchórzostwa — dezercją (jeden z wielu paradoksów Gombrowiczowego myślenia). Wybór, jakiego dokonuje bohater, równa się odtrąceniu narodu jako wspólnoty ciemnej i szalonej. Gombrowicz tropi wnikliwie dziwaczności polskiego stylu bycia, pokazuje kłótnie, swary, pozwy sądowe, sąsiedzkie spory o miedzę i wpływy, szydzi z polskiego sposobu traktowania upragnionych i wzgardzonych „piniędzy". W osobach Barona i Pyckala znajdują groteskowy wyraz dwa bieguny polskości — arystokratyczny i plebejski, równie żałosne i równie jałowe. Narodową tradycję symbolizują puste rytuały — polowanie bez szaraków i pojedynek bez kul.

Poczucie przynależności do narodu („wspólnoty zimnej i sztucznej") jest ryzykiem i skrępowaniem wolności człowieka. Dlatego Gombrowicz stara się zrównoważyć pojęcie „Ojczyzny" kategorią „Synczyzny", dlatego toczy zaciekłą walkę o „prywatną" przestrzeń dla jednostki.

Teatr międzyludzki

Powieściowy świat Gombrowicza wywodzi się w znacznym stopniu z teatru. Jest to teatr ludzkiego życia, teatr gestów, min, grymasów, ról wybranych i narzuconych siłą. Zazwyczaj jedna z postaci (a czasem kilka) pełni funkcję reżysera — pod tym względem szczytowym osiągnięciem wydaje się kreacja Fryderyka z *Pornografii*.

Anatomię ludzkiego ciała podnosi autor do rangi tajemnego języka. Penetrowana w jego powieściach strefa erotyzmu wykracza daleko poza kwestie natury biologicznej. Dla Gombrowicza seks jest zbyt prosty, a może zbyt prostacki, by trafić mógł do utworu w formie opisu aktu miłosnego. Uwiedzenie, zdrada i gwałt występują tu jako metafory. Anatomiczny kod staje się szyfrem (usta Leny i Katasi w *Kosmosie*, obnażone łydki Heni i Karola w *Pornografii*).

Wyrafinowany erotyzm Gombrowicza graniczy z perwersją, jawnie manifestowaną w *Trans-Atlantyku*, bardziej zawoalowaną w *Pornografii*, ukrytą w *Kosmosie*. Gombrowicz jest pogański i barbarzyński. W znakomitej scenie „zarzynania mszy" (*Pornografia*) zdaje się sugerować, że w epoce, która oglądała śmierć Boga, miejsce wiary zająć może seks, religia kosmicznej pustki.

Chociaż powieściowy teatr rozgrywa się w scenerii nad podziw skromnej, użyte rekwizyty przykuwają od razu naszą uwagę. Przedmiot jest tu zagadką do rozwiązania, znakiem orientacyjnym dla ludzkiej świadomości, a nie obiektem estetycznych zachwytów czy sentymentalnych wzruszeń (widać to zwłaszcza w *Kosmosie*).

Język i mowa

W powieściach Gombrowicza opis schodzi na dalszy plan. Mówienie wydaje się ważniejsze niż opisywanie. Dialog nie służy wymianie informacji i poglądów. Bohaterowie często mówią coś, żeby nie powiedzieć czegoś innego. Słowa budują dystans między ludźmi. Wypowiedzianej tezie towarzyszy natychmiastowe zaprzeczenie (słynne rady pana Cieciszowskiego z *Trans-Atlantyku*). Komunikacja językowa nie jest ani jedynym, ani najdoskonalszym sposobem porozumiewania się. Tworzy obszar przeinaczeń i mistyfikacji.

TEATR GOMBROWICZA

FARSA   **TRAGIKOMEDIA**

FARSA   **TRAGIKOMEDIA**

KSIĘŻNICZKA BURGUNDA / IWONA, / OPERETKA / ŚLUB

DRAMAT SZEKSPIROWSKI   **POLSKI DRAMAT ROMANTYCZNY**

- teatr groteski i absurdu
- teatr masek, min, grymasów, kostiumów
- teatr języka (na potrzeby każdego z dramatów tworzy autor „osobny" język)
- teatr Formy — podobnie jak w przypadku prozy, stałym tematem Gombrowicza jest dramat Formy, kształtowanie człowieka przez człowieka
- tradycja: farsa, tragikomedia, wodewil, a z drugiej strony — Szekspir, Mickiewicz (*Ślub* porównuje się czasem do *Dziadów*!)

A poza tym Gombrowicz bywał w teatrze rzadko, nie interesował się osiągnięciami swoich kolegów po piórze ani ewolucją światowej dramaturgii.

Ślub (1948, wyd. pol. 1953), sen i nie sen, bo niby znajdujemy się w północnej Francji, a jednak w Małoszycach (miejsce urodzenia autora). Niby w kościele, a przecież, za przeproszeniem, w karczmie, co kiedyś domem rodzinnym bohatera dramatu była. Wielkie tu zmiany i wielka pustka, bo Ignacy, ojciec Henryka, czyli Hendryka, w karczmie teraz usługuje, a Henrykowa narzeczona została „zamknięta w dziewce" (niby królewicz w żabie) i jest służącą do wszystkiego.

Coś trzeba zrobić, by wszystko znów po dawnemu i po bożemu było. Niech ojciec stanie się królem, karczma — dworem, a książę Henryk i dziewka zamieniona w księżniczkę wezmą ślub — prawdziwy ślub, z dziewicą w welonie, z błogosławieństwem ojcowskim, ślub przed Panem Bogiem. Niech Prawo Moralne i Godność Człowiecza zatriumfują.

Może tak by się i stało, lecz oto pojawia się Pijak, by monarchy powagę osłabić, a królewską osobę „palcem dutknąć". Zdrada, oczywiście zdrada, a pokusa przy tym wielka, by zdradzając, miejsce ojca i miejsce Boga zająć, i sobie samemu ślubu udzielić. Trochę niepewny, trochę wystraszony, książę Henryk zostaje teraz sam w ludzkim kościele „bez Boga", odprawiając „ciemną i ślepą" mszę „ludzko ludzką".

Lecz Pijak, awanturnik, agent i spiskowiec, łączy brzydkim i podstępnym ślubem księżniczkę z Władziem. Władzio przyjaciel, Władzio poświęci się dla Henryka i skoro nie można inaczej, sam się zabije. Po jego śmierci Henryk — sam, coraz bardziej sam — czując się winny i niewinny zarazem, przyjmuje na siebie odpowiedzialność. Forma zwycięża, bo „wszystko dokonywa się poprzez Formę", bo „deformując" innych sami jesteśmy „deformowani".

Przeciwieństwa *Operetki*

- nagość — strój

  Naga jest w finale dramatu Albertynka. Naga chce być od początku tego utworu.

  Ubrani (najdokładniej) są salonowi bywalcy. Ubrany jest hrabia Szarm, który wspaniałomyślnie chce Albertynkę ubierać (a nie rozbierać). Ubrana w uniformy, mundury, kostiumy, fraki i suknie cała ludzkość. Ubrana albo przebrana, ale nigdy — naga.

  Ubranie to konwencja, znak czasu, symbol epoki, Forma.

  Nagość jest buntem, jest wyzwoleniem.

- młodość — starość

  Młodość — czyli znów Albertynka, przeciwstawiona straszliwym, krwiożerczym albo uwodzicielskim starcom. Pragną oni zamknąć młodość w pułapce Formy, uwięzić młodość, okiełznać jej żywioły.

  Na próżno.

- historia — życie

  Historia to rewia mody, wielka parada kostiumów, groteskowe widowisko. Co jest jej przeciwieństwem? Chyba — życie z całym jego bujnym bogactwem, życie wymykające się wszelkim systemom i doktrynom. Irracjonalne. Nagie. Gombrowicz jest apolityczny, ukazuje „bankructwo wszelkiej ideologii".

*„Zjawił się antychryst, noszący miano
Tadeusz Żeleński, a pseudonim Boy."*

Tadeusz Żeleński (Boy) (1874–1941)

- z wykształcenia lekarz pediatra, związany z kręgiem cyganerii młodopolskiej (tom wspomnień **Znaszli ten kraj?**...), filar działającego przed I wojną światową w Krakowie pierwszego polskiego kabaretu literackiego „Zielony Balonik" (spektakle odbywały się w słynnej Jamie Michalikowej).

Dokumentem kabaretowej działalności Boya są **Słówka** (1913), całkiem pokaźny tom wierszy satyrycznych, piosenek, skeczów i kupletów. Napisane z paryskim wdziękiem — lekkie, czasem frywolne i pikantne, ośmieszają tradycyjną moralność mieszczańsko-konserwatywną, kpią z pruderii obyczajowej, parodiują rozmaite style literackie (np. modernizm). Prawdziwym popisem humoru Boya jest próba kontynuacji *Rodziny Połanieckich*, w której słyszymy takie słowa, jak „pysio różowe", „piersiątka" i „bioderka". W *Pieśni o mowie naszej* — przekorne narzekania na ubóstwo polskiego języka erotycznego (do dziś ulubiony temat niejednego felietonisty). Myśl przewodnią *Słówek* podsumowuje najlepiej nowy znak interpunkcyjny, wprowadzony przez autora — „perskie oko". Widocznie za dużo mamy ponuraków, bo znak się nie przyjął.

- od 1922 r. mieszkał w Warszawie, dzięki swym felietonom, artykułom i recenzjom teatralnym w okresie międzywojennym należał do najpopularniejszych polskich pisarzy

Tłumacz
- bez Boya nasza znajomość literatury francuskiej byłaby dziś skromniejsza, a i zupełnie inaczej wyglądałaby pozycja kulturalna bliskiej Polakom (także dzięki Boyowi) literackiej Francji
- przekładał literaturę średniowieczną (*Pieśń o Rolandzie, Tristan i Izolda*, Villon), nowożytną (Brantôme, Montaigne, Pascal, Molier, Wolter, Balzak) i współczesną (Proust, Gide)

Recenzent
- ceniony i szanowany, recenzje teatralne pisał przez 20 lat (!) z zadziwiającą regularnością; uzbierało się ich kilkanaście tomów (**Flirt z Melpomeną**)

Eseista
- kontrowersyjny w próbach przywrócenia narodowi pełnej i prawdziwej biografii Mickiewicza, obejmującej również „mniej jasne" strony życia poety (**Brązownicy**), i odczytania na nowo komedii Fredry (**Obrachunki fredrowskie**)

Publicysta
- uczeń francuskiego Oświecenia, racjonalista, wróg „fałszu i obłudy" (ich symbolem były „dziewice konsystorskie"), przeciwnik „klerykalizmu" i „nacjonalizmu"
- bronił prawa do rozwodów, opowiadał się za dopuszczalnością aborcji, nawoływał do tolerancji wobec „mniejszości seksualnych", niekonwencjonalnie spojrzał na problem prostytucji („stwórzcie polskie gejsze!"), występował przeciwko stosowaniu kary śmierci
- najważniejsze tomy publicystyczne (**Dziewice konsystorskie, Piekło kobiet**) wywoływały gorące polemiki

Byli w międzywojniu wielkimi antagonistami, przy czym Irzykowski nie mógł nawet marzyć o takim wpływie na czytającą publiczność, jaki stał się udziałem Boya. Z perspektywy lat coraz trudniej nam połączyć te dwa nazwiska. Boya widzimy dziś głównie jako tłumacza i satyryka, Irzykowskiego cenimy przede wszystkim za „Pałubę". A zatem wieczni antagoniści zostali w jakimś sensie pojednani.

„Przyrodzonym gestem krytyka jest niezadowolenie."

Karol Irzykowski (1873–1944)

- najwybitniejszy (chyba) krytyk literacki okresu międzywojennego, także — prozaik; związany kolejno ze Lwowem, Krakowem, Warszawą

Zgodnie z chronologią **Pałuba** (1903) należy do epoki modernizmu, przez wielu badaczy jest jednak uważana za powieść otwierającą wiek XX w dziejach polskiej prozy. Uznając za przesąd opinię, że „dzieło sztuki powinno mówić samo za siebie", Irzykowski dodaje autokomentarz, wyjaśnienia, a nawet przypisy i szkic miejscowości, w której toczy się akcja utworu. Narrator jest w nim cały czas obecny, obowiązuje bowiem zasada ciągłego kontaktu autora z czytelnikiem. Głównym obiektem zainteresowania staje się nie dzieło, lecz proces jego tworzenia i tajemnice warsztatu pisarskiego (w tekście liczne cytaty, aluzje i porównania do różnych dzieł literatury światowej). Osobliwą rolę spełniają też *Sny Marii Dunin*, oniryczna opowieść, której związek z utworem „właściwym" wygląda — mimo wyjaśnień pisarza — dosyć zagadkowo.

W konstrukcji fabularnej *Pałuba* imituje powieść obyczajową czy nawet rodzinną. Jej bohater, Piotr Strumieński, żeni się z ekscentryczną malarką Angeliką i osiada w swoim majątku położonym w Galicji. Nieszczęśliwy poród, załamanie psychiczne i samobójcza śmierć Angeliki czynią z Piotra osobowość perwersyjną, poszukującą niezwykłych doznań w ogrodowej kaplicy zamienionej na sanktuarium ku czci zmarłej żony (prócz jej obrazów znajduje się tam erotyczny pamiętnik zwany Księgą Miłości). Z czasem do osobliwego rytuału dopuszczona zostaje również druga żona Piotra, Ola (panienka jak z powieści Sienkiewicza, trochę — Maryla Wereszczakówna), i jego syn Pawełek („poświęcony" przez ojca Angelice). Dopełnieniem ciągu tajemniczych i fatalnych wypadków będzie śmierć wiejskiej wariatki Kseńki (nazywanej przez otoczenie „pałubą") i tragiczny wypadek Pawełka.

Słowo użyte w tytule oznaczać może drewniany taran, manekin, odrażającą kobietę. Dla małego Pawełka „pałubą" jest Angelika, dla Piotra Strumieńskiego „pałuba" to fałszywa idea czystości. Sam autor uznaje „pałubę" za „symbol tych chwil, w których umysłowo traci się grunt pod nogami, najlepszych i najbardziej wartościowych w życiu, chwil największej przykrości i największego skupienia". Pierwiastek „pałubiczny", o którym mowa w dziele, to czynnik wyjaśniający, demaskujący i oczyszczający zarazem.

Pałuba jest powieścią prekursorską w stosunku do popularnej w późniejszym okresie psychoanalizy. Odrzuciwszy tezy pozytywistycznego scjentyzmu, Irzykowski skupia uwagę na tym, co subiektywne, przypadkowe, a zwłaszcza utajone w obrębie ludzkiej psychiki. Sformułowany przez niego program „intymizmu" zakłada ujawnianie i obnażanie zafałszowań, masek, mitologizacji, jakimi posługuje się człowiek w życiu wewnętrznym i kontaktach z innymi ludźmi. W przeciwieństwie do Freuda Irzykowski nie absolutyzuje roli popędu seksualnego, dowodząc, że „mózg (dusza) ma daleko więcej części wstydliwych niż ciało".

Najważniejsze książki krytyczne Irzykowskiego (**Walka o treść, Słoń wśród porcelany**) mają charakter polemiczny — obiektami ataku stają się:

- **Witkacy** — za wtórność, kiczowatość i skłonność do tanich chwytów
- skamandryci — za niechęć do programów, naiwność, zaufanie do talentu („talentyzm")
- poeci awangardowi — za bezkrytyczne naśladowanie obcych wzorów i programomanię

- lewicowi krytycy — za doktrynerstwo, społeczny szowinizm i entuzjazm dla „piły marksistycznej"
- Boy — za powierzchowność, upodobanie łatwizny, płytki racjonalizm (pamflet **Beniaminek**)

Takich krytyków jak Irzykowski — złośliwych, jadowitych, oschłych, wiedzących lepiej od autora, jak powinno wyglądać dzieło — pisarze raczej nie lubią. W najlepszym razie — cenią i szanują.

PISARZE NA WOJNIE

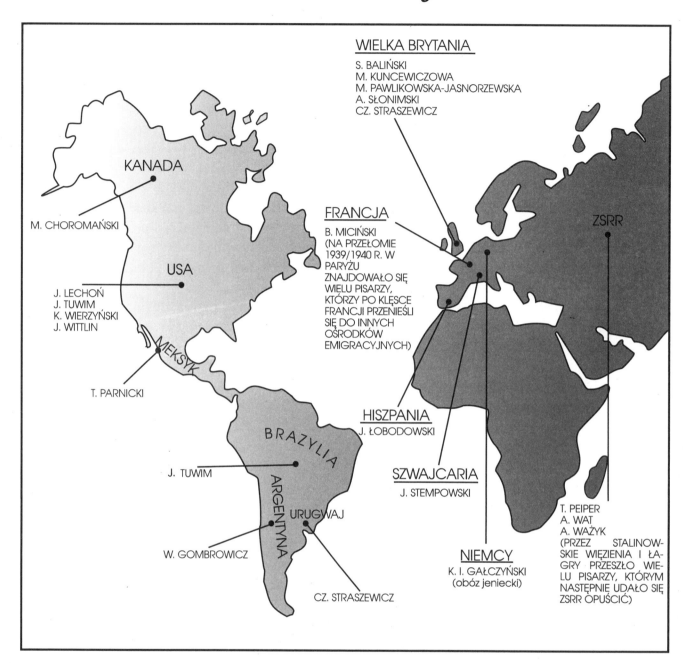

WIELKA BRYTANIA
S. BALIŃSKI
M. KUNCEWICZOWA
M. PAWLIKOWSKA-JASNORZEWSKA
A. SŁONIMSKI
CZ. STRASZEWICZ

FRANCJA
B. MICIŃSKI
(NA PRZEŁOMIE 1939/1940 R. W PARYŻU ZNAJDOWAŁO SIĘ WIELU PISARZY, KTÓRZY PO KLĘSCE FRANCJI PRZENIEŚLI SIĘ DO INNYCH OŚRODKÓW EMIGRACYJNYCH)

ZSRR

KANADA
M. CHOROMAŃSKI

USA
J. LECHOŃ
J. TUWIM
K. WIERZYŃSKI
J. WITTLIN

MEKSYK
T. PARNICKI

BRAZYLIA
J. TUWIM

ARGENTYNA
W. GOMBROWICZ

URUGWAJ
CZ. STRASZEWICZ

HISZPANIA
J. ŁOBODOWSKI

SZWAJCARIA
J. STEMPOWSKI

NIEMCY
K. I. GAŁCZYŃSKI
(obóz jeniecki)

T. PEIPER
A. WAT
A. WAŻYK
(PRZEZ STALINOWSKIE WIĘZIENIA I ŁAGRY PRZESZŁO WIELU PISARZY, KTÓRYM NASTĘPNIE UDAŁO SIĘ ZSRR OPUŚCIĆ)

Wojnę w kraju przeżyli:

Jerzy Andrzejewski
Tadeusz Borowski
Tadeusz Breza
Leopold Buczkowski
Maria Dąbrowska
Jarosław Iwaszkiewicz
Paweł Jasienica
Mieczysław Jastrun

Hanna Malewska
Czesław Miłosz
Zofia Nałkowska
Julian Przyboś
Tadeusz Różewicz
Leopold Staff
Jerzy Szaniawski

Zestawienie nie uwzględnia pisarzy, którzy debiutowali dopiero po wojnie.

Na Bliskim Wschodzie (Bagdad, Jerozolima) wydawano polskie książki i czasopisma. Działali tam pisarze, którzy opuścili ZSRR wraz z armią generała Andersa (m.in. Józef Czapski i Gustaw Herling-Grudziński).

Lista strat

Ignacy Chrzanowski	historyk literatury	1940	zmarł w obozie koncentracyjnym w Oranienburgu
Józef Czechowicz	poeta	1939	zginął podczas bombardowania Lublina
Witold Hulewicz	poeta, prozaik	1941	rozstrzelany w Palmirach
Karol Irzykowski	krytyk, prozaik	1944	ranny w powstaniu warszawskim
Juliusz Kaden-Bandrowski	prozaik	1944	ranny w powstaniu warszawskim
Janusz Korczak	publicysta, prozaik	1942	zagazowany w Treblince
Stefan Napierski	poeta, tłumacz	1940	rozstrzelany w Palmirach
Lech Piwowar	poeta, krytyk	1940	rozstrzelany w Katyniu
Bruno Schulz	prozaik	1942	zastrzelony w Drohobyczu
Władysław Sebyła	poeta	1940	rozstrzelany w Katyniu
Stanisław I. Witkiewicz	dramaturg, prozaik	1939	popełnił samobójstwo po wkroczeniu Armii Czerwonej
Tadeusz Żeleński (Boy)	eseista, tłumacz	1941	rozstrzelany przez Niemców

Największe straty wśród najmłodszych (Krzysztof Kamil Baczyński, Wacław Bojarski, Tadeusz Gajcy, Krystyna Krahelska, Juliusz Krzyżewski, Alfred Rogalski, Zdzisław Stroiński, Andrzej Trzebiński).

Literatura polska podczas wojny

- życie literackie toczy się w podziemiu i na emigracji
- działają nielegalne redakcje i drukarnie (już pod koniec 1939 r. ukazuje się ponad 30 czasopism!)
- podziemna książka: głównie antologie poetyckie, śpiewniki, zbiory satyr, tomiki wierszy, często przepisywane na maszynie przez samego autora; podczas okupacji wydano m.in. zbiory Miłosza i Przybosia, także debiutanckie tomiki Baczyńskiego i Gajcego
- inne formy oporu: tajne nauczanie (działa w podziemiu Uniwersytet Warszawski), tajne teatry dają przedstawienia w prywatnych mieszkaniach, odbywają się konspiracyjne wieczory autorskie, zawierane są umowy z pisarzami (jako forma pomocy finansowej)
- na emigracji: najważniejszym ośrodkiem jest Londyn, gdzie ukazuje się tygodnik „Wiadomości Polskie" i miesięcznik „Nowa Polska", książki polskich autorów (w tym klasyka) wydawane są w różnych miejscach, nawet w Jerozolimie

Pieśń i piosenka żołnierska

Serce w plecaku	1933	Michał Zieliński
Deszcz, jesienny deszcz...	1943	Marian Matuszkiewicz
Hej, chłopcy, bagnet na broń	1943	Krystyna Krahelska
Płynie, płynie Oka	1943	Leon Pasternak
Czerwone maki na Monte Cassino	1944	Feliks Konarski
Pałacyk Michla	1944	Józef Szczepański

Kampania wrześniowa 1939	Przed wybuchem wojny powstał *Bagnet na broń* Broniewskiego. Najpopularniejsze wiersze o kampanii wrześniowej napisali: Słonimski (*Alarm*), Lechoń (*Pieśń o Stefanie Starzyńskim*), Baliński (*Kolęda warszawska 1939*), Broniewski (*Żołnierz polski*), Gałczyński (*Pieśń o żołnierzach z Westerplatte*). Obrazy wrześniowej klęski kończą *Sprzysiężenie* Kisielewskiego i *Węzły życia* Nałkowskiej. Heroizm żołnierza polskiego ukazują *Hubalczycy* i *Westerplatte* Wańkowicza. Powodzeniem cieszyła się niegdyś *Lotna* Wojciecha Żukrowskiego. *Dni klęski* tego samego autora, podobnie jak *Wrzesień* Jerzego Putramenta mają charakter propagandowy. Wielka polska powieść o wrześniu 1939 r. jak dotąd nie powstała. Za najwybitniejszy utwór uchodzi *Polska jesień* Jana Józefa Szczepańskiego. Pierwsze zbrodnie wojenne hitlerowców po zajęciu Bydgoszczy to jeden z wątków powieści **Obóz wszystkich świętych** (1957) Tadeusza Nowakowskiego (ur. 1917, mieszkający w Niemczech dziennikarz RWE). W sposób daleki od stereotypu spojrzał autor na kwestię stosunków polsko-niemieckich.
Ruch oporu w kraju 1939–1945	Legendarna książka Aleksandra Kamińskiego o żołnierzach Szarych Szeregów **Kamienie na szaniec** (1943). Liczne epizody, m.in. w powieściach Iwaszkiewicza i Dąbrowskiej oraz opowiadaniach Różewicza. Walk AK na Wileńszczyźnie dotyczą utwory Józefa Mackiewicza i Tadeusza Konwickiego, na Ukrainie — m.in. *Czarny potok* Leopolda Buczkowskiego i *Zasypie wszystko, zawieje...* Włodzimierza Odojewskiego.
Codzienność okupacyjna 1939–1945	Ukazywana z różnych punktów widzenia, m.in. w *Dziennikach* Nałkowskiej, opowiadaniu Borowskiego *Pożegnanie z Marią*, powieści Kazimierza Brandysa *Miasto niepokonane*, tomie szkiców Wyki *Życie na niby*. Sytuacji na kresach dotyczą: *Droga donikąd* Mackiewicza, *Zasypie wszystko, zawieje...* Odojewskiego, *Wielki strach* Stryjkowskiego. W tonacji zdecydowanie nieheroicznej, a nawet szyderczej pokazują okupacyjną codzienność utwory Dygata i Hłaski.
Katyń 1940	Za zgodą władz Polski Podziemnej w skład delegacji badającej odkryte przez Niemców groby katyńskie wchodzili dwaj pisarze: Józef Mackiewicz i Ferdynand Goetel (1890–1960), m.in. autor książki wspomnieniowej **Czasy wojny** (1955). Zamordowanych w Katyniu jeńców polskich poszukiwał Józef Czapski (*Na nieludzkiej ziemi*). Do najważniejszych dokumentów należy **W cieniu Katynia** (1976) Stanisława Swianiewicza (autor został tuż przed egzekucją wyłączony z transportu więźniów rozstrzelanych w katyńskim lesie). Zbrodnia katyńska to jeden z wątków powieści Odojewskiego *Zasypie wszystko, zawieje...* Temat ten powraca ostatnio w twórczości wielu poetów — od Herberta do Jacka Kaczmarskiego.
Czyn zbrojny na Zachodzie 1940–1945	Kampanii norweskiej dotyczy — uważana za pierwszą polską powieść wojenną — *Droga wiodła przez Narvik* (1941) Ksawerego Pruszyńskiego. Bitwy o Anglię — sławny *Dywizjon 303* (1942) Arkadego Fiedlera. O walkach Polaków we Włoszech mówi reportaż Wańkowicza *Monte Cassino*. Bogata i wartościowa literatura pamiętnikarska. Rozczarowanie Polaków na Zachodzie postawą aliantów i rozstrzygnięciami traktatu jałtańskiego ukazywały gorzkie, satyryczne wiersze Mariana Hemara (1901–1972).
Czyn zbrojny na Wschodzie 1943–1954	Wiersze Lucjana Szenwalda i Adama Ważyka, proza Józefa Hena. Wydawana w PRL literatura faktu nie przedstawia na ogół rzeczywistej sytuacji oddziałów walczących u boku Armii Czerwonej.

Martyrologia Żydów polskich. Powstanie w getcie warszawskim 1943	Wiersze Czesława Miłosza, Kazimierza Wierzyńskiego, Józefa Wittlina. Opowiadanie Andrzejewskiego *Wielki Tydzień*, proza Henryka Grynberga, *Umschlagplatz* Jarosława Marka Rymkiewicza, *Zdążyć przed Panem Bogiem* Hanny Krall. Wstrząsający obraz życia getta oglądanego oczami dziecka przynosi powieść Bogdana Wojdowskiego (ur. 1930) **Chleb rzucony umarłym** (1971). Sytuację ludności żydowskiej pod okupacją sowiecką pokazuje dyptyk Juliana Stryjkowskiego (*Wielki strach, To samo, ale inaczej*). W niekonwencjonalnej, nowatorskiej formie literackiej mówią o zagładzie Żydów mieszkających na kresach powieści Leopolda Buczkowskiego (*Czarny potok, Dorycki krużganek*).

Zagładę polskich Żydów dokumentuje cykl opowiadań Adolfa Rudnickiego **Epoka pieców** (m.in. *Czysty nurt, Żywe i martwe morze, Złote okna*). W prozie apokaliptycznej, nawiązującej do tradycji biblijnej, utrwalił autor przede wszystkim bohaterstwo i godność ludzi stojących w obliczu śmierci. Z późniejszych utworów pisarza zwraca uwagę **Kupiec łódzki** (1962), opowiadanie czy może esej biograficzny poświęcony postaci Rumkowskiego, „cesarza łódzkiego getta", żałosnego i tragicznego zarazem kolaboranta.

Powstanie warszawskie 1944	Poezja okolicznościowa (satyra i pieśń powstańcza). Na emigracji wieść o wybuchu powstania wzbudziła rozmaite reakcje. Sceptycznie ocenił decyzję o podjęciu walki Andrzej Bobkowski. Wiersz Lechonia wskazywał współwinnych powstańczej tragedii („cichły moskiewskie armaty, ażeby swym milczeniem dopomóc tej kaźni"). Tuż po wojnie powstanie stało się przedmiotem licznych sporów na łamach prasy, w okresie stalinizmu było tematem zakazanym. Milczenie literatury polskiej przełamywały zawierające powstańcze epizody powieści Jarosława Iwaszkiewicza (*Sława i chwała*) i Marii Dąbrowskiej (*Przygody człowieka myślącego*), a także kontrowersyjna trylogia Romana Bratnego **Kolumbowie. Rocznik 20** (1957). Były to jednak osiągnięcia połowiczne, nie dorastające do rangi wydarzenia. Podobnie jak kampania wrześniowa powstanie warszawskie nie ma nadal swej wielkiej powieści.

Nową tonację mówienia o wojnie i okupacji wprowadzał **Pamiętnik z powstania warszawskiego** (1970) Mirona Białoszewskiego. Jego autor, rówieśnik Baczyńskiego, Gajcego i Różewicza, nie brał bezpośredniego udziału w walce. Tragedię powstania pokazał z perspektywy cywila wiodącego „życie piwniczne", nękanego głodem, bombardowaniami, ostrzałem artyleryjskim. Utwór uznano za „antybohaterski", co nie było zapewne słuszne. W ginącej Warszawie wszyscy byli w jakimś sensie żołnierzami, a walka o przetrwanie stanowiła też formę oporu. *Pamiętnik* dokumentował starannie kolejne fazy zagłady miasta, które w 1944 r. niemal zniknęło z powierzchni ziemi.
Przez ponad 20 lat Białoszewski poszukiwał języka, który byłby w stanie wyrazić doświadczenia wojny. Zbudował go wreszcie z elementów mowy potocznej, neologizmów, zdań urwanych, osobliwości interpunkcji i zapisu graficznego. Posłużył się nim również w swych późniejszych utworach prozą, dotyczących rzeczywistości powojennej (*Zawał, Szumy, zlepy, ciągi*).

Ocena faszyzmu	

Za jedną z najważniejszych wypowiedzi uznali krytycy książkę Kazimierza Moczarskiego (1907–1975) **Rozmowy z katem** (1977). Jej autor, więzień reżimu stalinowskiego, spędził 9 miesięcy w jednej celi z Jürgenem Stroopem, generałem SS, pogromcą powstania w getcie warszawskim, tytułowym „katem". Opisany przez Moczarskiego hitlerowski prominent nie wyróżnia się ani inteligencją, ani siłą charakteru. Jest osobowością przeciętną, a nawet prymitywną. Jak zauważyła w odniesieniu do innego zbrodniarza wojennego Hannah Arendt — zło bywa banalne...

➡ OBOZY
➡ ŁAGRY

POECI POKOLENIA WOJENNEGO

- najsłynniejsi: Baczyński i Gajcy, ponadto: Wacław Bojarski, Tadeusz Borowski, Zdzisław Stroiński, Andrzej Trzebiński
- urodzeni około 1920 r., wszyscy z wymienionych (poza Borowskim) zginęli podczas wojny
- najważniejsze tematy: wojna (postrzegana jako katastrofa, porównywana do apokalipsy), problem ocalenia człowieczeństwa w czasach nienawiści i pogardy, pytanie o sens historii
- poezja patetyczna, bohaterska, bliska poezji romantycznej, wykorzystująca również doświadczenia „drugiej awangardy" (Żagary, Czechowicz), wizjonerska, oniryczna, niekiedy — groteskowa
- refleksja religijna obecna jest w wielu utworach, często w formie odwołania (również polemicznego) do romantycznego mesjanizmu
- przekonanie o konieczności ofiary łączy się w twórczości młodych poetów z przeczuciem śmierci — pisząc swe wiersze, wiedzieli, że zginą!
- kronikarzem „pokolenia wojennego" (zwanego też „pokoleniem tragicznym") jest od lat Lesław M. Bartelski, w czasie okupacji współpracownik „Sztuki i Narodu"

„Sztuka i Naród"

Konspiracyjne czasopismo młodych polonistów, studentów podziemnego Uniwersytetu Warszawskiego. Pomyślane jako miesięcznik literacki, ukazywało się nieregularnie (w latach 1942–1944 wyszło 16 numerów). Drukowało wiersze, prozę oraz — uwaga! — recenzje książek i szkice literackie. Redaktorami „SiN" byli kolejno: Onufry Bronisław Kopczyński, Wacław Bojarski, Andrzej Trzebiński, Tadeusz Gajcy (wszyscy zginęli).

Czasopismo sympatyzowało z prawicą polityczną (związki z Konfederacją Narodu podporządkowaną od 1943 r. Armii Krajowej), stawiało za cel walkę zbrojną i odbudowę Polski silnej i niepodległej, prawdziwego mocarstwa, „Imperium Słowiańskiego".

„Toczymy z sobą ciemny dialog:
śmiertelny ja i wieczny obłok."

Tadeusz Gajcy (1922–1944)

- poeta i dramaturg, żołnierz Armii Krajowej, poległ w powstaniu warszawskim, mając zaledwie 22 lata
- dystans wobec tradycji dwudziestolecia międzywojennego (poezji skamandrytów i katastrofizmu „drugiej awangardy"), dialog z romantyzmem i poezją Norwida
- zainteresowanie groteską, wątki makabryczne, np. kolędowanie w cieniu szubienicy (wiersz **1942. Noc wigilijna**), poezja mniej patetyczna niż większość utworów Baczyńskiego
- słowo-klucz: sen, wiersze zapisują sny bądź nocne koszmary, poczucie nierealności świata („ziemia wciąż nierzeczywista")
- obsesja śmierci, która nabiera znamion kosmicznej katastrofy („Białą czaszką kołysze księżyc, stosy planet utkanych z kości")
- wezwanie do czynu, przeświadczenie o konieczności poświęcenia życia (symbolika „korony cierniowej" i „palmy męczeństwa"), nawiązanie do idei mesjanizmu w poemacie-misterium **Widma**
- świetne erotyki, wyrażające poczucie zagrożenia (m.in. **Miłość bez jutra**)

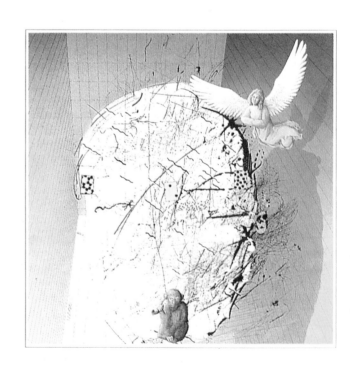

Jeno wyjmij mi z tych oczu
Szkło bolesne — obraz dni...

K. K. Baczyński

„Naszych dziwnych spraw wiek żaden nie zrozumie.''

Krzysztof Kamil Baczyński (1921–1944)

- „żołnierz, poeta, czasu kurz'', człowiek-legenda, zginął jako podchorąży Armii Krajowej w czwartym dniu powstania warszawskiego, w wieku zaledwie 23 lat; swoje dwa okupacyjne zbiory podpisał pseudonimem Jan Bugaj

Wiersze wojenne

- dokument refleksji „tragicznego pokolenia'', skazanego na zagładę, poddanego najtrudniejszym próbom, pobierającego edukację w czasach pogardy dla człowieczeństwa (wiersz **Pokolenie** z 1943 r.), niepewnego, „czy nam postawią, z litości chociaż, nad grobem krzyż'' (to brzmi jak proroctwo, gdy pomyślimy o represjach, jakie dotknęły Ak-owską młodzież w latach stalinowskiego terroru), żyjącego ze świadomością nieuniknionej śmierci (**Rodzicom, Z głową na karabinie, Elegia o chłopcu polskim**)
- pytanie o sens historii — w wierszu **Historia** dzieje przypominają pochód tłumów w nieznane; marzenie o czynie, przekonanie o słuszności podjętej walki i nadzieję na zwycięstwo wypowiadają m.in. **Polacy** oraz **Oddycha miasto ciemne długimi wiekami...**, zwątpienie dochodzi do głosu np. w **Róży świata**
- pejzaż poetycki: „czarne pochody spalonych jak węgiel ciał'', „łąki krwi'', „krzyże nad grobami'' — realia okupacyjnej codzienności wypierane są zwykle przez niedopowiedzenie, skrót, metaforę

Wiersze „metafizyczne''

- wyrażają niepokój egzystencjalny, mówią o nadciągającej katastrofie, opisują „płynność rzeczy i rzeczy niepokój'', kojarzą śmierć z przemianą, lotem, rejsem, ucieczką, podróżą

> „I niedługo już — tacy maleńcy
> na łupinie z orzecha stojąc,
> popłyniemy porom na opak
> jak na przekór wodnym słojom.''

- w wierszach religijnych Bóg jest sztukmistrzem (zwykle rzeźbiarzem) formującym i hartującym poprzez cierpienie ludzką glinę, by stworzyć z niej posąg (symbol wieczności)

Erotyki

- jedne z najpiękniejszych w całej poezji polskiej (**Biała magia, Noc, Erotyk, Pragnienia**), poświęcone żonie Barbarze (również zginęła w powstaniu) — kobieta jest w nich zagadką („Kim mi jesteś? Kim jesteś?''), czarodziejką sprawującą władzę nad rytmem natury („Dłonią poruszysz — jest zima, uśmiechniesz się — to jesień''), „kochać'' znaczy „tworzyć'' i „utrwalać'' („i twój śmiech, i płakanie nie odpłynie, zostanie'')

Baśnie, legendy, fantazje

- poeta egzotycznych pejzaży, magii, fantastycznej fauny, oddający się marzeniom o dalekich podróżach, do których posłużyć mogą „karawele o żaglach z czerwonych motyli''; leżąc w szpitalu w 1941 r. napisał jeden z najwspanialszych swoich liryków **Sur le pont d'Avignon (Na moście w Awinion)** — ten wiersz i kilka innych włączyła do repertuaru Ewa Demarczyk (również i dzięki niej Baczyński należy dziś do najpopularniejszych polskich poetów)

W dorobku Krzysztofa Kamila Baczyńskiego znalazło się także parę prób poezji epickiej. Najbardziej znanym i najciekawszym chyba jej przykładem jest poemat **Wybór** (1943). Łączy wizję i realizm, konkret i marzenie. Mówi o wyborze, jakiego dokonuje Jan (w zachowanych wariantach utworu artysta-rzeźbiarz), opuszczając brzemienną Marię i przystępując do walki, którą toczą żołnierze „bez mundurów, w cywilnych czapkach, z bronią zza pasa wydartą''. W końcowej sekwencji Jan, który poległ w ulicznej potyczce, prowadzony przez anioła dokonuje jeszcze jednego wyboru. Oddala się od ziemi, na której straszliwe i tajemnicze ślady pozostawia „ognisty boży pług''. W zakresie stylu, metaforyki, sposobu obrazowania poemat można uznać niemal za kontynuację dzieła Słowackiego (w scenie batalistycznej aluzja do *Reduty Ordona* Mickiewicza).

OBOZY

Więźniowie obozów koncentracyjnych	
Tadeusz Borowski	Oświęcim, Dachau
Józef Garliński	Oświęcim
Stanisław Grzesiuk	Dachau, Mauthausen
Tadeusz Hołuj	Oświęcim
Zofia Kossak-Szczucka	Oświęcim
Gustaw Morcinek	Sachsenhausen, Dachau
Igor Newerly	Majdanek, Oświęcim, Oranienburg, Bergen-Belsen
Marian Pankowski	Oświęcim, Gross-Rosen, Bergen-Belsen
Zofia Romanowiczowa	Ravensbrück
Seweryna Szmaglewska	Oświęcim
Stanisław Wygodzki	Oświęcim, Oranienburg, Sachsenhausen, Dachau

W 1945 r. Zofia Nałkowska pracowała w Głównej Komisji Badania Zbrodni Niemieckich, ustalającej m.in. prawdę o hitlerowskich obozach koncentracyjnych. Zebrane materiały, w tym relacje świadków, wykorzystała w **Medalionach** (1946). Są to utwory z pogranicza noweli, reportażu, szkicu, zapisu dokumentalnego. Autorka posługuje się najczęściej „cudzym” głosem, rezygnując niejednokrotnie z komentarzy, ocen, osobistych refleksji.

Rzeczywistości obozowej dotyczą: *Dno* (Ravensbrück), *Dwojra Zielona* (Majdanek), *Człowiek jest mocny* (Chełmno). Różne postawy Polaków (bezsilność, gotowość pomocy, ale i niechęć) wobec prześladowanej ludności żydowskiej pokazują *Kobieta cmentarna* i *Przy torze kolejowym*. *Profesor Spanner* to opis realizacji makabrycznego projektu hitlerowskich naukowców — wykorzystania zwłok ludzkich do produkcji mydła.

Gehenna zaczynała się od transportu, podczas którego ginęli najsłabsi. Tych, co zdołali dojechać do obozu, czekał głód, zimno, bicie, praca ponad siły, zbrodnicze eksperymenty medyczne. Nałkowska obciąża odpowiedzialnością przede wszystkim system totalitarny, czyniący z „porządnego” i „zdyscyplinowanego” człowieka przestępcę wojennego. Wszelkie słowa potępienia brzmiałyby zbyt słabo. Pozostaje szok, zamierający w gardle okrzyk przerażenia — wyraża go motto zbioru („ludzie ludziom zgotowali ten los”).

Najkrótszy słownik obozowy
Auschwitz (Oświęcim), **Birkenau** (Brzezinka). Największy hitlerowski obóz koncentracyjny założony w 1940 r., zamordowano tu miliony ludzi, obywateli różnych państw (ponad 20 narodowości).

Culaga (od niem. Zulage). Specjalny dodatek przysługujący więźniom za pracę.

Esesman. Żołnierz doborowych oddziałów SS, używanych również do ochrony obozów koncentracyjnych. Członkowie tej formacji odznaczali się szczególnym okrucieństwem.

Kapo. Więzień dozorujący, posiadający w obozie pewne przywileje za cenę kolaboracji.

Komando. Grupa więźniów przeznaczona do ciężkich robót.

Komin. Obozowy symbol śmierci. „Jechać (iść) do komina” — iść na stracenie.

Krematorium. Część obozu, w której spalano zwłoki więźniów zamordowanych w komorach gazowych, zastrzelonych albo zmarłych z wycieńczenia.

Lager. Niemiecka nazwa obozu. Według przybliżonych rachunków hitlerowskie obozy śmierci pochłonęły ponad 10 milionów ofiar.

Lagerarzt. Lekarz obozowy. Przy braku środków opatrunkowych i lekarstw opieka medyczna była w obozach fikcją — mimo ofiarnej postawy lekarzy-więźniów.

Muzułmanin (**Muzułman**). Żargonowe określenie więźnia w stanie wyczerpania, myślącego już tylko o zaspokojeniu głodu.

Wachman (niem. Wachmann). Wartownik.

Niemal wszyscy pisarze, którym dane było przeżyć obóz, pozostawili literackie albo dokumentalne świadectwo martyrologii. Najwcześniej ukazała się książka-dokument Seweryny Szmaglewskiej **Dymy nad Birkenau** (1945). Do tematów obozowych powraca w swej prozie psychologicznej emigracyjna pisarka Zofia Romanowiczowa: autorka powieści **Przejście przez Morze Czerwone** (1960) i **Łagodne oko błękitu** (1968).

„Żyliśmy w innym świecie."

Tadeusz Borowski (1922–1951)

- dzieciństwo spędził na Ukrainie, od 1932 r. w Warszawie, 1943–1945 więzień obozów koncentracyjnych (Oświęcim, Dachau)
- po wojnie — komunista, czołowa postać stalinowskiej propagandy; zmarł śmiercią samobójczą
- debiutował jako poeta (tom **Gdziekolwiek ziemia**) — typowy przedstawiciel

„pokolenia wojennego" („Zostanie po nas złom żelazny i głuchy, drwiący śmiech pokoleń"), nawiązujący do katastrofizmu „drugiej awangardy" zwłaszcza żagarystów

- rozgłos przyniosły mu opowiadania i nowele zawarte w tomach **Pożegnanie z Marią** i **Kamienny świat**

Najważniejsze opowiadania Borowskiego gromadzi rozszerzany w kolejnych wydaniach tom **Pożegnanie z Marią** (1948). Utwór tytułowy zbioru pokazuje bohatera pośród codzienności okupacyjnej, rozdzielającej się niejako na dwie strefy: „jasną", w której rodzi się miłość i poezja, oraz „ciemną", gdzie w cieniu murów getta toczy się walka o przetrwanie. Budzące grozę przeżycia obozowe opisują utwory takie, jak *U nas w Auschwitz...*, *Proszę państwa do gazu* i *Ludzie, którzy szli*. Obrazom odsłaniającym techniczną stronę masowych egzekucji towarzyszą sceny z życia więźniów: zdobywanie żywności, drobne oszustwa i nadużycia, handel wymienny, rywalizacja o wpływy. Fakt, że narrator *Pożegnania* nosi imię Tadeusz, a także liczne szczegóły z jego życia stały się dla niektórych interpretatorów okazją do utożsamienia postaci głównego bohatera z autorem. Zdaniem narratora szansę przetrwania obozu zapewniał nie heroizm, lecz taktyka „usuwania się z drogi", ustępstwa i całkowita bierność wobec przejawów największego okrucieństwa. U Borowskiego ścisły związek łączy kata i ofiarę. Więzień zaakceptować musi reguły obozowej gry i poniekąd współuczestniczyć w zbrodni. Śmierć innych przyjmuje z obojętnością. W opowiadaniu *Ludzie, którzy szli*, gdy jedni więźniowie idą na śmierć, drudzy rozgrywają mecz piłki nożnej. Oświęcim jest dla Borowskiego perfekcyjnie działającą fabryką śmierci, wytworem cywilizacji europejskiej, a nie jej zaprzeczeniem. Faszyzm traktuje nieraz autor jako ostatnią, szczytową fazę rozwoju „kultury śródziemnomorskiej". Jego zdaniem już starożytność była „olbrzymim koncentracyjnym obozem", „potworną zbrodnią są piramidy egipskie, świątynie i greckie posągi". Historia to ciąg zbrodni. Nie ma prawdy, piękna, dobra. Nieco inny charakter (bardziej szkicowy, impresyjny, a czasem refleksyjny) mają dopełniające *Pożegnanie* utwory z cyklu **Kamienny świat** (1948). Są one pisane już z perspektywy człowieka wolnego — tzw. dipisa (tak nazywano więźniów, którzy po wyzwoleniu nie zamierzali wracać do ojczyzny i przebywali czasowo na terenie Niemiec). W nowej rzeczywistości działają nadal prawa obozowe. Wyjątkowo okrutne *Milczenie* pokazuje sytuację, w której kat i ofiara zamieniają się tylko rolami.

Zdania, które prowokują

Proza Borowskiego wywoływała gorące spory — także wśród czytelników, którzy przeszli przez obozy śmierci. Autor dokonał pewnej prowokacji, włączając do tekstu zdania o charakterze sentencji, aforyzmów, maksym moralnych, wyrażających opinie nie do przyjęcia, odbierane jako manifestacja cynizmu, nihilizmu, okrucieństwa. Przytaczamy pięć najbardziej szokujących zdań:

1. Głód jest wtedy prawdziwy, gdy człowiek patrzy na drugiego człowieka jako na obiekt do zjedzenia.
2. Nie wolno marnować pokarmu dla ludzi, którzy niedługo pójdą do komina.
3. Proszę państwa do gazu.
4. Jest prawo obozu, że ludzi idących na śmierć oszukuje się do ostatniej chwili. Jest to jedyna dopuszczalna forma litości.
5. Żyd z Estonii, który nosił wraz ze mną rury, przez cały dzień zapewniał mnie żarliwie, jakoby mózg ludzki naprawdę był tak delikatny, że można go jeść bez gotowania, zupełnie na surowo.

Prozę Borowskiego — chłodną, ironiczną, poprzestającą często na samej tylko rejestracji faktów i opisie ludzkich zachowań, kojarzono niekiedy z tzw. behawioryzmem.

Fenomen Borowskiego — więźnia totalitaryzmu niemieckiego i apologety totalitaryzmu sowieckiego — badali w swych książkach m.in. Czesław Miłosz, Tadeusz Drewnowski, Andrzej Werner.

ŁAGRY

Po roku 1939 deportowano w głąb Związku Sowieckiego około 2 milionów obywateli polskich.

Pisarze polscy w sowieckich więzieniach i na zesłaniu

Władysław Broniewski	więzienia (Lwów, Moskwa)
Józef Czapski	obóz w Starobielsku
Marian Czuchnowski	więzienia (Lwów, Odessa, Charków), obozy (m.in. Uchta)
Wacław Grubiński	więzienie (Lwów), łagry na Uralu
Gustaw Herling-Grudziński	obóz w Jercewie pod Archangielskiem
Bruno Jasieński	zmarł w drodze na Kołymę
Leo Lipski	obóz pracy (kanał Wołga-Don)
Herminia Naglerowa	więzienie (Lwów), łagier (Burma w Kazachstanie)
Beata Obertyńska	więzienie (Lwów), obozy (Starobielsk, Workuta)
Teodor Parnicki	więzienia we Lwowie i Czernihowie
Aleksander Wat	więzienia (Lwów, Moskwa), pobyt w Kazachstanie do 1946 r.

Na nieludzkiej ziemi (1949) Józefa Czapskiego to książka pomyślana jako dokument — powściągliwa, zgodnie z założeniem autora powstrzymująca się od oceny moralnej zbrodniczego systemu. Dotyczy lat 1941–1942. W tym okresie Czapski z polecenia generała Andersa prowadził na terenie Związku Sowieckiego poszukiwania „zaginionych" (a jak dziś wiemy, zamordowanych w Katyniu) polskich jeńców. Książka ukazuje bezowocność tych wysiłków, odsłaniając przy okazji kulisy funkcjonowania sowieckiej machiny państwowej. Świat komunistycznej administracji przywodzi na myśl koszmarną rzeczywistość opisywaną w utworach Kafki, gdzie również wędruje się bez żadnego skutku po labiryntach Urzędu. Tytułową „nieludzką ziemią" jest Rosja — istnieje historyczna ciągłość między państwem caratu a ZSRR, ciągłość zbrodni. Prócz wstrząsającego obrazu sytuacji polskich więźniów i zesłańców zwraca uwagę relacja Czapskiego ze spotkań z rosyjskimi pisarzami (Aleksy Tołstoj, Ilja Erenburg, Anna Achmatowa).

Najkrótszy słownik łagrowy

Cynga. Szkorbut. Jedna z najczęstszych chorób łagrowych.

Dochadiaga. Więzień bliski śmierci, w stanie skrajnego wyczerpania.

Enkawudzista. Żołnierz oddziałów NKWD, wsławionych szczególnie okrutnym traktowaniem więźniów i zesłańców.

Etap. Transport więźniów w drodze na zesłanie.

Gułag. Skrót od rosyjskiej nazwy głównego zarządu obozów pracy. Potocznie — nazwa łagru.

Łagier. Sowiecki obóz koncentracyjny.

NKWD. Od połowy lat trzydziestych odpowiednik ministerstwa spraw wewnętrznych, urząd bezpieczeństwa, wszechwładne „państwo w państwie", dysponujące własną armią.

Pyłagra (**Pelagra**). Awitaminoza, brak witaminy E. Częsta choroba obozowa.

Urkowie. Przestępcy kryminalni, osadzani w łagrach razem z więźniami politycznymi. Faworyzowani często przez komendę obozu, wykorzystywali bezwzględnie swoją przewagę.

Zona. Strefa. Zamknięta część obozu.

Niemal wszyscy pisarze, którym udało się przeżyć okres zesłania, dali literackie świadectwo swoich doświadczeń. Uwaga ta dotyczy, rzecz jasna, głównie autorów, którzy po wojnie znaleźli się na emigracji. W PRL bowiem — co najmniej do 1980 r. — łagry były tematem zakazanym. Pisarze, którzy go poruszali, nie mogli liczyć ani na druk w państwowych oficynach, ani nawet na połowiczne przecież istnienie w omówieniach krytycznych i syntezach literatury polskiej XX w. (cenzura wykreślała po prostu ich nazwiska!).

Najsławniejszą książką poświęconą sowieckim łagrom jest do dziś **Inny świat** (1953) Gustawa Herlinga-Grudzińskiego. Utwór drukowany był wcześniej na łamach londyńskich „Wiadomości", a w 1951 r. wydany został w angielskim przekładzie (z przedmową filozofa Bertranda Russella). Kolejne rozdziały *Innego świata* przedstawiają losy autora, więzionego od 1940 r. (Witebsk, Leningrad, obóz pracy pod Archangielskiem), są także próbą analizy socjologicznej łagrowego życia.

Do sowieckich obozów koncentracyjnych trafiali przeciwnicy władzy na równi z jej sojusznikami. Zsyłano Polaków, Niemców, Ukraińców, Rosjan, nie troszcząc się zbytnio o zawiłą procedurę sądową. W totalitarnym państwie każdy jest podejrzany. Aresztowanie może spowodować mało wiarygodny donos, pocztówka z Zachodu, niepowodzenie produkcyjne czy kaprys funkcjonariusza NKWD.

Rosja z *Innego świata* jest — podobnie jak w książce Dostojewskiego — „martwym domem", krajem absurdu i niesprawiedliwości, w którym czas jakby się zatrzymał. Naród rosyjski został zniewolony i zdemoralizowany, wegetuje niezdolny do protestu, ogłupiony stalinowską propagandą.

Pobyt w łagrze stanowi największą próbę charakteru. Przyznać trzeba, że wygłodzony więzień na ogół ceni wyżej dodatkową kromkę chleba niż życie współtowarzysza niedoli. Denuncjacja bywa najskuteczniejszym, choć haniebnym sposobem na przeżycie. W epilogu autor, któremu udało się odzyskać wolność, spotyka łagrowego donosiciela. Nie przebaczy mu, ale też jednoznacznie go nie potępi, czując przepaść oddzielającą normalny, uporządkowany świat prawa i moralności od „innego", obozowego świata („Dni naszego życia nie są podobne do dni naszej śmierci").

Leo Lipski (ur. 1917)

● więzień łagrów sowieckich, mieszka na stałe poza krajem (Izrael)

Twórczość Leo Lipskiego stanowi wyraz buntu przeciwko tradycjonalizmowi znacznej części literatury emigracyjnej. Jego prozę tworzą zdania urwane, równoważniki zdań, nieciągłe dialogi, sygnały refleksji, które nie złożą się nigdy w logiczny wywód, bo rządzi nimi prawo paradoksu. Stalinowska Rosja z tomiku opowiadań **Dzień i noc** (1957) to z punktu widzenia rozumu kraj, który nigdy nie mógł zaistnieć — dzieło chorej wyobraźni. W wizji autora brak przepaści oddzielającej łagrowych władców od niewolników. Wszyscy są więźniami tego samego upiornego snu, z którego nie można się obudzić. Lipski sam doświadczył losu łagiernika, ale w przeciwieństwie do innych pisarzy nie ugiął się przed groźnym majestatem dokumentu. Zamiast relacji świadka dał artystyczną, złożoną i oryginalną wizję. Jej dopełnieniem jest krótka powieść **Piotruś** (1960). Tytułowy bohater, sprzedając wolność, ulega kafkowskiej metamorfozie: zmienia się w przedmiot zajmujący określone miejsce w przestrzeni. Tylko dzięki temu otrzymuje szansę trwania, tak niepodobnego do prawdziwego życia. Dotknięty ciężką chorobą, Lipski tworzy niewiele, jednak wszystko, co dotąd opublikował, zasługuje na najwyższe uznanie.

Do kanonu polskiej literatury „łagrowej" należą także dwie książki napisane przez kobiety: **W domu niewoli** (1946) Beaty Obertyńskiej i **Kazachstańskie noce** (1958) Herminii Naglerowej.

Tematyka obozowa zajmuje poczesne miejsce w twórczości dwóch wybitnych pisarzy rosyjskich: Aleksandra Sołżenicyna (m.in. krótka powieść *Jeden dzień Iwana Denisowicza* oraz oparta na solidnych źródłach dokumentalna opowieść *Archipelag GUŁag*) i Warłama Szałamowa (*Opowiadania kołymskie*).

PAMIĘĆ WOJNY

Tadeusz Różewicz (ur. 1921)

„Nie wiem, co to jest poezja."

- wrocławski poeta, dramaturg, prozaik
- najważniejszym tematem pisarza (rówieśnika Gajcego, Baczyńskiego, Borowskiego) jest wojna i jej skutki

---

Debiutancki tom **Niepokój** (1947) stanowi poetycki odpowiednik utworów Borowskiego, Nałkowskiej, Buczkowskiego, wprowadzających nową formę zapisu doświadczeń wojennych. Pozbawiona rymów, lakoniczna, oszczędna w użyciu metafor liryka Różewicza zbliża się do podzielonej na wersy prozy. Głosi totalne zwątpienie, nieufność wobec wszelkich wartości („To są nazwy puste i niejednoznaczne: człowiek i zwierzę"), odwraca się od religii (*Lament*), narodowych mitów i symboli (orzeł biały „jest ptaszkiem na gałązce"), traktowania walki jako bohaterskiego czynu („jestem mordercą"). Wojna oznacza dla poety katastrofę kultury, cywilizacji, moralności, człowieczeństwa. W wierszach takich jak *Żywi umierali* oglądamy śmierć pozbawioną dostojeństwa: umieranie jest rozkładem („czarne muchy składały jaja w mięsie ludzkim"), a w najlepszym razie znikaniem bez śladu („wiatr który rozwiał dym i ojca wiatr który rozwiał nawet imię brata"). W takim pejzażu życie wydaje się nie do pomyślenia, jest podejrzane, równa się zdradzie tych, co zginęli (*Ścigany, Do umarłego, Gwiazda żywa*). Widok ludzi powracających do życia budzi odrazę nie mniejszą niż macierzyństwo („ciepłe wymię strzyka mlekiem i oseski wiszą jak różowe szczęście"). Miłość, jakkolwiek nie usuwa egzystencjalnych lęków, daje człowiekowi jakąś nadzieję („miłość uszlachetnia jestem lepszy odrobinę lepszy"). Tom zawiera kilka pięknych, subtelnych erotyków (*Doskonała, Uciszenie*).

- poczucie zagrożenia, zbłąkania, rozbicia osobowości, absurdu („Krążymy dokoła lecz nie ma środka") — świadomość „dotknięcia nicości" — rutynowe, codzienne zajęcia nie są prawdziwym życiem („to jest umieranie")
- poezja obsesyjnych powtórzeń — szokująca, makabryczna, czasem w poetyce czarnego humoru (*Czarny autobus*); wypełniona świadomością katastrofy („różowe ideały poćwiartowane wiszą w jatkach"), zastanawiająca w sposobie opisywania ludzkiego ciała (zwłaszcza kobiecej anatomii — poemat *Regio*), zarówno jego piękna, jak i brzydoty
- wiersz-monolog (wyznanie, spowiedź, deklaracja) — nerwowy, pospieszny, chaotyczny; wiersz-obserwacja (zazwyczaj życia codziennego, budzącego na przemian odrazę i zainteresowanie)
- negacja tradycji, „poetyckości" i „poetyczności" („dawniej poeci pisali poezje"), zatarcie granicy między poezją, prozą i dramatem, dystans wobec stałych motywów kultury śródziemnomorskiej (np. Arkadia Różewicza jest śmietniskiem cywilizacji) — z poetów starszej generacji sympatią Różewicza cieszył się Leopold Staff (jego pamięci poświęcony jest *Niejasny wiersz*)

1947 — *Niepokój*		W
1960 — *Kartoteka*		D
1960 — *Rozmowa z księciem*		W
1961 — *Głos Anonima*		W
1968 — *Twarz trzecia*		W
1969 — *Regio*		W
1971 — *Przygotowanie do wieczoru autorskiego*		P
1975 — *Białe małżeństwo*		D
1977 — *Duszyczka*		W
1982 — *Pułapka*		D

W—wiersze i poematy, D—Dramat, P—proza

- „oczyszczenie", „ogołocenie" wiersza, powrót do najprostszego, „pierwotnego" zdania pozbawionego wszelkich ozdobników (np. „księżyc świeci człowiek ucieka"), eliminacja znaków interpunkcyjnych i rymów (jeśli już zdarza się rym, to jako prowokacja!), charakterystyczne przerzutnie i powtórzenia, technika collage'u (strzępki obrazów, fragmenty komunikatów prasowych, nagłówki z gazet, wyliczenia, cytaty, m.in. z Dostojewskiego, Kafki, Eliota)
- w późniejszym okresie twórczości Różewicz jest przede wszystkim dramaturgiem ➡ DLA TEATRU

„Piszę dosyć nerwowo, bo ciągle mi się wydaje, że już ginę."

Tadeusz Konwicki (ur. 1926)

- Prozaik, scenarzysta i reżyser filmowy (*Ostatni dzień lata, Salto, Zaduszki, Jak daleko stąd, jak blisko, Dolina Issy* według powieści Miłosza, *Lawa* według *Dziadów* Mickiewicza).
- **Rodowód**. Kresowy, rzecz jasna. Sam pisarz mówi, że został „ulepiony z trzech glin" (polskiej, litewskiej i białoruskiej) i zahartowany w „piekle trzech żywiołów" (polskiego, rosyjskiego i żydowskiego). Wątek „utraconej ojczyzny" przewija się w całej twórczości pisarza, kształtuje jego widzenie pejzażu, język (np. w **Senniku współczesnym** dialogi pisane kresową polszczyzną).
- **Wojna**. Obecna jest w twórczości Konwickiego przede wszystkim jako „sytuacja ostateczna", stawiająca człowieka w obliczu najtrudniejszych wyborów moralnych. Okalecza psychikę bohatera, niesie klęskę młodzieńczych marzeń o heroicznym czynie (**Sennik współczesny, Nic albo nic**). W **Kronice wypadków miłosnych** nadciągająca wojna oznacza zagładę świata dzieciństwa pisarza — Wileńszczyzny.
- **Historia**. Prócz doświadczeń wojennych i „lekcji" stalinizmu — odwołania do tradycji powstania styczniowego 1863 r. (**Sennik współczesny**). **Kompleks polski** zawiera fragmenty powieści o powstaniu, w okresie popowstaniowym toczy się akcja **Bohini**. W *Kompleksie polskim* ważna uwaga o irracjonalnym i „niemoralnym" charakterze historii („szlachetność ulegnie zawsze nikczemności [...] wolność zginie z rąk niewoli").
- **Miłość**. Obecna w każdej powieści jako zdarzenie nierealne, szalone, podobne do halucynacji, sąsiadujące ze śmiercią i umieraniem. Opis aktu seksualnego przeobraża się zwykle w poemat liryczny, co nie wszystkim się podoba (sam autor wyznaje, że wychował się na Żeromskim — a może i na Przybyszewskim?). Częsty motyw: inicjacja erotyczna (**Nic albo nic, Kronika wypadków miłosnych, Mała Apokalipsa**).
- **Współczesność**. Konwicki to jeden z niewielu polskich pisarzy podejmujących próbę zmierzenia się z teraźniejszością. W **Senniku**

1963	— *Sennik współczesny*
1967	— *Wniebowstąpienie*
1969	— *Zwierzoczłekoupiór*
1971	— *Nic albo nic*
1974	— *Kronika wypadków miłosnych*
1976	— *Kalendarz i klepsydra*
1977	— *Kompleks polski*
1979	— *Mała Apokalipsa*
1987	— *Bohiń*
1992	— *Czytadło*

współczesnym i w **Nic albo nic** (utwory te ukazały się w wydawnictwach państwowych) częstym motywem jest stan osaczenia, śledztwo, inwigilacja. Polskę małych, niezbyt czystych interesów i nie kończących się kolejek pokazuje **Kompleks polski**, groteskową wizją rzeczywistości jest **Mała Apokalipsa**
➡ OPISYWANIE PRL.
- **Sen**. Pisarz tworzy chętnie prozę oniryczną (bliską poetyce marzenia sennego). Jego powieści rozgrywają się na pograniczu jawy i snu, realności i fantazji. Co jest w nich prawdą, a co fikcją? Który bohater **Wniebowstąpienia** jest autentyczny? Czy w **Nic albo nic** Darek wymyśla historię Pawła-Starego, czy też opowiada o własnych przeżyciach? Ważny wątek: niemożność scalenia osobowości, poczucie obcości w stosunku do własnej przeszłości.
- **Forma otwarta**. Zdaniem autora tradycyjna epika jest w XX w. niemożliwa. U Konwickiego współistnieją obok siebie przeszłość i teraźniejszość, zaciera się tożsamość bohatera i narratora, epizody nie łączą się w spójną całość. Taka proza spełnia wszelkie wymogi „formy otwartej". Nie dopowiadając niczego do końca, zaprasza czytelnika do współpracy, dopuszcza najrozmaitsze interpretacje. **Kalendarz i klepsydra** dały początek całej serii książek łączących cechy dziennika, pamiętnika i prozy fabularnej. **Bohiń** i **Czytadło** dowodzą, że rozbrat z powieścią nie był ostateczny.

 Najpopularniejszy pisarz „drugiego obiegu", autor wielu bestsellerów („Kronika wypadków miłosnych", „Kalendarz i klepsydra", „Bohiń"), kokieteryjny, przewrotny. Wydaje powieść za powieścią, a skarży się, że pisze z największym trudem. Konwickiego wszyscy kochają, ale z okazji każdej następnej jego książki wypada trochę powybrzydzać.

TUŻ PO WOJNIE

> *„Czemu to — sam tak niedoskonały — mam w ciężkim pocie dążyć do dzieł doskonałych, zresztą w przytomnych chwilach świadomy, że owej doskonałości nie osiągnę? Więc może rzecz powinna się mieć odwrotnie: dzieło Mnie ma służyć, Mnie ma być podległe, a nie Ja jemu?"*

Jerzy Andrzejewski (1909–1983)

- w okresie międzywojennym — pisarz katolicki (**Ład serca**) ➡ RELIGIJNOŚĆ
- po wojnie — marksista witający z nadzieją objęcie władzy przez komunistów

---

Najpopularniejszą, choć z pewnością nie najlepszą powieścią Andrzejewskiego pozostał **Popiół i diament** (1948). Akcja utworu rozgrywa się w ciągu kilku dni, w maju 1945 r. Główny konflikt toczy się między sięgającymi po władzę działaczami PPR i ich sojusznikami a przeciwnikami nowego ustroju, wspartego siłą rosyjskich bagnetów. W tej drugiej grupie przeważają postacie negatywne, obrońcy starego porządku, ludzie wierni rozkazom władz londyńskich, na których oczywiście spoczywa odpowiedzialność za bratobójczą walkę. To oni popchnęli Maćka Chełmickiego do zamachu na partyjnego dygnitarza Szczukę. To przez nich polska młodzież nie włącza się do procesu odbudowy, lecz ginie w bezsensowny sposób (Maciek) albo ulega demoralizacji (faszyzująca grupa Jurka Szrettera i Alka Kosseckiego). W tej sytuacji na czoło wysuwają się karierowicze i konformiści, żałosne karykatury zgodnie tańczące poloneza w hotelu „Monopol" (przekorna aluzja zarówno do *Pana Tadeusza*, jak i *Wesela*). Wojna poczyniła spustoszenie w psychice wszystkich bohaterów powieści, obnażyła ludzkie słabości (były kapo Kossecki), nauczyła zabijania bez wyrzutów sumienia (Szretter). Krajobraz powieści przywodzi na myśl raczej „popiół", a co mogłoby być „diamentem"? Zapewne miłość Krysi i Maćka — krótka, tragiczna, przerwana śmiercią chłopca.

Powodzenie utworu Andrzejewskiego ugruntowała adaptacja filmowa Wajdy, jedno z najznakomitszych osiągnięć „szkoły polskiej".

- po r. 1956 dał wyraz rozczarowaniu, publikując obrachunkowe powieści **Ciemności kryją ziemię** i **Bramy raju**
  ➡ POWIEŚĆ O HISTORII
- zajął godną postawę wobec wydarzeń 1968 r., w 1976 r. został członkiem KOR, w paryskiej „Kulturze" wydał **Apelację**, w drugim obiegu ukazała się po raz pierwszy **Miazga**
  ➡ OPISYWANIE PRL
- w latach 1972–1981 publikował na łamach ówczesnego tygodnika „Literatura" niekonwencjonalny dziennik (**Z dnia na dzień, Gra z cieniem**), najpełniejszą manifestację postawy egotyzmu

1938	— *Ład serca*
1948	— *Popiół i diament*
1956	— *Ciemności kryją ziemię*
1960	— *Bramy raju*
1963	— *Idzie skacząc po górach*
1968	— *Apelacja*
1979	— *Miazga*
1988	— *Z dnia na dzień* (wyd. książkowe)

W ciągu półwiecza światopogląd Andrzejewskiego podlegał zdumiewającym metamorfozom. Katolik, potem komunista, wreszcie poróżniony z władzą opozycjonista. Od prozy silnie związanej z tradycją XIX-wiecznego modernizmu, a nawet pozytywizmu, przeszedł bez większego trudu do literatury na wskroś nowoczesnej, posługującej się techniką monologu wewnętrznego („Bramy raju"), collage'u („Idzie skacząc po górach"), brulionowego zapisu („Nikt"). Z upływem lat coraz mniej interesowała go „doskonałość zamkniętej, wykończonej formy", coraz bardziej — sam proces tworzenia. Późnym utworom Andrzejewskiego towarzyszy z reguły autorski komentarz odsłaniający historię ich powstania.

Rok 1945 otwiera nowy okres w życiu literackim. Właśnie wówczas powstają w Krakowie czasopisma takie, jak „Tygodnik Powszechny" i miesięcznik „Twórczość" (przeniesiony potem do Warszawy), w Łodzi zaś — „Kuźnica". Rok później — też w Krakowie — rusza miesięcznik katolicki „Znak". Na emigracji ukazują się londyńskie „Wiadomości" (redagowane przez Mieczysława Grydzewskiego) i paryska „Kultura" (narodziła się w Rzymie w 1947 r., redaktor naczelny — Jerzy Giedroyć). W 1946 r. rozpoczyna działalność Główny Urząd Kontroli Prasy, Publikacji i Widowisk, czyli cenzura. W 1947 r. Związek Pisarzy Polskich na Obczyźnie podejmuje decyzję o bojkocie krajowej prasy i wydawnictw. Od tej chwili literatura polska dzieli się na „krajową" i „emigracyjną".

Stanisław Dygat (1914–1978)

● powieściopisarz, nowelista, okazjonalnie — scenarzysta filmowy i felietonista

> Według słów samego autora zamierzeniem **Jeziora Bodeńskiego** (1946) było pokazanie „psychologii pragnień, przeżyć i niemocy młodego człowieka określonego środowiska okresu przedwojennego". Bohater utworu, w następstwie dość dziwnego zbiegu okoliczności, spędza lata wojny w Konstancy, w obozie dla internowanych cudzoziemców, pośród Francuzów, Anglików i Niemców. Rozmyśla, nudzi się, flirtuje z dziewczynami, a nade wszystko przybiera najrozmaitsze maski, pozy, miny i grymasy (w tym wątku Dygat zbliża się do Gombrowicza). Jest reżyserem dwóch teatrów na własny użytek: romansowego (w *Jeziorze Bodeńskim*, podobnie jak w innych powieściach autora, miłość możliwa jest tylko jako gra — cyniczna, zabawna, czasem absurdalna) i patriotycznego. Nie zdobywszy na wojnie ani chwały, ani „palmy męczeństwa", stara się zbić kapitał szokując i zawstydzając cudzoziemców wizją Polski romantycznej i bohaterskiej. Do rekwizytorium polskości włącza muzykę Chopina, poezję wieszczów, mesjanizm, symbole z *Wesela* Wyspiańskiego. Kompromitację i bohatera, i polskich mitów przynosi znakomita, groteskowo ujęta scena odczytu. U Dygata słabość inteligencji wynika m.in. z megalomanii, niedojrzałości i kultu przeszłości (Polacy jako naród cierpiący na „zanik teraźniejszości").

● do problematyki *Jeziora Bodeńskiego* nawiązują późniejsze utwory: opowiadanie **Karnawał** (1968) i krótka powieść **Dworzec w Monachium** (1973)
● do najgłośniejszych powieści Dygata należy **Podróż** ➡ OPISYWANIE PRL, do najpopularniejszych **Disneyland** (1965)

Stefan Kisielewski — Kisiel (1911–1991)

● felietonista, powieściopisarz, kompozytor, eseista i krytyk muzyczny

> Do nurtu powojennych „obrachunków inteligenckich" zalicza się zwykle **Sprzysiężenie** (1949) — powieść wykazującą liczne pokrewieństwa z twórczością prozaików nowej formacji. Na przykładzie losów pisarza Zygmunta utwór pokazuje wyobcowanie i bezradność polskiej inteligencji, jej uległość wobec propagandowego frazesu, egotyzm. Przedstawiciele duchowej elity mają „pewność, że najważniejsze w ich życiu jest to, co się dzieje wewnątrz". *Sprzysiężenie* podejmuje odważnie tematy takie, jak inicjacja seksualna, impotencja, pederastia (naraziło to pisarza na ataki ze strony prasy katolickiej). Interesujące, że ta obszerna powieść, napisana przy użyciu narracji trzecioosobowej, pozbawiona została niemal zupełnie dialogów.

● autor znakomitych cotygodniowych felietonów publikowanych na łamach „Tygodnika Powszechnego" — pisma, z którym współpracował od chwili jego powstania
● autor pionierskich powieści politycznych (bez kostiumu historycznego!) wydawanych na emigracji pod pseudonimem Tomasz Staliński: **Widziane z góry** (1967) odsłania mechanizmy partyjnej kariery, **Romans zimowy** (1972) dotyczy wypadków marcowych, a **Śledztwo** (1974) wydarzeń grudniowych 1970 r.

Błyskotliwy, obdarzony specyficznym poczuciem humoru, toczył przez prawie pół wieku swą prywatną wojnę z komunizmem. Bronił konsekwentnie wolności jednostki, domagał się swobody artystycznej, walczył z ograniczeniami cenzury. Zaskakiwał niekonwencjonalnymi pomysłami. Na przełomie lat siedemdziesiątych i osiemdziesiątych należał do najpoczytniejszych polskich publicystów.

WOBEC STALINIZMU

W styczniu 1949 r. odbył się szczeciński zjazd Związku Literatów Polskich. Tak zwany „realizm socjalistyczny" (**socrealizm**) stał się doktryną obowiązującą wszystkich pisarzy. Cała krajowa produkcja wydawnicza znalazła się pod kontrolą państwa.

Socrealizm to:

- w poezji — wiersz agitacyjny („agitka"), wiersz-plakat, odpowiedź na zamówienie propagandy; w prozie — tzw. „powieść produkcyjna" (wzorowy robotnik wykonuje z nadwyżką plan produkcji, przezwyciężając trudności stwarzane przez dywersantów, przeciwników socjalizmu lub amerykańskich szpiegów — pomaga mu w tym kolektyw i organizacja partyjna)
- ulubione tematy: walka z imperializmem, wojna w Korei, budowa Nowej Huty, Plan Sześcioletni, przyjaźń polsko-radziecka, kolektywizacja wsi, walka o pokój (pod kierownictwem Armii Czerwonej)
- w latach 1949–1953 nie ukazała się w kraju ani jedna wybitna książka, nie tłumaczono i nie wydawano wartościowej literatury zachodniej (uznawanej za „dekadencką"), zwłaszcza współczesnej, pozbawiono polskiego czytelnika publikacji z zakresu filozofii, psychologii i socjologii niemarksistowskiej, potępiona została znaczna część twórczości okresu międzywojennego (Witkacy, Schulz, Gombrowicz)

1949 — Czapski: *Na nieludzkiej ziemi*
1951 — Herling-Grudziński: *Inny świat*
1951 — Wańkowicz: *Ziele na kraterze*
1952 — Kuncewiczowa: *Leśnik*
1952 — J. Mackiewicz: *Droga donikąd*
1953 — Gombrowicz: *Trans-Atlantyk, Ślub*
1953 — Miłosz: *Zniewolony umysł*
1953 — Miłosz: *Światło dzienne*
Książki te nie mogły ukazać się w kraju.
Honor literatury polskiej ocaliła emigracja.

Sztuka murarska należała w okresie stalinizmu do zawodów najchętniej eksponowanych przez literatów i dziennikarzy. Ci, którzy kładli cegły najszybciej, z dnia na dzień stawali się bohaterami. ⬦

Pierwszą w naszej literaturze próbą analizy postaw inteligencji wobec stalinizmu był eseistyczny traktat Czesława Miłosza **Zniewolony umysł** (1953). Wśród przyczyn akceptacji zbrodniczej ideologii — doświadczenia wojenne, rozczarowanie postawą Zachodu, poczucie beznadziejności, destrukcyjny wpływ terroru i propagandy. Intelektualiści polscy bronią się „grą uprawianą w obronie własnych myśli i uczuć" (tzw. Ketman). Ukrywając prawdziwe poglądy, karmią się iluzją własnej wyższości (Ketman narodowy), tęsknotą do prawdziwej sztuki (Ketman artystyczny), popadają jednak w dwulicowość (Ketman etyczny). Książka zawiera cztery portrety pisarzy (oznaczonych greckimi literami, bez wymieniania nazwisk). Alfa (Jerzy Andrzejewski), czyli moralista, zwany przez zawistnych „ladacznicą z zasadami", przechodzi od katolicyzmu do bezkrytycznej apologii komunizmu. Beta (Tadeusz Borowski) po wyjściu z obozu koncentracyjnego stał się nihilistą, zawiedzionym w miłości do świata i ludzi. Gamma (Jerzy Putrament), „pół-Rosjanin", został stalinowcem jeszcze przed wojną. Delta (Konstanty Ildefons Gałczyński), „nałogowy alkoholik", „błazen", potrzebował hojnego państwowego mecenasa. Mimo wszystko autor uznaje stalinizm za ideologię Polakom obcą, narzuconą siłą i nigdy nie zaakceptowaną przez społeczeństwo („Łoże małżeńskie na zaślubiny rządu z narodem było przybrane w narodowe godło i flagi, ale spod łóżka wystawały buty enkawudzisty").

Jest pewnym paradoksem, że pierwszych obrachunków ze stalinizmem dokonali pisarze głęboko z tą ideologią związani: prozaicy Jerzy Andrzejewski i Kazimierz Brandys, poeta Adam Ważyk (**Poemat dla dorosłych**). Nowa ekipa rządząca, w której pozostali zresztą ludzie odpowiedzialni za „błędy i wypaczenia", nie pragnęła rozliczeń. Po r. 1956 fala literatury „obrachunkowej" zaczyna opadać. Najważniejsze utwory dotyczące stalinizmu ukażą się znacznie później na emigracji bądź w wydawnictwach podziemnych.

Do najbardziej znaczących dokumentów, które obrazują życie Polaków w ostatnich latach stalinizmu, zaliczyć można **Dziennik 1954** (1980) **Leopolda Tyrmanda** (1920–1985), prozaika, publicysty, miłośnika i popularyzatora jazzu. W epoce, gdy wszyscy chodzili umundurowani, autor miał odwagę pokazywać się na ulicy w kolorowych skarpetkach. Wówczas gdy inni wykonywali Plan Sześcioletni i tropili sabotażystów, Tyrmand ośmielał się słuchać jazzu, interesować Zachodem i uwodzić dziewczyny (wyłącznie ładne i dobrze ubrane — żadne tam traktorzystki w zatłuszczonych kombinezonach!). W tak osobliwy i chyba niezbyt męczący sposób bronił wolności jednostki, przypominał o istnieniu różnicy między życiem prywatnym i publicznym, między domem a koszarami, ubraniem a mundurem. Był jednym z pierwszych, którzy udowodnili, że totalitaryzm nie potrafi obejść się bez ekspansji brzydoty, tandety, kiczu. Złej, przesiąkniętej propagandą literaturze towarzyszy równie zła architektura, marnej sztuce — lichy handel, komunikacja, przemysł. Na kartach *Dziennika* pojawiają się także postacie twórców, którzy odmówili swojego udziału w stalinowskim chórze i zepchnięci zostali na margines (Zbigniew Herbert, Stefan Kisielewski).

Jest faktem smutnym i wstydliwym, że po r. 1945 większość polskich pisarzy zaakceptowała stalinizm. Inni milczeli — dlaczego?

Jacek Trznadel (ur. 1930), publicysta, poeta, historyk literatury, postanowił zapytać o to samych pisarzy — zarówno tych, którzy zaufali zbrodniczej ideologii (Andrzejewski, Stryjkowski, Wirpsza, Woroszylski), jak i ludzi przeciwko niej występujących (Herbert, J. J. Szczepański, J. J. Lipski). Zapisem rozmów jest **Hańba domowa** (1986).

J e r z y   A n d r z e j e w s k i: „Mechanizmy stalinizmu i hitleryzmu są w istocie zbliżone do siebie.''

W i k t o r   W o r o s z y l s k i: „Komunizm był jakąś formą przeżywania swojej młodości.''

J a r o s ł a w   M a r e k   R y m k i e w i c z: „Odczuwałem straszliwą, potworną nudę życia w tym systemie.''

J u l i a n   S t r y j k o w s k i: „Tragiczność nie jest w kategoriach komunizmu, w ogóle tragizm nie wchodzi w wyposażenie psychiki komunistycznej.''

Z b i g n i e w   H e r b e r t: „Artystów podniecała nowa władza, że taka prosta, przystępna i swojska. Zaproszenie do Belwederu, nagrody, rozmowa z Bierutem. Surowy pan, ale sprawiedliwy, podziemie wytłukł, ale nas kocha.''

J a n   J ó z e f   L i p s k i: „Odbierałem to jako amok czy zbiorową chorobę psychiczną. Jakby jakiś wirus zaczął się rozszerzać.''

Lekturę *Hańby domowej* warto uzupełnić (a może poprzedzić?) równie głośną książką Teresy Torańskiej **Oni** (1985). Jest to cykl wywiadów z dygnitarzami okresu stalinizmu — dramatyczny, wstrząsający (również dzięki osobowości autorki) dokument polskiej hańby.

Hłaskoland. Nie istniejąca ziemia buntowników, outsiderów, wiecznych wędrowców. W literaturze powojennej jako pierwszy podążał do niej Marek Hłasko.

> *„W literaturze interesowała mnie poza donosem policyjnym jedna tylko sprawa: miłość kobiety do mężczyzny i ich klęska."*

MAREK HŁASKO

1934–1969

- mieszkał w Warszawie i Wrocławiu, od 1958 r. na emigracji (Francja, RFN, Izrael, USA)
- nowelista i powieściopisarz, okazjonalnie — scenarzysta filmowy i dziennikarz
- człowiek-legenda, wielki i nie do końca spełniony talent; skłócony z władzami PRL, za granicą nie potrafił znaleźć dla siebie miejsca; zmarł w nie wyjaśnionych okolicznościach, w wieku zaledwie 35 lat
- polski „młody gniewny", „polski James Dean"

Najbardziej błyskotliwym debiutem w historii polskiej prozy powojennej jest ciągle tom nowel **Pierwszy krok w chmurach**. Po okresie panowania nieudolnej „powieści produkcyjnej" objawieniem wydawała się narracyjna sprawność autora, dialogi jak z amerykańskich filmów, krótkie zdania, oszczędne opisy ludzkich zachowań. Kontrowersje budził „męski" język, brutalność pokazywanych sytuacji, najczarniejszy pesymizm. Proza Hłaski obywała się bez bohaterów pozytywnych, demaskowała kłamstwa bierutowskiej propagandy, ukazywała pracę fizyczną jako udrękę (*Robotnicy*). Przynosiła obraz Polski widzianej z perspektywy warszawskiego Marymontu — Polski cynicznej, ogłupionej, zdesperowanej, nękanej poczuciem bezsensu. Nawet miłość (złączona zawsze z seksem) nie ocala. Staje się ona zresztą wcześniej czy później grą między mężczyzną i kobietą albo obiektem ataku ze strony otoczenia (tytułowe opowiadanie zbioru).

Tematykę obrachunkową kontynuują: dłuższe opowiadanie **Ósmy dzień tygodnia**, zawierające wyjątkowo ponury obraz PRL; **Sowa, córka piekarza** — powieść ukazująca atmosferę ostatnich lat stalinizmu; **Piękni dwudziestoletni** — subiektywna i fragmentaryczna autobiografia (wśród tematów: stalinizm, przełom 1956 r., życie na Zachodzie).

1956	— *Pierwszy krok w chmurach*
1956	— *Ósmy dzień tygodnia*
1958	— *Cmentarze*
1966	— *Piękni dwudziestoletni*
1967	— *Sowa, córka piekarza*
1981	— *Palcie ryż każdego dnia*

Akcja krótkiej powieści **Cmentarze** jest właściwie bardzo prosta. Były partyzant z bohaterską przeszłością, dziś zwykły szary człowiek, Franciszek Kowalski, po wypiciu większej ilości alkoholu staje się sprawcą ulicznego incydentu. Zatrzymany przez milicję, nie potrafi sobie dokładnie przypomnieć, jakimi słowami naraził się władzy. Noc spędzona w areszcie ma jednak nieobliczalne następstwa. Bohater zostaje wyrzucony z partii, opuszcza go syn, córka popełnia samobójstwo. Franciszek jest sam, porusza się w świecie, gdzie króluje donosicielstwo, upodlenie, strach przed wszechwładną milicją i Urzędem Bezpieczeństwa (UB). Wina bohatera jest znikoma, lecz z punktu widzenia systemu wszyscy są potencjalnymi zbrodniarzami. Policyjno-biurokratyczna machina niszczy w równym stopniu zwolenników, co przeciwników systemu. Głosząc hasła budowy szczęśliwego świata, socjalizm tworzy w rzeczywistości cmentarze.
Autor, który zamierzał swój utwór opublikować w kraju, zmuszony był do pewnych kompromisów, a nawet przeinaczeń (np. fakt skazania funkcjonariusza UB na 8 lat więzienia za uderzenie aresztowanego jest niewiarygodny). Mimo wszystko *Cmentarze* są ciągle jedną z najważniejszych pozycji literatury obrachunkowej, a końcowa scena, w której Franciszek Kowalski w nowej sytuacji historycznej znów zostaje aresztowany i to przez tego samego milicjanta, stanowi poważne ostrzeżenie. Wydanie książki w Bibliotece „Kultury" w Paryżu, jak się zdaje, odcięło pisarzowi drogę powrotu do kraju. Przez 20 lat wszystkie dzieła Hłaski znajdowały się w PRL na indeksie.

Próbą podjęcia tematyki bardziej uniwersalnej, mogącej zainteresować również czytelnika zachodniego, były:
— powieści „izraelskie" (**Wszyscy byli odwróceni**, **Brudne czyny**, **Nawrócony w Jaffie**)
— powieść „amerykańska" (**Palcie ryż każdego dnia**).

Marek Nowakowski (ur. 1935)

- ceniony głównie jako autor nowel i opowiadań (pisuje też powieści i eseje)
- obserwator życia marginesu — drobnych złodziejaszków, paserów, prostytutek, mieszkańców „gorszych" dzielnic i warszawskich przedmieść (zbiory **Ten stary złodziej**, **Benek Kwiaciarz**); życie bohaterów toczy się między knajpą a meliną, przestępczy światek ma jednak osobliwy kodeks moralny, aprobowane i potępiane wzory zachowań, jest alternatywny wobec mieszczańskiego stylu życia (**Silna gorączka**)
- obserwator polskiej codzienności, życia szarych, zapracowanych i wciąż zajętych ludzi, których marzenia nigdy się nie spełnią (zbiory **Gonitwa**, **Mizerykordia**, **Układ zamknięty**)

> Opowiadanie **Wesele raz jeszcze!** (1974) podejmuje częsty w literaturze polskiej temat wesela (Wyspiański, Reymont, Dąbrowska). Tym razem ślub Hrabiego i Oli z podwarszawskiej wsi przypieczętować ma „sojusz miejsko-wiejski". Na uroczystości spotykają się lokalni prominenci, urzędnicy partyjni i państwowi, komendant z miejscowego posterunku, a także niegdysiejsi bohaterowie stołecznego półświatka, których czas powoli przemija. Wynaturzeniom uległa zarówno władza, jak i społeczeństwo (beznadziejność, alkoholizm, powszechna demoralizacja). Zawiedzionym, „telepiącym się" w ogonie Europy Polakom pozostaje naiwna tęsknota do innego życia, które toczy się gdzieś w Paryżu, Londynie czy Nowym Jorku („Tu nad Wisłą nie ma żadnych lotów"). Obecni na weselu Gospodarz, Gospodyni, Pan Młody, Panna Młoda, Poeta, Nos są karykaturami postaci Wyspiańskiego. Odpowiednikiem chocholego tańca wydaje się pokazana w zakończeniu utworu bierność społeczności wiejskiej wobec popełnionego przestępstwa.

- jeden z czołowych pisarzy opozycyjnych (liczne represje ze strony władz PRL), publikował swe utwory w wydawnictwach niezależnych i emigracyjnych ➡ WOBEC STANU WOJENNEGO

Edward Stachura (1937–1979). To samo pokolenie, lecz inny rodzaj buntu, a w rezultacie inny typ literatury i odmienna legenda. W poezji zadziwiająco różnorodny i nierówny, pisał wiersze lingwistyczne i sonety. Używał Joyce'owskiego monologu wewnętrznego, archaizmów, neologizmów, powtórzeń, słów rzadkich i zapomnianych, nie gardził językowymi osobliwościami („nikt mnie żaden nie spyta"). Sławę wśród szerszej publiczności zapewniły mu **Piosenki** (1973), śpiewane później i przez innych wykonawców na scenach i estradach („Ach, kiedy znowu ruszą dla mnie dni", „Nie brookliński most", „Nie rozdziobią nas kruki"). Życie było dla niego wędrówką, poezja — „życiopisaniem", twórczością powstającą nie za biurkiem, lecz w kontakcie z naturą i ludźmi, w działaniach prowadzących do odkrycia własnej tożsamości. Proza Stachury z ostatniego okresu łączy cechy wewnętrznego dziennika, manifestu, poematu prozą, dialogu filozoficznego (*Wszystko jest poezja*, *Fabula rasa*, *Oto*).

Ireneusz Iredyński (1939–1985). Prozaik, poeta, dramaturg. Zaszokował czytelników krótkimi powieściami (*Dzień oszusta*, *Ukryty w słońcu*, *Manipulacja*). Jego ulubiony bohater to cyniczny pozer, gracz, nihilista i anarchista. Wszystkie wartości (przyjaźń, miłość, sztuka) zostały w prozie Iredyńskiego opatrzone znakiem zapytania. Nawet bunt sprowadza się w końcu do absurdu. Pozostaje zabijanie nudy w nocnych barach, intelektualna prowokacja, a w finale — autodestrukcja. Równie ważne są dramaty Iredyńskiego ➡ DLA TEATRU.

OPISYWANIE PRL

PRL. Przez pół wieku — ojczyzna nie chciana, budząca zażenowanie, opisywana bez zapału. Powieść powojenna niechętnie pokazuje polską rzeczywistość, ucieka w historię, fantazję, odtwarza świat dzieciństwa. W sytuacji, gdy pisarz czuł na ramieniu „opiekuńczą" dłoń cenzora, temat współczesny stawał się ryzykiem.

Podróż (1958) Stanisława Dygata jest świadectwem atmosfery czasów popaździernikowej odwilży. To jeszcze jedna powieść o rozterkach Polaka, któremu szczęśliwy los pozwolił ujrzeć krainę czarów zwaną Zachodem. Podróż bohatera kończy się utratą złudzeń, przynosi jednak gorzki obraz polskiej rzeczywistości. PRL okazuje się tu gigantycznym biurem pełnym urzędników — zawiedzionych, zawistnych, przegranych. To kraj ludzi, których ulubioną rozrywką jest „stanie w oknach", jedynym uczuciem — obezwładniający żal i smutek. Misterna kompozycja, spiętrzenie czasów narracji, oryginalne potraktowanie fabuły czyniły z *Podróży* niemal powieść eksperymentalną, myląc być może czujność cenzora. Narrator dochodził przecież do jednoznacznych wniosków: „Nikt nie krzyknął jeszcze donośnym głosem, że każdy ustrój, w jakkolwiek piękne hasła by się stroił i jak piękne cele by wskazywał, jest zły i fałszywy, o ile produkuje ludzi stojących w oknach."

● Sojusz elity intelektualnej z władzą (związek z konieczności, typowe małżeństwo „z rozsądku") opisywały dwie niezbyt udane powieści: **Życie towarzyskie i uczuciowe** (1976) Leopolda Tyrmanda oraz **Miazga** (1979) Jerzego Andrzejewskiego. Zwłaszcza z tą drugą książką wiązano ogromne nadzieje. Pomyślana interesująco (amorficzna konstrukcja, odautorski komentarz, świetne partie poświęcone życiorysom bohaterów), wypowiadała poglądy dość naiwne, dzisiaj wręcz anachroniczne.

● Życie Warszawy lat pięćdziesiątych pokazywała z drobiazgową dokładnością powieść Tyrmanda **Zły** (1955), choć o polskiej codzienności mówiły znacznie więcej ambitniejsze w zamierzeniu utwory Marka Hłaski i Marka Nowakowskiego
➡ **HŁASKOLAND**.

● W latach sześćdziesiątych i siedemdziesiątych zaczęliśmy żyć w koszmarnych blokowiskach. Nonsensy życia powszedniego to jeden z tematów prozy Janusza Głowackiego i Mirona Białoszewskiego.

● Polska powieść współczesna nie omijała zazwyczaj meliny i knajpy (nocnego baru). Te dwa miejsca należą do najlepiej opisanych w naszej literaturze.

● Być może należało — wzorem Jerzego Krzysztonia (1931–1982) — umieścić akcję powieści w klinice psychiatrycznej. **Obłęd** (1980) był nie tylko opisem zmagań autora z chorobą. W zawoalowanej formie dokonywał bilansu dekady lat siedemdziesiątych (nienormalny świat, poczucie zagrożenia, kryzys wartości, absurdalność istnienia).

Sporym zainteresowaniem krytyki cieszyli się prozaicy nurtu „wiejskiego", biorący za temat chłopskie kariery i dramaty. Po latach bronią się najlepiej utwory omijające rzeczywistość PRL: wizjonerski **Pałac** (1970) Wiesława Myśliwskiego (ur. 1932) i przezabawna, opowiedziana z prawdziwą wirtuozerią **Konopielka** (1973) Edwarda Redlińskiego (ur. 1940). Późniejszy **Kamień na kamieniu** (1984) Myśliwskiego uznany został również za powieść wybitną. Dość luźno związane są z tym nurtem powieści i opowiadania Tadeusza Nowaka, cenionego poety.

- Życie prowincji ujmowano z reguły w tonacji sentymentalnej, melancholijnej (m.in. nowele Iwaszkiewicza i Rudnickiego). Tym większym zaskoczeniem była książka odważna i agresywna, obnażająca mechanizmy funkcjonowania władzy PRL na szczeblu powiatowym.

Kazimierz Orłoś (ur. 1935) nie był nigdy pisarzem emigracyjnym, choć jego najlepsza powieść **Cudowna melina** (1973) ukazała się w Paryżu. Maszynopis trafił do rąk redaktora Giedroycia dopiero wówczas, gdy autor stracił wszelkie nadzieje na druk w kraju (perypetie związane z wydaniem książki przedstawia opublikowana w 1987 r. **Historia „Cudownej meliny"**). Orłoś pokazywał Polskę prowincjonalną, Polskę powiatową, rządzoną przez lokalnych prominentów. Demaskował niewyobrażalną korupcję władzy, jej prostactwo i pogardę dla społeczeństwa. Diagnozę pisarza potwierdziły liczne relacje reporterskie z lat 1980–1981, ujawniające nadużycia i malwersacje partyjnych dygnitarzy. W zestawieniu z nimi *Cudowna melina* wydawała się dziełem proroczym.

- Absurdy życia w PRL pokazywały — za pomocą aluzji — powieści Tadeusza Konwickiego (**Sennik współczesny, Nic albo nic**). W kolejnych utworach (poczynając od **Kompleksu polskiego** wydawanych poza zasięgiem cenzury) szyfry stały się zbyteczne. Autor odzyskał swobodę wypowiedzi i jako jeden z niewielu polskich pisarzy potrafił tę szansę wykorzystać.

Akcja **Małej Apokalipsy** (1979) toczy się w nieokreślonej bliżej przyszłości, w czasie wyraźnie skłóconym z zegarem i kalendarzem. Jedni świętują właśnie czterdziestą rocznicę powstania PRL, inni — już sześćdziesiątą. Nie ma jednak wątpliwości, że jest to rocznica ostatnia. Dogorywająca PRL stanie się wkrótce „Polszą". Spełnią się najgorsze obawy rodaków, żyjących w strachu, że po objęciu władzy komuniści przyłączą Polskę do ZSRR w charakterze „siedemnastej republiki". Biało-czerwony sztandar zastąpiono już flagą czerwoną z białym szlaczkiem, na ulicach Warszawy widać coraz więcej Rosjan (niektórzy są zresztą bardzo sympatyczni), Polacy zaczynają używać języka rosyjskiego. Gospodarka znalazła się w stanie rozkładu: towary na kartki, brak gazu, prądu, wody, szwedzkie zapałki kupuje się w indonezyjskiej walucie. Środki masowego przekazu interesują się wyłącznie manifestacjami, pochodami, wizytami dostojnych gości — tym wszystkim, co tworzyło oficjalną historię PRL. Nad zsowietyzowaną stolicą wznosi się posępna „statua niewolności" (Pałac Kultury i Nauki). Czy w takim świecie możliwy jest bunt? W jałowej kompletnie rzeczywistości odwieczne polskie marzenie o „czynie" spełnić ma główny bohater (zarazem narrator powieści). Przyjaciele z opozycji namawiają go, by na znak protestu spalił się pod gmachem KC PZPR (ostatecznie wybór pada na Pałac Kultury). Przyznać trzeba, że bohater Konwickiego zachowuje się niezbyt heroicznie, wykręca się, jak może, od narzuconej misji, w końcu jednak — osaczony i zrezygnowany — wstępuje na słynne pałacowe schody dźwigając kanister z benzyną.
Powieść zabawna, a jednocześnie rozpaczliwa. Potwierdziła przypuszczenie, że groteska i karykatura to najdogodniejsze środki artystyczne dla pisarza ukazującego realia życia w PRL.

WOBEC STANU WOJENNEGO

„Ani słowa. Prócz daty, ani słowa.”
(notatka G. Herlinga-Grudzińskiego na wiadomość
o ogłoszeniu stanu wojennego)

O północy z 12 na 13 grudnia 1981 r. umilkły telefony, radio i telewizja przerwały program, na ulice wyjechały czołgi, internowano działaczy opozycyjnych i związkowych.

Pierwszy szok trwał krótko. Potem prześcigano się już w najrozmaitszych formach protestu (manifestacje uliczne i obrzucanie żołnierzy śnieżkami, nabożeństwa i alternatywne imprezy kulturalne w kościołach, napisy na murach i nielegalne gazetki, bojkot telewizji i gaszenie świateł o określonej godzinie). Do walki przystąpiła też literatura — najpierw pojawiły się dowcipy o „wronie” (tzw. Wojskowa Rada Ocalenia Narodowego, czyli WRON) i generale-spawaczu, pieśni (np. **Hymn internowanych ekstremistów**), satyry, relacje świadków. A potem wiersze, opowiadania, powieści.

Stan wojenny odwołano w lipcu 1983 r., ale jego skutki odczuwać będą Polacy jeszcze przez wiele lat.

Proza

- Proza Marka Nowakowskiego (**Raport o stanie wojennym**, 1982–1983) jest przede wszystkim rejestracją zachowań ludzi — na ulicy, w kawiarni, urzędach, podczas manifestacji. Pokazuje również sojuszników ówczesnego reżimu — funkcjonariuszy ZOMO, propagandowych dziennikarzy, komisarzy wojskowych.

W ośrodkach internowania działała tajna poczta.

Jedno z pierwszych zdań tej powieści („jak człowiekowi przyłożą pałą, to dokonuje wyboru i odnajduje swoje miejsce w strukturze społecznej”) zrobiło zawrotną karierę. Na tle literatury stanu wojennego, patetycznej, poważnej, **Rozmowy polskie latem roku 1983** (1984) Jarosława Marka Rymkiewicza wyróżniały się niezawodnym poczuciem humoru, wdziękiem, finezją, perfekcją języka. Ich bohaterowie, spędzający urlop w pensjonacie nad jeziorem Wigry, rozmawiają o wszystkim: o Stalinie i Miłoszu, o stanie wojennym i kampanii napoleońskiej, o snach i łowieniu raków, o nędzy życia w PRL i historii umarłych narodów (Jadźwingowie). Nie jest to oczywiście przypadkowy zapis inteligenckiej konwersacji. Parokrotnie powraca w utworze pamięć o postaci Osipa Mandelsztama, wielkiego poety rosyjskiego, zamordowanego w stalinowskich łagrach. Symbolizuje ona powołanie literatury — dla autora równoznaczne z wyborem odwagi, ryzyka, gotowości do obrony wolności i prawdy („nim zdecydujesz, czy chcesz być pisarzem, pomyśl przez chwilę o Osipie Mandelsztamie”). *Rozmowy*, uznane przez niektórych krytyków za powieściowy odpowiednik poematu dygresyjnego, zawierają liczne aluzje do arcydzieł polskiego romantyzmu. Miejsce akcji (Suwalszczyzna) staje się okazją do dyskusji o historii i kulturze Litwy. Opis grzybobrania i zakończenie („takie to były rozmowy, takie zabawy nasze..”) budzi skojarzenia z *Panem Tadeuszem*. Niczym romantyczny buntownik, łagodny i cichy pan Mareczek (główna postać utworu) spiera się z Bogiem i jest kuszony przez współczesnego szatana, księcia Psuja. W XX w. demon pokazuje człowiekowi najohydniejszą twarz — „twarz anonimowego urzędnika przeliczającego na liczydłach [...] ilość swoich anonimowych ofiar”.

Poezja

- W poezji — niebywała wprost ekspansja liryki patriotycznej. Poeci wszystkich pokoleń poczuli się obowiązani do zabrania głosu.
- Stan wojenny okazał się istotnym doświadczeniem dla grupy młodych poetów, często debiutujących już w drugim obiegu, a nie w państwowych wydawnictwach. Najzdolniejszy, **Jan Polkowski** (ur. 1953), należy do pokolenia, które bez oporów posługuje się słowem „ojczyzna" (po 1956 r. poeci unikali go jak ognia).
- Prawdziwym bardem czasów stanu wojennego okazał się **Jacek Kaczmarski** (ur. 1957), poeta z gitarą zamiast liry, porównywany nie bez powodu do Cohena, Okudżawy i Wysockiego.

Mury („A mury runą, runą, runą...") stały się jeśli nie alternatywnym hymnem narodowym, to w każdym razie hymnem ówczesnej opozycji. Niekłamanym kunsztem odznaczały się wiersze-epitafia (poświęcone m.in. Wysockiemu, Mandelsztamowi i Watowi), liryzm w najczystszej postaci prezentowały ballady (**Cztery pory niepokoju**), bawiła wojenna satyra Kaczmarskiego (**Świadectwo**). Wszystkie te utwory zdobyły niebywałą popularność — nadawane przez Radio Wolna Europa (miejsce pracy poety, który jest również dziennikarzem), powielane na nielegalnych kasetach, śpiewane podczas nieoficjalnych koncertów.

Ze stanem wojennym wiąże się — choć nie w sposób bezpośredni — wspaniały zbiór Zbigniewa Herberta **Raport z oblężonego Miasta** (1983). Jest to pierwsza książka poety wydana na emigracji. Autor patrzy na historię najnowszą z powagą i zatroskaniem prawdziwego mędrca, przywraca słowu poety doniosłość, oczyszcza i chroni je przed „czarną pianą gazet" (wiersz *Do Ryszarda Krynickiego — list*). Dokonuje obrachunków ze stalinizmem, odrzucanym również z pobudek estetycznych (*Potęga smaku*), mówi o widmie sowieckiej agresji (*17 IX*). Prawdziwym bohaterem *Raportu* jest czas. Herbert przywołuje cienie zmarłych — tych wielkich, najgłośniejszych, i tych, których odejście zauważyli nieliczni. Składa hołd poległym, zabitym i umęczonym. Chociaż symbolami dziejów są w jego poezji popiół i krew, to zwątpienie miesza się tu z nadzieją:

> „cmentarze rosną maleje liczba obrońców
> ale obrona trwa i będzie trwała do końca
> i jeśli Miasto padnie, a ocaleje jeden
> on będzie Miasto niósł w sobie po drogach wygnania
> on będzie Miasto"

Dokument

Stan wojenny i związane z nim tematy (internowanie, konspiracja, „wojenna" codzienność) znalazły odbicie w licznych relacjach pamiętnikarskich, reporterskich i publicystycznych.

Autorem jednej z najważniejszych był **Jan Józef Szczepański** (ur. 1919), prozaik (m.in. powieść **Polska jesień**, tom opowiadań **Buty**), eseista (**Przed nieznanym trybunałem**), scenarzysta.

Po śmierci Iwaszkiewicza Szczepański wybrany został prezesem Związku Literatów Polskich. Swój urząd sprawował w okresie krótkim, ale burzliwym, o którym opowiada właśnie **Kadencja** (1986). W grudniu 1981 ZLP (sympatyzujący w większości z opozycją i ruchem „Solidarność") został decyzją władz zawieszony. Przez prawie dwa lata autor książki podejmował rozpaczliwe wysiłki zmierzające do ocalenia organizacji. Ówcześni prominenci toczyli podwójną grę, stosując taktykę uników, nie cofając się przed polityczną prowokacją. ZLP, założony przez Stefana Żeromskiego, rozwiązano ostatecznie w sierpniu 1983 r., po 60 latach istnienia. Powołany na jego miejsce fasadowy „neo-ZLP" (zwany pogardliwie „neozlepem") nie odgrywa już dziś większej roli. Rangi dawnego Związku nie osiągnęło jednak również alternatywne wobec „neozlepu" Stowarzyszenie Pisarzy Polskich.

„Czym jest poezja, która nie ocala Narodów ani ludzi?"

CZESŁAW MIŁOSZ

Urodzony 1911
w Szetejniach nad Niewiażą, w powiecie kiejdańskim („serce Litwy"), w rodzinie inteligenckiej (ojciec był inżynierem). Miastem młodości pisarza było Wilno (liczące wówczas około 200 tysięcy mieszkańców — jego obywatele „mówili albo po polsku, albo w jidysz", „na inne języki: litewski, białoruski, rosyjski, przypadał nieduży procent").

rok życia

18 Otrzymuje maturę w gimnazjum wileńskim. Rozpoczyna studia (polonistyka, później prawo) na Uniwersytecie Stefana Batorego w Wilnie. Nie bez oporów, czując się raczej artystą niż politykiem, zbliży się podczas studiów do środowiska ówczesnej lewicy („Rewolucję rosyjską uosabiał dla mnie nie Lenin, ale Władimir Majakowski").

20 Członek i współzałożyciel grupy Żagary. Pod tą samą nazwą ukazuje się dodatek literacki do konserwatywnego dziennika wileńskiego „Słowo", przekształcony następnie w miesięcznik. Pierwsza podróż na Zachód (Niemcy, Francja). W Paryżu spotyka swego krewniaka, Oskara Miłosza, którego znał dotąd jedynie z korespondencji. Postać Oskara Miłosza, tworzącego w języku francuskim pisarza i wizjonera, powracać będzie w wielu utworach o charakterze autobiograficznym (m.in. *Rodzinnej Europie* i *Ziemi Ulro*).

22 Pierwsza książka: **Poemat o czasie zastygłym**, przez samego autora zaliczona do juweniliów i skazana na zapomnienie.

23 Ostatni numer „Żagarów". Po uzyskaniu dyplomu kontynuuje edukację w Paryżu (język francuski, filozofia). Poznaje Józefa Czapskiego i francuskiego pisarza Jeana Cassou.

25 Właściwy debiut: zbiorek **Trzy zimy**, zdaniem badaczy sygnalizujący odejście od poetyki Żagarów, zapowiadający dojrzały okres twórczości.
Pracuje w wileńskiej rozgłośni Polskiego Radia („dostanie w Wilnie jakiejkolwiek pracy było bardzo trudne").

26 Usunięty z pracy („prolitewski, probiałoruski"), przenosi się z Wilna do Warszawy („miasto o szybkim tempie i cwaniackie"), zatrudniony w tutejszej rozgłośni bardziej jako urzędnik niż dziennikarz. Przyjaźni się m.in. z Józefem Czechowiczem i Bolesławem Micińskim.

28 Początek wojennej tułaczki („wrzesień 1939 roku stanowił dla mnie przełom, o jakim nie może mieć pojęcia ten, kto nie doświadczył rozpadu całej budowli zbiorowego życia"), pierwszą połowę 1940 r. spędza w Wilnie. Po przyłączeniu miasta do Związku Sowieckiego wraca do Warszawy. Pracuje jako woźny w bibliotece uniwersyteckiej, czyta i tłumaczy pisarzy angielskich i amerykańskich (m.in. Szekspir, Blake, Eliot).

33 Nie bierze udziału w powstaniu warszawskim („byliśmy na wsi u Turowicza, w Goszycach pod Krakowem").

34
> Tom poetycki **Ocalenie**, wydany w ostatnim roku wojny. Zawiera, prócz kilku wierszy wcześniejszych, głównie utwory napisane podczas okupacji. Najwięcej dyskusji wzbudził chyba cykl liryczny *Świat (poema naiwne)* z 1943 r. Pokazuje dom (różne jego części: ganek, schody, jadalnia, wnętrza) jako poetycką Arkadię, przyrodę pełną harmonii, ład moralny (jego fundamentami są Wiara, Nadzieja i Miłość). Nauczycielem mądrości, „mistrzem" wtajemniczającym narratora-adepta w zagadki kosmosu, jest ojciec. *Świat* osiąga niebywałą czystość lirycznego wyrazu. Napisany został jedenastozgłoskowym wierszem rymowanym, zachowuje na ogół regularną budowę stroficzną. Podobnie jak niektóre wiersze „warszawskie" z tego tomu (np. *Miasto*) wydaje się próbą przezwyciężenia wojennej apokalipsy. Polemiczny wiersz *W Warszawie* mówi o rozdźwięku między rozmiarami tragedii a powołaniem sztuki poetyckiej („zostawcie Poetom chwilę radości Bo zginie wasz świat").

Początek kariery dyplomatycznej. Konsulat w Nowym Jorku, ambasada polska w Waszyngtonie (attaché kulturalny), ambasada polska w Paryżu (sekretarz) — „ambasada była dla mnie obrożą, marnowanym czasem, miejscem nudy".

40 Nowy Rok witał jeszcze w stalinowskiej Warszawie. Odzyskuje odebrany wcześniej paszport. Wraca do Paryża. 1 lutego 1951 r. oświadcza publicznie, że postanowił wybrać los uchodźcy politycznego. Przyjęty źle w kręgu emigracji londyńskiej, znajduje pomoc i opiekę w środowisku paryskiej „Kultury". Stanie się wkrótce jednym z najwybitniejszych współpracowników tego miesięcznika. W Bibliotece „Kultury" ukazywać się też będą następne jego książki.

42
> Pierwszy emigracyjny tom poety, **Światło dzienne**. Zawiera tak znane utwory, jak *Do Jonathana Swifta*, *Portret z połowy XX wieku*, *Dziecię Europy*, *Który skrzywdziłeś człowieka prostego*, oraz dwa poematy: *Traktat moralny* i *Toast*. Do większości tekstów można odnieść późniejszą uwagę poety o „nie dającej się niczym wyplenić nadziei". W samym środku stalinowskiej nocy powstają wiersze wyrażające ostrożny optymizm. Dochodzi w nich do głosu wiara w misję niepokornego poety, w moc „źródła strzeżonej nadziei" i ostateczne zwycięstwo nad „Terrorem zwanym Historią".

Zdobywa międzynarodowy rozgłos pamfletem politycznym **Zniewolony umysł** ➡ WOBEC STALINIZMU.

44 Powieść polityczna **Zdobycie władzy**, wyróżniona w międzynarodowym konkursie literackim i wydana wcześniej (1953) po francusku. Pokazuje mechanizm przejmowania rządów przez komunistów w okresie powojennym.
Druga i ostatnia powieść, **Dolina Issy**, poetycki obraz dzieciństwa spędzonego na Litwie. Zdaniem autora — „silnie manichejska książka", „zamaskowany traktat teologiczny".

46 Wydaje **Traktat poetycki** ➡ POEZJA CZESŁAWA MIŁOSZA.

48
> **Rodzinna Europa**, niekonwencjonalny pamiętnik, który miał „przybliżyć Europę Europejczykom". Miłosz opisuje w nim swą genealogię rodzinną (sylwetka Oskara Miłosza), dzieciństwo i młodość, doświadczenia wojenne, stosunek do marksizmu i katolicyzmu (już w młodości czuł sympatię do twórców herezji). Książkę zamyka portret „Tygrysa", czyli filozofa Tadeusza Krońskiego, znawcy Hegla, komunisty nie pogodzonego ze stalinowskim totalitaryzmem. *Rodzinną Europę* moglibyśmy określić jako rodzaj intelektualnej autobiografii podejmującej wielkie problemy epoki. Życie prywatne autora schodzi w niej na dalszy plan.

49   Opuszcza (na zawsze?) Europę, przenosząc się do Ameryki („kraj wielkiej samotności"). Początek kariery akademickiej: wykładowca literatur słowiańskich na Uniwersytecie Kalifornijskim w Berkeley.

51   Esej o Stanisławie Brzozowskim **Człowiek wśród skorpionów**. Ukazuje m.in. prekursorski charakter myśli Brzozowskiego wobec różnych nurtów kultury współczesnej.
Król Popiel i inne wiersze. Także w tym tomie na czoło wysuwa się polemiczny dialog z tradycją (antyk, barok, romantyzm). Wśród cykli lirycznych — *Album snów* i *Kroniki miasta Pornic* (tu m.in. manifestacja niechęci wobec mistycznej twórczości Słowackiego). Pośród wierszy — *Rozmowa na Wielkanoc 1620 roku*, najwspanialszy chyba utwór Miłosza o śmierci.

54   **Gucio zaczarowany**. W tytułowym poemacie — jeszcze jeden powrót do dzieciństwa, próba ogarnięcia całości i uchwycenia „momentu wiecznego".

58   **The History of Polish Literature**. Podręcznik dla amerykańskich studentów („wykorzystałem wykłady, żeby napisać czy raczej podyktować *Historię literatury polskiej* po angielsku").
Miasto bez imienia. Tytułowy poemat z kolejnego zbioru mówi o Wilnie Mickiewicza, Słowackiego, Syrokomli i... Miłosza. Nowością są zdaniem badaczy wiersze religijne (*Veni Creator*, *Jakże znosiłeś*). Tom esejów **Widzenia nad zatoką San Francisco**, najbardziej „amerykańska" z książek Miłosza, zarazem — kolejny odcinek autobiografii pisarza.

61   **Prywatne obowiązki**. Zbiór esejów, z których wyłania się krytyczna ocena kultury współczesnej.

63   **Gdzie wschodzi słońce i kędy zapada**.
Niekonwencjonalny tom poetycki, w którym wierszom towarzyszy nieraz erudycyjny komentarz. W poemacie tytułowym — żartobliwe pomieszanie młodzieńczych lektur, rodzinnych papierów, dokumentów herezji, słownikowych haseł, objaśnień, przypisów. Popis poczucia humoru wielkiego poety.

> „O tak, nie cały zginę, zostanie po mnie
> Wzmianka w czternastym tomie encyklopedii
> W pobliżu setki Millerów i Mickey Mouse."

66   **Ziemia Ulro**, jedna z najtrudniejszych książek Miłosza, „umysłowy luksus". Erudycyjny esej z elementami autobiografii, odważna diagnoza sytuacji współczesnego człowieka. Występują tu obok siebie różne czasy, toczą ze sobą dialog pisarze i myśliciele (m.in. Swedenborg, Blake, Mickiewicz, Dostojewski, Gombrowicz). Tytuł książki zaczerpnięty został z pism Williama Blake'a. W „poczwórnym" uniwersum tego anielskiego poety, malarza i wizjonera „Ulro" to najniższy ze światów, pozbawiony kontaktu z wiecznością symbolizowaną przez słoneczny Eden (Raj). Według Miłosza laicki humanizm skazał w XX w. człowieka na bezdomność, poszukiwanie własnej duchowej ojczyzny. Tęsknota do wyjścia poza ziemski krąg rzeczy okazuje się jednak na tyle silna, że mamy prawo do nadziei (przekonanie, że nawet błędy naszej epoki nie pójdą na marne, wypowiada autor w zakończeniu książki).

68   Tom esejów i przekładów **Ogród nauk**, zdaniem niektórych krytyków — dopełnienie *Ziemi Ulro*.

Nowoczesny, doskonały przekład poetycki Księgi Psalmów, najlepszy od czasów Kochanowskiego. Świadectwo wieloletniego obcowania z Biblią. Miłosz przetłumaczył także m.in. Księgę Eklezjasty, Pieśń nad Pieśniami i Apokalipsę. Od wielu lat działalność translatorska towarzyszy jego twórczości oryginalnej. Tłumaczy z kilku języków, największe znaczenie mają przekłady poezji angielskiej i amerykańskiej: Blake'a, Whitmana, Eliota (poemat *Ziemia jałowa*), Sandburga.

69   Otrzymuje literacką Nagrodę Nobla! W przemówieniu podczas ceremonii wręczania nagród stwierdził, że wyróżnienie „powinno być argumentem dla tych wszystkich, którzy sławią daną nam od Boga, cudownie złożoną nieobliczalność życia".

70 Po trzydziestu latach nieobecności odwiedza Polskę. Znów jest wydawany przez państwowe oficyny (od kilku lat poezję i eseistykę Miłosza skutecznie popularyzowały wydawnictwa podziemne).

72 **Hymn o perle**. Świadectwo zainteresowań autora gnozą, zbiór zawiera znane wiersze (m.in. *Czarodziejska góra* i *Chagrin*), a także formy gnomiczne, próby najbardziej lapidarnego zapisu poetyckiego (*Zdania*).
Świadectwo poezji. Książka ta przynosi tekst wykładów wygłoszonych na Uniwersytecie Harwardzkim (najstarsza i najsławniejsza uczelnia amerykańska).

73 **Nieobjęta ziemia**. Bardzo osobliwy tom, w skład którego prócz wierszy wchodzą również cytaty (z kilkunastu autorów), przekłady, a nawet listy i zapiski o charakterze pamiętnikarskim — wyraz dążenia do „formy bardziej pojemnej".

74 Zbiór wspomnień, artykułów i przemówień **Zaczynając od moich ulic**.

76 Kolejny tom poezji nosi tytuł **Kroniki**. Część drugą zbioru wypełnia cykl (a może poemat?) *Dla Heraklita*, opatrzona datami „opowieść o moim stuleciu". W części pierwszej — m.in. znakomity wiersz *Na pożegnanie mojej żony Janiny* poświęcony zmarłej żonie poety.

79 **Rok myśliwego**. Oryginalny dziennik prowadzony tylko przez jeden rok, wypełniony w dużej mierze rozważaniami o bliższej i dalszej przeszłości.

80 **Dalsze okolice**. Najbardziej „metafizyczny" i chyba najważniejszy ze zbiorów poetyckich późnego Miłosza. Pogodny, a nawet radosny, ustanawia harmonię między człowiekiem, Bogiem i światem, między czasem a wiecznością. Wspaniałe mistyczne wiersze (np. *Stwarzanie świata* najwyraźniej w duchu Blake'a!), pisane przez „mędrca na wagarach" (*Dobranoc*).

Chociaż twórczość Czesława Miłosza ma charakter autobiograficzny, postawić może warto bezsensowne z pozoru pytanie: czy Miłosz ma w ogóle biografię? czy nie jest aby typowym literatem dwudziestowiecznym, człowiekiem „bez biografii", któremu życie upłynęło na pisaniu i wydawaniu kolejnych książek?
Oglądał wojnę, ale nie był żołnierzem. Dobrze widziany przez elity władzy, nie został politykiem. Kształtował historię naszych czasów w stopniu być może mniejszym niż inni jego koledzy po piórze.
Tylko przez pierwszych czterdzieści lat życia historia poddawała go trudnym próbom. Drugą połowę życia, bez porównania spokojniejszą, wypełnia głównie literatura. I o tym okresie Miłosz mówi stosunkowo rzadko. Nie jest pamiętnikarzem ani autorem intymnych dzienników, nie pisze konwencjonalnych wspomnień. Jego dzieła są raczej próbą rozszyfrowania sensu zbieranych latami doświadczeń, związania losu jednostki z intelektualnym klimatem całej epoki. Zwróćmy uwagę, że książki eseistyczne Miłosza, a w znacznej części także jego utwory poetyckie, krążą wokół kilku stałych tematów. Należą do nich:
● *Litwa postrzegana oczami dziecka*
● *Wilno z czasów gimnazjalnych i studenckich*
● *sylwetka Oskara Miłosza*
● *wojna i jej następstwa, traktowane bardziej jako problem filozoficzny niż przeżycie osobiste*
Z perspektywy tych właśnie faktów oceniana jest przez poetę literatura polska, postawa inteligencji wobec katolicyzmu i komunizmu, kryzys cywilizacji europejskiej, wreszcie cała historia XX wieku.

POEZJA MIŁOSZA

Kim jest Miłosz?

- poeta, eseista, powieściopisarz silnie podkreślający swój litewski rodowód, od 40 lat poza krajem (USA)
- poeta metafizyczny — interesuje go egzystencja ludzka przeciwstawiona naturze i historii, poszukująca w nietrwałym istnieniu drobnych fragmentów wieczności
- poeta-moralista, unikający jednak roli sędziego, nauczyciela, mistrza — błąd (grzech) traktuje nieraz po manichejsku, jako niezbędne dopełnienie dobra, stan upadku świata i człowieka wcale go nie dziwi
- poeta nadziei — odrzuca skrajny pesymizm, filozofię i literaturę absurdu, wierzy, że ludzkość zawsze znajdzie jakieś wyjście
- poeta-erudyta — odwołuje się do literatury staropolskiej i romantyzmu (głównie Mickiewicza), poezji XX w. (Eliot), Biblii, filozofii chrześcijańskiej (św. Tomasz z Akwinu), mistyki (Swedenborg, Blake), niekonwencjonalnych myślicieli, takich jak Oskar Miłosz i Simone Weil
- poeta-klasyk (neoklasyk), ale dosyć nietypowy — dystansuje się wobec historii i polityki, ale historią jest zafascynowany, od polityki też nie zdołał uciec
- przez 30 lat jego książki były w PRL zakazane, do oficjalnego obiegu wydawniczego powrócił dzięki Nagrodzie Nobla (1980) i posierpniowym przemianom

Młody Miłosz

- opozycyjny wobec ,,salonu warszawskiego'' (krąg ,,Skamandra'' i ,,Wiadomości Literackich''), antyromantyczny, antymodernistyczny, nawiązujący do Norwida w ujmowaniu zadań sztuki
- w poezji — wizjonerski, katastroficzny poeta kryzysu kultury, zapowiadający ,,epokę burzy, dzień apokalipsy''

Poematy

Miłosz jest być może ostatnim w naszej literaturze wybitnym twórcą poematów. Upodobanie do tej formy dzieli z T. S. Eliotem, największym zapewne poetą piszącym w XX w. po angielsku. **Traktat moralny** (napisany w 1947 r.) jest próbą przewartościowania rozmaitych tradycji i modnych kierunków intelektualnych (od dziedzictwa staropolskiego aż po francuski egzystencjalizm). O dwa lata późniejszy **Toast**, z pozoru gawęda o losach szkolnych kolegów, wypowiada poetyckie credo Miłosza (,,w służbie poezji polskiej żyć postanowiłem''), mówi o potrzebie odrzucenia moralnych kompromisów (,,A poezja jest prawdą'').

Najpełniejszy wykład poglądów autora przynosi **Traktat poetycki** (1957), jeden z najdziwniejszych utworów literatury polskiej, naszpikowany tytułami, cytatami, aluzjami i nazwiskami pisarzy — połączenie gawędy, rozprawy filozoficznej, eseju historycznoliterackiego. Według autora poezja polska XX w. nie stanęła na wysokości zadania, nie sprostała dziejowym kataklizmom. Rozczarowali krakowscy moderniści i warszawscy skamandryci (,,w mowie ich błyszczała skaza [...] harmonii''), ,,awangardziści raczej się mylili'', skompromitował się usłużny wobec kolejnych mecenasów Gałczyński, zawiedli poeci pokolenia wojennego. Na taki, a nie inny kształt polskiej kultury znaczący i zdaniem poety niekorzystny wpływ wywarła tradycja ,,lechicka'', warszawska, mazowiecka, obca metafizyce (symbolizowana przez ,,ogórki w zapotniałym słoju z badylem kopru''). Miłosz przeciwstawia jej nurt ,,litewski'' — reprezentuje go Mickiewicz (uważany przez autora konsekwentnie za ,,poetę metafizycznego'', odczytywanego błędnie przez Polaków). Intelektualne klęski otworzyły drogę demonicznemu Duchowi Dziejów, wizji historii traktowanej jako konieczność w rozumieniu Hegla i Marksa. W opinii Miłosza uratować historię to ujrzeć w niej ,,broń i instrument'', wydobyć ze zmienności, względności, ruchu, ,,stawania się'' to, co wieczne, trwałe, pewne — właściwy przedmiot poezji.

Co to jest „moment wieczny"?

Jako istota biologiczna człowiek żyje w świecie przyrody, jako istota myśląca porusza się w świecie historii. Żyje zanurzony w rzece czasu, tęskniąc do wieczności, którą oglądać może jedynie przez krótką chwilę, na przykład w blasku objawienia mistycznego lub w momentach poetyckich olśnień. Poezja byłaby zatem poszukiwaniem „momentu wiecznego", który pojmować można rozmaicie. Na przykład tak:

„Punkt nieruchomy, co dziejom na przekór
Na złe i dobre dzieli to co płynne."

NATURA	CZAS BIOLOGICZNY
DZIEJE	CZAS HISTORYCZNY
POEZJA	CZAS POETYCKI („MOMENT WIECZNY")

Co to jest „apokatastaza"?

Bardzo trudne greckie słowo („apokatastasis", czyli „odnowienie") wyraża nadzieję na powrót do stanu doskonałości wszystkiego, co upadłe (grzeszników i demonów nie wyłączając). Pogląd często spotykany w pierwszych wiekach chrześcijaństwa, wyznawany przez niektórych gnostyków i myślicieli bliskich herezji. W twórczości Miłosza nie jest kategorią teologiczną, lecz poetycką metaforą opisującą dążenie człowieka do wyzwolenia się ze stanu upadku.

Ironia

Różna od ironii Norwida, Herberta, Różewicza. Polega na „zdolności autora do przybierania skóry różnych ludzi". Poszczególne wypowiedzi zawarte w wierszach i poematach nie muszą wyrażać (i zwykle nie wyrażają!) prawdziwych poglądów poety. Ironia komplikuje niezmiernie dzieło Miłosza, który okazuje się poetą skrytym (nawet specjaliści mają problemy z rozpoznaniem „właściwego" głosu autora).

Natura

U Miłosza „żyje w innym czasie niż człowiek" i choćby dlatego pozostaje nam obca i niedostępna. Z drugiej strony, poeta bardzo silnie podkreśla „zwierzęcość" istoty ludzkiej, która znajduje najpełniejszy wyraz w seksualizmie człowieka, „miłości do zapachu zniszczalnych ciał". Erotyzm w wierszach Miłosza bywa agresywny, wolny od sentymentalizmu i czułostkowości, stosowny do charakteru wieku XX, epoki „publicznej nagości". Świat materii jest ograniczeniem, ale również właściwą sferą aktywności człowieka, jego przeznaczeniem („niecielesne nie dla mnie spojrzenie").

Pejzaże

Różnorodność czasów, stylów, gatunków roślin i zwierząt, mnogość przedmiotów, strojów, kostiumów, scenerii cechuje poetyckie dzieło Miłosza. Trudno zapomnieć kreślone przez niego pejzaże — bodaj u żadnego z żyjących polskich poetów krajobraz nie odgrywa takiej roli. Wyliczmy tylko najważniejsze: obrazy litewskiej przyrody (Puszcza Rudnicka), miejskie pejzaże Wilna, Krakowa i Warszawy (w tym ruiny stolicy oglądanej w 1945 r.), pejzaże włoskie (m.in. Rzym, Mediolan, Sycylia, Siena), francuskie (Paryż, Pornic), amerykańskie (m.in. Waszyngton, San Francisco i oczywiście wspaniała przyroda kalifornijska). W poszczególnych tomikach, a nawet tych samych utworach krajobrazy mieszają się ze sobą, krzyżują i plączą. Patrzy na nie poeta, badacz tajemnych szyfrów, a nie zwykły kolekcjoner spragniony nowych wrażeń.

Forma

Rozmaitość poetyk i gatunków, stylów i języków. Pełna swoboda w traktowaniu form literackich: Miłoszowe ody, pieśni, elegie, hymny, dytyramby nie zawsze oznaczają kontynuację zgodnych z nazwą gatunków. Nowością na gruncie poezji polskiej są oba „traktaty". Miłosz ożywia poezję „uczoną", poezję „dydaktyczną", dla której trudno znaleźć określone bliżej wzory. Posługuje się wierszem wolnym i regularnym (m.in. dziewięcio-, jedenasto- i trzynastozgłoskowcem), w późniejszych tomach chętnie zaciera granice między poezją i prozą, a nawet literaturą i naukowym wywodem.

„Masz mało czasu trzeba dać świadectwo..."

ZBIGNIEW HERBERT

ur. 1924

- pochodzi ze Lwowa (to miasto odgrywa ważną rolę w jego twórczości)
- wszechstronnie wykształcony (studiował polonistykę, malarstwo, prawo, filozofię)
- w okresie stalinizmu — na marginesie oficjalnego życia kulturalnego (pracował m.in. jako sprzedawca i urzędnik)
- związany z opozycją demokratyczną w PRL, od 1987 r. mieszka w Paryżu
- obok Miłosza najwybitniejszy z żyjących polskich poetów, od kilku lat kandydat do Nagrody Nobla
- znakomity eseista — tom **Barbarzyńca w ogrodzie** (1962); pasjonuje go antyk, średniowiecze, sztuka europejska ze szczególnym uwzględnieniem malarstwa holenderskiego
- na przełomie lat pięćdziesiątych i sześćdziesiątych opublikował kilka dramatów (**Drugi pokój, Lalek, Jaskinia filozofów**)

Panteon Herberta

Bóg Historii

Dwa najważniejsze doświadczenia określają Herbertowe widzenie historii: II wojna światowa i sowiecki totalitaryzm. O pierwszym mówią m.in. gorzkie wiersze poświęcone klęsce wrześniowej (**Pożegnanie września**), zbrodni katyńskiej (**Guziki**), losach „tragicznego pokolenia" (**Wilki**). Drugiego dotyczą: słynna **Potęga smaku, Szuflada, Węgry** (**Stoimy na granicy...** — tytuł pierwotny usunęła cenzura). Historia XX w. uczyniła poetę wygnańcem — stąd częsty w jego utworach motyw „utraconego domu", „bezimiennego miasta", „miasta o zatrzaśniętych bramach" (wnikliwi czytelnicy wiedzą, że chodzi o Lwów, rodzinne miasto autora).
Bóg Historii zdaje się mało wiedzieć o sprawiedliwości. Moralność nie jest jego domeną. Herbert patrzy sceptycznie na dzieje sławnych wojen (historie „bohaterów zarzynanych i bohaterów zarzynających"), odnosi się z nieufnością do opinii kronikarzy („Nie było bohaterów ocaleli niegodziwi").

Bóg Moralności

W przeciwieństwie do Boga Historii — stały, niezmienny, pełen dostojeństwa i powagi. Zdaniem Herberta naczelne kategorie etyczne obowiązują człowieka w każdych warunkach. Poeta staje się moralistą surowym i bezwzględnym, zwłaszcza wówczas, gdy zadaje pytanie, gdzie kończy się kompromis, a zaczyna zdrada samego siebie, warunkowa akceptacja

nieprawości (**Powrót Prokonsula**). Głosi potrzebę heroicznego trwania i gotowości do obrony ludzkiej godności:
„trwać w świecie niby myślący kamień
Cierpliwy obojętny i czuły zarazem"
Świat wartości jest zagrożony ze wszystkich stron. Życie ludzkie staje się walką o zachowanie etycznego porządku.

Bóg Ironii

Bywa bożkiem albo aniołem („blady, złośliwy anioł Ironii"). Jako kategoria estetyczna — ironia cechuje niemal całą sztukę XX w., sztukę czasów barbarzyńskich. Ironia Herberta pełna jest powagi, jedynie w miniaturach prozą graniczy z makabrycznym żartem i groteską.

Bogowie starożytni

Czytając wiersze Herberta odnosimy wrażenie, że starożytność jest dla poetów równie ważna jak współczesność, że często staje się kluczem do interpretacji wielkich problemów XX w. Bogowie starożytni odznaczają się nieraz okrucieństwem nie mniejszym niż współcześni oprawcy (**Ofiarowanie Ifigenii, Apollo i Marsjasz**), bywają tchórzliwi i układni (**Próba rozwiązania mitologii**). Dwa wątki antyczne wysuwają się na czoło: mit fatum, czyli dziejowej konieczności (**Nike, która się waha**), i mit Arkadii. W liryce Herberta pojawia się Arkadia „rozgromiona" („odeszły pasterskie fletnie"), symbol utraconej harmonii. Człowiek współczesny jest wygnańcem z Arkadii.

Świat bez bogów

Bogowie są bez przerwy degradowani — przez epokę, ludzką nieufność, filozoficzny racjonalizm, sztukę. I chyba właśnie sztuka zachowuje się w tym wypadku najbardziej odpowiedzialnie. Próbuje świat pozbawiony boskiej sankcji uporządkować, godząc „człowieka z otaczającą rzeczywistością". Vermeer van Delft, bohater jednego z utworów wchodzących w skład cyklu **Apokryfy holenderskie**, ujmuje następująco misję artystów: „Będziemy mówili światu słowa pojednania, mówili o radości z odnalezionej harmonii, o wiecznym pragnieniu odwzajemnionej miłości."

W XX w. częściej niż kiedykolwiek sztuka staje się obiektem manipulacji ze strony rozmaitych „ornamentatorów" (**Ornamentatorzy**), bywa odą na cześć tyranii i pieśnią zbiorowego obłędu. Piękno — jak wszystkie inne wartości — jest kruche, niestałe („lutnia nie większa niż dłoń dziecka").

Bogowie biblijni

Trudno uznać Herberta za poetę religijnego. Tematy biblijne odgrywają w jego twórczości mniejszą rolę niż wątki antyczne i traktowane są zawsze z dystansem, przekorą, ironią. Współczesny Jonasz jest nie do pomyślenia (**Jonasz**), raj wprost trudno sobie wyobrazić („W raju tydzień pracy trwa trzydzieści godzin, pensje są wyższe, ceny stale zniżkują"; „z czasem wszyscy będą oglądali Boga kiedy to nastąpi nikt nie wie"). Opis Męki Pańskiej z wiersza **Na marginesie procesu** to wyraz sceptycyzmu najwyższego stopnia („to mogło być szare bez namiętności").

Do najwspanialszych wierszy polskich należy **Tren Fortynbrasa**, zamieszczony w tomie *Studium przedmiotu*. Tytułowy bohater jest w *Hamlecie* Szekspira księciem norweskim, postacią epizodyczną, pojawiającą się na scenie w chwili, gdy tragedia już się rozegrała. W wierszu Herberta Fortynbras i Hamlet reprezentują dwie różne postawy. Fortynbras to człowiek pozbawiony złudzeń, trzeźwy, praktyczny, dobry żołnierz i skuteczny administrator, który w przyszłości może okazać się pozbawionym ludzkich uczuć despotą. Ocenia krytycznie „nieżyciowego" romantyka Hamleta, jego „efektowny sztych", bohaterską śmierć, wiarę w „kryształowe pojęcia". Z punktu widzenia Fortynbrasa poddani są „gliną ludzką" (niebezpieczne porównanie, nasuwające skojarzenia z totalitarną ideologią, traktującą człowieka jako surowiec wymagający dalszej obróbki). Spór pospolitości i wzniosłości, rzeczywistości i ideału bywał rozmaicie interpretowany. Obie postacie mają swoich zwolenników.

Świat przedmiotów

Podobnie jak inni poeci współcześni Herbert jest zafascynowany światem przedmiotów, choć patrzy na niego zupełnie inaczej niż np. Szymborska czy Białoszewski. Przedmiot, możliwie najbardziej abstrakcyjny (kamienna kula, drewniana kostka, żelazna sztaba), staje się wyzwaniem dla ludzkiej świadomości, zagadką dręczącą umysł człowieka. W poezji Herberta odgrywa podobną rolę jak w sztuce awangardowej XX w., pełniąc rolę fundamentu jakiejś nowej, „racjonalistycznej" i „pogańskiej" zarazem metafizyki:

> ### Zegar
> „Na pozór jest to spokojna twarz młynarza, pełna i błyszcząca jak jabłko. Tylko jeden ciemny włos przesuwa się po niej. A popatrzeć do środka: gniazdo robaków, wnętrze mrowiska. I to ma nas prowadzić do wieczności."

Forma

Poeta, świadomy wagi słowa, powściągliwy w doborze środków ekspresji, tworzy lirykę zdumiewająco jednorodną (jej kształt został ustalony już w tomie *Studium przedmiotu*). Posługuje się skrótem, niedopowiedzeniem, aluzją (np. **Cesarz**), alegorią (np. **Mały ptaszek**), sięga chętnie po formę bajki (**Wilk i owieczka**, kapitalna **Bajka ruska**), groteskowej miniatury prozą, przypowieści, paraboli.

Klasyk czy romantyk?

Poezję Herberta łączy się zwykle z nurtem neoklasycyzmu. Istotnie, jest to twórca zdecydowanie nieromantyczny — choćby

wówczas, gdy pastwi się nad ukochanym przez romantyków księżycem: „jest tłusty i niechlujny. Dłubie w nosie kominów. Jego ulubione zajęcie to włazić pod łóżka i wąchać buty." Jednak gdzie indziej powiada, że klasykiem jest ktoś, kto „nigdy nie domyśli się, że żyłki marmuru w termach Dioklecjana to są pęknięte naczynia krwionośne niewolników w kamieniołomach". Klasyk? Romantyk? Jak się zdaje, Herbert nie znosi etykietek.

Jednym z najważniejszych tomów poetyckich w literaturze polskiej XX wieku jest **Pan Cogito**, zbiór uważany przez niektórych krytyków za poemat.

Tytułowy bohater (Pan Cogito, czyli Pan Myślę) wygląda na pierwszy rzut oka niezbyt zachęcająco: odstające uszy, podwójny podbródek, na skórze ślady po ospie, „czoło nazbyt wysokie, myśli bardzo mało". Nie jest wizjonerem, filozofem, genialnym myślicielem, charyzmatycznym mędrcem, nieugiętym moralistą. Nie będzie też bohaterem historii, nie napiszą o nim w gazetach. Pan Cogito z trudem szuka właściwej drogi w intelektualnych labiryntach współczesności, doznaje porażek, ogarnia go poczucie bezsilności, mimo wszystko podejmuje wciąż na nowo swą wędrówkę. W książce Herberta pełni kilka ról: bywa bohaterem, komentatorem i narratorem, pisuje nawet wiersze. Postaci Pana Cogito nie wolno utożsamiać z autorem, choć trudno ukryć, że jego sposób myślenia jest poecie bliski.

Herbert prowadzi swego bohatera poprzez wszystkie kręgi współczesnego piekła (cudza i własna śmierć, cierpienie, udręki codzienności, cywilizacyjny i kulturowy chaos, dekadencja schyłku XX w.). A gdzie znajduje się raj? W znakomitym wierszu **Pan Cogito opowiada o kuszeniu Spinozy** wkraczamy w sferę paradoksu. Podczas gdy człowiek próbuje opuścić świat materii, kierując swą myśl ku niebu, Bóg poucza, że Rzeczy Naprawdę Wielkie są małe, zwyczajne, znikome (dom, rodzina, majątek, spokój za cenę pewnych ustępstw).

Podsumowaniem wątków zawartych w całym zbiorze jest **Przesłanie Pana Cogito**, bodaj najczęściej cytowany wiersz Herberta. Jakkolwiek przyszłość i ostateczne zwycięstwo należy do „szpiclów katów tchórzy", obowiązkiem człowieka jest heroizm, walka (nawet beznadziejna), zachowanie „postawy wyprostowanej" (jej przeciwieństwem byłoby „odwrócenie się plecami" albo pozycja „na klęczkach"). Poeta odmawia zgody na jakikolwiek kompromis ze złem, odmawia również zgody na łatwe przebaczenie win („nie w twojej mocy przebaczać w imieniu tych których zdradzono o świcie"). Wzywa — jak kiedyś romantycy i ich następcy — do aktywności, do czynu:

„czuwaj — kiedy światło na górach daje znak — wstań i idź
dopóki krew obraca w piersi twoją ciemną gwiazdę"

Herbert kontra Miłosz

W najnowszym zbiorku *Rovigo* znajdujemy wiersz **Chodasiewicz**, ironiczny portret Czesława Miłosza, aluzję do wiersza noblisty (*W praojcach swoich pogrzebani*) zawierają ponadto **Wilki**. Mamy zatem (wreszcie!) polemikę na szczycie, pojedynek największych w dzisiejszej poezji autorytetów.

Dla Herberta, rzecznika niezmienności, Miłosz jest poetą przelotnych fascynacji artystycznych i światopoglądowych. Bliższa mu zapewne heglowska dialektyka ciągłego ruchu niż stoicka mądrość Marka Aureliusza i Seneki. Miłosza postrzegamy jako uczestnika historii, Herberta jako jej sędziego. Z dwóch najważniejszych źródeł cywilizacji europejskiej Miłosz wybrałby Jerozolimę, Herbert — Ateny. Obaj pisarze mają swych fanatycznych zwolenników. Spór trwa.

 **WOBEC STANU WOJENNEGO**

PARNAS POLSKI

Rok 1956 to być może najważniejsza data w historii polskiej poezji XX w. Socrealizm poniósł klęskę, cenzura stała się łagodniejsza. Ukazują się debiutanckie tomiki Białoszewskiego, Herberta, Grochowiaka, Harasymowicza, a rok później — pierwsze zbiorki Urszuli Kozioł i Jarosława Marka Rymkiewicza. Do życia literackiego powraca Karpowicz, w nową fazę wkracza liryka Wisławy Szymborskiej i Artura Międzyrzeckiego (ur. 1922, poeta, tłumacz, eseista, prozaik). W ciągu zaledwie dwóch lat mapa poezji krajowej zmieniła się nie do poznania!

„Dobro i zło — wiedzieli o nim za mało...”

Wisława Szymborska (ur. 1923)

- krakowska poetka i eseistka (tom doskonałych, niekonwencjonalnych recenzji **Lektury nadobowiązkowe**, drukowanych wcześniej w „Życiu Literackim”)
- przedmiotem zainteresowania: człowiek, jego potęga i słabość, cywilizacyjna ekspansja i metafizyczny niepokój, rozwój gatunku od prehistorii aż po epokę odrzutowców
- człowiek w świecie przedmiotów, które lepiej znoszą działanie czasu, okazują się trwalsze (**Muzeum**), przedmioty są zagadkowe, intrygują
- ironia, przekora, żartobliwy dystans: u Szymborskiej człowiek to „prawie nikt”, słońce jest „gwiazdą prowincjonalną”, śmierć — niezgrabna, rzadko zwycięska (**O śmierci bez przesady**); autoironia (**Wieczór autorski, Nagrobek**); Szymborska lubi opisywać nie zamalowaną stronę obrazu (**Kobiety Rubensa**), stosuje paradoksy i antynomie („różnimy się jak dwie krople wody”)
- nowa tonacja (ironiczna) mówienia o wojnie: wiersze o dyktatorze, który jest jeszcze dzieckiem (**Pierwsza fotografia Hitlera**), i starzejącym się Baczyńskim, który przeżył wojnę (**W biały dzień**)
- nowa formuła erotyku — wielkość i kruchość miłości w **Upamiętnieniu**, przeważa zdecydowanie tonacja antyromantyczna, np. w rodzinnej historii (**Album**) — najwspanialszy wiersz miłosny Szymborskiej (**Złote gody**) mówi o starości!

1957 — *Wołanie do Yeti*
1962 — *Sól*
1967 — *Sto pociech*
1972 — *Wszelki wypadek*
1976 — *Wielka liczba*
1986 — *Ludzie na moście*

„Spełza płeć, tleją tajemnice
w podobieństwie spotykają się
różnice
jak w bieli wszystkie kolory”

Jeśli pojawia się u Szymborskiej jakieś słowo, to znaczy, że jest ono w tym miejscu absolutnie konieczne i że nie da się go wykreślić ani zastąpić żadnym innym. Nie można powiedzieć, że podobnie jak autorzy nowej fali korzysta np. z poetyki drobnego ogłoszenia. Szymborska bowiem drobne ogłoszenie, hasło encyklopedyczne czy recenzję przeobraża w najpiękniejszą lirykę. Począwszy od „Wołania do Yeti” zawsze jest w wielkiej formie. Każdy jej nowy tomik, oczekiwany z niecierpliwością, staje się wydarzeniem wielkiej rangi.

Halina Poświatowska (1935–1967)

Żyła niewiele ponad trzydzieści lat, mając świadomość nieuleczalnej choroby, kochając życie jak mało kto, próbując oswoić się z bliskością śmierci (**Ona jest z nami...**). Jej niewielki objętościowo dorobek tworzy rodzaj lirycznego pamiętnika, bardzo kobiecego (świetne erotyki!), intymnego, delikatnego. Należy ciągle do najchętniej czytanych polskich poetek.

„Zawsze kiedy chcę żyć krzyczę
gdy życie odchodzi ode mnie
przywieram do niego
mówię — życie
nie c h o d ź jeszcze”

Poezja lingwistyczna wywodzi się z doświadczeń awangardy krakowskiej, a obiektem zainteresowania czyni przede wszystkim język, ,,traktowany jako instrument wysoce podejrzany, niesprawny, spychający użytkowników na manowce, paraliżujący porozumienie między ludźmi i ich poznawczy kontakt ze światem" (Janusz Sławiński).

,,Jestem sobie..."

Miron Białoszewski (1922–1983)

- warszawski poeta, prozaik, dramaturg (u tego autora podział na rodzaje literackie jest raczej umowny)
- w swych najwcześniejszych utworach sięga do świata kultury (gotyckie średniowiecze, barok i twórczość ludowa są mu szczególnie bliskie), pisze o świątkach, kapliczkach, kościołach — tworzy lirykę pełną barw (żółty i fiolet najważniejsze) i oryginalnych metafor (**Ballady rzeszowskie**)
- w **Balladach peryferyjnych** pociąga go folklor przedmieść (bazar, wesołe miasteczko z karuzelą, mieszkanie z kiczowatą makatką na ścianie)
- najważniejsze wiersze z tomu **Obroty rzeczy** dotyczą przedmiotów (łyżka durszlakowa, klucz, parasolka), ,,niepozornych" roślin (burak, szczypiorek); parodia: erotyku (miłość tragiczna to u Białoszewskiego miłość do krzesła!), wiersza wojennego (,,Ukucnął pod stół i ocalał"), wiersza religijnego (,,I stało się s t ó ł słowo")
- począwszy od tomu **Mylne wzruszenia** pojawia się wyraźnie określony podmiot liryczny: Miron (czasem św. Miron) Białoszewski (czasem tylko Białoszewskawy); w **Było i było** znajdziemy już fragmenty wiersza-dziennika, odtąd prawie zawsze przemawia JA, czyli sam poeta — charakterystyczna redukcja barw, obrazów, metafor (uznanych przez autora za ,,niekonieczne")
- język: wydobywanie ze słów nowego znaczenia (,,pantofel się pantofel"), nowe formy odczasownikowe (,,witacz") i odrzeczownikowe (,,korytarzować"), łączenie przedrostków (,,wyzarzucić", ,,wielomiędzypiętrowy"), operowanie skrótami i strzępkami słów (,,Sabin z pierz róż jej"), osobliwości w zapisie graficznym, składni, interpunkcji
- z upływem lat najważniejszym tematem stają się przygody poetyckiego JA żyjącego w Warszawie betonowych bloków (zwanych ,,klatami"), obyczaje ich mieszkańców (,,życie w kupie"), nękanych rozmaitymi kataklizmami (podstępne windy, ,,mrówki blokówki", awarie) — bełkotliwy język obywateli PRL jest dla pisarza tylko tworzywem, które wyobraźnia Białoszewskiego zamienia na język poetycki (,,a ja ich łapię za słowa")
- w latach siedemdziesiątych wielkie uznanie zyskuje Białoszewski jako prozaik, głównie jednak dzięki **Pamiętnikowi z powstania warszawskiego** ➡ TEMATY WOJENNE

1956	— *Obroty rzeczy*	W
1961	— *Mylne wzruszenia*	W
1965	— *Było i było*	W
1970	— *Pamiętnik z powstania warszawskiego*	P
1973	— *Donosy rzeczywistości*	P
1973	— *Teatr Osobny* (zawiera teksty napisane wcześniej)	D
1976	— *Szumy, zlepy, ciągi*	P
1985	— *Oho*	W

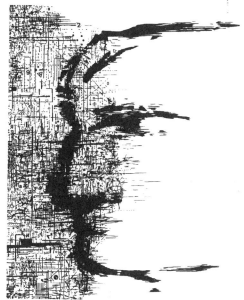

Tymoteusz Karpowicz (ur. 1921)

Poeta i dramaturg. Po wojnie związany z Wrocławiem, od prawie 20 lat poza krajem (USA). Pokoleniowo bliski Baczyńskiemu i Gajcemu (debiut podczas wojny), w swej

> ,,światła potrzebuję tylko na tyle abym mógł widzieć celownik"
> *Kałasznikow II*

wczesnej twórczości nawiązywał do eksperymentów awangardy krakowskiej (głównie Przybosia). W tomikach wydanych tuż po r. 1956 (**Gorzkie źródła, Kamienna muzyka**) dominują obrachunki z historią. W późniejszych utworach Karpowicz jest nade wszystko badaczem języka, jego magii, utajonych znaczeń i możliwości słowa. Tworzy poezję trudną, niebywale skondensowaną (aforyzmy z poematu **Rozwiązywanie przestrzeni**), trudniejszą w odbiorze niż większość utworów Białoszewskiego. Za najbardziej hermetyczny utwór we współczesnej poezji polskiej uważa się czasem obszerny poemat Karpowicza **Odwrócone światło** (1972).

Określenie **turpizm** nie wyczerpuje z całą pewnością bogactwa poezji Grochowiaka, Bursy czy wczesnego Białoszewskiego. Potraktujemy je zatem jako sygnał wywoławczy, etykietkę niezbyt przystającą do rzeczywistości.

> *„Wolę brzydotę*
> *Jest bliżej krwiobiegu"*

Stanisław Grochowiak (1934–1976)

- poeta, dramaturg, prozaik, pochodził z Wielkopolski, od 1955 r. mieszkał w Warszawie
- młody Grochowiak, nazwany przez Juliana Przybosia „turpistą", tłumaczył, że jest raczej „realistą"
- poetycki „realizm" Grochowiaka kazał uwzględniać w liryce „kiszkę z bydlęcą krwią", „brodawki ogórka", „wróble chude jak szkielety", „pachnące potem ciało" — brzydkie, prawda? ale jakie prawdziwe!
- autor słynnych wierszy o śmierci (**Portretowanie umarłej**, **Fryzjer**, **Franz Kafka**) — traktuje życie jako przygotowanie do śmierci, każda codzienna, najzwyklejsza czynność przypomina zadawanie śmierci; „rzemieślnikami śmierci" mogą się okazać przedstawiciele takich zawodów, jak fryzjer, murarz, szewc; często pojawia się ujęcie groteskowe — takie jak w **Menuecie** („Podaj mi rączkę, trumienko")
- autor niesamowitych erotyków, w których miłość splata się ze śmiercią, naruszających kanon kobiecej urody: „Niebieskawa w nagości Pozbawiona twarzy", panny „tak chude, że świeci szkielecik"
- poeta jesieni, często tej najmniej poetyckiej — jesieni listopada i początku grudnia; w ogrodach Grochowiaka znajdziemy oset i pokrzywę, przeważają rośliny pozbawione kwiatów i owoców; w późniejszych tomach jesień bywa wspaniała (znakomite wiersze: **A tego roku jesień też jest siwa...** oraz **Nie było lata — jesień szła od wiosny...**)
- w późniejszych tomach — nowa poetyka mówienia o śmierci — epitafia dla Dąbrowskiej, Broniewskiego, Poświatowskiej, rosyjskiego poety Swietłowa (cykl **Spotkania** pomyślany jako odpowiednik *Czarnych kwiatów* Norwida)
- również — nowa poetyka mówienia o miłości (**Pocałunek-krajobraz**, **Dwunasty listopad**, **Upojenie**) — wątki makabryczne znikają, ale motyw niepokoju, walki, przeczucia śmierci jest w nich ciągle obecny („Jest śmierć, co oczy kochanków rozszerza")
- począwszy od tomu **Agresty**, w twórczości Grochowiaka coraz większą rolę odgrywa dialog z tradycją (ulubiony poeta — Robert Burns, ponadto: Dante, Villon, Mickiewicz, z malarzy wielcy mistrzowie holenderscy i flamandzcy) — jego wyrazem jest również sięgnięcie po formę sonetu (**Sonety białe, brązowe, szare**)

1956 —	*Ballada rycerska*
1959 —	*Rozbieranie do snu*
1963 —	*Agresty*
1964 —	*Chłopcy* (dramat)
1969 —	*Nie było lata*
1972 —	*Polowanie na cietrzewie*
1975 —	*Bilard*

> *„Zimne agresty,*
> *Krzaki całowania,*
> *Ostrożnych pieszczot grudniowe rośliny"*

Andrzej Bursa (1932–1957). Przedwcześnie zmarły poeta krakowski, interesujący również jako prozaik (powieść **Zabicie ciotki** — prawdziwy horror!). W swych szokujących dla polskiej publiczności wierszach — zbuntowany, bluźnierczy, niekiedy tylko przekorny. Wprowadził do języka poetyckiego słowa, które spotykało się dotąd co najwyżej w prozie (wulgaryzmy). Do największych jego osiągnięć należy jednak utwór, w którym podjęty został dialog z tradycją — operujący barokową metaforyką poemat **Luiza**.

Poeci dialogu z tradycją — bardzo różną i rozmaicie pojmowaną.

„Sen nad Morzem Śródziemnym trwa..."

Jarosław Marek Rymkiewicz (ur. 1935)

- poeta, powieściopisarz, eseista, dramaturg, tłumacz, historyk literatury XIX i XX w. (jeden z najwszechstronniejszych polskich pisarzy!)
- przedstawiciel k l a s y c y z m u traktowanego nie jako bierne naśladowanie dziedzictwa przeszłości, lecz „programowanie" swojego uczestnictwa w kulturze — raczej „postawa" niż „styl"
- ulubione epoki: barok i... romantyzm — pisuje sonety (m.in. pięć wariantów sonetu **Na trupa**), epitafia, traktaty — zachowuje układ stroficzny wiersza, rymy, nie gardzi barokowym konceptem
- poeta metafizyczny — głosi tezę o jedności czasu (przeszłość obecna w teraźniejszości), bywa przekorny i paradoksalny, zwłaszcza wówczas, gdy podejmuje temat śmierci (umarli Rymkiewicza są niebywale żywotni!)
- poeta rozmyślający o historii — i w tej sferze obowiązują podobne prawa: narody i cywilizacje nie znikają bez śladu, pozostaje pamięć — wiersz **Dla plemienia Jadźwingów** („Ja jednak myślę o was więc pewnie jesteście")
- eseista, historyk literatury — połączył esej, gawędę, rozprawę historycznoliteracką i... opowiadanie detektywistyczne (tak!) w spójną całość, której styl rozpoznajemy już po kilku zdaniach — jak mało kto z polskich autorów ma w swoim dorobku książki o Mickiewiczu (**Żmut**) i Słowackim (**Juliusz Słowacki pyta o godzinę**), także o Fredrze (**Aleksander Fredro jest w złym humorze**) — erudycja, wdzięk, talent narracyjny, pasja polemiczna: może tak będą pisać historycy literatury XXI wieku?
- Rymkiewicza-poetę i Rymkiewicza-eseistę (gawędziarza) odkryjemy bez trudu w książkach, które można chyba nazwać powieściami: **Umschlagplatz** podejmuje temat martyrologii narodu żydowskiego, o rzeczywistości polskiej lat osiemdziesiątych mówią **Rozmowy polskie latem 1983 roku** ➡ WOBEC STANU WOJENNEGO

1963	— *Metafizyka*	W
1967	— *Czym jest klasycyzm*	E
1970	— *Anatomia*	W
1975	— *Ułani*	D
1983	— *Ulica Mandelsztama*	W
1984	— *Rozmowy polskie latem 1983 roku*	P
1987	— *Żmut*	E
1988	— *Umschlagplatz*	P

Tadeusz Nowak (1930–1991)

Poeta i prozaik (m.in. **A jak królem, a jak katem będziesz** oraz **Diabły**). Tradycję ludową traktuje inaczej niż wcześniejsi pisarze o chłopskim rodowodzie. Na wieś patrzy trochę tak jak Bruno Schulz na rodzinny Drohobycz. Praca wyobraźni interesuje go bardziej niż obserwacja czy analizy socjologiczne. Na czoło dorobku poetyckiego Nowaka wysuwają się **Psalmy** — nie są to, wbrew nazwie, wiersze religijne. Życie wypiera w nich wieczność, codzienność bierze górę nad świętością („Biblia i łapcie butwieją na strychu", „Obok człowieka leży ukrzyżowany Bóg — obok człowieka leży trzydzieści groszy reszty").

Urszula Kozioł (ur. 1931)

Poetka, powieściopisarka (m.in. **Ptaki dla myśli**) związana z Wrocławiem. Wierzy, że poezja jest wieczna. Próbuje określić miejsce człowieka w kosmosie, bierze za temat ludzką wielkość i okrucieństwo (jej najbardziej niesamowity wiersz nosi tytuł **Przepis na danie mięsne**). Doświadczenie 1968 r. zawarła w poemacie **W rytmie słońca**.

Jerzy Harasymowicz (ur. 1933)

Krakowski poeta, w swych wierszach sięgał do folkloru przedmieść i folkloru Łemkowszczyzny, pisywał liryki bliskie surrealizmowi, w późniejszych tomach zwracał się coraz częściej ku przeszłości (średniowiecze, barok, wiek XIX). Nieobliczalny, nierówny, sam uważa siebie za „może ostatniego w Polsce poetę romantycznego chowu".

Ernest Bryll (ur. 1935)

Poeta, dramaturg, prozaik. Zachwycał krytyków obrachunkami z romantycznym i staropolskim dziedzictwem, a szeroką publiczność piosenkami, pastorałkami, stylizowanymi przyśpiewkami góralskimi i psalmami czekających w kolejce. Przybierał rozmaite maski: błazna, plebejusza, mazowieckiego wieszcza, cynika (polemizując z Miłoszem pisał: „Ten, który skrzywdził człowieka prostego, Wynajdzie rymopisów, co wszystko wymażą"). W latach siedemdziesiątych mocno przeceniany, w osiemdziesiątych stanowczo nie doceniany — np. tom **Sadza** (1982) z pewnością zasługuje na pamięć.

➡ DLA TEATRU

Nowa fala

- zwana też „pokoleniem 68" lub „pokoleniem 70"
  — grupa poetów debiutujących na przełomie lat
  sześćdziesiątych i siedemdziesiątych
  (m.in. S. Barańczak, M. Bocian, J. Kornhauser,
  R. Krynicki, E. Lipska, A. Zagajewski)
- postulat „mówienia wprost", próba dotarcia do
  „tkanki codzienności"
- jednym z najważniejszych tematów: rozmowa
  (z samym sobą, z czytelnikiem,
  ze społeczeństwem) — według Zbigniewa
  Jarosińskiego „szczególne zainteresowanie
  idiomem konwersacyjnym i w ogóle językami
  codziennej komunikacji"
- poezja uczestnicząca w życiu społecznym,
  krytyczna wobec PRL-owskiej rzeczywistości,
  podejrzliwie traktująca język propagandy
  telewizyjnej i prasowej (wiersz jako
  „antygazeta")
- około lat 1975–1976 drogi poetów nowej fali
  zaczynają się wyraźnie rozchodzić

Manifesty

Nieufni i zadufani. Artykuł (1967) i książka
krytyczna (1971) Stanisława Barańczaka. Zdaniem
autora trwa w poezji współczesnej walka klasyków
z romantykami. Odrzucając klasycyzm, Barańczak
opowiada się za „romantyczną postawą nieufności".
Świat nieprzedstawiony (1974). Książka
krytyczna Juliana Kornhausera i Adama
Zagajewskiego, uznawana za najważniejszy manifest
ówczesnej młodej literatury. Polemizując z poetami
starszego pokolenia, zarzucając im próbę ucieczki
od rzeczywistości, autorzy nawołują do
„przedstawienia" w literaturze otaczającego nas
świata. Książka wzbudziła gorące dyskusje na
łamach prasy literackiej.

Rafał Wojaczek (1945–1971)

> „Jest u nas prawda: ty wiesz, co jej składasz
> wiersz odżywiony rozpaczliwą krwią
> z serdecznej rany."

Uważany czasem za prekursora nowej fali, z którą wiele
go łączy, ale i od której niemało go dzieli. Spóźniony
surrealista (jego sny były ciągiem koszmarów),
porównywany do Rimbauda, Hłaski i Bursy. Poeta
zbuntowany, szokujący, źle przystosowany do otaczającej
rzeczywistości. W jego wierszach śmierć oznacza rozpad
ciała (nazywanego „ścierwem"), miłość jest zadawaniem
gwałtu, krew i serce (ważne słowa-klucze w poezji
nowofalowej) należą do sfery fizjologii. Obsceniczne
motywy zamykał Wojaczek w formach kunsztownych,
przywodzących na myśl twórczość mistrzów poezji
polskiej, m.in. Mickiewicza i Norwida.

1967 — Lipska: *Wiersze*
1969 — Wojaczek: *Sezon*
1972 — Barańczak: *Dziennik poranny*
1972 — Wojaczek: *Nie skończona krucjata*
1975 — Krynicki: *Organizm zbiorowy*
1978 — Krynicki: *Nasze życie rośnie*
1980 — Barańczak: *Tryptyk z betonu, zmęczenia
        i śniegu*
1982 — Zagajewski: *List. Oda do wielości*
1983 — Bocian: *Odczucie i realność*
1985 — Zagajewski: *Jechać do Lwowa*
1990 — Lipska: *Strefa ograniczonego postoju*
1992 — Bocian: *Gnoma*

Ewa Lipska (ur. 1945)

> „Poezja dziś nas opuściła.
> Mówimy: trzeba zacząć żyć.
> Myślimy: nic się nie da zrobić."

Napisała najgłośniejszy poetycki manifest swojego
pokolenia (**My**). W jej twórczości dominuje jednak liryka
kameralna, pełna ironii nawet wówczas, gdy tematem
wiersza staje się śmierć. Lipska przede wszystkim
obserwuje. Dostrzega emocjonalny chłód, cynizm
w kontaktach międzyludzkich, zagrożenia współczesnej
cywilizacji, rozpad osobowości, niszczące działanie czasu
(**Dom spokojnej młodości**).

Marianna Bocian (ur. 1942)

> „jeśli już ludzie zamordują poezję
> Panie
> Ty będziesz jej początkiem"

Pochodzi z Lubelszczyzny, mieszka we Wrocławiu. Silniej od innych poetów swego pokolenia odczuwa związek łączący człowieka z przyrodą, na którą patrzy jednak odmiennie niż choćby neoklasycy. Natura jest w wierszach poetki pełna tajemniczej harmonii, ukrywa najważniejszą z zagadek — fenomen życia. Również w twórczości tej autorki obserwujemy dążenie do skrótu, formy możliwie najbardziej lapidarnej (**Gnoma**), łączenie liryki z medytacją filozoficzną, wiarę w świętą moc języka.

Ryszard Krynicki (ur. 1943)

> „Dobroć jest bezbronna
> ale nie bezsilna.
> Dobroci nie trzeba siły.
> Dobroć sama jest siłą."

Podobnie jak Barańczak bliski początkowo poezji lingwistycznej. W późniejszych utworach (również w nowych wersjach publikowanych już wierszy), idąc śladami Norwida, zmierza do maksymalnej kondensacji wypowiedzi, która staje się często aforyzmem, poetycką sentencją, pytaniem, a nawet samym tylko tytułem. Poeta niezwykłej wrażliwości moralnej, dystansujący się od „zatrutych kłamstwem idei", potępiający „gazetę nienawiści", przerażony „mieszkaniami z rdzy i betonu". Jest za przebaczeniem. Wierzy, że dobroć nie musi zwyciężać — dobroć po prostu istnieje.

Stanisław Barańczak (ur. 1946)

> „skoro już musisz krzyczeć, rób to cicho
> (ściany mają uszy)"

Ceniony eseista i krytyk literacki, jeden z najaktywniejszych pisarzy „drugiego obiegu", od 1981 poza krajem (USA). Jako badacz zajmował się nie tylko Białoszewskim, Herbertem i angielską poezją metafizyczną, ale także „powieścią milicyjną" (polskie kryminały) i „książkami najgorszymi" (pseudoliteratura propagandowa). W swych wierszach, wychodzących z tradycji poezji lingwistycznej, pokazywał realia życia w PRL (słynne cykle „wierszy mieszkalnych" i „wierszy nabywczych", czyli kolejkowych). W ostatnich latach dał się poznać jako pracowity tłumacz poezji angielskiej i amerykańskiej.

Adam Zagajewski (ur. 1945)

> „pakować się zawsze, codziennie
> i jechać bez tchu, jechać do Lwowa, przecież
> istnieje, spokojny i czysty jak
> brzoskwinie. Lwów jest wszędzie."

Tylko w swych pierwszych „nowofalowych" tomikach opisywał udręki codzienności: „nowe osiedla", ogłupiającą pracę, „sklepy mięsne" — „muzea nowej wrażliwości". Od 1982 r. mieszka poza krajem (Francja). W okresie dojrzałym Zagajewskiego inspiruje głównie kultura śródziemnomorska: malarstwo, muzyka, literatura, filozofia, historia. Uprawia lirykę obywatelską, mówi o sytuacji emigrantów i wygnańców niosących przez wszystkie granice pamięć o swej „małej" ojczyźnie (sławny wiersz **Jechać do Lwowa**).

Nowa fala to jak dotychczas ostatnie pokolenie, które zaznaczyło wyraźnie swoją tożsamość. Ostatnie — opisane i zauważone przez krytykę, dla której pisarze urodzeni w latach pięćdziesiątych i sześćdziesiątych ciągle stanowią wielką niewiadomą.

GRY PROZATORSKIE

„Rozbita materia i wirujące światy są żywiołem naszym i przychylnymi prądami."

Leopold Buczkowski (1905–1989)

- jeden z najwybitniejszych (i najtrudniejszych) polskich prozaików, grafik i rzeźbiarz
- pisarz o rodowodzie kresowym, po wojnie — legendarny samotnik z Konstancina pod Warszawą
- temat kresowy (**Wertepy**) — kresy jako mieszanina narodów, kultur, języków (wpływy niemieckie, węgierskie, austriackie, ukraińskie, żydowskie), jako kraina artystów i gawędziarzy, porównywana do „umierającej Tracji"
- temat wojenny (wojna jako oznaka kryzysu cywilizacyjnego, negacja kultury i powrót do barbarzyństwa) — występuje w niemal wszystkich powieściach

1947 —	*Wertepy*
1954 —	*Czarny potok*
1957 —	*Dorycki krużganek*
1960 —	*Młody poeta w zamku* (tom najdziwniejszych nowel)
1966 —	*Pierwsza świetność*
1970 —	*Uroda na czasie*
1974 —	*Kąpiele w Lucca*
1975 —	*Oficer na nieszporach*
1978 —	*Kamień w pieluszkach*

> **Czarny potok** uznaje się do dziś za odważną próbę znalezienia nowej formy wyrazu dla doświadczeń okupacyjnych, porównywalną z wysiłkami takich pisarzy, jak Borowski, Nałkowska, Różewicz. Wojenny koszmar (zagłada ludności żydowskiej na kresach) wyrażony został za pomocą niespójnego ciągu obrazów i relacji zatrzymanych w pamięci młodego chłopca Heindla. Jest on z punktu widzenia autora „zbieraczem dokumentów". Taką rolę wyznaczał też artyście sam Buczkowski, konsekwentny przeciwnik tradycyjnej powieści (określanej pogardliwie jako „romans").

- temat „katastroficzny" — zmierzch Europy, kryzys kultury śródziemnomorskiej (dla Buczkowskiego rozpoczyna się wraz z wybuchem I wojny światowej)

> **Kąpiele w Lucca** realizują model „powieści totalnej", jednoczącej wiele czasów, miejsc, postaci i tematów. Buczkowski nie pisze historii kampanii i bitew I wojny światowej. Interesuje go sam fenomen wojny, „filozofia bitwy"; pociąga nie bohater, lecz zbuntowany przeciw militarnemu obłędowi dezerter. Buduje własną wersję historii ludzkości, od Kaina i Abla poczynając. W tej prozie każde następne zdanie przynieść może niespodziankę. Pisarz mówi właściwie o wszystkim, oszałamia bogactwem wyobraźni, zdumiewa perfekcją języka. Nie zakreśla swej twórczości żadnych granic („nic nie ogranicza prawdziwego artysty").

- technika dokumentu — obecność cytatów, aluzji, zapożyczeń, stylizacji, parodii, nawet tytuły nie pochodzą zwykle od autora („piszę po cygańsku")
- „sylwiczność" (od „silva rerum", las rzeczy) — według określenia Ryszarda Nycza podstawowa cecha prozy Buczkowskiego
- głównym elementem konstrukcyjnym wypowiedzi jest zdanie, a nie obraz, opis czy dialog
- zamach na fabułę, „powieściowość", „romans" — w utworach pisarza brak akcji, czasu powieściowego, określonego wyraźnie tematu, narrator jest zazwyczaj postacią nieokreśloną

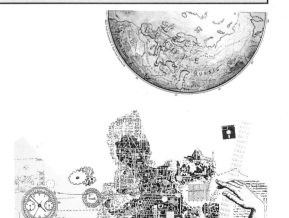

Można grać z konwencją, udając, że pisze się „normalną" powieść (romans, kryminał, sagę rodzinną). Można grać na różne sposoby z czytelnikiem utworu, grać modelując dowolnie własną biografię, czynić obszarem gry historię (Parnicki), fikcyjną przeszłość (Wojciechowski) albo przyszłość (Lem). Teraźniejszość wydaje się mniej ważna, troska o aktualność dzieła zbyteczna. Przyjmując udział w grze wkraczamy przecież do świata wyobraźni, który nie zawsze przypomina rzeczywistość.
● Lata sześćdziesiąte to dobry okres dla polskiej prozy. Tradycyjne formy przestają satysfakcjonować pisarzy i czytelników. Zaczynamy eksperymentować.

Góry nad Czarnym Morzem (1961), prozaika, krytyka literackiego i publicysty **Wilhelma Macha (1917–1965)**, budzą skojarzenia z dokonaniami twórców tzw. „nowej powieści" (M. Butor, A. Robbe-Grillet, C. Simon), z dziełami wielkich mistrzów prozy XX w. (J. Joyce, W. Faulkner), wreszcie — z *Pałubą* Irzykowskiego. Mach stworzył powieść „autotematyczną", czyli powieść o pisaniu powieści. Jej tworzywem jest autobiografia pisarza, ukazywana z rozmaitych perspektyw czasowych. Część I (*Morze*) to głównie dziennik Aleksandra prowadzony podczas pobytu w Bułgarii. Część II (*Góry*) powraca do lat młodości narratora spędzonych na Rzeszowszczyźnie. Część III (*Dolina*) jest próbą scalenia nie tylko wątków fabularnych, ale i osobowości narratora rozdzielonej na kilka głosów (Aleksander, Xander, autor listu do Iwaszkiewicza i Andrzejewskiego). *Góry* są wyrazem buntu przeciw ograniczeniom narzucanym przez tradycyjną powieść (np. konieczność rezygnacji z „wątków pobocznych" na rzecz „wątku wybranego"). Autor zastosował w niektórych partiach utworu dość rzadki w prozie polskiej typ narracji w drugiej osobie, wprowadził pewne innowacje w zapisie graficznym, ograniczył interpunkcję. No i rozpoczął swoją powieść od słowa „więc", czego zdaniem polonistów nie należy robić!

● Zamknięcie dekady wypadło nie mniej imponująco.

Czaszka w czaszce (1970), druga książka **Piotra Wojciechowskiego** (ur. 1938), prozaika, dziennikarza i reżysera filmowego, była niewątpliwym sukcesem. Akcja utworu rozgrywa się w wyimaginowanej przestrzeni Cesarstwa, obejmującego właściwie całą Europę. Sposób traktowania powieściowego czasu ilustruje najlepiej obraz przywołany w tytule: znalezienie wewnątrz czaszki prehistorycznego zwierzęcia czaszki młodej kobiety żyjącej setki tysięcy lat później. Jakkolwiek utwór gromadzi najpopularniejsze wątki tradycyjnej powieści (spisek, śledztwo, nieszczęśliwa miłość), każdy z nich jest zaledwie okazją do podjęcia literackiej gry. Podobny charakter mają inne książki autora (m.in. *Kamienne pszczoły*, *Wysokie pokoje* i świetny tom opowiadań *Ulewa, kometa, świński targ*).

Stanisław Lem (ur. 1921)

● jeden z najczęściej tłumaczonych polskich pisarzy, uważany za klasyka literatury „science-fiction"
● w rzeczywistości — autor zdumiewająco wszechstronny: powieści s-f (**Eden, Solaris**), utwory groteskowe (**Kongres futurologiczny**), powieści-eseje (**Golem XIV**), rozprawy naukowe (**Summa technologiae**), autobiografia (**Wysoki Zamek**)
● pisze recenzje z nie istniejących książek, zaskakuje pomysłami, zdumiewa erudycją, stosuje śmiałe eksperymenty stylistyczne (np. roboty z **Cyberiady** przemawiają językiem bohaterów Trylogii!)

1957 —	*Dzienniki gwiazdowe*
1959 —	*Eden*
1961 —	*Solaris*
1964 —	*Bajki robotów*
1964 —	*Summa technologiae*
1965 —	*Cyberiada*
1966 —	*Wysoki Zamek*
1981 —	*Golem XIV*
1986 —	*Biblioteka XXI wieku*

● ocenia krytycznie utopie „cywilizacyjne" (obiecujące szczęście ludzkości) i „metafizyczne" (perspektywa nieśmiertelności człowieka) — dążenie do budowy idealnego systemu kojarzy mu się z państwem policyjnym, oszukańczą propagandą, powszechnym terrorem
● odrzuca pozytywistyczną wiarę w doskonalenie człowieka dzięki postępom nauki i techniki — istnieje jedynie cywilizacyjna ekspansja, ruch w nieznane, przebiegający zwykle poza kategoriami dobra i zła

SEN O KRESACH

Kresy:

- w sensie dosłownym — wschodnie ziemie II Rzeczypospolitej, utracone przez Polskę w następstwie traktatu jałtańskiego
- kraj lat dziecinnych i młodości wielu pisarzy (m.in. Miłosza, Stempowskiego, Konwickiego, Buczkowskiego)
- symboliczna „mała ojczyzna" opisywana po latach
- przypomnienie „testamentu Rzeczypospolitej Obojga Narodów" (była nim idea pokojowego współistnienia różnych narodów, kultur, wyznań)
- opozycja wobec „centrum", czyli kultury powstającej w najsilniejszych ośrodkach (Warszawa, Kraków)
- opozycja wobec „Europy", zachodniej cywilizacji technicznej, nowoczesności, postępu
- przestroga — podczas wojny kresy dotknęła fala represji (masowe mordy, deportacje ludności cywilnej); zmiany na mapie politycznej dopełniły dzieła zagłady

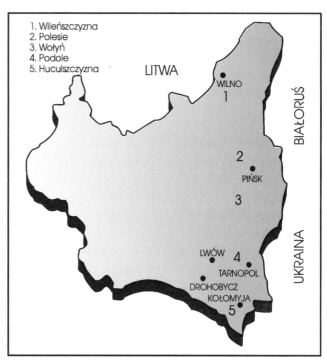

1. Wileńszczyzna
2. Polesie
3. Wołyń
4. Podole
5. Huculszczyzna

Polska w granicach sprzed 1939 r.

Geografia

Z Wilnem i Wileńszczyzną związana jest m.in. twórczość Józefa Mackiewicza, Czesława Miłosza, Tadeusza Konwickiego. Ze Lwowem — proza Józefa Wittlina, Juliana Stryjkowskiego, Stanisława Lema. Z Drohobyczem (rodzinne miasto Brunona Schulza) — *Atlantyda* i *Ziemia księżycowa* emigracyjnego pisarza Andrzeja Chciuka (1920–1978). Motywy ukraińskie odnajdujemy często w twórczości Jarosława Iwaszkiewicza i Józefa Łobodowskiego. Podole i Wołyń pojawiają się w prozie Leopolda Buczkowskiego, Zygmunta Haupta i Andrzeja Kuśniewicza. Na Polesiu rozgrywa się akcja *Leśnika* Marii Kuncewiczowej. Huculszczyzna zainspirowała przede wszystkim Stanisława Vincenza.

> Doskonałym wprowadzeniem do genezy problematyki „kresowej" jest powieść Marii Kuncewiczowej **Leśnik** (1952), której akcja rozgrywa się w drugiej połowie XIX w. Po upadku powstania styczniowego trudniej niż kiedykolwiek o wykonanie „testamentu Rzeczypospolitej Obojga Narodów". Niektórym Polakom jedynym ratunkiem wydaje się nacjonalizm, którego skutki odczuwa i Rosjanin, i Żyd, i przybysz z kresów, poszukujący narodowej tożsamości. Na przykładzie losów Kazimierza Krzysztofowicza autorka pokazała, jak wyrasta przepaść między kulturą kresową a kulturą „centrum" (Warszawa).

Stanisław Vincenz (1888–1971). Wszechstronnie wykształcony, erudyta znający kilkanaście języków, miłośnik klasyków (Homer, Dante). Po wojnie — emigrant (Francja, Szwajcaria). Jego twórczość pełna jest nieufności wobec słowa drukowanego, zachowuje rytm żywej mowy, zbliża się do gawędy. W tym gatunku dziełem najwyższej rangi jest cykl **Na wysokiej połoninie**. Zdaniem Vincenza obowiązkiem człowieka jest zachowanie pamięci o swoim regionie, „bliższej" ojczyźnie — w przypadku autora rolę tę pełni Huculszczyzna. Sceptyczną ocenę szaleństw dwudziestowiecznej historii przynoszą **Dialogi z Sowietami.**

Zygmunt Haupt (1907–1975). Podczas wojny oficer generała Maczka, po wojnie emigrant (USA). Prozaik. Debiutował późno (**Pierścień z papieru** 1963 r.). Jego amorficzne opowieści łączą cechy gawędy, noweli, fragmentarycznego pamiętnika artysty, mieszają najróżniejsze obrazy, style, języki. Polszczyzna Haupta pełna jest słów o kresowym rodowodzie (wpływy ukraińskie, białoruskie, węgierskie, żydowskie, niemieckie), poetyckich neologizmów, charakterystycznych zdrobnień. W swej wrażliwości i szacunku dla kulturowej polifonii pisarz bliski jest Stempowskiemu. Skłócony z wiekiem XX, powraca do krainy dzieciństwa. Nawet przemierzając malowniczą dolinę Rodanu potrafi myśleć tylko o kresach. Wykrzykuje co chwila: „Pod Awinionem nie inaczej niż pod Trembowlą."

„Nikomu dziś nie zależy specjalnie na oświetleniu obiektywnej prawdy."

Józef Mackiewicz (1902–1985)

1938 — *Bunt rojstów*
1955 — *Droga donikąd*
1957 — *Kontra*
1962 — *Sprawa pułkownika Miasojedowa*
1965 — *Lewa wolna*
1969 — *Nie trzeba głośno mówić*

- uczestnik wojny 1920 r., w międzywojniu publicysta konserwatywnego dziennika wileńskiego „Słowo" (redaktorem naczelnym był jego brat Stanisław, polityk, premier rządu emigracyjnego, eseista)
- po wojnie — na emigracji (Londyn, Monachium)
- pisarz podkreślający konsekwentnie swój „litewski" rodowód
- zdeklarowany antykomunista, w kraju należał do najsurowiej tępionych autorów, na emigracji też miał wielu przeciwników
  — wykluczał możliwość jakiegokolwiek dialogu z komunistami, uważając go za wyraz politycznej naiwności
- pisarz tematu „kresowego" (tom reportaży **Bunt rojstów**, powieści **Droga donikąd** i **Nie trzeba głośno mówić**)

> Akcja powieści **Droga donikąd** rozgrywa się w latach 1940–1941, głównie w okolicach Puszczy Rudnickiej (opisywanej wcześniej przez autora w *Buncie rojstów*). Są to „ziemie litewskie, białoruskie i polskie jednocześnie, zjednoczone w przeszłości i pokłócone współcześnie". Ziemie, na których spotykają się różne kultury i wyznania (katolicyzm, prawosławie, judaizm, kalwinizm, protestantyzm, religia krymskich Karaimów i licznych sekt chrześcijańskich). Rozpoczyna się właśnie sowietyzacja kraju. Szaleje komunistyczna propaganda i stalinowski terror. NKWD robi generalne porządki, dokonując aresztowań i deportacji ludności polskiej. W ocenie systemu totalitarnego Mackiewicz, inaczej niż większość autorów, próbuje odróżnić „naród rosyjski" od „narodu sowieckiego", tylko ten ostatni obciążając odpowiedzialnością za zbrodnie. Pokazuje rozmaitość postaw wobec okupanta: od prób oporu poprzez bierność i uległość aż do jawnej kolaboracji. Obszar względnej swobody kurczy się z każdym dniem. W finale bohaterowie powieści, Paweł i Marta, ruszają w nieznane, uciekają „donikąd", w poczuciu beznadziejności. Jak zwykle w dziełach Mackiewicza na uwagę zasługuje obraz przyrody — wiekowej, surowej i obcej człowiekowi, pokazywanej bez właściwej innym pisarzom „kresowym" nostalgii.

- pisarz tematu „rosyjskiego" (**Kontra**, **Sprawa pułkownika Miasojedowa**)

> **Kontra** ukazuje niezmiernie powikłane losy kozackiej rodziny, która — podobnie jak znaczna część Ukraińców — dojrzała w hitlerowskiej agresji szansę na odbudowę niepodległego państwa. Powieść z iście sienkiewiczowskim rozmachem ogarnia bez mała sto lat trudnej historii naszego sąsiada (ostatnie lata carskiej Rosji, dwie wojny światowe, rewolucja, w epilogu lata powojenne). Zdaniem autora formacje prohitlerowskie, złożone z przedstawicieli różnych narodowości Związku Sowieckiego, liczyły bez mała 2 miliony ludzi. Tej siły faszystowski sojusznik, zaślepiony ideologią, nie potrafił wykorzystać. Po kapitulacji III Rzeszy dwuznacznie i w ocenie Mackiewicza tchórzliwie zachowały się mocarstwa zachodnie, przekazując jeńców i uchodźców w ręce NKWD. Tułaczka wojenna skończyła się dla większości z nich masakrą.

- w ostatnich latach do pełnej rehabilitacji osoby i twórczości Józefa Mackiewicza przyczynił się Włodzimierz Bolecki, wydający swe prace pod pseudonimem Jerzy Malewski

Temat kresowy podejmują w ostatnich 20 latach również pisarze młodszego pokolenia, nie zawsze urodzeni we Lwowie, Wilnie czy na Podolu.
Włodzimierz Odojewski (ur. 1930), prozaik, dramaturg, eseista, dziennikarz, od 1971 r. na emigracji (pracownik Radia Wolna Europa).

> **Zasypie wszystko, zawieje...** (1973) to najważniejsza powieść w dorobku autora, napisana jeszcze w kraju, wydana już na Zachodzie. Akcja toczy się w latach 1943–1944 na Ukrainie. Główny wątek to losy Polaka, Pawła Woynowicza, perypetie związane z jego uczuciem do bratowej Katarzyny, wdowy po zamordowanym w Katyniu Aleksym, wreszcie rozpaczliwe i bezowocne próby ocalenia rodziny przed grożącym ze wszystkich stron niebezpieczeństwem. Bohater Odojewskiego nie jest żołnierzem, lecz w końcu i on zostaje zmuszony do udziału w bratobójczej walce. Strzelają do siebie wszyscy: banderowcy i własowcy, partyzanci z Wołyńskiej Dywizji AK i Niemcy. Wkrótce pojawią się oddziały Armii Czerwonej. Wizja dostatniej, gospodarnej Ukrainy, z jej barwnym folklorem, cerkiewkami obok katolickich kościołów, wielojęzyczną społecznością, odchodzi w przeszłość.

PISARZE UMARŁYCH ŚWIATÓW

Według ustaleń historyków podczas II wojny światowej w gettach, obozach koncentracyjnych i więzieniach wymordowano ponad 80% ludności polskiej pochodzenia żydowskiego. Barwny świat mniejszości żydowskiej stał się po 1945 r. światem umarłym, opisywanym przez wielu autorów. Nie wszyscy z nich, jak choćby Isaac Bashevis Singer, urodzony w Radzyminie, laureat Nagrody Nobla, tworzyli w języku polskim.

„Uratowałem przed zapomnieniem to, co już nie istnieje..."

Julian Stryjkowski (ur. 1905)

1956	— *Głosy w ciemności*
1966	— *Austeria*
1978	— *Przybysz z Narbony*
1979	— *Wielki strach*
1990	— *To samo, ale inaczej*
1991	— *Ocalony na Wschodzie* (wywiad-rzeka)

- prozaik pochodzenia żydowskiego, przed wojną we Lwowie, Płocku i Warszawie; wojnę spędził w ZSRR, po wojnie przebywał przez pewien czas w Rzymie, później w Warszawie, wieloletni redaktor miesięcznika „Twórczość"
- wielki pisarz tematu żydowskiego — uważa za swój obowiązek ocalenie pamięci o życiu, kulturze i obyczajach zgładzonego podczas wojny narodu — najważniejszy problem w jego powieściach to walka dobra ze złem; ich bohater (zdaniem samego Stryjkowskiego podobny do bohatera romantycznego) to jednostka nie pogodzona ze światem, walcząca o ocalenie kodeksu etycznego
- obrachunek ze stalinizmem przeprowadził w powieści **Wielki strach** i dopełniającej ją autobiografii **To samo, ale inaczej** — opowiedział tam o swojej pracy w komunistycznym czasopiśmie „Czerwony Sztandar" (wydawanym we Lwowie zajętym przez Sowietów w latach 1939–1941), późniejszej tułaczce i skomplikowanych stosunkach między Ukraińcami, Polakami, Rosjanami i Żydami

---

Krótka powieść **Austeria** zaliczona została przez krytykę do najwybitniejszych utworów Stryjkowskiego. Akcja rozgrywa się w czasie I wojny światowej, w miasteczku galicyjskim zamieszkanym przez ludność żydowską. W spokojne dotąd życie prowincjonalnej społeczności wdziera się wojna, niszcząc istniejący porządek moralny, niosąc zagładę (absurdalna śmierć młodziutkiej Asi i zakochanego w niej Buma). W obronie ładu i sprawiedliwości występują solidarnie katolicki ksiądz i żydowski właściciel „austerii" (oberży) stary Tag.

Powieść przynosi rozległą panoramę żydowskiego obyczaju, do tekstu wplecione zostały modlitwy, śpiewy, sentencje żydowskie. Z tradycji judaizmu wynika również głoszona przez Taga filozofia godzenia się z losem („na tym trzyma się cały świat, że nie można niczemu zapobiec"). Na uwagę zasługuje wirtuozeria narracyjna pisarza. Niektóre partie utworu otrzymały formę religijnej medytacji.

Henryk Grynberg (ur. 1936)

- prozaik i poeta pochodzenia żydowskiego, od 1967 r. na emigracji (współpracownik „Głosu Ameryki")
- pisarstwo Grynberga ma charakter autobiograficzny — pokazuje martyrologię narodu żydowskiego podczas wojny, doświadczenia stalinowskiego totalitaryzmu (**Życie ideologiczne**), problem antysemityzmu w Polsce (**Życie osobiste**)

Opowiadanie **Żydowska wojna** (1965) zestawiano z napisaną po angielsku powieścią Jerzego Kosińskiego *Malowany ptak*. Wspólny jest temat obu utworów: wojenna tułaczka oglądana oczami żydowskiego dziecka. Wspólna też obu pisarzom bezkompromisowość w kreśleniu obrazu stosunków polsko-żydowskich. Lapidarna proza Grynberga nie korzysta jednak z ekspresjonistycznych przejaskrawień. Brutalność wojny ukazuje w sposób niezwykle powściągliwy. Autor zachowuje mimo wszystko wiarę w świat wartości moralnych, reprezentowany w *Żydowskiej wojnie* przede wszystkim przez rodziców głównego bohatera i zarazem narratora utworu.

W polskiej prozie lat sześćdziesiątych i siedemdziesiątych modny był nurt „galicyjski", reprezentowany m.in. przez Andrzeja Kuśniewicza i Andrzeja Stojowskiego. Łączył się on z zainteresowaniem dla secesji, osobliwej kultury stworzonej przez c.k. monarchię, stawał się też jedną z prób penetracji tematu „kresowego". Przyniósł książki warsztatowo sprawne, pełne wyszukanej stylizacji, nawiązujące często do gatunku staropolskiej gawędy.

„Nie miałem nigdy poczucia misji. Moje pisarstwo to działalność emeryta."

Andrzej Kuśniewicz (1904–1993)

1964 —	*W drodze do Koryntu*
1970 —	*Król Obojga Sycylii*
1971 —	*Strefy*
1977 —	*Lekcja martwego języka*
1980 —	*Witraż*
1985 —	*Mieszaniny obyczajowe*

- jeden z najstarszych debiutantów w historii literatury polskiej (pierwszą powieść wydał w wieku 57 lat!)
- w swej barokowej, wysmakowanej prozie jest przede wszystkim kolekcjonerem portretów, pejzaży, martwych natur, wnętrz (krytycy oskarżają go niekiedy o stylizatorstwo, sztuczność, dekoracyjność)
- pisarz czasu przeszłego — interesuje go raczej historia stylów i historia „wewnętrzna", widziana z perspektywy jednostki, a co najwyżej rodziny — jego książki tworzą osobliwe muzeum pamięci i wyobraźni
- teraźniejszość na ogół omija — wyjątkiem obraz PRL w **Strefach**; do lat II wojny światowej sięgają okaleczone przez cenzurę **Mieszaniny obyczajowe**
- jego powieści skupiają się wokół kilku tematycznych kręgów, spośród których najważniejsze wydają się dwa: „kresowy" (m.in. **W drodze do Koryntu** i **Strefy**) i „wiedeński", pokazujący epokę zmierzchu monarchii austro-węgierskiej (**Król Obojga Sycylii**, **Lekcja martwego języka**)
- kojarzy gawędę z monologiem wewnętrznym, zamiast fabuły tworzy ciąg anegdot, dykteryjek, facecji; stosuje zapożyczenia dialektalne, archaizacje, cytaty obcojęzyczne (ukraińskie, rosyjskie, francuskie, niemieckie, włoskie), żartobliwie odnawiając formułę literatury „makaronicznej"

Andrzej Stojowski (ur. 1933). Autor obszernego cyklu powieściowego (**Romans polski, Kareta, Podróż do Nieczajny, Chłopiec na kucu**) ukazującego losy galicyjskiej rodziny ziemiańskiej, począwszy od schyłku XVIII w. aż do połowy XX w. Chociaż w książkach tych obecna jest historia „wielka" (upadek Rzeczypospolitej, wojny napoleońskie, powstania), na plan pierwszy wysuwa się rekonstrukcja genealogii rodzinnej, romanse i miłostki bohaterów, ich jednostkowe losy, opowiedziane techniką łączącą elementy gawędy i monologu wewnętrznego. Stojowski jest także autorem powieści historycznej **Carskie wrota**, której akcja rozgrywa się na początku XVII w. w Rosji i dotyczy głośnej „Dymitriady".

Umarłe światy, żydowskie cmentarze...

POWIEŚĆ O HISTORII

Tradycyjna powieść historyczna, pokazująca dawne obyczaje, wielkie bitwy, bohaterów,
o których czytaliśmy w szkolnych podręcznikach, schodzi powoli z literackiej sceny.
U schyłku XX w. staje się raczej domeną pisarzy drugorzędnych. Zwycięsko konkuruje
z nią esej historyczny. Nowatorzy tacy jak Parnicki nie mają tymczasem godnych
następców.

„Możliwe okazuje się być wszystko...”

Teodor Parnicki (1908–1988)

- pisarz o bardzo niezwykłej biografii: urodził się
  w Berlinie, dzieciństwo spędził w Rosji, do
  gimnazjum zaczął chodzić w Mandżurii, gdzie
  nauczył się języka polskiego (!); przed wojną
  we Lwowie, podczas wojny więzień NKWD,
  1941–1967 na emigracji (Meksyk), po powrocie
  do kraju mieszkał w Warszawie

> 1937 — *Aecjusz ostatni Rzymianin*
> 1944 — *Srebrne orły*
> 1955 — *Koniec „Zgody Narodów”*
> 1962 — *Nowa baśń* (do 1970–6 tomów)
> 1962 — *Tylko Beatrycze*
> 1968 — *„Zabij Kleopatrę”*

- odrzucił tradycyjny model powieści historycznej, reprezentowany m.in. przez utwory Kraszewskiego
  i Sienkiewicza
- już w latach trzydziestych uznał za szansę polskiej powieści historycznej „wyjście z ciasnego kręgu spraw
  domowych” — jego utwory, nawet jeśli dotyczą również dziejów Polski (**Srebrne orły**, **Nowa baśń**),
  przyjmują perspektywę uniwersalną, co najmniej europejską
- ulubione epoki: schyłek starożytności
  i wczesne średniowiecze, narodziny i pierwsze
  wieki chrześcijaństwa — ulubiony temat:
  zamieranie, narodziny i krzyżowanie się
  różnych cywilizacji (**Aecjusz ostatni
  Rzymianin**)
- w powieściach Parnickiego znajdziemy stały
  dialog między współczesnością
  a historią, rozwiązania narracyjne typowe
  dla prozy XX w. (oryginalna, „wielopiętrowa”
  konstrukcja, brak jednolitej
  i spójnej fabuły, monolog wewnętrzny,
  autokomentarz)
- powieść traktowana jako gra z historią
  (np. w **Nowej baśni** — próba nakreślenia
  obrazu historii „alternatywnej”), ambicją
  pisarza nie jest ustalenie czy przybliżenie
  „prawdy historycznej”

Akcja powieści **Tylko Beatrycze** (tytuł i motto utworu zaczerpnięte z wiersza Lechonia) rozgrywa się
w średniowiecznej Polsce (wieś Mochy), a częściowo w Awinionie, ówczesnej stolicy papieskiej. Jak
w wielu innych utworach Parnickiego, przebieg fabuły prowadzi do spiętrzenia zagadek, a nie ich
wyjaśnienia. Zagadek i tajemnic jest tu naprawdę bez liku. Po pierwsze, kwestia pochodzenia głównego
bohatera, diakona Stanisława (jak zwykle u pisarza — „mieszańca”) — być może mongolskiego albo
żydowskiego podrzutka, być może syna młynarzówny i zakonnika. Po drugie — śledztwo w sprawie
spalenia klasztoru w Mochach. Trzeci trop to dzieje herezji, zgodnie z którą jedna z osób Trójcy Świętej
jest rodzaju żeńskiego (kult Duszycy Świętej, w którego propagowaniu jakąś rolę miałaby odgrywać
królowa Polski i Czech, Ryksa-Reiczka). Czwarty wątek — zgoła fantastyczna misja, w której następstwie
główny bohater mógłby dowieść, że wizja Dantego zawarta w *Boskiej Komedii* nie odpowiada prawdzie.
Tylko Beatrycze nie przypomina pod żadnym względem „normalnej” powieści historycznej. Składa się
z dialogów, zapisów rozmów i zeznań świadków, listów, wreszcie wyimaginowanego monologu
wewnętrznego (w formie sporu Trwogi i Ulgi).

Zofia Kossak-Szczucka (1890–1968). Pisarka płodna i niegdyś bardzo popularna, przyjmowana dobrze przez entuzjastów Kraszewskiego i Sienkiewicza. Spora część jej dorobku wiąże się z historią Polski XV–XVII w. Największym powodzeniem cieszyli się jednak **Krzyżowcy** (1935), wielotomowy fresk historyczny, przynoszący interpretację dziejów zgodną ze światopoglądem katolickim.

Jan Parandowski (1895–1978). Znawca i miłośnik kultury antycznej (powieść **Dysk olimpijski**, autorska wersja **Mitologii**, przekład prozą *Odysei*). Autobiograficzny charakter ma jego powieść (z gatunku „Bildungsroman" — powieść o „budowaniu osobowości") **Niebo w płomieniach**.

Sporą popularnością cieszy się nadal tom esejów o sztuce pisarskiej **Alchemia słowa**.

Hanna Malewska (1911–1983). Porównywana czasem z Parnickim. W przeciwieństwie do Kossak-Szczuckiej — pisarka nowoczesna, niekiedy trudna. Interesowała ją bardziej historia kultury i filozofia historii niż rekonstrukcja obrazu opisywanej epoki. Bohaterami jej utworów są częściej artyści i myśliciele niż politycy i wodzowie. Powieści Malewskiej mówią m.in. o antyku (**Wiosna grecka**), wczesnym średniowieczu (**Przemija postać świata**), renesansie (**Żelazna korona**). Losom Norwida poświęcone jest **Żniwo na sierpie**, formowaniu się inteligencji polskiej **Apokryf rodzinny**.

Powieść „w kostiumie historycznym"

Przeszłość bywa dla niej tylko pretekstem dla ukazania problemów człowieka współczesnego. W PRL taka proza umożliwiała często zmylenie czujności cenzury. Oczywiście, kostium historyczny może być starannie obmyślony i skrojony według wszelkich reguł sztuki.

Bramy raju (1960) Jerzego Andrzejewskiego są tylko z pozoru powieścią historyczną o krucjacie dziecięcej do Ziemi Świętej. To raczej moralitet, przypowieść o wierności idei wbrew rozumowi i rozsądkowi, okrutna, demaskatorska. Łatwo w niej dopatrzyć się aluzji do przeszłości znacznie mniej odległej — zbiorowego obłędu epoki stalinizmu.

Jest to bez wątpienia najlepsza powieść w dorobku pisarza, demonstrującego tutaj prawdziwą wirtuozerię narracyjną w monologach bohaterów. *Bramy raju* składają się z dwóch zaledwie zdań, przy czym drugie i ostatnie brzmi: *I szli całą noc*, pierwsze zaś zajmuje około stu stron gęstego druku i porównane może być chyba tylko ze słynnym zdaniem-monologiem kończącym *Ulissesa* Jamesa Joyce'a.

Jacek Bocheński (ur. 1926). Jego powieść **Boski Juliusz** (1961) mało przypomina wizję starożytności, jaką znamy choćby z utworów pisarzy XIX w.: Krasińskiego, Norwida, Sienkiewicza. Są to „zapiski antykwariusza", z których wyłania się portret (a właściwie kilka sprzecznych wizerunków) władzy pozbawionej skrupułów, dyktatorskiej, rozkochanej w samej sobie, bliskiej samoubóstwienia.

Osobne miejsce w naszej prozie zajmuje twórczość **Władysława Terleckiego** (ur. 1933) — ambitna, trudna, nowoczesna. Z historii Polski XIX w. autor przejmuje najczęściej jedynie scenerię, w której rozpatrywane są kolejne warianty tematów takich, jak wierność i zdrada, konspiracja i śledztwo, spisek i prowokacja (**Dwie głowy ptaka**, **Powrót z Carskiego Sioła**). Głośnej „sprawy Brzozowskiego" dotyczy powieść **Zwierzęta zostały opłacone**, ostatnie chwile Witkacego pokazuje jedna z najlepszych powieści Terleckiego, **Gwiazda Piołun**.

Czy w świecie bez cenzury powieść historycznych aluzji znajdzie jeszcze swoje miejsce?

„Muzyka może być albo nie być, ale rzeźnia być musi.''

SŁAWOMIR MROŻEK

ur. 1930

- prozaik, dramaturg, satyryk, okazjonalnie — rysownik i reżyser teatralny; pisze wszystko: powieści, nowele, miniatury, humoreski, sztuki teatralne, skecze, słuchowiska, a ostatnio nawet donosy
- od 1963 na emigracji (Włochy, Francja, USA, RFN, Meksyk), zdecydowanie źle widziany przez władze PRL (protestował przeciwko agresji na Czechosłowację i wprowadzeniu stanu wojennego)

Prozaik

- groteskowa proza Mrożka czyni obiektem szyderstwa lub kpiny:
  - — stalinizm wraz z jego patetyczną sztuką
  - — romantyzm (jest w założeniu antybohaterska!)
  - — polskie mity (powstania, konspiracja)
- parodiuje głośnych pisarzy:
  - — Wilde'a (**Mały przyjaciel**)
  - — Kafkę (**Spotkanie, Nadzieja**)
  - — Sartre'a (**Muchy do ludzi**)
  - — Gombrowicza (**Moniza Clavier, Nocleg**)

  oraz różne odmiany literatury (science-fiction, horror, powieść podróżnicza)
- odkrywa istnienie absurdu we wszystkich regionach rzeczywistości, pokazuje zagrożenie, degradację, a często katastrofę bohatera zmierzającego ku sytuacji bez wyjścia, pozbawionego pomocy (spotkanie „drugiego'' człowieka u Mrożka nie wróży nic dobrego!)
- odznacza się niezwykłą lapidarnością (wczesne utwory Mrożka liczą nieraz 2–3 strony), brakiem opisów, portretów psychologicznych postaci, dyskretną archaizacją języka (**Upadek orlego gniazda**), upodobaniem do gier językowych, potocznych zwrotów, sentencji i maksym objaśnianych na opak

„Od buta ręka różni się tylko tym, że jest ręką. Tak samo od myszy. Ale poza tym nie ma różnicy.''

1957 — *Słoń*
1959 — *Wesele w Atomicach*
1962 — *Deszcz*
1970 — *Dwa listy*
1984 — *Donosy*

Zbiór **Dwa listy** zawiera między innymi głośne opowiadanie *Moniza Clavier* — gombrowiczowskie w duchu i stylistyce, przekorne, wieloznaczne. Polski błędny rycerz z tekturową walizką pełną kabanosów rusza tu na podbój Europy, próbując za wszelką cenę urządzić się po „tamtej stronie''. Gdy zamierzenie prawie się udaje, pojawia się na horyzoncie sobowtór bohatera i jego najzacieklejszy wróg zarazem, czyli „nasz rodak''. Spotkanie okazuje się katastrofalne w skutkach. Pozostałe utwory (*We młynie, we młynie, mój dobry panie, Ci, co mnie niosą, Ten, który spada*) świadczą o wyraźnym rozluźnieniu związków między groteską i satyrą. Brak w nich humoru, trafia się co najwyżej makabryczny żart. Filozoficzne alegorie Mrożka nie kończą się żadnym morałem, nie dają powodów do optymizmu. Przeznaczeniem człowieka XX w. jest strach i wieczna niewiedza. Autor eliminuje kategorie takie, jak Bóg, zaświaty, zbawienie, sąd, kara.

- *Jeśli przeczytacie utwór, którego autor protestuje równocześnie przeciwko klice Hitlera, rządom Nerona i uciskowi chłopów w starożytnym Egipcie —*
- *Jeśli narrator za swoją postawę domagać się będzie przyznania Nagrody Pokoju im. Nobla —*
- *Jeśli na końcu zaznaczy, że nagroda ma być wypłacona w dolarach albo markach —*

to utwór taki jest z pewnością groteską, a jego autor nazywa się Sławomir Mrożek.

Dramaturg

- gatunek: sztuka jednoaktowa (**Emigranci**) bądź wieloaktowa (**Tango**), z elementami komedii obyczajowej lub farsy, bliska teatrowi absurdu, posługująca się parodią, satyrą, groteską — mistrzami są dla pisarza Gombrowicz i Witkacy, obiektami pastiszu m.in. Czechow, Brecht, Beckett

> 1964 — *Tango*
> 1972 — *Vatzlav*
> 1973 — *Rzeźnia*
> 1974 — *Emigranci*
> 1980 — *Pieszo*
> Podano rok publikacji utworu.

- realia: abstrakcyjny czas i miejsce akcji w najwcześniejszych utworach (**Indyk**, **Policja**), czas „teatralny" — rekwizyty z różnych epok w **Vatzlavie**, w miarę konkretny w **Emigrantach**, ściśle określony w **Pieszo**
- komentarz autorski: uwagi o inscenizacji pojawiają się już w pierwszych sztukach, w **Vatzlavie** coś więcej niż wskazówki dla reżysera: autorska interpretacja utworu (podobnie postępował Gombrowicz)
- absurd: dotyczy władzy, systemu, sytuacji, w jakiej znajdują się ludzie — wcześniej czy później scena zamienia się w więzienie, wolność jest nieosiągalna („obowiązkowa" wolność w **Rzeźni**)

> Podobnie jak większość sztuk Mrożka **Tango** rozgrywa się w zamkniętej przestrzeni, którą tworzy tym razem dom awangardowego artysty Stomila. Dokładnego czasu akcji nie da się ustalić — istotne, że toczy się ona w XX w., w czasach, gdy „tragedia jest już niemożliwa". Twórcom i publiczności pozostała farsa.
> Oglądamy świat, który pozbył się zasad i przesądów, w którym „wszystko jest dozwolone". Przypomina on ziemię spustoszoną, panuje tu „bezwład, entropia i anarchia". Świat ten wolny jest tylko z pozoru, a naprawdę przytłoczony przeszłością, której rekwizyty walają się bezładnie na scenie.
> Antagonistą Stomila jest jego syn Artur, pragnący powrotu do tradycji, zasad, porządku, „systemu wartości". Swój plan usiłuje zrealizować za pomocą prowokacji, pułapek, rodzinnych intryg. Kulminacyjnym punktem planu ma być ślub z kuzynką Alą (ślub z welonem, organami, orszakiem weselnym). Na przeszkodzie staje służący Edek, który uwodzi narzeczoną, zabija Artura i sięga po władzę nad domem. Sztuka kończy się zwycięstwem tępej siły, ale i triumfem farsy. Tragedia jest tu wykluczona, w finałowej scenie, po zabójstwie Artura, jego wuj Eugeniusz tańczy tango z Edkiem. Inteligecka rodzina, niezdolna do walki (Wyspiański powiedziałby — do „czynu") potrafi zdobyć się co najwyżej na grę min i grymasów.
> *Tango* odczytać można na wiele sposobów, np. widząc w utworze ostrzeżenie przed wynaturzeniami współczesnej kultury, obraz upadku XX-wiecznej cywilizacji lub analizę rodzenia się władzy totalitarnej.

Na przełomie lat sześćdziesiątych i siedemdziesiątych władze PRL zabroniły wystawiania sztuk Mrożka. Zakaz cofnięto. Jak wyglądałby tak zwany współczesny repertuar, gdyby nie Mrożek?

> Do najlepszych sztuk pisarza zaliczyła krytyka jednoaktówkę **Emigranci**. W pokoju przypominającym piwnicę (a może celę więzienną?) spotykają się AA („biała rączka, inteligent") i XX (chłop, obecnie robotnik, „krew i kość naszego narodu"). Współlokatorzy niezbyt luksusowego mieszkania tworzą parę złączoną związkiem nienawiści, zadręczającą się wzajemnie podejrzeniami i wyrzutami. To właściwie dwa symbole emigracji polskiej. AA, który marzy o napisaniu wielkiego dzieła, jest dosyć karykaturalnym spadkobiercą romantycznych idei pielgrzymstwa polskiego. XX — równie żałosnym reprezentantem emigracji zarobkowej, zaprzeczeniem heroicznych postaci z *Pana Balcera w Brazylii* czy *Za chlebem*. W finale XX niszczy zaoszczędzone pieniądze, AA zaś drze notatki do swojej pracy. Ich marzenie o wolności nigdy się nie spełni, pozostaną samotni, wyizolowani, skazani na siebie.

Jego sztuki grane są w wielu teatrach europejskich i amerykańskich. Mrożka znają także w Afryce, Australii i Nowej Zelandii. *Tango* można przeczytać nawet po gruzińsku i japońsku. Słowem — naprawdę światowa kariera!

DLA TEATRU

Chociaż w XX w. dramaty pisywali m.in.
Andrzejewski, Czechowicz, Dąbrowska,
Irzykowski, Iwaszkiewicz, Kuncewiczowa,
Leśmian, Nałkowska, Słonimski, Staff, to dla
żadnego z wymienionych autorów twórczość
sceniczna nie miała pierwszorzędnego znaczenia.
Dla historyka literatury współczesnej bez
porównania ważniejsza jest powieść, liryka,
a nawet esej.
Czyżby więc — kryzys dramaturgii?

- Teatr reżyserów, takich jak Kantor,
  Grotowski czy Szajna, odchodzi od
  inscenizacji tekstu w tradycyjnym rozumieniu
  tego słowa.
- Sukcesy wielu reżyserów (przed wojną Schiller,
  Horzyca, po wojnie Prus, Swinarski, Dejmek,
  Hanuszkiewicz) związane są raczej z adaptacjami
  klasyki teatralnej.
- Funkcję tekstu scenicznego pełni coraz częściej
  powieść (np. *Trans-Atlantyk*), zbiór poetycki
  (*Pan Cogito*), reportaż (*Cesarz*).
- Do rzadkości należą pisarze uprawiający głównie
  czy wyłącznie twórczość dramaturgiczną
  i reżyserzy tacy jak Jerzy Jarocki, chętnie sięgający
  do repertuaru współczesnego (publiczność — z małymi
  wyjątkami — też za nim nie przepada).

1923 — Witkacy: *W małym dworku*
    (data premiery, druk — 1948)
1924 — Żeromski: *Uciekła mi przepióreczka*
1930 — Szaniawski: *Żeglarz*
1934 — Witkacy: *Szewcy*
    (data ukończenia, druk — 1948)
1946 — Szaniawski: *Dwa teatry*
1953 — Gombrowicz: *Ślub*
1956 — Herbert: *Jaskinia filozofów*
1960 — Różewicz: *Kartoteka*
1964 — Grochowiak: *Chłopcy*
1964 — Mrożek: *Tango*
1965 — Iredyński: *Żegnaj, Judaszu*
1966 — Gombrowicz: *Operetka*
1974 — Mrożek: *Emigranci*
1975 — J. M. Rymkiewicz: *Ułani*
1978 — Sito: *Polonez*
1982 — Różewicz: *Pułapka*
1990 — Głowacki: *Polowanie na karaluchy*
Podano datę publikacji (utwory powojenne
zwykle drukowano na łamach miesięcznika
„Dialog").

Jerzy Szaniawski (1886–1970)

- niemal całe życie spędził w swoim dworku,
  w Zegrzynku pod Warszawą
- dramaturg (m.in. **Ptak, Żeglarz, Most, Dwa
  teatry, Kowal, pieniądze i gwiazdy**), prozaik
  (urocze miniatury **Profesor Tutka**)
- twórca teatru nastrojów, autor sztuk pełnych
  subtelnej psychologii, operujący po mistrzowsku
  poetyką niedopowiedzenia

I takie dekoracje można zobaczyć we
współczesnym teatrze.

Dwa teatry (1946) są konfrontacją dwóch sposobów pojmowania sztuki. Pierwszy, reprezentowany przez Dyrektora i jego teatr „Małe Zwierciadło", ceni porządek, „realizm i autentyzm", perfekcję i naukową ścisłość nawet w interpretacji zjawisk irracjonalnych (Dyrektor jest psychoanalitykiem-amatorem). Drugi, którego rzecznikami są Autor, Chłopiec z deszczu i Dyrektor Teatru Snów, stara się ogarnąć sferę lekceważoną przez teatr realistyczny — mieszczą się w niej poetyckie nastroje, katastroficzne wizje, halucynacje i koszmary. Oba teatry przeciwstawiają się sobie, ale zarazem dopełniają. Interpretacja jednoaktówek *Matka* i *Powódź*, granych wcześniej w „Małym Zwierciadle", a obecnie znajdujących się w repertuarze nierealnego Teatru Snów, dowodzi, że zwycięstwa odniesione za pomocą siły, moralnie dwuznaczne, nigdy nie są ostateczne.

Teatr groteski i absurdu
➡ TEATR WITKACEGO, ➡ TEATR GOMBROWICZA, ➡ SŁAWOMIR MROŻEK

Teatr Różewicza
* „teatr wewnętrzny" — obywa się bez tradycyjnie rozumianej fabuły, zdarzeń scenicznych, ruchu
* motywy i tematy: wojna (**Kartoteka, Do piachu**), rozpad cywilizacji (**Stara kobieta wysiaduje**), „dramat ciała" (**Białe małżeństwo**), egzystencjalna pułapka (**Odejście Głodomora, Pułapka**)

Kartoteka (1960) jest pierwszą z liczących się sztuk w dorobku pisarza — „realistyczną i współczesną", rezygnującą z kostiumów, dekoracji i wszelkich efektów scenicznych. Z całej tradycji teatru europejskiego zachowany został jedynie Chór, który wyprawia tu najdziwniejsze rzeczy: recytuje *Odę do młodości* i wierszyk dla dzieci, czyta fragmenty listów nadchodzących do pisma kobiecego, wreszcie namawia bohatera, by porzucił pozycję leżącą i „posuwał akcję". Oczywiście z tej rady ani autor, ani postacie dramatu nie skorzystają, *Kartoteka* stanowi bowiem wzorcowe wprost zaprzeczenie klasycznych reguł sztuki dramatycznej, zastąpionych zasadą „wielości" czasu, miejsca i akcji. Bohater jest jednocześnie dzieckiem i dorosłym, przeżywa zdarzenia z różnych okresów życia, a nie opuszczając swego pokoju, podróżuje w czasie i przestrzeni.

Utwór dopuszcza rozmaite interpretacje — można w nim widzieć oryginalną „grę snów", przykład zastosowania techniki collage'u (według Marty Piwińskiej), antycollage'u (zdaniem Józefa Kelery), także zapis doświadczeń „pokolenia wojennego".

Teatr poetów
Reprezentujące go dramaty stanowią zwykle dopełnienie twórczości poetyckiej autora; w okresie powojennym do ważniejszych zjawisk tego nurtu zaliczamy:
* „Teatr Osobny" Mirona Białoszewskiego (współpracownik: Ludwik Hering) — eksperymentalny, działający początkowo w prywatnym mieszkaniu
* sztuki teatralne Ernesta Brylla, nawiązujące do romantyzmu (**Rzecz listopadowa**) i folkloru (śpiewogra **Na szkle malowane**)
* teatr poetycki Jerzego S. Sity (ur. 1934, poeta i tłumacz bliski neoklasycyzmowi): **Pasja doktora Fausta** i **Potępienie doktora Fausta**, dramat historyczny **Polonez** (akcja — w okresie Targowicy)
* powstający bez ścisłych związków z liryką teatr Stanisława Grochowiaka: różnorodny, utrzymany w konwencji groteski, farsy bądź dramatu psychologicznego (**Chłopcy**)
* „imitacje" hiszpańskiego baroku i obrachunki z romantyzmem (**Ułani**) Jarosława Marka Rymkiewicza

Teatr - psychodrama
* okrucieństwo, przemoc, wynaturzenia współczesnej cywilizacji pokazują sztuki Ireneusza Iredyńskiego, spośród których ceni się najwyżej **Żegnaj, Judaszu**
* w ostatnich latach dramaturg, wcześniej popularny głównie z racji błyskotliwych opowiadań (**Polowanie na muchy**), Janusz Głowacki (ur. 1938) jest autorem dobrze przyjętych sztuk: **Mecz** (akcja w środowisku piłkarskim) i **Kopciuch** (zakład poprawczy dla dorastających panienek)

Światowy rozgłos przyniosła pisarzowi sztuka **Polowanie na karaluchy** (1990). Jej bohaterowie należą do najmłodszego pokolenia emigracji polskiej, powoli oswajają się z życiem w Nowym Jorku. On jest pisarzem, ona — aktorką. Z rzeczywistymi przygodami obojga kontrastują (ironicznie traktowane przez autora) wypowiedzi Narratora, twórcy wizji na użytek masowej publiczności, domagającej się oczywiście happy endu w amerykańskim stylu. Jak zwykle u Głowackiego — dowcip, czarny humor i groza życia.

> „ONA (ciągle kartkuje notes): Zadzwońmy do Andrzeja.
> ON: Andrzej jest w Paryżu.
> ONA: O, to do Basi.
> ON: Basia jest w więzieniu.
> ONA: Może do Krzysia?
> ON: Krzyś się powiesił."

DLA KINA

W XX w. literatura żyje (a czasem, niestety, umiera) także w kinie. Wśród zrealizowanych dotąd polskich filmów ponad 200 obrazów to adaptacje dzieł literackich. Zdecydowanie najlepiej udawały się polskim reżyserom ekranizacje klasyki XIX w. *Krzyżacy*, *Potop*, *Ziemia obiecana* przyciągały do kin masową widownię. Niestety — epoka wielkich adaptacji należy chyba w polskim kinie do przeszłości.

Oto lista 10 najważniejszych adaptacji utworów literatury polskiej:

POPIÓŁ I DIAMENT
1958
reż. Andrzej Wajda
Film przerastający pod każdym względem powieść Jerzego Andrzejewskiego. Odbierany był — m.in. dzięki kapitalnej roli Zbigniewa Cybulskiego — jako utwór o problemach młodego pokolenia po r. 1956. Jedno z najwybitniejszych dzieł tzw. ,,szkoły polskiej'', złotego okresu w dziejach polskiego kina.

WESELE
1973
reż. Andrzej Wajda
Reżyser dowiódł, że dramat Wyspiańskiego to nie tylko znakomity utwór teatralny, ale i niemal gotowy scenariusz filmowy. Świetne malarskie zdjęcia Witolda Sobocińskiego, muzyka Czesława Niemena, wiele dobrych ról aktorskich. I nie kończące się dyskusje w prasie o narodowym charakterze Polaków.

NOCE I DNIE
1975
reż. Jerzy Antczak
Powieść Dąbrowskiej ogląda się na ekranie niczym najlepszy serial. W centrum uwagi reżysera znalazła się postać Barbary, grana świetnie przez Jadwigę Barańską. To był film o tej właśnie bohaterce.

ZIEMIA OBIECANA
1975
reż. Andrzej Wajda
Trzy wielkie role: Daniela Olbrychskiego (Karol Borowiecki), Wojciecha Pszoniaka (Moryc) i Andrzeja Seweryna (Maks), przesądziły o sukcesie ekranizacji nieco już wówczas zapomnianej powieści Reymonta. Na uwagę zasługuje międzynarodowy sukces filmu.

RĘKOPIS ZNALEZIONY W SARAGOSSIE
1965
reż. Wojciech Has
Przenieść na ekran wielowątkową, ,,szkatułkową'' powieść Potockiego — czy to w ogóle możliwe? Has potrafił tego dokonać, tworząc pasjonujące dzieło. A Zbigniew Cybulski sprawdził się tym razem w roli kostiumowej. Bardzo wszechstronny człowiek.

Lista pisarzy, których utwory adaptowano najczęściej na potrzeby kina: 1) Stefan Żeromski; 2) Henryk Sienkiewicz; 3) Tadeusz Dołęga-Mostowicz; 4) Jerzy Stefan Stawiński — ur. 1921, czołowy scenarzysta „szkoły polskiej", twórca m.in. scenariuszy do filmów Munka (*Eroica*, *Zezowate szczęście*) i Wajdy (*Kanał*); 5) Gabriela Zapolska; 6) Jarosław Iwaszkiewicz; 7) Kornel Makuszyński (1884–1953), autor popularnych powieści dla dzieci i młodzieży; 8) Bolesław Prus; 9) Józef Hen; 10) Władysław Reymont. Przed wojną filmowano najczęściej utwory Żeromskiego, Zapolskiej, Dołęgi-Mostowicza. Po wojnie — Iwaszkiewicza, Sienkiewicza, Prusa. Wielu polskich pisarzy współczesnych zajmowało się pisaniem scenariuszy (Konwicki, Dygat, K. Brandys).

LALKA
1968
reż. Wojciech Has

Starannie odtworzona sceneria XIX-wiecznej Warszawy, role Mariusza Dmochowskiego (Wokulski), Beaty Tyszkiewicz (Izabela) i Tadeusza Fijewskiego (Rzecki) pozostały w pamięci widzów. Niektórych *Lalka* rozczarowała. Innym — odpowiadała późniejsza, telewizyjna adaptacja Ryszarda Bera.

FARAON
1966
reż. Jerzy Kawalerowicz

Jedno z największych przedsięwzięć produkcyjnych naszej kinematografii. Film widowiskowy, atrakcyjny, a jednocześnie udowadniający, że *Faraon* Prusa to nie tylko powieść historyczna, ale także ciągle aktualny traktat o mechanizmach władzy.

DZIEJE GRZECHU
1975
reż. Walerian Borowczyk

Adaptacja nieco skandalizująca jak na ówczesne polskie kino. Dzieło reżysera tworzącego głównie we Francji. Pierwszy polski film erotyczny, plastycznie naprawdę piękny, choć sceptycy mieli Borowczykowi niemało do zarzucenia.

KRZYŻACY
1960
reż. Aleksander Ford

Takiego filmu wcześniej publiczność polska nie widziała. Panoramiczny obraz, barwne zdjęcia, sceny zbiorowe z udziałem tłumu statystów. Pokolenia Polaków znały bitwę pod Grunwaldem głównie z dzieła Matejki, film dawał wizję bardziej sugestywną niż malarstwo.

POTOP
1974
reż. Jerzy Hoffman

Okazja do wielkiej narodowej dyskusji, kto powinien zagrać Kmicica, a zwłaszcza kto Oleńkę. Ostatecznie wybrano Daniela Olbrychskiego i Małgorzatę Braunek. Pojedynki szermiercze na najwyższym poziomie, wspaniałe sceny zbiorowe. Łącznie z nakręconym wcześniej *Panem Wołodyjowskim* — jedna z najpopularniejszych realizacji w polskim kinie.

DLA GAZETY

Podstawowe gatunki dziennikarskie: reportaż i wywiad, to też literatura (choć nie zawsze)

Melchior Wańkowicz (1892–1974)

- pisarz o kresowym rodowodzie (okres dzieciństwa opisał w zabawnych wspomnieniach **Szczenięce lata**), 1939–1958 na emigracji
- na początku lat siedemdziesiątych najpopularniejszy polski pisarz!
- połączył reportaż z gawędą (sam był niezrównanym gawędziarzem), kontynuator tradycji sienkiewiczowskiej
- pisał o wielkich wydarzeniach i procesach historycznych: walce o polskość Warmii i Mazur (**Na tropach Smętka**), kampanii wrześniowej (**Hubalczycy, Westerplatte**), walkach Polaków na Zachodzie (**Monte Cassino** — trzytomowy reportaż z pola bitwy), tułaczce emigracyjnej i martyrologii zesłańczej (**Dzieje rodziny Korzeniewskich**)

1934 —	*Szczenięce lata*
1936 —	*Na tropach Smętka*
1945 —	*Bitwa o Monte Cassino* (późniejszy tytuł *Monte Cassino*)
1947 —	*Wrzesień żagwiący* (tu: *Hubalczycy, Westerplatte*)
1951 —	*Ziele na kraterze*
1972 —	*Karafka La Fontaine'a* (t. II–1980)

Ziele na kraterze łączy cechy powieści-sagi rodzinnej, pamiętnika, autobiografii, gawędy. Czas akcji: lata międzywojenne, pierwszoplanowi bohaterowie: King, czyli sam mistrz Melchior, jego żona (Królik) i dwie córki: Krysia i Tili. Książka rozpoczyna się narodzinami dziewczynek, kończy — śmiercią Krystyny w powstaniu i założeniem własnej rodziny przez jej ocalałą siostrę. „Kraterem" jest nie zawsze przyjazny świat, „zielem" człowiek przebijający się mimo wszystko ku życiu. Pełna ciepłego humoru w kreśleniu obrazów rodzinnej sielanki, patetyczna w epilogu (m.in. wstrząsająca scena mazura tańczonego w końcu lipca 1944 r. przez młodzież, która wkrótce ginąć będzie na powstańczych barykadach), powieść stała się bestsellerem.

Krzysztof Kąkolewski (ur. 1930). Łowca „gorących" tematów: wywiady z byłymi prominentami hitlerowskimi (**Co u pana słychać?**), kulisy głośnej zbrodni w willi Romana Polańskiego (**Jak umierają nieśmiertelni**), wywiad-rzeka z Melchiorem Wańkowiczem (**Wańkowicz krzepi**). Zamienia często reportaż w doskonałą prozę psychologiczną, posługując się narracją zbliżoną do monologu wewnętrznego.

Ryszard Kapuściński (ur. 1932). Bardziej pisarz niż reporter. Stawiany wyżej na świecie niż we własnym kraju. Może dlatego, że ceni sobie podróże do egzotycznych państw — obecność Kapuścińskiego zwiastuje nadciąganie rewolucji, wojny lub co najmniej zamachu stanu (**Wojna futbolowa** dotyczy konfliktu między Hondurasem a Salwadorem, **Szachinszach** ogarniętego wrzeniem Iranu, niedawno pisarz był świadkiem agonii komunizmu w Rosji).

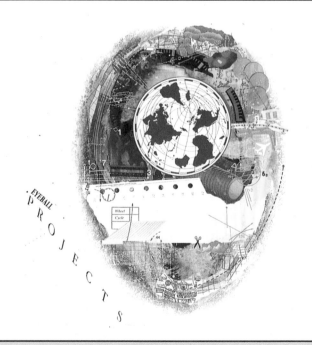

Cesarz (1978) może być odczytany jako uniwersalna przypowieść o upadku władzy nękanej korupcją, utrzymującej się dzięki policyjnym represjom, oderwanej od społeczeństwa i tracącej kontakt z rzeczywistością. Reportaż dotyczy autentycznych wydarzeń: obalenia w Etiopii cesarza Hajle Sellasje w 1974 r. Autor korzysta z technik literackich właściwych prozie fabularnej. U schyłku lat siedemdziesiątych polscy czytelnicy znajdowali wiele analogii między etiopskim reżimem a ekipą rządzącą w PRL.

Hanna Krall (ur. 1937). Łączy reportaż z powieścią (**Sublokatorka, Okna**). Jest autorką głośnego wywiadu (**Zdążyć przed Panem Bogiem**) z Markiem Edelmanem, ostatnim żyjącym przywódcą powstania w getcie warszawskim w 1943 r., wybitnym kardiochirurgiem, represjonowanym przez władze PRL za związki z opozycją.

Krytyka literacka jest raczej mówieniem o literaturze (współczesnej krytykowi) niż literaturą samą. Pomyślność krytyki zależy od stanu czasopiśmiennictwa. Gazety codzienne i tygodniki drukują najczęściej **recenzje** (czyli krótkie, w miarę popularne omówienia nowości wydawniczych). Obszerniejsze miesięczniki czy kwartalniki mogą sobie pozwolić na publikację **szkiców** (omawiających w niekoniecznie przystępnej formie twórczość albo fragment twórczości jednego pisarza, styl, zjawisko, całkiem wyjątkowo jedną książkę). W ostatnich latach szkic krytyczny wypierany jest przez **esej**, gatunek najmniej zobowiązujący.

Polska krytyka powojenna

Kazimierz Wyka (1910–1975)	*Pogranicze powieści* (1948) *Rzecz wyobraźni* (1959)	Poezja, proza, historia literatury. Jego analizy twórczości powojennej ciągle inspirują badaczy.
Artur Sandauer (1913–1989)	*Poeci trzech pokoleń* (1955) *Bez taryfy ulgowej* (1959)	Poezja, proza. Krytyk kontrowersyjny, swoimi książkami budził gorące spory. Nie zawsze miał rację.
Konstanty Jeleński (1922–1987)	*Zbiegi okoliczności* (1981)	Proza, poezja. Najwybitniejszy krytyk emigracyjny, wytrwały popularyzator Gombrowicza i Miłosza.
Henryk Bereza (ur. 1926)	*Prozaiczne początki* (1971)	Proza. Od ponad 30 lat patronuje młodym prozaikom.
Jerzy Kwiatkowski (1927–1986)	*Klucze do wyobraźni* (1964)	Poezja. Autor subtelnych analiz liryki powojennej (m.in. książki o Staffie, Przybosiu, Iwaszkiewiczu).
Andrzej Kijowski (1928–1985)	*Granice literatury* (1991)	Proza. Krytyk, eseista (*Listopadowy wieczór*), prozaik (powieści *Grenadier-król* i *Dziecko przez ptaka przyniesione*).
Jan Błoński (ur. 1931)	*Zmiana warty* (1961)	Proza, dramat. Także — historyk literatury i publicysta. Popularyzator twórczości Witkacego i Mrożka.
Jacek Łukasiewicz (ur. 1934)	*Szmaciarze i bohaterowie* (1963)	Poezja, proza. Także — poeta i historyk literatury. Autor prac o Jastrunie i Grochowiaku, surowy krytyk prozy Tyrmanda.
Tomasz Burek (ur. 1938)	*Zamiast powieści* (1971)	Proza. Także — historyk literatury i eseista. Są powody, by się obawiać, że to ostatni z wielkich krytyków.

Czasopisma literackie

Najciekawszym czasopismem jest obecnie kwartalnik „Zeszyty Literackie", wydawany w ... Paryżu od 1983 r. (redaktor naczelny — Barbara Toruńczyk). W okresie minionego dwudziestolecia znaczną rolę odgrywały:

miesięcznik **Twórczość** (poezja, proza, esej, recenzje),
miesięcznik **Dialog** (dramat polski i światowy, krytyka teatralna),
miesięcznik **Literatura na Świecie** (przekłady literatury obcej),
tygodnik **Literatura** (głównie — literatura faktu, bestsellery),

ponadto pisma katolickie:

Tygodnik Powszechny (publicystyka),
miesięczniki **Znak** i **Więź** (esej, publicystyka),

w „drugim obiegu" literaturze poświęcały najwięcej miejsca:

Zapis, Wezwanie, Kultura Niezależna,

a na emigracji:

miesięcznik **Kultura**, redagowany w Paryżu przez Jerzego Giedroycia.

SZKOŁA STEMPOWSKIEGO

W dosłownym znaczeniu uczniami Stempowskiego byli Bolesław Miciński i Jan Kott, twórczością „ojca polskiej eseistyki" interesował się już przed wojną młody Gustaw Herling-Grudziński. W znaczeniu szerszym — niemal każdy z tworzących dziś polskich eseistów należy do „szkoły Stempowskiego".

Jerzy Stempowski (1894–1969)

- pisarz o kresowym rodowodzie („dolina Dniestru" — kraina, gdzie mieszały się wpływy ukraińskie, polskie, rosyjskie, żydowskie, rumuńskie, cygańskie), w międzywojniu mieszkał w Warszawie, od 1940 r. na emigracji (Szwajcaria)
- jeden z najwybitniejszych współpracowników paryskiej „Kultury" (swoje teksty, m.in. cykliczny **Notatnik niespiesznego przechodnia**, podpisywał pseudonimem Paweł Hostowiec)
- podróżnik, erudyta, bibliofil — przenikliwy obserwator kryzysu współczesnej cywilizacji
- ideałowi Polaka — katolika przeciwstawiał wzorzec obywatela wielonarodowościowej i wielowyznaniowej Rzeczypospolitej

Najważniejsze teksty Stempowskiego zawiera tom **Eseje dla Kassandry** (1961). Znalazł się tu m.in. szkic *Pan Jowialski i jego spadkobiercy*, odczytywany jako pamflet wymierzony w osobę Piłsudskiego. Studium *Chimera jako zwierzę pociągowe* dotyczy sztuki awangardowej XX w., *Klimat życia i klimat literatury* przynosi uwagi o prozie Faulknera i Camusa. Głos tytułowej Kasandry to głos przestrogi, słuchane niechętnie ostrzeżenie, zapowiedź katastrofy. Zdaniem autora, cywilizacji śródziemnomorskiej zagraża fala barbarzyństwa — jego przejawami są m.in. polityczne dyktatury i wojna totalna.

Bolesław Miciński (1911–1943)

- poeta, publicysta, filozof, a przede wszystkim — eseista; pisarz o kresowym rodowodzie, w międzywojniu związany z Warszawą, ostatnie lata życia — ciężko chory — spędził we Francji
- żarliwy, niespokojny, poszukujący; rozmiłowany w barokowej stylistyce, swoje eseje zamieniał niekiedy w prawdziwe poematy prozą (**Podróże do piekieł**, **Portret Kanta**)
- w **Trzech esejach o wojnie** opowiedział się za postawą aktywną, „godną człowieka — nie niewolnika", dowodząc, że wojna wyzwala w nas nienawiść, ale także potrzebę heroizmu

Portret Kanta (1941, wyd. 1947) nie jest typowym esejem biograficznym ani filozoficznym. Zdaniem autora Kant, eliminując wpływ czasu i otaczającej go przestrzeni Królewca, zamienił swoje życie w prawdziwe dzieło sztuki, akt woli i rozumu. Esej Micińskiego to właściwie ciąg poetyckich obrazów, którym towarzyszą liczne aluzje erudycyjne. Z utworu wyłania się portret filozofa, którego dramatem i obsesją jest nieustanna walka z chaosem rzeczywistości.

Jan Kott (ur. 1914). W okresie międzywojennym — poeta, tuż po wojnie — czołowy publicysta marksistowskiej „Kuźnicy". Od 1966 r. przebywa poza krajem. Podobnie jak Stempowski przywiązany do klasyków. Interpretacje Szekspira (**Szkice o Szekspirze**, późniejszy tytuł **Szekspir współczesny**) i tragedii antycznej (**Zjadanie bogów**) stają się dla niego pretekstem do mówienia o wielkich problemach współczesności.

Gustaw Herling-Grudziński (ur. 1919)

- urodzony w Kielcach, żołnierz kampanii wrześniowej, więzień NKWD, przeżycia z okresu zesłania opisał w **Innym świecie** ➡ ŁAGRY, uczestnik bitwy pod Monte Cassino
- po wojnie — emigrant (Anglia, Niemcy, Włochy), od 1955 r. mieszka w Neapolu, współtwórca paryskiej „Kultury"
- prozaik (opowiadania z tomów **Skrzydła ołtarza** i **Drugie przyjście**) — wyrafinowany, oryginalny; inspiruje go głównie historia i przyroda Włoch, pokazuje dramat ludzkiej samotności (opowiadanie **Wieża**)
- eseista (**Upiory rewolucji, Drugie przyjście**) — zajmuje się najczęściej literaturą rosyjską (Dostojewski, Pasternak, Mandelsztam, Sołżenicyn), sytuacją artysty w totalitarnym systemie, manipulacjami propagandy (świetny esej **Siedem śmierci Maksyma Gorkiego**)

Włochy — kraj fascynujący niemal wszystkich polskich eseistów.

Za dzieło życia Gustawa Herlinga-Grudzińskiego uznany zostanie chyba **Dziennik pisany nocą,** publikowany od połowy 1971 roku na łamach paryskiej „Kultury" (później także w wydaniach książkowych). Autor świadomie odrzuca poetykę dziennika intymnych zwierzeń, jak również Gombrowiczowską formułę dziennika-autokreacji. Prowadzi swoje zapiski z pozycji obserwatora rzeczywistości — sceptycznego, nieufnego czytelnika książek i gazet. Jednym z najważniejszych, wciąż nurtujących autora tematów pozostaje Rosja, jej dzieje i piśmiennictwo. Drugi krąg tematyczny tworzą wydarzenia bieżące, oglądane z perspektywy mieszkańca Neapolu (w latach siedemdziesiątych na czołówki włoskich gazet trafiał najczęściej problem terroryzmu). Krąg trzeci — sytuacja w kraju i ocena współczesnej literatury polskiej (surowa, nie zawsze sprawiedliwa), dokonywana przez pisarza-moralistę. Dziennikowym notatkom towarzyszą wmontowane w tekst opowiadania, m.in. groteskowy „reportaż" z Pragi, którą pisarz miał potajemnie odwiedzić w 1976 r.

„Młody" eseista jest zwykle znacznie starszy niż „młody" poeta. Do eseju dojrzewa się powoli, gromadząc doświadczenia życiowe, uzupełniając lektury. W przeszłości esej bywał domeną starych pisarzy, którzy wypowiadali się wcześniej w poezji albo powieści i dopiero u schyłku życia sięgali po ulubiony gatunek Stempowskiego. Dziś jest inaczej. Dla wielu twórców młodszego i średniego pokolenia esej stał się podstawową formą wypowiedzi. W tym miejscu warto wymienić nazwiska Jana Gondowicza, Janusza Węgiełka, Marka Zaleskiego, Jana Zielińskiego.

Do najwybitniejszych przedstawicieli „szkoły Stempowskiego" należy Wojciech Karpiński (ur. 1943), drukujący swoje teksty początkowo w „Twórczości", później — w „Zeszytach Literackich", od kilkunastu lat przebywający poza krajem (Francja). Interesuje go literatura, malarstwo, nowożytna myśl polityczna (zwłaszcza jej nurt konserwatywny). Ma w swoim dorobku świetną książkę o pisarzach emigracyjnych: „Książki zbójeckie" (1988).

POD ZNAKIEM ESEJU

Esej jest bodaj najważniejszym gatunkiem literatury polskiej tworzonej na emigracji. W kraju uprawiali go nie tylko pisarze tacy, jak choćby Mieczysław Jastrun, Zbigniew Herbert czy Jarosław Marek Rymkiewicz, ale i wybitni naukowcy (np. historyk literatury polskiej i rosyjskiej Ryszard Przybylski). W kraju powstały pierwsze eseje przebywającego dziś w Oksfordzie filozofa (okazjonalnie również prozaika!) Leszka Kołakowskiego.

Esej jest:
- wypowiedzią w imieniu samego autora (subiektywną, często osobistą)
- próbą ogarnięcia tematu, problemu, sylwetki, dzieła
- tekstem literackim (kiedyś lokowanym na marginesie literatury, dziś w samym jej centrum)

Esej bywa:
- opowieścią, gawędą, dziennikiem (esej literacki)
- formą uprawiania filozofii (esej filozoficzny — przeciwieństwo traktatu)
- refleksją o problemach spoza świata kultury (esej naukowy, polityczny itd.)

Józef Czapski (1896–1993)
- eseista, wybitny malarz i rysownik (należał do grupy kapistów)
- żołnierz wojny 1920 r. i kampanii wrześniowej 1939 r., jako jeniec sowiecki więziony w obozie w Starobielsku; w latach 1941–1942 prowadził w ZSRR poszukiwania „zaginionych” (w rzeczywistości zamordowanych w Katyniu) oficerów polskich — rezultaty swej misji opisał w **Na nieludzkiej ziemi**
  ➡ ŁAGRY
- po wojnie na emigracji (Francja), współtwórca paryskiej „Kultury”
- w swych zbiorach eseistycznych (**Oko, Tumult i widma**) wypowiada się m.in. na temat malarstwa (dystans wobec akademizmu, ale i sztuki abstrakcyjnej, poszukiwanie prostoty form, oryginalny program „malarstwa-malarstwa”) i literatury (pisze wyłącznie o książkach, które są „przeżyciem intymnym, konfrontacją czy choćby powodem oburzenia”): szkice o autorach emigracyjnych (Haupt, Stempowski, Bobkowski), Brzozowskim, pisarzach rosyjskich
- pozostawił około 300 tomów dziennika (znanego dotąd jedynie we fragmentach), gromadzącego obok notatek także rysunki

Andrzej Bobkowski (1913–1961)
- eseista, prozaik (tom opowiadań **Coco de Oro**), dramaturg
- od 1939 r. we Francji, po r. 1948 w Gwatemali

Szkice piórkiem (1957) są, formalnie rzecz biorąc, dziennikiem, którego zakres wyznaczony został w podtytule („Francja 1940–1944”). Opis ewakuacji z Paryża, rowerowej eskapady poprzez południe Francji, a następnie okupacyjnej codzienności to tylko pierwsza warstwa książki — bardzo atrakcyjna, choć może nie najważniejsza. W reporterską relację wpisany został esej o wojnie, traktowanej jako następstwo kryzysu cywilizacji zachodniej. Bobkowski, atakujący Zachód za naiwność wobec totalitarnych Niemiec i Związku Sowieckiego, nie wierzył, by powojenna Europa była w stanie obronić się przed inwazją komunizmu. Totalitaryzm stanowił dla niego najbardziej skrajny wyraz tendencji zmierzających do „udoskonalenia” człowieka (podobny charakter miała krytyka rewolucji bolszewickiej i stalinizmu w *Doktorze Żywago* Borysa Pasternaka). Sam bronił autonomii jednostki ludzkiej, odcinał się od romantycznych mitów heroizmu i poświęcenia, wypracowywał własną formułę „ucieczki od Polski”. Z goryczą pisał o powstaniu warszawskim, przewidując, jak fatalne okażą się jego skutki. *Szkice piórkiem* przyjęte zostały na emigracji co najmniej równie kontrowersyjnie jak dzieła Gombrowicza, poczuwającego się zresztą do pewnej wspólnoty duchowej z autorem.

Esej historyczny
- może pokazywać biografię postaci albo pokolenia, omawiać jedno wydarzenie albo całą epokę, eksponować pewne wątki, a pomijać inne (prawo eseisty)
- w XX w. coraz częściej wypiera powieść historyczną
- stanowi przykład nowoczesnego myślenia o historii
- w przeciwieństwie do artykułu czy rozprawy naukowej bywa subiektywny, pragnie być głosem w dyskusji o przeszłości i współczesności zarazem (eseiście wolno zastanawiać się: „co by było, gdyby...", historykowi — nie wypada)
- w PRL stawał się „zastępczym", mylącym cenzurę, sposobem poruszania zakazanych tematów

Paweł Jasienica (1909–1970)

- przed wojną związany z Wilnem, podczas wojny żołnierz AK, po wojnie w Krakowie i Warszawie; wystąpił w obronie uczestników wydarzeń marcowych w 1968 r., z tego powodu represjonowany, objęty zakazem druku

> 1960 — *Polska Piastów*
> 1963 — *Polska Jagiellonów*
> 1967 — *Rzeczpospolita Obojga Narodów* (3 tomy, ostatni w 1972)
> 1978 — *Rozważania o wojnie domowej*

- Polakom urodzonym już w PRL, skazanym na posługiwanie się nudnymi podręcznikami, udowodnił, że o historii można pisać ciekawie
- historyków szokował oceną powstania styczniowego („najbardziej udana polska operacja polityczna w XIX stuleciu"), obroną wschodniej polityki Jagiellonów, interpretacją „idei piastowskiej" (dążenie do scalenia państwa, a nie walka z żywiołem germańskim), eksponowaniem przyczyn zewnętrznych (w tym ingerencji rosyjskiej) upadku Rzeczypospolitej
- mechanizm wyrodnienia rewolucji, prowadzonej „w imieniu ludu", lecz obracającej się w końcu przeciwko ludowi, opisał w **Rozważaniach o wojnie domowej**
- zdaniem Jasienicy silne państwo opiera się na autentycznej współpracy władzy z narodem

Marian Brandys (ur. 1912). Reporter, powieściopisarz, autor popularnych książek dla dzieci (**Śladami Stasia i Nel**, **Z panem Biegankiem w Abisynii**). Eseistyką historyczną zajął się późno, skupiając uwagę na pasjonującej wielu Polaków epoce wojen napoleońskich (**Nieznany książę Poniatowski, Oficer największych nadziei, Kozietulski i inni, Generał Arbuz**). Uznanie krytyki i czytelników zapewniło mu dzieło, które moglibyśmy nazwać eseistyczną epopeją: **Koniec świata szwoleżerów** (1972–1979, 5 tomów). Pokazuje ono późniejsze losy żołnierzy Napoleona, dla historyków literatury szczególnie interesujące z uwagi na osobę generała Wincentego Krasińskiego (ojca Zygmunta) i krąg jego salonowych przyjaciół. Współpracownik wydawnictw niezależnych, pisywał także niecenzuralne w PRL utwory polityczne.

Jerzy Zawieyski (1902–1969). Powieściopisarz i dramaturg związany z kręgiem inteligencji katolickiej. Miejsce w literaturze zapewnił sobie właśnie eseistyką historyczną i prozą z pogranicza powieści i eseju. Pasjonował go głównie schyłek XVIII w. (**Pomiędzy plewą i manną**) oraz w. XIX (**Wawrzyny i cyprysy**).

Esej bywa okazją do prezentacji mniej znanego wizerunku wielkich postaci historycznych. Czy potrafilibyście rozpoznać reprodukowane wyżej portrety? Pewno z trudnością; a są to Kościuszko, Skłodowska-Curie i Mickiewicz!

O SOBIE SAMYM

Biografia jest w literaturze polskiej XX w. podstawowym tworzywem pisarskim. Może ona stać się materiałem do powieści autobiograficznej czy lirycznego pamiętnika, może też zostać wykorzystana w różnych formach prozy wspomnieniowej (dziennik, pamiętnik, alfabet wspomnień, wywiad).

Dziennik: zbiór zapisków, notatek, refleksji prowadzonych zwykle przez wiele lat (wyjątkowo w krótszych okresach, jak np. *Dziennik 1954* Tyrmanda czy *Rok myśliwego* Miłosza). Dziennik nie jest wynalazkiem XX w., ale dopiero w naszych czasach stał się ogromnie popularny (w dwóch poprzednich stuleciach pisywano raczej pamiętniki).

Dziennik dla siebie samego	Pisany zwykle „do szuflady", z myślą o publikacji pośmiertnej.	Dzienniki Czapskiego, Dąbrowskiej, Iwaszkiewicza, Lechonia, Nałkowskiej.
Dziennik dla publiczności	Pisany na bieżąco, publikowany w tygodniku albo miesięczniku. Czasem zastępuje felieton albo kronikę.	Dzienniki Andrzejewskiego, Gombrowicza, Herlinga-Grudzińskiego.
Pamiętnik (książka wspomnieniowa)	W przeciwieństwie do dziennika dotyczy głównie przeszłości. Pisany jest nie na bieżąco, lecz z perspektywy wielu lat. Nie zawiera dat dziennych.	*Europa w rodzinie* Marii Czapskiej, *Wspomnienia polskie* Gombrowicza, *Książka moich wspomnień* Iwaszkiewicza, *Rodzinna Europa* Miłosza.
Pamiętnik mówiony (rozmowa, wywiad-rzeka)	Wywiadów udzielał już Goethe, zapisane zostały także rozmowy z Mickiewiczem, ale dopiero gdy wynaleziono porządny magnetofon reporterski, narodził się „pamiętnik mówiony". Wymaga cierpliwości, umiejętnego rozmówcy, góry kaset (wkrótce będą to chyba kasety wideo, a pamiętnik stanie się odmianą filmu dokumentalnego).	**Buczkowski** (Zygmunt Trziszka), **Gombrowicz** (Dominique de Roux), **Konwicki** (Stanisław Bereś), **Lem** (Stanisław Bereś), **Miłosz** (Renata Gorczyńska, Aleksander Fiut), **Stryjkowski** (Piotr Szewc), **Wańkowicz** (Krzysztof Kąkolewski), **Wat** (Czesław Miłosz). W nawiasach — rozmówcy pisarzy.
Alfabet (abecadło)	Pamiętnik utworzony z alfabetycznie ułożonych haseł, poświęconych przyjaciołom, znajomym i wrogom autora.	Słonimski, Kisielewski.
Niby-dziennik (autobiograficzna hybryda)	Osobliwy typ dziennika, modny w literaturze polskiej lat siedemdziesiątych i osiemdziesiątych. Zazwyczaj opatrzony dziennymi datami, wprowadza jednak zasadę subtelnej wędrówki w czasie (związek z teraźniejszością może być nawet dość luźny). Niejednolity, jest mieszaniną rozmaitych gatunków prozy (dziennik, pamiętnik, bedeker podróżny, reportaż, felieton, esej, opowiadanie).	Konwickiego *Kalendarz i klepsydra*, *Wschody i zachody księżyca*, *Nowy Świat i okolice*, Kuncewiczowej *Fantomy i Natura*, Rudnickiego *Niebieskie kartki*, K. Brandysa *Miesiące*.

Maria Kuncewiczowa (1899–1989)

- podczas II wojny światowej i w pierwszych latach powojennych poza krajem (Francja, Anglia, USA), ostatni okres życia spędziła w Kazimierzu nad Wisłą (miejsce ważne w jej twórczości)
- w międzywojniu ceniona jako autorka prozy psychologicznej (powieść **Cudzoziemka** wykorzystująca doświadczenia psychoanalizy)
- w **Leśniku** (opartym na pamiętniku ojca) podjęła temat „kresowy" ➡ **SEN O KRESACH**
- w **Tristanie 1946**, konfrontując średniowieczny mit z rzeczywistością, opowiedziała o losach młodzieży AK-owskiej, skazanej po wojnie na wybór między emigracyjną tułaczką a stalinowskim więzieniem

1935 —	*Cudzoziemka*
1952 —	*Leśnik*
1967 —	*Tristan 1946*
1971 —	*Fantomy*
1975 —	*Natura*
1985 —	*Przeźrocza*

Największe uznanie przyniósł Kuncewiczowej tryptyk wspomnieniowy: **Fantomy**, **Natura**, **Przeźrocza**. Ten prywatny bedeker w formie pamiętnika prowadzi nas w różne miejsca (Wiedeń, Paryż, Londyn, Chicago, Rzym, Neapol, Warszawa, Kazimierz nad Wisłą) i epoki (rewolucja 1905 r., I wojna światowa, dwudziestolecie międzywojenne, rzeczywistość powojenna). Z barwnie opisywaną przeszłością kontrastuje teraźniejszość — szary, jałowy, smutny świat PRL, prawdziwego „nadwiślańskiego kraju" (tak nazywali w XIX w. zagarnięte ziemie polskie Rosjanie). Na tle późniejszych utworów wspomnieniowych tryptyk prezentuje się wyjątkowo korzystnie. Cechuje go niechęć do skandalu i towarzyskiej plotki, nie rządzi nim zasada absolutnej szczerości („swojego »jądra ciemności« nie jestem ciekawa). Uzupełnieniem wymienionych tomów są *Listy do Jerzego*, pisane do nie żyjącego już męża, dokument rozpaczy, ale zarazem najsilniejsza w dorobku autorki deklaracja wiary.

Kazimierz Brandys (ur. 1916)

- powieściopisarz, nowelista, eseista
- po 1945 r. podejmował temat wojenny i problematykę „obrachunków inteligenckich", starał się też sprostać wymaganiom socrealizmu
- po r. 1960 (data publikacji znakomitego opowiadania **Romantyczność**) w jego twórczości pojawia się coraz częściej motyw samotności artysty — literatura to bunt, prawo mówienia w imieniu JA; literatura to raczej „pasja" niż „styl"
- odrzuca tradycyjne gatunki prozy fabularnej, opowiadaniom nadaje postać wywiadu, reportażu, scenariusza filmowego, tworzy powieść autotematyczną (**Dżoker**), parodiuje formę powieści epistolarnej, czyli powieści w listach (**Wariacje pocztowe**)
- w publikowanych od 1979 r. (początkowo na łamach „Zapisu", później w wydaniach książkowych) **Miesiącach** komentuje wydarzenia historii najnowszej (m.in. powstanie „Solidarności" i stan wojenny), ocenia postawy polskich literatów, powraca do wątków autobiograficznych, relacjonuje odbywane podróże, pokazuje sytuację polskiego pisarza na Zachodzie

RELIGIJNOŚĆ

Personalizm katolicki. Kierunek myśli związany z nazwiskami filozofów takich, jak Emmanuel Mounier i Jacques Maritain. Głosi poszanowanie godności człowieka („osoby"), konieczność budowy autentycznych więzi między ludźmi, przeciwstawia się totalitaryzmowi, wzywa do aktywnej walki z przejawami społecznego zła. W Polsce światopogląd bliski personalizmowi prezentowali pisarze Hanna Malewska i Jerzy Zawieyski oraz publicyści katoliccy.

Poezja religijna

Jerzy Liebert (1904–1931). Przedwcześnie zmarły współpracownik „Skamandra" i „Verbum". Stworzył najbardziej oryginalną w dwudziestoleciu międzywojennym poezję religijną (zbiory **Gusła** i **Kołysanka jodłowa**). Jest ona intymnym, chociaż pełnym dramatycznych wątpliwości i niepokojów dialogiem ze Stwórcą. Liryka staje się dla autora dopełnieniem modlitwy, tajemniczym i niewytłumaczalnym jak ostatni argument w dyskusji o Norwidzie — symboliczna biała róża (wiersz **Rozmowa o Norwidzie**). Ostatnie teksty Lieberta ujmują zjawisko śmierci i umierania w sposób bliski dużo późniejszej poezji — odważny, niekiedy makabryczny (tom *Kołysanka jodłowa*).

> „Wypędzili z raju aniołowie
> Ludzi, ptaki i strwożone sarny,
> Zamiast ambrozji słodkiej i złotej
> Krowie mleko nam dali i chleb czarny."

Ksiądz **Jan Twardowski** (ur. 1915). Najdziwniejszy w naszej literaturze poeta religijny. Wyznaje niefrasobliwie: „nie umiem o kościele pisać", i powiada, że „większy wstyd nagiej duszy niż nagiego ciała". Najdziwniejszy i z całą pewnością najwybitniejszy, najbliższy też poszukiwaniom liryki drugiej połowy XX w., zacierającej granicę między poezją a prozą, oszczędnej w doborze środków ekspresji, rehabilitującej brzydotę. W poezji księdza Twardowskiego i brzydota ma swoje miejsce ustalone przez Stwórcę (jest zatem usprawiedliwiona!). Może zresztą nie jest taka brzydka, jak nam się wydaje? Poeta unika patosu, dostojnego stylu, powagi. Ceni sobie prostotę, język zwyczajny, a nawet potoczny, raz po raz daje dowody niezwykłego poczucia humoru. W jego wierszach „dusza się nudzi", łacina jest „dyskretną prababcią", Bóg potrafi się uśmiechać (całe stworzenie to Jego uśmiech!).

Nic więc dziwnego, że naturę (reprezentowaną zwykle przez najbardziej znikome istoty: mrówki, biedronki, ćmy) łączy z Bogiem serdeczna więź. Świat księdza Twardowskiego żyje potrzebą miłości. Brak miłości okazuje się w nim grzechem najcięższym. Poeta ostrzega — jakże pięknie i mądrze: „Śpieszmy się kochać ludzi tak szybko odchodzą."

Karol Wojtyła (ur. 1920), czyli papież Jan Paweł II, jest przede wszystkim wielką osobowością naszej epoki, autorytetem moralnym, myślicielem katolickim, a dopiero na dalszym planie dramaturgiem (**Przed sklepem jubilera**, **Brat naszego Boga**) i poetą, używają-

cym pseudonimu Andrzej Jawień. Dla tego wyjątkowego w literaturze polskiej pisarza liryka jest formą medytacji religijnej, rozpoczynającej się prawie zawsze od konkretnego faktu (często równie zwyczajnego jak spotkanie przypadkowego przechodnia).

> „Wydaje ci kamień swą moc, a przez pracę
> dojrzewa człowiek,
> ona bowiem niesie natchnienie trudnego dobra."

Anna Kamieńska (1920–1986). Poetka, tłumaczka, eseistka. Refleksja religijna dominuje w jej późnej twórczości (m.in. zbiór wierszy **Milczenia i psalmy najmniejsze** oraz **Notatnik**). Kamieńska pragnęła „pisać wiersze bezcielesne, prawie bez słów, zbliżać się do niemożliwości, gdzie znika sztuka, a staje się Słowo". Śmierć, stały motyw jej liryki, ujmowana jest jako stan duchowej pustki,

rozłąka, pożegnanie, wielkie wyciszenie („Z ciszy powstałeś, w ciszę się obrócisz"). O Bogu mówi się tu z ufnością, nadzieją i wiarą, poszukując Go zarówno na „drodze mądrości" (studia nad Biblią odgrywają u Kamieńskiej znaczącą rolę), jak i drodze doświadczenia wewnętrznego, niedostępnej dla rozumu (rozum raczej „przeczy" Bogu, niż Go afirmuje).

Powieść katolicka

Nurt popularny zwłaszcza we Francji w latach dwudziestych i trzydziestych (Mauriac, Bernanos). Typowe wątki: utrata i poszukiwanie wiary, problem odpowiedzialności za zło, grzech i kara, pokuta i wina. W literaturze polskiej powieść tego typu reprezentuje **Ład serca** (1938) Jerzego Andrzejewskiego.

Prasa katolicka

Przed wojną najwyższy poziom osiągnął kwartalnik „Verbum", tuż po wojnie — zasłużony w polemikach z komunistami „Tygodnik Powszechny". W latach siedemdziesiątych i osiemdziesiątych prasa katolicka stanowiła ogniwo pośrednie między prasą podziemną a prasą oficjalną, w pełni podporządkowaną władzy. Ukazywały się wówczas m.in.:

miesięczniki	tygodniki
„Znak" „Przegląd Powszechny"	*„Tygodnik Powszechny"*
„Więź" „W drodze"	*„Przegląd Katolicki"*

Poza katolicyzmem. Tematy religijne intrygują wielu twórców spoza orientacji katolickiej (przykładem — fragmenty *Dziennika* Gombrowicza) i dotyczą nie tylko katolicyzmu (zainteresowanie Miłosza prawosławiem i manicheizmem). Osobne zjawisko stanowią utwory pisarzy mniejszości wyznaniowych. Judaizm obecny jest w myśli europejskiej XX w. dzięki pracom autorów takich, jak Martin Buber i Gershom Scholem. W literaturze polskiej wspaniałym requiem dla zanikającej tradycji żydowskiej są powieści Juliana Stryjkowskiego ➡ PISARZE UMARŁYCH ŚWIATÓW.

PROBLEMY XX WIEKU

Kiedy zaczął się wiek XX?

- według kalendarza: 1 stycznia 1901 roku
- zdaniem niektórych badaczy (np. Tomasza Burka) przełomowe znaczenie dla literatury polskiej miały wydarzenia rewolucji 1905 roku
- a może w roku 1914? niezła data, wybuch I wojny światowej zamknął przecież całą epokę w dziejach Europy
- w tradycyjnej periodyzacji historycznoliterackiej najwięcej zwolenników ma rok 1918 (opowiadał się za tą datą polemizujący z Tomaszem Burkiem Jerzy Kwiatkowski); koniec wielkiej wojny, odzyskanie niepodległości, nowy rozdział w poezji polskiej — bardzo mocne argumenty
- jeżeli uznać, że powieść XX w. to przede wszystkim eksperyment, dla polskiej prozy nowe stulecie rozpoczęło się dopiero około 1930 roku, wraz z wystąpieniem nowej formacji prozaików

Kiedy skończy się wiek XX?

- Z odpowiedzią na to pytanie musimy poczekać jeszcze z pół wieku. Cierpliwości!

Czy istnieje literatura polska XX wieku?

1905–1914	1914–1918	1918–1939	1939–1945	1945–1949	1949–1953
1953–1956		1956–1976	1976–1989		1989–?
1968		1980		1981	

Daty, czyli koszmar. Można oczywiście podzielić polską literaturę współczesną na trzy, cztery, dziesięć, a nawet więcej odcinków, uznając przełomowe znaczenie każdej z podanych wyżej dat. Można — ale czy naprawdę trzeba? Czy nie lepiej poszukać trudno wprawdzie uchwytnej i ciągle tajemniczej, ale jakże intrygującej całości? Całości obejmującej literaturę przedwojenną, wojenną i powojenną, literaturę krajową i emigracyjną, wydawaną przez PRL-owskie wydawnictwa i oficyny niezależne. Wydaje się, że warto to zrobić. Po r. 1989 historycy literatury współczesnej otrzymali taką szansę.

Polscy laureaci literackiej Nagrody Nobla (przyznawanej od 1901 r., uważanej za największe wyróżnienie dla pisarza)

1905 — Henryk Sienkiewicz
1924 — Władysław St. Reymont
1980 — Czesław Miłosz

Wiek XX — tak niepodobny do swego poprzednika...

Literatura. Spada autorytet książki i zawodu pisarskiego, w czym pewien udział ma niefortunny sojusz literatów z władzą (nie tylko w okresie stalinizmu). Literatura współczesna bywa trudna, elitarna, stawia czytelnikowi coraz większe wymagania. Poszerza się krąg odbiorców, ale powstaje silna konkurencja w postaci kultury masowej. Książkę wypiera kolorowy magazyn.

Tłum. Myśli się o nim produkując kicz na wielką skalę i organizując rewolucje czy przewroty. Obydwa systemy totalitarne, hitleryzm i komunizm, głoszą kult masy i poniżenie jednostki (słynne hasło „jednostka zerem" rzucił poeta!). Literatura XX w. po krótkiej fascynacji „bohaterem zbiorowym" występuje w obronie praw jednostki (na rozmaite sposoby czynią to np. Witkacy, Gombrowicz, Miłosz, Herbert).

Seks. W XX w. nie zawsze wiąże się z miłością, bywa grą, zabawą, rozrywką, sportem. Od początku lat trzydziestych literatura polska rejestruje dokonującą się rewolucję obyczajową. Wielkie namiętności, tak chętnie opisywane w poprzednim stuleciu, stają się dziś tematem literatury drugorzędnej w rodzaju romansów.

Ironia. Wiek XX wstydzi się uczuć, unika mówienia o emocjach i wzruszeniach, poszukuje dystansu. Stąd — nadzwyczajne powodzenie konwencji groteskowej, ironicznej, szyderczej. Parodia chętnie stosowanym środkiem artystycznym.

Pesymizm. W różnych okresach i z różnych powodów dochodzi do głosu poczucie beznadziejności, absurdu, myśl o nadciągającej katastrofie i zagładzie cywilizacji. Optymizm to raczej domena propagandy. Budzi nieufność.

Polskie sprawy. Literatura polska XX w. jest wciąż uwikłana w historię i politykę. Próby rozluźnienia tych związków (a może więzów?) skutecznie uniemożliwiała sama historia — kolejne wojny i przewroty. Apolityczny pisarz nie miał w naszym kraju wielkich szans. Komu się udało? Chyba jednemu Gombrowiczowi.

Kilka cech literatury XX wieku:

- poszerzenie granic literatury, nowe pojęcie „literackości", którą odnajdujemy również w dziennikach, listach, pamiętnikach, wywiadach, reportażach; coraz większa rola eseju
- zatarcie granic między gatunkami i rodzajami literackimi — powieść XX w. zbliża się nieraz do liryki, eseju, reportażu, traktatu filozoficznego; poezja rezygnująca z rymu, metafory, rytmu, budowania nastroju różni się niewiele od prozy; esej przypominać może nawet poemat prozą; dramat... w dramacie współczesnym wszystko jest możliwe
- w XX w. dzieło nie zawsze jest gotową konstrukcją, wzywa odbiorcę do współdziałania, odkrywania i tworzenia nowych znaczeń („dzieło otwarte" według Umberto Eco); czasem towarzyszy mu autorski komentarz, bywa, że obiektem zainteresowania staje się nie sam utwór, lecz proces jego tworzenia

LATA DZIEWIĘĆDZIESIĄTE

● Zapowiada się trudna dekada dla naszej literatury. W księgarniach coraz rzadziej spotykamy nowe książki polskich pisarzy. Ambitne wydawnictwa prywatne i państwowe przeżywają kłopoty, mimo żywiołowego rozwoju rynku wydawniczego.

● **Najważniejsze wydarzenia literackie pierwszej połowy lat dziewięćdziesiątych.** W poezji – nowe tomy Czesława Miłosza, Wisławy Szymborskiej, Jarosława Marka Rymkiewicza, Marianny Bocian, Krystyny Rodowskiej i innych. W prozie – dwa wielce obiecujące debiuty: *Terminal* Marka Bieńczyka (nareszcie powieść o miłości!) i *Sezon na pomarańcze* Bożeny Budzińskiej (tom opowiadań zdumiewający bogactwem wyobraźni). Ukazał się od dawna oczekiwany zbiór esejów Zbigniewa Herberta, poświęcony „tematom holenderskim". Ryszard Kapuściński, mistrz reportażu, ogłosił nową pozycję – *Imperium*. Jarosław Marek Rymkiewicz publikuje kolejne części cyklu rozpoczętego przez *Żmut*. Imponuje wciąż rosnący dorobek translatorski Stanisława Barańczaka (przekłady poezji angielskiej i amerykańskiej, dramatów Szekspira). Spośród prac dotyczących literatury współczesnej zasługują na uwagę nowe książki Jacka Łukasiewicza, Włodzimierza Boleckiego

i Anny Sobolewskiej. W kręgu Instytutu Badań Literackich przygotowano dwie monumentalne publikacje: *Słownik literatury polskiej XIX wieku* oraz *Słownik literatury polskiej XX wieku*.

● Trwa spór Herberta z Miłoszem (mówimy o tym na str. 319), pozostałe dyskusje literackie – anemiczne.

● Zmienia się pejzaż naszej literatury. Zaciera się granica między „centrum" a „prowincją". Do najciekawszych czasopism należą dziś „Opcje" i „Fa-art" (oba periodyki wydawane na Śląsku). „Zeszyty Literackie" ukazują się obecnie w kraju (stanowczo za rzadko!). Najbardziej wyczerpujące informacje o ruchu wydawniczym przynosi miesięcznik „Ex Libris" (pismo bezpłatne!), a także „Nowe Książki". Po zniesieniu cenzury w kraju zainteresowanie prasą emigracyjną znacznie spadło. Warto jednak odnotować narodziny „Listu Oceanicznego" w dalekim Toronto – pismo redaguje Aleksander Rybczyński, jeden z najbardziej interesujących poetów średniego pokolenia.

● Mimo wszystko ciągle umiemy jeszcze czytać (choć znakomita większość Polaków woli oglądać telewizję i kolorowe magazyny).

Za pół wieku wszystko może się zmienić!

Co będzie dalej? Jak wyglądać może sytuacja literatury polskiej w ostatnich latach XXI i na początku XXI wieku?

Wydaje się, że dobiega kresu szczególna misja spełniana dotąd przez pisarzy polskich. Literatura nie jest dziś sumieniem narodu. Żadne dzieła nie powodują politycznych ani obyczajowych przewrotów. Spory artystyczne nie urastają do rangi wielkich ogólnonarodowych dyskusji. Minął czas, gdy na słowo pisarza czekała czytająca publiczność. Dziś głos twórcy jest ledwie słyszalny.

Z całą pewnością pisarze wydadzą kolejne książki, ukażą się nowe czasopisma, stoczone zostaną jakieś polemiki, wkroczy na scenę młode pokolenie. Czy jednak literatura polska wytrzyma konkurencję ze strony utworów zachodnich, zwłaszcza amerykańskich? Już dziś większość pozycji zdobywających nasz rynek to przekłady. Czy zatem literatura polska nie stanie się dla nas w przyszłości równie mało ważna jak inne literatury: czeska, niderlandzka, szwajcarska (w każdej z nich nie brak dobrych pisarzy)?

Mimo wszystko dla wielu młodych ludzi pisanie zachowuje magiczną moc. I właśnie młodym, którzy zdecydują o przyszłości naszej literatury i zapełnią dalsze stronice tej książki, poświęcamy na zakończenie nieco uwagi.

NA NICH LICZYMY W PRZYSZŁOŚCI

Najmłodsi polscy pisarze. Z prezentowanych poniżej autorów większość ma już w swoim dorobku po kilka książek – ważnych, dostrzeżonych przez krytykę.

Trzymamy kciuki za wszystkich piszących, szturmujących niegościnne progi redakcji i wydawnictw!

Krzysztof Bielecki
prozaik

Janusz Drzewucki
poeta, krytyk literacki

Aneta Mazur
eseistka, krytyk literacki

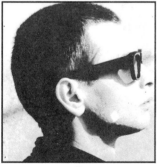

Marek Pąkciński
prozaik

Roman Praszyński
prozaik

Ewa Sonnenberg
poetka

Marcin Świetlicki
poeta

Robert Tekieli
poeta

Janusz Wójcik
poeta

Miejsce dla tych wszystkich,
o których zapomnieliśmy
powiedzieć w naszej książce.

INDEKSY

PRZEWODNIK PO TEMATACH I PROBLEMACH

Pomija zagadnienia, które łatwo odnaleźć posługując się spisem treści. Informacji na temat literatury związanej z określonymi wydarzeniami historycznymi szukaj w rozdziałach „Co z historią?".

SŁOWNICZEK INTERPRETATORÓW I BADACZY

Obejmuje wymienione w książce nazwiska historyków literatury, badaczy, komentatorów, reżyserów teatralnych i filmowych, których działalność nie została omówiona w tekście.

ADLER ALFRED (1870—1937). Austriacki psycholog i psychiatra, reprezentant jednego z kierunków psychoanalizy, w Polsce szczególnie popularny w okresie międzywojennym.

ANTCZAK JERZY. Reżyser filmowy i telewizyjny, twórca adaptacji utworów Kraszewskiego i Dąbrowskiej.

ARENDT HANNAH (1906—1975). Amerykańska badaczka pochodzenia niemieckiego, uczennica Heideggera i Jaspersa. Autorka głośnych prac poświęconych genezie totalitaryzmu i tragedii Żydów podczas minionej wojny.

ARTAUD ANTONIN (1896—1948). Francuski aktor, reżyser, poeta, teoretyk „teatru okrucieństwa", związany z europejską awangardą artystyczną.

BACHÓRZ JÓZEF. Historyk literatury polskiej XIX w. (UG). Interesuje się twórczością Kraszewskiego, Korzeniowskiego, Prusa, Orzeszkowej.

BARTELSKI LESŁAW. Powieściopisarz i publicysta. Autor prac poświęconych wojennym losom swojego pokolenia pisarzy.

BARTH JOHN. Amerykański powieściopisarz i eseista, teoretyk postmodernizmu. Analizował twórczość Becketta i Borgesa jako przykład „literatury wyczerpania".

BER RYSZARD. Reżyser filmowy i telewizyjny, twórca wieloodcinkowego serialu według *Lalki* Prusa.

BERNACKI LUDWIK (1882—1939). Historyk literatury staropolskiej i XVIII w. W okresie międzywojennym dyrektor Zakładu Narodowego im. Ossolińskich (Ossolineum) we Lwowie.

BOGUSŁAWSKI WŁADYSŁAW (1838—1909). Autor studiów o twórczości pisarzy pozytywizmu i modernizmu, krytyk literacki.

BOLECKI WŁODZIMIERZ. Historyk literatury polskiej XX w. (IBL), publicysta, krytyk literacki, teoretyk literatury. M.in. autor prac o Berencie i Józefie Mackiewiczu.

BORKOWSKA GRAŻYNA. Historyk literatury polskiej okresu pozytywizmu (IBL), publicystka, krytyk literacki.

BOROWCZYK WALERIAN. Polski reżyser filmowy działający od lat we Francji, także — grafik i twórca animowanych filmów eksperymentalnych.

BRAUN KAZIMIERZ. Reżyser teatralny (inscenizacje Norwida, Wyspiańskiego, Różewicza) i teoretyk teatru.

BRODZKA ALINA. Historyk literatury polskiej XIX i XX w. (IBL). Autorka prac poświęconych Marii Konopnickiej oraz studiów i syntez literatury współczesnej.

BRÜCKNER ALEKSANDER (1856—1939). Historyk kultury i literatury polskiej, slawista, językoznawca, badacz folkloru. Odkrywca i wydawca wielu tekstów z epoki staropolskiej.

BRYKALSKA MARIA. Historyk literatury okresu pozytywizmu, badaczka twórczości Świętochowskiego.

BUBER MARTIN (1878—1967). Filozof żydowski, znawca tradycji judaizmu. Wykładał na uniwersytetach w Niemczech, USA i Izraelu. Stworzył tzw. „filozofię dialogu", którą kojarzy się z różnymi nurtami myśli współczesnej (egzystencjalizm, personalizm).

BUDZYK KAZIMIERZ (1911—1964). Historyk literatury (głównie staropolskiej), zajmował się również językoznawstwem, wersyfikacją i teorią literatury.

BURCKHARDT JAKOB (1818—1897). Szwajcarski historyk kultury. Badacz włoskiego renesansu.

CAZIN PAUL (1881—1963). Francuski pisarz i historyk literatury. Autor monografii Krasickiego. Zasłużony tłumacz literatury polskiej (m.in. przekłady Paska, Mickiewicza, Sienkiewicza, Reymonta).

CHRZANOWSKI IGNACY (1866—1940). Autor bodaj najpopularniejszej syntezy literatury polskiej (od początków do końca XVIII wieku), dziś już nieco przestarzałej. Zajmował się głównie literaturą staropolską.

CZYŻ ANTONI. Historyk literatury staropolskiej (UW).

DANEK WINCENTY (1907—1976). Historyk literatury polskiej XIX w., związany z Krakowem. Znawca twórczości Kraszewskiego.

DEGLER JANUSZ. Historyk literatury współczesnej (UWR), teatrolog. Znawca twórczości Witkacego.

DEJMEK KAZIMIERZ. Reżyser teatralny. Inscenizacje dramatów staropolskich, romantycznych (głośne *Dziady*) i współczesnych (*Operetka*).

DREWNOWSKI TADEUSZ. Historyk literatury współczesnej (UW) i krytyk literacki. Wydał książki o Borowskim, Dąbrowskiej, Różewiczu.

ECO UMBERTO. Włoski powieściopisarz, eseista, badacz kultury XX w. Sformułował teorię „dzieła otwartego".

FALKIEWICZ ANDRZEJ. Znawca literatury współczesnej, krytyk i eseista, przez wiele lat związany z Wrocławiem.

FITA STANISŁAW. Historyk literatury okresu pozytywizmu (KUL). Autor licznych prac o Prusie i monografii Szkoły Głównej.

FORD ALEKSANDER (1908—1980). Reżyser filmowy, twórca ekranizacji *Krzyżaków* Sienkiewicza.

GLOGER ZYGMUNT (1845—1910). Historyk, etnograf, krajoznawca, badacz folkloru. Opracował wznawianą do dziś czterotomową *Encyklopedię staropolską*.

GŁOWIŃSKI MICHAŁ. Historyk i teoretyk literatury (IBL). Zajmował się m.in. twórczością Tuwima i Leśmiana, analizował język propagandy PRL.

GOLIŃSKI ZBIGNIEW. Historyk i edytor literatury Oświecenia (IBL). Wydał monografię Krasickiego.

GOMBROWICZ RITA. Kanadyjka, wdowa po Gombrowiczu, opiekunka spuścizny pisarza. Opracowała dwa zbiory wspomnień, założyła Towarzystwo Przyjaciół Gombrowicza.

GOMULICKI JULIUSZ WIKTOR. Historyk literatury, eseista. Bibliofil, znawca i edytor poezji XVIII i XIX w. Opracował wydanie krytyczne pism Norwida.

GROTOWSKI JERZY. Reżyser teatralny, założyciel eksperymentalnego Teatru Laboratorium działającego we Wrocławiu. Od wielu lat pracuje poza krajem.

HANUSZKIEWICZ ADAM. Aktor, reżyser teatralny i telewizyjny. Specjalizuje się w wystawieniach klasyki polskiej i obcej.

HARTLEB MIECZYSŁAW (1895—1935). Historyk literatury staropolskiej, badał głównie twórczość Kochanowskiego.

HAS WOJCIECH JERZY. Reżyser filmowy, przeniósł na ekran m.in. utwory J. Potockiego, Prusa, Schulza, Uniłowskiego, Hłaski, Dygata, K. Brandysa, Kijowskiego.

HERNAS CZESŁAW. Historyk literatury staropolskiej, związany z Wrocławiem. Ceniony wysoko również jako badacz folkloru.

HOFFMAN JERZY. Reżyser filmowy. Po adaptacjach *Pana Wołodyjowskiego* i *Potopu* przygotowuje się do ekranizacji *Ogniem i mieczem*.

HORZYCA WILAM (1889—1959). Reżyser teatralny i pisarz. Inscenizacje arcydzieł klasyki teatralnej (Norwid, Wyspiański).

HUIZINGA JOHAN (1872—1945). Holenderski badacz kultury późnego średniowiecza i renesansu. Wiele przejawów ludzkiej działalności uznał za przykład zabawy (to dzięki niemu upowszechnił się termin „homo ludens").

HUTNIKIEWICZ ARTUR. Historyk literatury XIX i XX w. (UMK). Autor monografii Żeromskiego.

JAKOBSON ROMAN (1896—1982). Amerykański językoznawca pochodzenia rosyjskiego, slawista, zajmował się również teorią literatury.

JANION MARIA. Historyk literatury romantyzmu (IBL). Ma w swym dorobku również prace z zakresu teorii literatury oraz eseje poświęcone pisarzom współczesnym.

JAROCKI JERZY. Reżyser teatralny, twórca głośnych inscenizacji sztuk autorów współczesnych (Witkacy, Gombrowicz, Różewicz, Mrożek).

JAROSIŃSKI ZBIGNIEW. Historyk literatury współczesnej (IBL), specjalizuje się w badaniach nad dwudziestowieczną poezją.

JARZĘBSKI JERZY. Badacz literatury współczesnej, krytyk literacki, autor prac o Gombrowiczu, Lemie, Schulzu.

KALETA ROMAN (1924—1989). Historyk literatury Oświecenia, związany z Wrocławiem.

KALINOWSKA MARIA. Historyk literatury okresu romantyzmu (UMK).

KANTOR TADEUSZ (1915—1991). Reżyser teatralny i teoretyk teatru, malarz, grafik. Twórca słynnego krakowskiego teatru awangardowego Cricot 2. Wprowadził po wojnie na scenę dramaty Witkacego.

KAWALEROWICZ JERZY. Reżyser filmowy. Ma w swym dorobku m.in. ekranizacje utworów Prusa, Iwaszkiewicza, Newerlego, Stryjkowskiego.

KELERA JÓZEF. Wrocławski historyk dramatu i krytyk teatralny. Autor prac poświęconych m.in. utworom Mrożka i Różewicza. Historyk literatury polskiej XVIII w.

KIRCHNER HANNA. Historyk literatury współczesnej (IBL). Badaczka twórczości Zofii Nałkowskiej.

KLEINER JULIUSZ (1886—1957). Jako jedyny historyk literatury polskiej opublikował monografie wszystkich trzech romantycznych wieszczów. Zajmował się przede wszystkim literaturą romantyzmu i Oświecenia, a także teorią i filozofią literatury. Przed wojną wykładał we Lwowie, po wojnie w KUL i na UJ. Kierował krytyczną edycją pism Słowackiego.

KLIMOWICZ MIECZYSŁAW. Historyk literatury polskiej XVIII w. (UWR, IBL), wydawca pism Krasickiego.

KOSTKIEWICZOWA TERESA. Historyk literatury Oświecenia (IBL), opublikowała m.in. rozprawy o najwybitniejszych reprezentantach polskiego sentymentalizmu (Karpiński, Kniaźnin).

KOWALCZYKOWA ALINA. Historyk literatury polskiej (IBL). Specjalizuje się w badaniach nad romantyzmem i literaturą XX w.

KRZYŻANOWSKI JULIAN (1892—1976). Jeden z najwszechstronniejszych historyków literatury polskiej, autor syntez, monografii i przyczynków poświęconych m.in. literaturze staropolskiej, Sienkiewiczowi, pisarzom Młodej Polski. Znawca folkloru, opracował także zbiory przysłów polskich. Aktywny wydawca klasyków literatury polskiej, m.in. dzieł Kochanowskiego, Słowackiego i Sienkiewicza. Związany z UW, wykładał też w Londynie, Rydze i USA.

KUBACKI WACŁAW (1907—1992). Historyk literatury okresu romantyzmu, także krytyk literacki, powieściopisarz, dramaturg.

KUCHARSKI EUGENIUSZ (1880—1952). Historyk literatury, interesował się niemal wszystkimi epokami, najcenniejsze prace poświęcił jednak Fredrze. Również teoretyk literatury.

KULCZYCKA-SALONI JANINA. Historyk literatury okresu pozytywizmu (UW). Autorka prac z zakresu literatury porównawczej.

LIBERA ZDZISŁAW. Historyk literatury polskiej (UW). Zajmuje się głównie Oświeceniem, ponadto literaturą XIX i XX w.

LIPSKI JAN JÓZEF (1926—1991). Historyk literatury, publicysta, krytyk literacki. Poświęcił swe prace m.in. Kasprowiczowi i dawnym warszawskim felietonistom.

LOTH ROMAN. Historyk literatury okresu Młodej Polski i współczesnej (IBL). Badacz twórczości Lechonia.

ŁAPIŃSKI ZDZISŁAW. Historyk i teoretyk literatury (IBL). Autor książek o Norwidzie i Gombrowiczu.

MACIEJEWSKA IRENA. Historyk literatury współczesnej (UW). Specjalność — poezja Leopolda Staffa oraz tematyka żydowska w literaturze polskiej.

MARKIEWICZ HENRYK. Historyk i teoretyk literatury (UJ). Zajmuje się m.in. literaturą okresu pozytywizmu i Młodej Polski (głównie twórczością Prusa i Żeromskiego), problemami współczesnego literaturoznawstwa, teorią powieści.

MATUSZEWSKI RYSZARD. Krytyk literacki, historyk literatury współczesnej. Autor podręczników i wypisów szkolnych.

McLUHAN HERBERT MARSHALL (1911—1980). Kanadyjski socjolog, filozof kultury i eseista. Autor nowatorskich analiz dotyczących wpływu środków masowego przekazu na życie człowieka.

MIKULSKI TADEUSZ (1908—1958). Wrocławski historyk literatury okresu Oświecenia.

MOCARSKA-TYCOWA ZOFIA. Historyk literatury polskiej XIX i XX w. (UMK). Badaczka twórczości Asnyka.

MUNK ANDRZEJ (1921—1961). Reżyser filmowy. Jeden z najwybitniejszych przedstawicieli tzw. szkoły polskiej.

NAJDER ZDZISŁAW. Publicysta, eseista, historyk literatury. Znawca biografii i twórczości Conrada, zajmował się też literaturą pozytywizmu i filozofią.

NAWARECKI ALEKSANDER. Historyk i teoretyk literatury (UŚ). Zbadał ślady recepcji wierszy Baki w poezji polskiej.

NYCZ RYSZARD. Teoretyk literatury (IBL). Pisał m.in. o twórczości Buczkowskiego i Gombrowicza.

PANOFSKY ERWIN (1892—1968). Amerykański historyk sztuki pochodzenia niemieckiego, eseista i filozof kultury. Stworzył oryginalne interpretacje wielu dzieł dawnych mistrzów.

PAWLIKOWSKI JAN GWALBERT (1860—1939). Pisarz, taternik, agronom, ekonomista, badacz i wydawca mistycznych dzieł Słowackiego.

PELC JANUSZ. Historyk literatury staropolskiej (IBL). Autor prac o twórczości Kochanowskiego, Szymonowica, Z. Morsztyna.

PIEŚCIKOWSKI EDWARD. Historyk literatury okresu pozytywizmu (UAM). Znawca twórczości Prusa.

PIGOŃ STANISŁAW (1885—1968). Historyk literatury polskiej XIX w., związany głównie z UJ. Najwięcej uwagi poświęcił Mickiewiczowi, choć opublikował również cenne prace o innych autorach (Fredro, Orkan). Wydawca dzieł Fredry i Mickiewicza.

PIWIŃSKA MARTA. Historyk literatury romantyzmu (IBL), eseistka, teatrolog.

PODRAZA-KWIATKOWSKA MARIA. Historyk literatury okresu Młodej Polski (UJ). Autorka studiów i syntez poświęconych głównie poetom i krytykom polskiego modernizmu.

PROKOPIUK JERZY. Teoretyk i znawca gnozy. Eseista, tłumacz (zawdzięczamy mu m.in. polskie edycje Freuda i Junga).

PRUS MACIEJ. Reżyser teatralny, m.in. twórca słynnych inscenizacji polskich dramatów romantycznych.

PRZYBYLSKI RYSZARD. Eseista, historyk literatury (IBL). Autor prac poświęconych klasycyzmowi porozbiorowemu, twórczości Mickiewicza i Słowackiego, zajmuje się ponadto literaturą rosyjską (Dostojewski, Mandelsztam).

ROSTWOROWSKI EMANUEL (1923—1989). Historyk. Specjalizował się w badaniach nad XVIII w.

RUSSELL BERTRAND (1872—1970). Angielski filozof, matematyk i eseista. Laureat literackiej Nagrody Nobla.

SCHILLER LEON (1887—1954). Reżyser teatralny, twórca idei „teatru ogromnego".

SCHOLEM GERSHOM (1897—1982). Żydowski myśliciel i historyk filozofii. Najwybitniejszy znawca Kabały.

SIEDLECKA JOANNA. Autorka reporterskich książek o Gombrowiczu i Witkacym.

SŁAWIŃSKI JANUSZ. Teoretyk i historyk literatury współczesnej (IBL). Autor licznych artykułów i rozpraw (m.in. na temat awangardy krakowskiej i Białoszewskiego), a także antologii i słowników.

SOKOŁOWSKA JADWIGA (1925—1992). Badaczka literatury barokowej, związana z KUL.

SUDOLSKI ZBIGNIEW. Historyk literatury okresu romantyzmu (UW), wydawca korespondencji Krasińskiego.

SWINARSKI KONRAD (1929—1975). Reżyser teatralny. Głośne inscenizacje dramatów Mickiewicza, Krasińskiego, Wyspiańskiego.

SZAJNA JÓZEF. Reżyser, scenograf, malarz. Twórca awangardowych spektakli (m.in. *Dante* i *Replika*).

SZESTOW LEW (1866—1938). Emigracyjny filozof rosyjski zbliżony do egzystencjalizmu. Autor prac poświęconych filozofii Kierkegaarda, Dostojewskiego i Nietzschego.

SZWEYKOWSKI ZYGMUNT (1894—1978). Historyk literatury XIX w., po wojnie związany z UAM. Autor pierwszej monografii Prusa. Pisywał również o innych prozaikach (Sienkiewicz, Rzewuski). Wydawca dzieł Prusa.

TOKARZÓWNA KRYSTYNA. Badaczka literatury XIX wieku, zajmowała się m.in. twórczością Prusa.

TOMKIEWICZ WŁADYSŁAW (1899—1982). Historyk sztuki XVII i XVIII w., autor licznych prac na temat baroku i rokoka.

WAJDA ANDRZEJ. Reżyser filmowy i telewizyjny. Twórca głośnych ekranizacji utworów Wyspiańskiego, Reymonta, Żeromskiego, Andrzejewskiego, Iwaszkiewicza, Konwickiego, Głowackiego i in. oraz znaczących spektakli teatralnych (*Noc listopadowa* Wyspiańskiego, *Biesy* Dostojewskiego).

WEBER MAX (1864—1920). Niemiecki socjolog, historyk, ekonomista. Wysunął hipotezę, iż protestantyzm wywarł znaczący wpływ na rozwój kapitalizmu w Europie Zachodniej.

WERNER ANDRZEJ. Historyk literatury współczesnej (IBL), krytyk literacki i filmowy.

WINDAKIEWICZ STANISŁAW (1863—1943). Historyk literatury staropolskiej i okresu romantyzmu. Autor prac z zakresu literatury porównawczej.

WITKOWSKA ALINA. Historyk literatury okresu romantyzmu (IBL). Badaczka biografii i twórczości Mickiewicza.

WÖLFFLIN HEINRICH (1864—1945). Szwajcarski historyk sztuki, uczeń Burckhardta. Jako pierwszy przeprowadził gruntowną analizę porównawczą sztuki renesansowej i barokowej.

WOŁOSZYŃSKI ROMAN (1928—1966). Historyk literatury okresu Oświecenia (badacz twórczości Krasickiego), krytyk literacki.

ZIELIŃSKI JAN. Historyk literatury okresu modernizmu (IBL), eseista, krytyk literacki.

ZIOMEK JERZY (1924—1990). Historyk literatury polskiej, związany z UAM. Zajmował się głównie literaturą renesansową, okazjonalnie — literaturą współczesną.

Objaśnienie skrótów:

IBL — Instytut Badań Literackich Polskiej Akademii Nauk. Działa od 1948 roku w Warszawie. Najsilniejsza placówka polonistyczna. Tutaj rodzą się edycje dzieł klasyków, słowniki, syntezy, monografie. Pracami Instytutu kieruje obecnie profesor Elżbieta Sarnowska-Temeriusz.

KUL   — Katolicki Uniwersytet Lubelski
UAM   — Uniwersytet im. Adama Mickiewicza w Poznaniu
UG   — Uniwersytet Gdański
UJ   — Uniwersytet Jagielloński w Krakowie
UMK   — Uniwersytet Mikołaja Kopernika w Toruniu
UŚ   — Uniwersytet Śląski
UW   — Uniwersytet Warszawski
UWR   — Uniwersytet Wrocławski

INDEKS UTWORÓW OMÓWIONYCH

Obejmuje pozycje, dla których znaleźliśmy nieco więcej miejsca w tekście książki. W nawiasie — nazwisko autora.

INDEKS OSÓB

Uwaga! Na zaktualizowanej stronie 352 zostali wymienieni następujący autorzy: Barańczak Stanisław, Bieńczyk Marek, Bocian Marianna, Bolecki Włodzimierz, Budzińska Bożena, Herbert Zbigniew, Kapuściński Ryszard, Łukasiewicz Jacek, Miłosz Czesław, Rodowska Krystyna, Rybczyński Aleksander, Rymkiewicz Jarosław Marek, Sobolewska Anna, Szekspir William, Szymborska Wisława.

SPIS TREŚCI

INDEKSY